QUELQUE CHOSE À TE DIRE

HANIF KUREISHI

QUELQUE CHOSE À TE DIRE

Traduit de l'anglais
par Florence CABARET

*Ouvrage traduit avec le concours
du Centre national du livre*

CHRISTIAN BOURGOIS ÉDITEUR ◊

Titre original :
Something to Tell You

© Hanif Kureishi, 2008
© Christian Bourgois éditeur, 2008
pour la traduction française
ISBN 978-2-267-01992-6

À la croisée des chemins,
je tombai à genoux

Robert JOHNSON

Première partie

1

Mon fonds de commerce, c'est les secrets : on me paie pour les garder. Les secrets du désir, ce que les gens veulent réellement, ce qui leur fait le plus peur. Les secrets qui disent les difficultés de l'amour, de la sexualité, la douleur de la vie, la proximité de la mort, pourtant si éloignée. Pourquoi plaisir et châtiment sont-ils aussi étroitement liés ? Comment nos corps parlent-ils ? Pourquoi se rend-on malade ? Pourquoi veut-on échouer ? Pourquoi le plaisir est-il si dur à supporter ?

Une femme vient de quitter mon cabinet. Une autre va arriver dans vingt minutes. Je remets en place les coussins du divan et je m'installe confortablement dans mon fauteuil ; le silence n'est pas le même, je bois un peu de thé, je repense à des images, à des phrases, à des mots de notre conversation, à ce qui les relie, à ce qui les sépare.

Comme souvent ces derniers temps, je me mets à réfléchir à ma profession, je passe en revue les problèmes avec lesquels je me débats et comment tout cela est devenu mon métier, ma vocation, mon plaisir. Ce qui me semble toujours le plus étrange, c'est que je me suis lancé dans cette voie à la suite d'un meurtre (dont c'est aujourd'hui la date anniversaire, mais comment fêter ça ?) et du départ d'Ajita, mon premier amour – un départ définitif.

Je suis psychanalyste ; ou, pour le dire autrement, je suis un décrypteur d'esprits et de signes. Il arrive également qu'on m'appelle dépanneur, guérisseur, enquêteur, serrurier, fouille-merde ou, carrément, charlatan, voire imposteur. Tel un mécanicien allongé sous une voiture, je m'occupe de tout ce qui se trouve sous le capot, sous l'histoire officielle : fantasmes, souhaits, mensonges, rêves, cauchemars – le monde qui se cache sous le monde, le vrai sous le faux. Je prends donc au sérieux les trucs les plus bizarres, les plus insaisissables ; je vais là où le langage n'a pas accès, là où il s'arrête, aux limites de l'« indicible » – et tôt le matin, qui plus est.

Tout en mettant d'autres mots sur la souffrance, j'apprends comment le désir et la culpabilité perturbent et terrorisent les gens, je découvre les mystères qui consument l'esprit, déforment le corps ou, parfois, le mutilent, j'observe les blessures de l'expérience, rouvertes pour le bien d'une âme en pleine refonte.

Au plus profond d'eux-mêmes, les gens sont plus fous qu'ils ne veulent bien le croire. Vous constatez qu'ils ont peur d'être dévorés et que leur propre envie de dévorer les autres les inquiète. Dans les cas les plus courants, ils imaginent aussi qu'ils vont exploser ou imploser, se dissoudre ou se faire posséder. Leur vie quotidienne est hantée par la peur que leur relation amoureuse puisse impliquer, entre autres choses, des échanges d'urine et d'excréments.

Bien avant tout cela, j'adorais déjà les ragots – qualité indispensable pour ce genre d'activité. Aujourd'hui, j'en ai pour mon compte. C'est un fleuve d'immondices qui se déverse en moi, jour après jour, année après année. Comme beaucoup de modernistes, Freud s'intéressait tout particulièrement aux détritus : on pourrait dire qu'il est le premier artiste du « reste », dans la mesure où il trouvait du sens à ce qui est habituellement laissé de côté. Sale boulot que de plonger au cœur de l'humain.

En ce moment, il y a quelque chose de nouveau dans ma vie. C'est une sorte d'inceste, mais qui aurait pu penser que cela arriverait un jour ? Ma grande sœur, Miriam, et mon meilleur ami, Henry, sont tombés fous amoureux. Et chacune de nos existences se trouve perturbée, bouleversée même, par cette invraisemblable liaison.

Je dis invraisemblable parce qu'ils sont extrêmement différents l'un de l'autre. Personne ne les aurait jamais imaginés en couple. Il travaille comme metteur en scène de théâtre et de cinéma ; c'est un intellectuel qui n'a pas froid aux yeux, qui adore le débat, les idées, la nouveauté. Quant à elle, il est difficile d'imaginer plus brut de décoffrage, même si tout le monde dit toujours qu'elle est « vive ». Cela fait des années qu'ils se croisent de loin en loin et elle m'a accompagné à quelques-uns de ses spectacles.

Je pense que ma sœur avait toujours attendu que je l'invite à sortir avec moi. J'ai mis du temps à m'en rendre compte. Même si ce fut parfois une véritable épreuve (elle a les rotules en miettes et du mal à porter un corps qui ne cesse de s'alourdir), ça lui faisait du bien de quitter la maison, les enfants et les voisins. La plupart du temps, ces soirées l'impressionnaient autant qu'elles l'ennuyaient. Au théâtre, elle aimait tout sauf les pièces. Ce qu'elle préférait, c'était l'entracte, où l'on pouvait picoler, fumer et respirer. Je suis d'accord avec elle là-dessus : j'ai assisté à bon nombre de mauvais spectacles mais, pour certains, l'entracte était une vraie réussite. Henry, lui, s'endormait chaque fois au bout d'un quart d'heure, à plus forte raison si la pièce était montée par un ami. Sa tête broussailleuse pesait alors sur votre épaule, tandis qu'il glougloutait doucement à votre oreille, comme un ruisseau pollué.

Miriam savait qu'Henry ne prendrait jamais ce qu'elle disait au sérieux, mais elle n'avait peur ni de lui ni de sa prétention. On disait d'Henry, surtout quand il était question de son travail, qu'il fallait lui cirer les pompes sans vergogne et qu'à partir de là, on pouvait commencer à voir. Ce n'était pas du tout le genre de Miriam : elle n'en voyait pas l'intérêt. Au contraire, elle aimait asticoter Henry. Un soir, dans le foyer, après une pièce d'Ibsen ou de Molière, ou peut-être était-ce un opéra, elle a brutalement déclaré que le spectacle était trop long.

Autour de nous, tout le monde a retenu son souffle. Enfin Henry a répondu, de sa voix grave sortie de derrière sa barbe grise :

« Ça a pris, j'en ai peur, exactement le temps qu'il fallait pour aller du début à la fin.

— Eh bien, la fin aurait pu être plus proche du début, c'est tout ce que j'en dis, moi », a rétorqué Miriam.

Aujourd'hui, il se passe quelque chose entre eux : ils n'ont jamais été aussi proches.

Voici comment c'est arrivé.

Lorsque Henry n'est pas en répétition ou qu'il ne fait pas cours, il passe me voir aux environs de midi, comme il le fit voilà quelques mois, après avoir d'abord appelé Maria. Maria – ma femme de ménage, qui est devenue quelqu'un sur qui je peux vraiment compter – n'est pas une rapide. Elle est très gentille mais se scandalise et se froisse assez facilement. Généralement, elle prépare le repas au rez-de-chaussée, sachant que j'aime bien passer à table dès que j'en ai terminé avec mon dernier patient de la matinée.

Je suis toujours content de voir Henry. Quand je suis avec lui, je me détends, je ne fais rien de spécial. On dira ce qu'on voudra, mais nous autres, analystes, on se colle à la tâche pendant de longues heures. Je peux très bien recevoir mon premier patient à six heures le matin pour ne m'arrêter qu'à une heure. Ensuite, je fais une pause, je déjeune, je prends des notes, je fais un tour ou bien une sieste, puis c'est l'heure d'écouter d'autres patients, jusqu'en début de soirée.

Avant même d'arriver à la cuisine, j'entends sa voix de stentor s'élever depuis la table à laquelle il s'est assis, juste derrière la porte du fond. Ses monologues sont un calvaire pour Maria, qui a la malchance de prendre au sérieux tout ce qu'on lui raconte.

« Ah ! Si seulement vous pouviez me comprendre, Maria ! Vous verriez que ma vie est une humiliation permanente, un vide total.

— Mais non, monsieur Richardson, un homme comme vous ne peut que...

— Puisque je vous dis que je suis en train de mourir d'un cancer, que ma carrière est un vrai désastre ! »

(Un peu plus tard, elle viendra me voir pour me demander d'une voix tremblante et étouffée :

« C'est vrai qu'il est en train de mourir d'un cancer ?

— Pas que je sache.

— Il dit que sa carrière est un désastre.

— Il y a peu de gens qui soient plus en vue.

— Alors, pourquoi il dit des trucs comme ça ? Ils sont vraiment bizarres, ces artistes ! »)

« Maria, insiste-t-il, sur mes deux derniers spectacles, le *Così* et l'adaptation du *Maître et Marguerite* que j'ai montés à New York, je me suis ennuyé comme un rat mort. Ça a bien marché, c'est sûr... Mais, à aucun moment, je ne me suis senti en danger. Il n'y avait aucun challenge, aucun risque. Et c'est ça que je recherche dans la vie !

— Mais qu'est-ce que vous dites là ?

— Et voilà que mon fils ramène chez moi une femme plus belle encore qu'Hélène de Troie ! Tout le monde me hait. Des gens que je ne connais pas me crachent à la figure !

— Mais non, vous ne pouvez pas dire ça !

— Vous n'avez qu'à lire les journaux. On me déteste plus que Tony Blair. Et s'il y a un homme que le monde entier déteste, c'est bien lui.

— Oui, c'est vrai, il est abominable, tout le monde le dit. Mais vous, vous n'avez envahi aucun pays. Vous n'avez pas autorisé la torture à Guantánamo. On vous aime, vous ! » Elle marqua une pause. « Mais oui, c'est vrai, vous le savez bien, ça !

— Je ne veux pas qu'on m'aime. Je veux qu'on me désire. L'amour, c'est la sécurité, mais le désir, c'est le chaos. "Donnez-m'en jusqu'à l'excès..." Le plus terrible, c'est que moins on est capable de faire l'amour, plus on est capable d'amour, d'amour pur. Il n'y a que vous pour me comprendre. À votre avis, c'est trop tard pour devenir homosexuel ?

— Je ne crois pas que ce soit une affaire de choix, monsieur Richardson. Mais vous devriez poser la question au docteur Khan. Il ne va pas tarder. »

Les portes étaient ouvertes sur mon petit jardin, ses trois arbres et son bout de pelouse. Il y avait des fleurs sur la table à laquelle Henry s'était assis. Son ventre rebondi faisait un repose-mains très pratique, quand il n'était pas en train de se gratter. Il avait Marcel sur les genoux, le chat gris que Miriam m'avait offert. C'était un chat qui voulait tout renifler et que, régulièrement, je devais virer de la pièce où je recevais mes patients.

Alors qu'il avait déjà descendu la moitié d'une bouteille de bon vin (« Il n'y a pas d'alcool dans le blanc ! »), Henry se parlait à lui-même, en association libre, avec pour tout public Maria, qui était persuadée qu'il s'agissait là d'une véritable conversation.

Je me lavai les mains dans la cuisine.

« J'ai envie de me soûler, l'entendis-je dire. J'ai gâché ma vie à être quelqu'un de respectable. J'ai atteint un âge où les femmes ne courent aucun danger avec moi. L'alcool, c'est bon pour mon tempérament. Ça vaut pour tout le monde, d'ailleurs.

— Ah bon ? Mais vous ne m'avez pas dit en arrivant qu'ils vous veulent, à l'Opéra de Paris ?

— N'importe qui ferait l'affaire. Maria, je sais que vous aimez la culture bien plus que moi. Je sais que vous êtes une pro des places à tarif réduit, que tous les matins, quand vous prenez le bus, vous êtes plongée dans un livre. Mais la culture, c'est aussi les cornets de glace, les entractes, les sponsors, les critiques et les éternelles reines de la nuit, outrageusement sophistiquées, qui promènent leur ennui partout. D'un côté, il y a la culture, qui n'est pas grand-chose, et de l'autre, c'est le désert. Il suffit de sortir de Londres ou d'allumer la télé, on a compris. Tout est immonde, puritain, obscène, débile, avec des gens comme Blair qui affirment qu'ils ne comprennent rien à l'art moderne et notre futur roi, ce trou du cul de Charles, qui se réfugie dans le passé. À une époque, j'ai cru que les deux mondes pourraient se confondre, le monde d'en bas et celui d'en haut. Vous imaginez ça ? Vous savez, Maria, j'ai compris que j'étais fichu quand j'ai décidé de me mettre à l'aquarelle...

— Mais vous, au moins, vous ne gagnez pas votre vie en récurant les cuvettes des autres. Allez, goûtez-moi donc ces tomates. Ouvrez bien la bouche et, surtout, ne crachez rien.

— Hum, délicieuses. Vous les avez trouvées où ?

— Au supermarché. Prenez une serviette. Vous en avez plein la barbe. Ça va attirer les mouches ! »

Elle lui tamponna la barbe avec sa serviette.

« Merci, maman », dit-il.

Il leva la tête au moment où je m'installai à la table.

« Jamal, reprit-il, arrête de rire bêtement et dis-moi plutôt si tu as relu *Le Banquet* récemment ?

— Oh, taisez-vous, gros vilain ! Laissez le docteur tranquille, dit Maria. Il n'a pas encore eu le temps d'avaler quoi que ce soit. »

L'espace d'un instant, je crus qu'elle allait lui donner une tape sur la main.

« Le docteur Khan en a assez entendu comme ça ce matin. Il est déjà bien bon d'écouter tous ces gens : on ferait mieux de les enfermer. Il y en a, c'est vraiment des obsédés ! Quand je leur ouvre, même ceux qui ont l'air les plus normaux, ils me posent des questions sur le docteur. Où va-t-il en vacances ? Elle est partie où, sa femme ? Mais ils peuvent toujours courir. »

Tout le long du repas, fidèle à lui-même, Henry ne cessa de parler.

« "Nous voyageons avec un cadavre dans les soutes." Ici, Ibsen explique que les morts – les pères morts, les morts vivants, de fait – sont aussi puissants, plus puissants même, que ceux qui sont encore en vie.

— Nous sommes faits de tous les autres.

— Comment on s'y prend pour tuer un père mort, alors ? Même là, la culpabilité serait terrible, non ?

— Probablement.

— Ibsen fait preuve d'un extrême réalisme dans cette pièce, poursuivit-il. Comment peut-on mettre en scène des fantômes ? Est-ce qu'il faut le faire ? »

Comme à son habitude, Henry se pencha en avant pour piocher dans mon assiette.

« Cette agression amicale est sans aucun doute le signe, dit-il en brandissant un haricot, d'un homme qui aimerait que tu partages ta femme avec lui ?

— Je t'en prie. Fais comme chez toi. »

Si discuter, c'est faire l'amour tout habillé, alors je ne doute pas qu'Henry prenait son pied. Ces envolées théâtrales à l'heure du déjeuner étaient, pour moi, une vraie source de distraction et de détente. Plus tard, tandis que Maria faisait la vaisselle, Henry et moi jetions un œil sur les pages sportives du journal ou contemplions la rangée de tournesols dodelinant de la tête que mon fils Rafi avait plantés le long du mur au fond du jardin. Son humeur retombait.

« Je sais qu'à midi, tu ne travailles pas. Tu te prends ta salade, un verre de vin, on se raconte des conneries, ou moi en tout cas, j'en raconte. Toi, tu parles surtout de Manchester United, de ce qui se passe dans la tête des joueurs et du manager, puis tu vas faire ton petit tour. Mais là, écoute-moi un peu. Tu sais que je déteste être seul. Le silence, ça me rend dingue. Heureusement, mon fils Sam habite chez moi depuis presque un an. Quand il a décidé qu'il ne pouvait plus supporter de payer son loyer et ses factures, notre relation a fait un sacré bond en avant. Ce sale gosse a bénéficié des meilleures écoles que l'argent de sa mère pouvait lui offrir. Quand il était gamin, c'était consoles et compagnie et, comme je te l'ai peut-être déjà dit, aujourd'hui, il s'en sort bien : il fait de la télé-réalité dans une boîte de prod' qui donne dans la chirurgie esthétique et les défigurés. Comment on appelle ça, déjà... la télé rentre-dedans ? Tu ne sais pas ce qu'il m'a dit l'autre jour ? "Papa, tu es au courant que l'Art avec un grand A, c'est mort ?"

— Et tu le crois, toi ?

— J'étais sidéré. C'était comme si on m'avait arraché le cœur. Tout ce à quoi je croyais. Comment se fait-il que mes deux mômes détestent la culture classique ? Lisa est une virtuose de la vertu, elle se nourrit exclusivement de haricots et d'eau purifiée. J'en suis sûr, même ses godes sont bio. Un soir, je l'ai traînée à l'opéra : on était à peine installés dans les fauteuils de velours qu'elle a piqué une crise parce qu'elle trouvait tout rococo. J'attendais le moment où elle allait me faire sa tirade sur l'"élitisme". Il a fallu qu'elle parte à l'entracte. Et mon deuxième qui adore le kitch !

— Et alors ?

— Au moins, le garçon est en bonne santé, il est costaud et moins bête qu'il n'en a l'air. Il vient vivre chez moi, il ramène une copine, quand elle est à Londres. Mais il n'en a pas qu'une. Tous les deux, on va au théâtre, au restaurant, et il en drague d'autres, comme ça, devant moi. Tu sais que je voulais monter, dans un avenir lointain et imaginaire, *Don Giovanni*. Quand je suis allongé sur mon lit dans la chambre à côté de la sienne, un casque sur les oreilles, je pleure en pensant à Don Juan ; j'essaie d'imaginer à quoi il pourrait bien ressembler, ce spectacle. Sam fait l'amour presque chaque nuit : le soir, au milieu de la nuit et, juste pour la route, un coup le matin. Je les entends, sans le vouloir. Impossible d'échapper aux gémissements de plaisir. C'est la musique de l'amour sans la peur au ventre, sans les éjaculations précoces de mon jeune temps, et d'il n'y a pas si longtemps encore. Ensuite, quand je vois les filles au petit déjeuner, je fais le lien entre les visages et les cris. Il y en a une, la plus régulière, elle "écrit" dans des magazines de mode. Elle a une sorte de palmier blond en bataille sur le sommet du crâne. Elle porte des mules et une robe de chambre de satin rouge qui s'ouvre chaque fois que je m'apprête à enfoncer la cuillère dans mon œuf. Pour un seul baiser de ce genre de minette, on serait prêt à sacrifier la place Saint-Marc, ou à brûler cent Vermeer, si tant est qu'il en existe autant. Bref, c'est un peu l'enfer, même pour un homme d'âge mûr comme moi... Même si, en bon défenseur de la cause des arts, j'ai l'habitude de prendre des coups et de ne pas me laisser abattre.

— Je vois ça.

— "Et que ressentez-vous ?" ajouta-t-il, sur un ton prétentieux et comique à la fois, comme s'il m'imitait quand je suis avec un patient.

— Ça me fait hurler de rire.

— Je lis les livres qui sortent en ce moment pour comprendre ce qui se passe. Je n'ai même pas à les acheter, les maisons d'édition me les envoient. Ça ne parle que de gens en pleine ébullition sexuelle. Mon vieux, il y en a des drôles de plaisirs, avec des hommes-femmes, ou des engins de ce genre, d'autres qui se font pipi dessus ou qui portent des treillis pour jouer au milicien serbe, et pire encore. Tu n'imagines pas ce dont les gens sont capables dans ce bas monde. Mais, est-ce vrai seulement ? Et est-ce qu'on a envie que ça se sache ?

— Si, si, c'est comme ça, dis-je en rigolant.

— C'est pas possible... Ce qu'il me faudrait, c'est un peu de shit. Il y a un moment que j'ai arrêté la clope. Mes plaisirs se sont volatilisés en même temps que mes vices. Je n'arrive pas à dormir et j'en ai marre des cachets. Tu peux m'en trouver ?

— Henry, je n'ai pas besoin de faire le dealer en ce moment. J'ai un boulot.

— Je sais, je sais. Mais bon... »

Je lui souris.

« Allez, viens, on va faire un tour », lui dis-je.

Nous marchions dans la rue côte à côte. Il fait une tête de plus que moi, et une vingtaine de kilos de plus aussi. J'avais un look impeccable d'employé de banque avec mes cheveux courts coiffés en brosse ; je portais souvent une chemise à col sous une veste. Il avançait d'un pas traînant dans son tee-shirt trop grand. Il avait l'air mal ficelé de partout. On aurait dit qu'il tombait en morceaux. Il était pieds nus dans ses chaussures, mais n'était pas en short ce jour-là. Les bras chargés de livres (romanciers bosniaques, carnets de directeurs de théâtre polonais, poètes américains, plus des journaux achetés sur Holland Park Avenue, *Le Monde*, *Il Corriere della Sera*, *El País*), il retournait à son appartement en longeant la Tamise.

Il charriait son ambiance avec lui et déambulait à travers le quartier comme s'il se baladait dans un petit village (il avait grandi dans un hameau du Suffolk), interpellant régulièrement ceux qui marchaient sur le trottoir d'en face, pour finalement traverser et commencer à discuter art ou politique. Il avait une solution pour remédier au fait que, de nos jours, peu de gens à Londres semblaient capables de parler un anglais compréhensible : il suffisait d'apprendre leur langue. « Le seul moyen de s'en sortir dans ce coin, c'est de causer polonais », avait-il déclaré récemment. Il connaissait aussi suffisamment le bosniaque, le tchèque ou le portugais pour se débrouiller dans les bars comme dans les boutiques sans avoir à hurler. De même qu'il avait quelques notions de plusieurs autres langues européennes, ce qui lui permettait de circuler sans se sentir étranger dans sa propre ville.

J'ai passé toute ma vie d'adulte sur la même page du *Londres de A à Z*. À l'heure du déjeuner, j'aimais faire deux fois le tour des courts de tennis, comme tous ceux qui travaillaient là. Je me rappelle avoir entendu quelqu'un dire que cette zone, située entre Hammersmith et Shepherd's Bush, était « un rond-point cerné par la pauvreté ». Quelqu'un d'autre avait suggéré qu'on pourrait la jumeler avec Bogotá. Henry la décrivait comme « une grande ville du Moyen-Orient ». Certes, il avait toujours fait « un peu froid » dans les parages : au XVIIe siècle, quand on pendait les gens à Tyburn, près de Marble Arch, on transportait ensuite les corps au parc de Shepherd's Bush pour les y exposer.

De nos jours, le quartier était un mélange de gens plutôt aisés et de pauvres, pour la plupart des immigrés fraîchement débarqués de Pologne ou des pays musulmans d'Afrique. Les riches habitaient des maisons de quatre étages, plus étroites, me semblait-il, que les maisons géorgiennes du nord de Londres. Les pauvres vivaient dans les mêmes maisons, transformées en studios indépendants. Ils mettaient leur lait et leurs baskets au frais sur le rebord des fenêtres.

Les immigrés qui venaient juste d'arriver transportaient leurs affaires dans des sacs en plastique et dormaient souvent dans le parc. La nuit, comme les renards, ils fouillaient dans les poubelles afin de trouver à manger. Des ivrognes et autres paumés faisaient la manche et se disputaient sans cesse. Les dealers attendaient sur leur moto au coin de la rue. De nouvelles épiceries qui faisaient des plats à emporter, des agences immobilières, des restaurants avaient commencé à ouvrir, des salons de coiffure aussi. J'y voyais autant d'indices de la hausse du prix du mètre carré.

Quand j'avais un peu plus de temps, j'aimais bien pousser jusqu'au marché de Shepherd's Bush, du côté des voitures avec chauffeur garées à la queue leu leu le long de la station de métro Goldhawk Road. Des femmes voilées, originaires du Moyen-Orient, y faisaient leurs courses ; on pouvait acheter d'énormes rouleaux de tissu aux couleurs vives, des chaussures en croco, des sous-vêtements qui grattent, des bijoux de pacotille, des copies pirates de CD et de DVD, des perroquets, des valises, ainsi que des tableaux illuminés en 3D de La Mecque ou de Jésus. (Un jour que je me trouvais dans la vieille ville de Marrakech, quelqu'un m'a demandé si j'avais jamais rien vu de semblable. Je lui avais répondu que j'avais fait tout ce chemin simplement pour me retrouver au marché de Shepherd's Bush.)

Si personne ne pouvait s'estimer heureux de vivre dans Goldhawk Road, il n'en allait pas de même pour Uxbridge Road, à dix minutes de là. J'achetais souvent un falafel quand j'arrivais au bout du marché, avant de m'engager dans cette grande rue de l'ouest londonien où l'on trouve des magasins tenus par des Jamaïcains, des Polonais, des Indiens du Cachemire, des Somaliens. Juste à côté du poste de police, il y avait la mosquée où l'on voyait, par la porte ouverte, des alignements de chaussures et des hommes faisant leur prière. Derrière, c'était le terrain de football, celui des Queens' Park Rangers, où Rafi et moi allions quelquefois, pour toujours en revenir déçus. Récemment, l'un des magasins avait été criblé de balles. Et, il n'y a pas longtemps, un garçon qui dépassait Josephine à vélo lui avait arraché son portable. Mais, ça mis à part, le quartier était extrêmement calme, même si les habitants y étaient très actifs, occupés par des combines et des plans de toutes sortes. J'étais surpris qu'il n'y ait pas plus de violence, étant donné la nature hautement inflammable de chacun des éléments en présence.

Avoir une maison luxueuse dans le quartier le plus pauvre et le plus métissé de la ville, tel était mon désir le plus cher, que je n'avais pas encore pu réaliser. Dès que j'y mettais les pieds, je me sentais revivre. Ce n'était pas le ghetto. Le ghetto, c'était Belgravia, Knightsbridge et certains coins de Notting Hill. Ici, c'était Londres, la ville-monde.

« Tu sais, Jamal, me dit Henry avant de partir, le pire pour un acteur, c'est quand il monte sur scène et que ça ne lui fait plus rien, qu'il n'y a plus que de l'ennui. S'il pouvait, il serait n'importe où ailleurs mais il faut encore qu'il subisse la scène de la tempête. Les mots et les gestes ne veulent plus rien dire. Comment est-ce que le public pourrait ne pas s'en rendre compte ? Je vais te dire un truc, même si ça n'est pas évident et que j'ai honte. Des aventures d'un soir, j'en ai eu plus souvent qu'à mon tour. Tous ces corps inconnus, ça fout la trouille, non ? Mais ça fait cinq ans que je n'ai pas vraiment couché avec une femme.

— C'est ça, le problème ? Mais il reviendra, ton appétit. Tu le sais bien.

— C'est trop tard. En général, on dit que quelqu'un qui ne peut plus ni aimer ni faire l'amour ne peut plus vivre. Je commence déjà à sentir le cadavre.

— Cette odeur que tu sens, c'est ton repas. En fait, je te soupçonne d'avoir déjà retrouvé ton fameux appétit. C'est pour ça que tu ne tiens pas en place.

— Si je ne le retrouve pas pour de bon, ce sera adieu, dit-il en faisant le geste de se trancher la gorge. Ce n'est pas une menace, c'est une promesse.

— Je vais voir ce que je peux faire.

— Tu es un vrai ami, toi.

— Je prends les choses en main. »

2

Début de soirée : mon dernier patient est parti dans la nuit, après maints efforts pour me confier son fardeau.

Mais voilà que quelqu'un tambourine à la porte. Mon fils Rafi me réclame. Il habite à quelques rues d'ici, chez sa mère, Josephine, et il arrive en trombe sur le scooter qu'on a acheté ensemble chez Argos. Dans son sac à dos, il a emporté sa PSP, ses cartes Pokémon, ses maillots de foot. Il porte une grosse chaîne en or autour du cou, avec un pendentif en forme de dollar. Un jour, il m'a dit que s'il ne portait pas les bons vêtements, il n'avait pas la pêche. Son visage est lisse, il a un peu d'acné, quelques restes de son dernier repas sont collés autour de sa bouche. Ses cheveux sont rasés de près ; c'est sa mère qui lui passe la tondeuse. On se salue poing contre poing en se gratifiant de la formule rituelle des classes moyennes : « Salut, mon pote ! »

À douze ans, il rentre la tête dans les épaules quand il vient me voir parce qu'il est juste à la bonne hauteur pour que je l'attrape par le cou, mais allez donc cacher une tête ! Moi, je veux l'embrasser et le serrer contre moi, le petit monstre, je veux sentir son odeur de jeune mâle, le flanquer par terre, me bagarrer avec lui. Il se gratte frénétiquement le crâne, il n'ose pas me regarder en face, il ne sait pas où se mettre devant ce père ravi de le voir qui lui demande d'un ton enjoué :

« Salut, fiston ! Tu m'as manqué aujourd'hui. Alors, qu'est-ce que tu racontes ? »

Il me repousse :

« Dégage ! Ne me touche pas avec tes sales pattes de vieux ! Allez, arrête ! »

Maintenant, nous allons manger un morceau et chercher un peu de compagnie. Depuis que je suis célibataire, le meilleur endroit pour ça, c'est chez Miriam.

Rafi boit un jus de fruits, nous échangeons des CD. En chemin, nous passons devant la maison de Josephine, qu'il a quittée un peu plus tôt. Nous ralentissons. Josephine et moi sommes séparés depuis dix-huit mois. Nous étions restés ensemble parce que nous partagions le même plaisir à vivre avec le gamin, parce que je redoutais les années de dîners en tête à tête avec la télé et, certaines fois, nous aimions le problème mutuel que nous représentions l'un pour l'autre. Mais, à la fin, on ne pouvait plus marcher dans la rue sans être chacun sur un trottoir, à s'envoyer nos reproches à la figure : « Tu ne m'aimais pas ! » « Tu étais vraiment injuste ! » La rengaine habituelle. Vous n'avez aucune envie de l'entendre, mais vous n'y échapperez pas, vous verrez.

Je n'étais pas sûr qu'elle serait chez elle, ni même qu'il y aurait de la lumière, sachant qu'elle avait commencé à fréquenter quelqu'un. C'est ce que j'avais compris lorsque, il y a quelques semaines de cela, Rafi était arrivé chez moi avec un nouveau maillot d'Arsenal estampillé « Henri » dans le dos. Il avait l'air gêné et il a tout de suite compris que jamais quelqu'un qui se disait mon fils ne mettrait les pieds chez moi ainsi vêtu. Nous avions des raisons honorables et légitimes d'être des fans de Manchester United (j'y reviendrai bientôt). Il a donc enlevé son maillot pour en passer un autre, plus respectable, qu'il avait laissé dans sa chambre, celui des Giggs. Nous n'avons jamais reparlé du maillot d'Arsenal, et il n'y a pas eu d'autres acquisitions de ce genre. Le gamin aimait son père ; quant à savoir s'il aurait été capable de résister à la perspective d'aller à Highbury avec un inconnu qui aimait sa mère, c'était une autre histoire. On verrait ça plus tard.

Nous avions bien compris l'un et l'autre qu'elle avait besoin de ne pas l'avoir dans les jambes – qu'il vienne chez moi, donc – si elle voulait voir son copain. Dans ces moments-là, nous avions l'impression d'être à la rue, abandonnés. J'imagine que chacun devait penser à ce qu'elle était en train de faire, à tout cet espoir, à tout ce bonheur qui ne nous étaient pas destinés, quand elle était avec son nouvel amant.

Comment aurions-nous pu passer devant chez elle sans jeter un coup d'œil ? Quand j'essaie de penser à elle, je la vois debout sur les marches de cette maison : grande, inébranlable, inatteignable, comme si elle s'était mise à distance, très loin, là où personne ne pouvait la toucher. Quand nous nous sommes rencontrés, elle était jeune (elle avait vingt-trois ans) et j'étais complètement obsédé par ma passion, par sa beauté éclatante. À l'époque, elle était encore presque adolescente et elle l'était restée – indifférente à la plupart des mouvements et tourments du monde, comme si elle avait déjà tout vu, comme si elle avait percé tous les mystères, si bien qu'il n'y avait plus rien à faire, plus rien en quoi croire.

Ce qui la tracassait, c'étaient ses « problèmes de santé » (cancers, tumeurs, maladies diverses). Son corps était en crise perpétuelle, en dépression perpétuelle. Elle adorait les médecins. À ses yeux, le premier âne bâté venu, s'il était titulaire d'un diplôme de médecine, se transformait aussitôt en étalon. Mais son truc à elle, c'était de les frustrer,

voire de les rendre fous, ce que j'avais appris à mes dépens.
Sa quête éperdue de guérison constituait sa seule vocation.
À l'origine, les patients de Freud étaient des femmes hysté-
riques et voici l'une des premières choses qu'il a dites à
leur sujet : « Tout ce qui se manifeste est ce que l'on pourrait appeler une relation symbolique entre la cause et le
phénomène pathologique, relation que les gens en bonne
santé mettent en scène dans leurs rêves. » Josephine rêvait
tout éveillée et ses épisodes de somnambulisme n'étaient
pas tristes non plus. Quand elle s'aventurait hors de la
maison la nuit, elle se tapait la tête contre les arbres. Bien
sûr, quand on aime quelqu'un qui ne va pas bien, on
n'arrête pas de se demander : « C'est elle que j'aime ou sa
maladie ? Je suis son amant ou son médecin ? »
  Quand Rafi eut constaté que sa mère était déjà sortie, je
lançai :
  « On y va ?
  — On y va. »
  Nous étions à vingt minutes en voiture de chez ma
grande sœur. Une fois sur la route, Rafi sortit un disque
argenté de son sac, le glissa dans le lecteur. Contrairement
à moi, il est plus qu'à l'aise avec ce genre d'appareil. Tiens,
c'est du hip-hop mexicain. Sam, le fils d'Henry, lui enregistre des morceaux, puis Henry apporte les disques chez
nous et Rafi et moi les écoutons ensemble. (« 'pa, c'est
quoi une "tepu" ? » « Demande à ta mère ! ») Heureusement pour lui, Rafi est bilingue. À la maison, la plupart
du temps, il parle comme les classes moyennes. Dans la
rue et à l'école, il parle sa deuxième langue, celle des
gangs. Il a cet avantage de connaître les deux.
  Sur la route, Rafi vérifia dans le miroir du pare-soleil
que sa coiffure était impeccable. Il se lança quelques baisers (« Ouais, mec, t'es trop secla ! »), remit sa capuche
noire. Je remarquai qu'il s'était encore aspergé avec le

luxueux parfum de sa mère, ce qui déclencha en moi un tumulte d'émotions contradictoires, mais je réussis à ne rien dire. Le plus surprenant, c'est que lui et moi aimions la même musique et, souvent, les mêmes films. Je mettais ses tee-shirts, je refusais de les lui rendre, tandis qu'il mettait mes sweats à capuche, mes Converse, qui étaient grandes pourtant, mais pas tant que ça pour lui. J'attendais avec impatience le jour où je n'aurais plus à m'acheter de jeans puisque je pourrais mettre les siens.

Miriam habitait un quartier assez dur, où la majorité des gens étaient des Blancs, dans ce que l'on appelait autrefois le Middlesex – récemment épinglé comme la région la moins populaire du pays par un sondage. Mais Londres s'est mis à tout envahir, telle une tache urbaine qui se répand.

Voici le genre de personnages que l'on pouvait y croiser : un jeune homme en blouson vert, jean et bottes cirées, flanqué d'une adolescente très court vêtue, les cheveux tirés en arrière (typique de l'engouement actuel pour le « lifting de Croydon »), promenant un gamin dans une poussette. D'autres filles en mini minijupes déambulaient dans les parages, l'air maussade, tandis que des garçons à bicyclette tournaient autour d'elles, vidaient des bouteilles de cocktail à la vodka avant de les jeter dans les jardins environnants. Et au beau milieu de ces paumés imbibés et autres resquilleurs endettés jusqu'au cou, des musulmanes voilées, pressées, traînaient leurs enfants derrière elles.

Une fois devant le pavillon de Miriam (architecture du type « logement social »), Rafi donna un coup de klaxon. L'un des adorables enfants de ma sœur sortit pour déplacer sa voiture et me laisser garer la mienne dans la cour, à côté des deux fauteuils carbonisés qui trônaient là depuis des mois.

Elle avait cinq enfants, de trois hommes différents, je

crois – à moins que ce ne soit trois enfants de cinq hommes ? Je n'étais pas le seul à m'y perdre. Je savais au moins que les deux plus grands avaient quitté la maison : la fille était capitaine de pompiers et le garçon travaillait avec des groupes dans des studios d'enregistrement. Les deux s'en sortaient bien. Après la folle période de son enfance et de son adolescence, c'était ce que Miriam avait fait de mieux : aider ses enfants à tirer leur épingle du jeu. Elle en était fière.

Le coin était sous la coupe des bandes et les partis de droite y avaient de nombreux soutiens. Les musulmans, qui étaient souvent agressés en pleine rue, dont les fortunes et les peurs augmentaient ou diminuaient au gré des nouvelles relayées par les médias, étaient leur cible privilégiée. Mais si un candidat de droite s'avisait de démarcher non loin de chez elle, Miriam bondissait de sa chaise, se précipitait dehors en hurlant : « Je suis une mère célibataire, hystérique, musulmane et paki ! S'il y en a que ça gêne, qu'ils viennent me le dire en face ! » Elle faisait tournoyer une batte de cricket au-dessus de sa tête, tandis que ses gosses et son « assistant » Bushy s'efforçaient de la retenir.

Personne n'avait envie de déclarer la guerre à Miriam. Les gens avaient du « respect » pour elle, et de l'amour, souvent. Ça paraît drôle aujourd'hui mais, adolescente, elle avait fait partie des Hell's Angels. Elle a dû tenir un mois, je crois bien, puis elle a décidé que les fanfarons du Kent étaient trop conventionnels à son goût. Elle les appelait les « promoteurs en blouson de cuir ». « Rien à voir avec des vrais motards. » Pas étonnant que je sois un intellectuel aujourd'hui.

À plusieurs reprises, dans les pubs du quartier, elle s'était castagnée avec des hommes, avec des femmes aussi. Un jour, elle m'avait expliqué : « C'est quand je suis en colère que j'ai l'impression d'être moi-même. » On disait d'elle qu'elle était moitié indienne, moitié idiote. Un chien bâtard. À l'époque, j'espérais secrètement qu'elle se prendrait une bonne raclée, qui ferait d'elle quelqu'un que je pourrais aimer, ou au moins comprendre. Au cours de ces deux dernières années, nous avions réussi un véritable exploit : devenir des amis proches. Ce dont je n'étais pas peu fier quand on sait que nous nous étions toujours vus certes, mais avec une certaine réticence. Je m'étais donc mis à passer régulièrement chez elle.

Il m'avait fallu du temps pour apprécier Miriam. Plus jeune, elle avait mené une vie d'enfer à maman, qui s'arrachait les cheveux à cause d'elle. À cause de moi aussi, c'est sûr. Enfin, malgré tout, je ne peux pas oublier que, même si elle a fichu une sacrée pagaille, ici et au Pakistan (je vous en parlerai plus tard), ce n'est rien à côté du crime que j'ai commis.

Tous les jours, je vis avec le souvenir d'un meurtre. Un vrai. Je suis un meurtrier, moi. Voilà : je vous l'ai dit. C'est sorti. Maintenant, tout a changé. Avant que j'écrive ces mots, je n'avais confié cela qu'à une seule et unique personne. Si ça venait à se savoir, ma carrière de psy pourrait en pâtir. Ce ne serait pas bon pour mes affaires.

Comme toujours chez Miriam, la porte de derrière était ouverte. Rafi se précipita à l'intérieur puis disparut à l'étage. Il savait qu'il y retrouverait une petite bande s'activant autour des tout derniers jeux de la Xbox, ou regardant des DVD pirates avec des sous-titres thaïlandais, enregistrés directement dans une salle de cinéma de Bangkok. J'étais content que mon fils se frotte à ce genre d'ambiance. Dans le quartier, les jeunes, même ceux de son âge, avaient l'air plus vieux et moins naïfs que lui. Pour eux, l'école n'était qu'une corvée.

Mais les enfants de Miriam, pas plus que Miriam

d'ailleurs, n'auraient jamais laissé les voisins maltraiter Rafi. Il ressortait de là les yeux injectés de sang, son langage en avait pris un sérieux coup, mais il s'était aussi enrichi de tout un tas de mots nouveaux tels que « 'tain », « trop cool », « kiffant », « prise de tête » ou encore, et c'était surprenant, « radical » qui, pour moi, sonnait comme un mot plein d'espoir et de joyeux désordre, mais qui n'avait plus du tout le même sens désormais. Rafi, cependant, prenait très mal cette façon que j'avais de m'approprier ses mots. Si, par exemple, je disais : « Radicalement kiffant, mec ! », il marmonnait : « Ça craint ! Un vieux mec chauve, gros et déprimé, à moitié mort. Tu ferais mieux de ne rien dire. »

Ma femme Josephine n'avait jamais critiqué Miriam. Au début, elle avait fait de gros efforts pour mieux la connaître mais elle avait vite compris qu'elle ne pouvait pas aller au-delà d'une certaine limite. Elle enviait clairement l'« égoïsme » de Miriam, tout en reconnaissant que celle-ci « parlait sans cesse dans l'espoir de trouver quelque chose à dire » : le flot ininterrompu de ses conversations lui donnait le sentiment d'avoir la tête dans un sac en plastique où, progressivement, elle manquait d'air.

Josephine préférait parler par l'intermédiaire de ses souffrances. Elle se montrait pleine de suspicion, d'envie à l'égard des bavards et des beaux parleurs, même si elle avait un goût immodéré pour les discussions et les livres où il est question d'ulcères, de migraines, de syndrome du côlon irritable, de virus, d'infections et de cauchemars, tout ce qu'elle essayait de soigner à grand renfort de carottes, de jus de banane, de postures de yoga hallucinantes. Elle prenait d'énormes quantités d'aspirine, comme si c'était une sorte de vitamine.

Josephine affirmait qu'elle savait toujours quand Rafi revenait de chez Miriam : son langage était plus fleuri que

d'habitude. Tous les deux, nous nous sommes sérieusement accrochés, comme probablement tous les parents,
sur les principes à inculquer au gamin. Je le laissais regarder la télé, manger ce qu'il voulait, dire des gros mots
– plus c'était créatif, mieux c'était. J'appelais ça la familia-
risation avec le langage et ses limites. Il y eut une période
où, quand il parlait de moi, il disait tout le temps
M. Connard Le Con. Je demandai à Joséphine : « Où est
le problème ? Il dit "monsieur", ça témoigne bien de son
respect. » De son point de vue à elle, j'étais laxiste, trop
coulant, pas net. À quoi pouvait bien servir un père s'il
était incapable d'interdire ? Avec Joséphine, nous nous
sommes disputés, âprement et furieusement, à propos des
questions les plus fondamentales – les représentations
qu'on avait de quelqu'un de bien et de sa manière de
parler.

Il n'y a pas longtemps, j'avais acheté un nouveau vélo à
Rafi. Le week-end, je marchais d'un pas énergique jusqu'à
Barnes ou Putney tandis qu'il roulait à côté de moi. Certaines fois, il réussissait à me convaincre de l'emmener
dans un centre commercial – bizarrement, c'était un de ses
lieux préférés – ou à la patinoire de Queensway où il passait son temps à jouer aux jeux vidéo dans la galerie mar-
chande. Parfois, on faisait un tour sur la glace en hurlant.
J'aimais regarder les adolescents qui se racontaient leurs
histoires ou qui jouaient au billard, les filles pomponnées,
les garçons qui les observaient. Je préférais la compagnie
de mon fils à n'importe quelle autre mais, depuis quelque
temps, nous ressentions tous les deux comme une forme
de solitude ou d'absence.

« Salut les gars ! » s'exclama Miriam en nous voyant
arriver.

Elle demanda aussitôt à l'un des mômes de nous apporter de quoi manger.

« Embrasse-moi, Jamal, mon petit frère. » Elle ouvrait grand les bras tout en se penchant légèrement en arrière. « Plus personne ne m'embrasse maintenant.

— Ils ont peur de se faire empaler ? »

J'étais attiré par le visage de ma sœur mais quand arrivait le moment de l'embrasser, je prenais des risques. Il fallait faire attention aux nombreux anneaux et clous qui perçaient ses sourcils, son nez, ses lèvres, son menton. À certains endroits, son visage ressemblait à une tringle à rideau. « Gare aux aimants ! » C'était à peu près le seul conseil de beauté qu'elle pouvait appliquer. Je n'osais imaginer ce qui se passerait si elle devait prendre l'avion, toutes les alarmes de l'aéroport se déclenchant en même temps – même si les piercings ne font pas partie de la panoplie du terroriste.

Dans un coin de la cuisine, Bushy le chauffeur rangeait des cigarettes dans une valise. Partout dans la maison, on trouvait des sacs noirs de contrebande posés çà et là comme des crottes de géant. Avant de devenir chauffeur de taxi, Bushy était cambrioleur. Il se considérait comme un de mes « potes » depuis que je lui avais dit qu'étant jeune, j'avais moi-même hésité entre deux carrières qui s'offraient à moi, la cambriole et l'université. En fait, j'avais même participé à un cambriolage dont j'avais encore honte.

Parfois, je croisais Bushy au Cross Keys, un pub rustique du quartier, où j'allais souvent boire un verre, en particulier pendant ces longues journées mornes avant et après notre séparation – quand Josephine me cachait encore qu'elle avait une aventure, saccageant ainsi l'image idéale que je m'étais faite d'elle, tandis que je m'escrimais à lui expliquer que je savais tout. Aucun de mes amis ne trouvait le moindre charme à ce pub, mais ils s'accordaient tous à dire que Josephine était gentille, sympathique, que c'était une femme bien rodée à mon tempérament évasif et à mes sautes d'humeur. Curieusement, après notre rupture, j'ai mis des semaines avant de réécouter de la musique et les seuls disques que j'appréciais étaient ceux qui passaient au Cross Keys.

Bushy me demanda :

« Quoi de neuf, docteur ? »

Il jeta un œil autour de lui avant d'ajouter tout bas :

« Et le Viagra, qu'est-ce que t'en dis ? Un homme sans sa petite dose de Viagra, il est bon à rien.

— Tu sais bien que je ne fais pas d'ordonnances, Bushy. D'ailleurs, un type comme toi n'a pas besoin de ça !

— Ce que je voulais dire, c'est que peut-être, ça te brancherait, toi, d'en avoir une petite provision ? Justement, j'en ai là quelques plaquettes toutes fraîches, des bleues, des diaboliques. Avec ce truc-là, ton crayon, il restera bien affûté pendant des jours – c'est de la marchandise de première qualité, cent pour cent garantie.

— Ça sert à quoi d'avoir un crayon quand on n'a rien pour écrire dessus ? Ce serait du gâchis si tu lui donnais », hurla Miriam.

Elle entendait beaucoup de choses pour quelqu'un qui disait volontiers qu'elle était sourde.

Bushy me dévisagea, l'air surpris :

« C'est vrai, ça ?

— Il n'y a rien de plus vrai.

— Oh là là ! Mais où va-t-on, si un docteur diplômé ne peut même pas tremper sa plume ? »

Miriam était assise à la grande table de la cuisine. Elle y passait le plus clair de son temps. De jour comme de nuit, elle était installée sur une solide chaise en bois d'où elle pouvait attraper ses nombreuses pilules, ses vitamines, ses cigarettes, son herbe. Sans avoir à chercher, elle savait localiser ses trois téléphones portables, une tasse de thé, son carnet d'adresses, son jeu de tarots, une grosse boîte pleine de pacotille, plusieurs chats et chiens, ainsi qu'un bon nombre de paquets de biscuits tous entamés, un gâteau à l'herbe, la télécommande, une calculatrice, un ordinateur et une pantoufle qu'elle pouvait lancer sur les chiens, et qu'elle utilisait aussi pour leur flanquer des coups, à eux ou au gamin qui avait le malheur de passer par là quand elle « pétait un câble ».

Son ordinateur portable était toujours allumé, même si elle l'utilisait surtout la nuit. L'anarchie sans limites de l'Internet était idéale pour des fêlés dans son genre. Elle pouvait se créer des identités différentes, des sexes différents. Des inconnus s'échangeaient des photos d'organes génitaux sans corps, qui flottaient dans le cyberespace.

Je lui demandai :

« Mais, à qui sont ces couilles ? Elles ont l'air un peu bizarres sans la tête du propriétaire.

— Qu'est-ce que ça change ? Ces sachets de thé, ils appartiennent bien à un mâle, non ? »

Je l'avais rarement vue assise ainsi, toute seule. D'habitude, il y avait là un de ses enfants, qui attendait une occasion pour parler, ou alors une voisine, avec son bébé la plupart du temps, à qui Miriam prodiguait ses conseils, généralement de nature médicale, légale, religieuse ou surnaturelle. La table tenait lieu de salle d'attente en quelque sorte.

Bushy Jenkins, conducteur de minitaxi et bras droit de Miriam, était un homme sans âge, mais vraisemblablement plus jeune qu'il n'en avait l'air. Il ressemblait à Dylan peu de temps avant sa mort (pas Bob, mais Dylan Thomas), avec son visage de chérubin rougeaud, sa peau qui avait la texture et la couleur des feuilles de tabac par endroits.

Je n'avais jamais vu Bushy autrement qu'en costume

gris et je n'avais aucune raison de penser qu'il l'ait jamais enlevé pour le faire nettoyer. Peut-être se contentait-il de passer un coup d'éponge dessus, comme on fait avec le plan de travail de sa cuisine. Bushy était très souvent chez Miriam : il y mangeait, buvait, il s'occupait des enfants, des animaux, des piranhas et, parfois, il s'allongeait par terre pour dormir, pendant que Miriam « piquait du nez » sur sa chaise.

En fait, Bushy n'avait nulle part où vivre. Il gardait quasiment tout ce qu'il possédait dans sa voiture. Il vivait chez Miriam mais n'y avait jamais eu de chambre ni de lit. Je m'intéresse beaucoup à la façon dont les gens se préparent à la vie onirique et se mettent au lit – à quel point ils prennent ce moment au sérieux, quand ils s'allongent pour rêver. Mais Bushy dormait par terre dans la cuisine, avec les chats. Il m'était arrivé de le voir : il ronflait, la tête sur un sac de couchage roulé en boule.

Miriam affirmait souvent que Bushy était joueur de guitare, qu'il avait une forme d'originalité plus intéressante, plus inhabituelle que tous ceux qu'elle avait entendus en concert. Mais, quand je suggérai à Bushy que, peut-être, il pourrait nous jouer quelque chose pour nous faire oublier nos malheurs, il me dit que, depuis qu'il avait arrêté l'alcool, il n'avait plus touché un instrument. Il ne pouvait pas jouer s'il n'avait pas bu. Je lui répondis que, souvent, les gens ne peuvent rien faire de bien s'ils ne sont pas suffisamment perdus, s'ils ne se sentent pas abandonnés.

« Pour sûr que j'ai été paumé. Oh que oui... 'bandonné aussi, ajouta-t-il.

— Alors, ton talent, il va revenir.

— J'en sais rien... J'en sais rien... C'est vraiment ce que tu penses ? »

La plupart du temps, Bushy faisait le taxi pour Myriam

et sa bande. Il emmenait ma sœur, qui traînait derrière elle une ribambelle de voisins, d'enfants et d'animaux quand elle allait chez sa voyante, son kinésithérapeute, son décrypteur d'aura, son revendeur de cigarettes, son vétérinaire, son tatoueur ou au bowling. (Aucun de ses cinq enfants n'était autorisé à avoir un tatouage. Mais, suite à une période où je m'intéressais à la pornographie – j'ai travaillé dans le domaine, mais pas longtemps –, je savais que Scarlett, sa fille aînée, qui était enceinte maintenant, avait un poisson volant tatoué à l'intérieur de la cuisse.) Miriam elle-même, quand elle a arrêté de se taillader, s'est transformée en tatouage ambulant. C'est une fresque à elle toute seule, surtout depuis qu'elle a commencé à grossir. « Il y en a plus à voir qu'à la Tate Gallery », lui ai-je dit un jour qu'elle voulait me montrer un autre poisson ou un drapeau qu'elle s'était fait tatouer au bas du dos.

Bushy conduisait aussi Miriam à ses « séances de torture ». C'est ainsi qu'elle appelait les émissions de télé où elle faisait quelques apparitions et dont elle tirait une célébrité parfaitement imaginaire. Quand il était question de souffrances, elle vous sortait un volumineux dossier rempli de lamentations. Elle pouvait poser sa candidature pour n'importe quelle émission qui traitait d'obésité, de drogue, de tatouage, de viol, de violence, de racisme, des adolescents, des lesbiennes – ou de toute combinaison possible de ces divers éléments.

Si vous en aviez envie, mais la plupart du temps vous n'en aviez aucune envie, elle vous montrait les vidéos des émissions. Il était hors de question de se risquer à la moindre raillerie sur le sujet. Quand je commençais à parler de ceux qui avaient écrit les premières confessions (des auteurs que j'avais lus quand j'étais jeune, saint Augustin, Rousseau, De Quincey, Edmund Gosse), elle disait que ses « séances de torture » étaient une forme de thérapie pour la nation. Les présentateurs faisaient le même travail que le mien, si ce n'est qu'ils le faisaient en public, pour le bien de tous, sans prétention aucune et avec beaucoup plus d'humour, ça, c'était sûr.

Récemment, « à cause de cette satanée guerre », Miriam s'était mise à consulter un vieux loup. Bushy la conduisait au refuge et, là-bas, elle s'asseyait avec lui, au milieu de la meute. Elle était persuadée que ce genre d'animal ne se livrait pas au premier venu. Il fallait avoir le « feeling ». Et il n'y avait aucun doute là-dessus, si quelqu'un avait le feeling, c'était bien elle.

J'ai dit que je ne savais pas comment Bushy pouvait gagner sa vie en étant chauffeur de taxi mais je pense que Miriam devait lui donner un pourcentage sur ce qu'elle gagnait. Si quelqu'un lui demandait, comme les Anglais n'y manquent jamais, ce qu'il faisait, il répondait : « Rien tant qu'on me paye pas. »

Miriam et moi savions très bien que Bushy avait quelque chose de l'ingéniosité de notre grand-père. C'était peut-être pour ça que nous l'aimions. Mais Miriam n'en était pas dépourvue non plus. C'était évident, elle savait y faire avec l'argent. Bushy était un homme de confiance qui l'assistait dans ses nombreux petits « échanges » : trafic de téléviseurs, ordinateurs, iPod, téléphones, cigarettes, films porno, alcool, drogue, mais aussi blousons de cuir et DVD qu'elle récupérait puis revendait, par son entremise et celle des plus grands de ses enfants, dans le quartier mais, surtout, au Cross Keys.

Il n'y a pas longtemps, elle a acheté à un maçon polonais deux cents paires de Levis volés. Quand elle s'est rendu compte que tous étaient de taille 46, nous avons dû passer le week-end à arracher les étiquettes pour qu'elle puisse faire croire qu'ils avaient des tailles différentes, sachant que les gens qui achèteraient ces pantalons à la sauvette seraient bluffés par le prix et ne chercheraient pas à les essayer. Elle avait aussi récupéré tout un lot de bouteilles de vodka Tourgeniev pour la somme de 5 000 livres. Je lui avais donné un coup de main pour faire un emprunt et, dans les jours qui ont suivi, les pubs du coin étaient inondés de cette vodka. Les gens avaient peut-être des brûlures d'estomac mais, comme l'avait si joliment dit Miriam, nous avions réalisé « un profit tout ce qu'il y a de plus honnête ».

Miriam était une délinquante plus redoutable que mes anciens complices, Wolfgang et Valentin, et j'aimais dire qu'elle était un vrai chef d'entreprise, ce qui la faisait pouffer. Toutefois, il faut quand même préciser qu'elle avait passé des années à monter son « business ». Elle savait exactement à quel moment vendre et qui avait envie de quoi. Sa réussite, elle la devait à sa ruse, à sa ténacité et à sa bonne connaissance des gens. Grâce à quoi, elle parvenait à faire vivre sa famille, ainsi que plusieurs voisins. C'était un sacré tour de force. De ce fait, elle n'entretenait pas de très bons rapports avec la loi, pas même des rapports respectueux. La loi, c'était le Pouvoir pur et dur, à éviter et à ignorer absolument. Elle aimait dire qu'elle ne figurait dans aucun ordinateur du gouvernement, comme si ça la libérait.

Elle avait beau faire un généreux portrait de moi en « médecin des âmes », je n'étais pas si respectable. Après m'être séparé de Josephine, j'étais retourné vivre dans le duplex que j'utilisais pour mes consultations, et ma minuscule cave humide servait à entreposer les sacs plastique rapportés par Bushy, recelant une « précieuse » marchandise que Miriam craignait de garder chez elle, ainsi que les rouleaux d'emballage à bulles qu'elle ne savait où stocker, faute d'avoir pu les écouler. Cependant, j'étais content de maintenir en activité mon potentiel de transgression, même à un régime aussi bas. Quand j'avais un peu de temps, j'utilisais l'emballage à bulles pour envelopper les vieilles godasses et les vieilles chaussures de foot de Rafi afin de les protéger de l'humidité, souvenirs de son enfance qui s'enfuyait.

Quand j'étais jeune, moi aussi j'avais observé avec attention les stars du cinéma et de la chanson. Je m'efforçais d'avoir l'air moins nunuche, de me trouver un look plus branché. Mais j'avais toujours été du genre calme, gentil, plongé dans mes bouquins. Il n'y avait pas de place pour deux phénomènes à la maison et je me disais que si je ne me faisais pas remarquer, si je me tenais tranquille, il y aurait moins d'embrouilles autour de moi. Mon père ne m'avait pas protégé. Il avait vécu avec son épouse anglaise (notre mère) et nous, ces deux gosses mi-brit, mi-paki, pendant un court laps de temps seulement. Puis il était reparti dans son pays d'origine, s'installer à Karachi, au Pakistan – le « nouveau pays », comme il l'appelait. Là-bas, il s'était vite trouvé une nouvelle femme même si, en tant que journaliste, il était très souvent en voyage en Chine, en Amérique ou au Mexique.

Ma mère et Miriam entretenaient une relation aussi passionnelle que si elles avaient été mariées. N'ayant pas beaucoup le choix, j'avais toujours écouté Miriam. J'avais néanmoins compris que lorsque je voulais parler, il valait mieux que j'y aille franco et fortissimo. Conséquence, aujourd'hui Miriam et moi parlons toujours en même temps comme si maman, qui était certes pourvue de deux oreilles, s'efforçait encore de nous écouter tous les deux. Heureusement, notre mère, toujours en vie et en pleine forme, a désormais autre chose à faire que de se soucier de nous.

Même adolescente, alors que la plupart du temps elle était enceinte et sous acide (elle ne jurait que par Janis

Joplin), Miriam n'avait jamais été du genre déprimé. Elle disait que notre sang bouillonnant faisait de nous des êtres bavards, qui ne tenaient pas en place et pouvaient très bien agresser violemment quelqu'un. À un moment donné, maman se teignait en rousse ; elle avait aussi eu une période bohème. Voilà donc ce à quoi on ressemblait étant gosses, un drôle de mélange de chrétien et de musulman, élevés dans une famille monoparentale (ce qui n'était pas très courant à l'époque), dans un quartier cent pour cent blanc.

Enfin, soupirant d'aise, je m'installai à la table de ma sœur. L'un de ses gamins m'apporta un curry de lentilles, ou *dhal*, du riz et de la bière. Ils m'appellent respectueusement « oncle ». J'ouvris le journal, espérant découvrir des choses sur la vie sexuelle des autres, celle des hommes politiques en particulier. J'avais pensé emmener Rafi au cinéma ou au restaurant ce soir mais c'était ici que j'avais envie d'être, dans la seule maison où je me sente en famille.

Parfois, Bushy mangeait avec moi. Tel un lutin affamé qui sortirait tout juste de sa caverne, il se jetait sur la première quiche venue : « Oh, putain, c'est ça qu'i m'faut ! »

Mais, cette fois, il est devant la porte du fond avec son sac et il me dit :

« Eh, Jamal, j'ai fait un drôle de rêve avec une guitare, un chien et un trampoline. Alors... »

Mais Miriam le coupe :

« Laisse tomber. Le docteur ne s'occupe pas des rêves de M. Tout-le-monde... sauf si on le paie.

— C'est quoi le problème, de se faire expliquer un rêve ? Mais, peut-être, tu penses que ça me reviendrait moins cher de me restreindre sur le fromage ?

— C'est une bonne question.

— C'est pas un long rêve. »

Je n'avais jamais pensé que je pourrais faire payer mes patients en fonction du nombre de rêves ou en fonction de leur longueur. Peut-être que pour une interprétation particulièrement satisfaisante, j'aurais droit à un pourboire.

« Ou alors, tu fais juste les gens de la haute ?

— Si tu y tiens, Bushy, tu me raconteras un de tes rêves, mais quand j'aurai le temps.

— Merci, patron, ça me ferait plaisir. Bon, je ferais mieux d'aller me coucher, alors.

— Allez, file, maintenant ! » lui dit Miriam.

Si j'étais surpris par la façon dont elle avait pris ma défense, c'est parce qu'à plus d'une occasion, Miriam avait déclaré que mon travail n'était pas tant risible que ridicule. (Une fois, elle m'avait dit que le seul autre homme de lettres qu'elle connaissait, c'était le facteur.) À ses yeux, mes « dingues » étaient des sacrées poires : ils me payaient pour me voir hocher la tête et m'entendre dire « Donc ? »

Et, comme si cela ne suffisait pas, cette démarche ne concernait que les « égoïstes », les faibles qui étaient prêts à payer cher pour parler, pour être écoutés, par moi seul. Pourtant, c'est Miriam qui m'avait incité à faire payer plus cher mes riches patients, si bien que je pouvais en recevoir d'autres, qui n'avaient pas les mêmes moyens. Je pouvais tout à fait subvertir les croyances les plus ancrées, mais je ne plaisantais pas avec les règles du marché. La plupart des gens trouvent insupportable d'admettre que l'argent est si important à leurs yeux. Ils n'ont pas envie de ce qui leur fait envie.

Quand Miriam elle-même se décida à aller voir « quelqu'un », elle ne cherchait rien d'autre que du concret. Est-ce que, par exemple, tel guérisseur pouvait lui indiquer s'il pleuvrait dimanche quand elle ferait une vente à la sauvette ? ou est-ce qu'il y avait de l'« espoir » – en d'autres termes, est-ce qu'elle allait tirer un bon prix de ses rouleaux d'emballage à bulles ou du lot de lunettes de soleil intégrales qu'elle lorgnait ?

De mon côté, à la manière des freudiens d'aujourd'hui, je me la jouais modeste. J'affirmais que je ne pouvais rien prédire, ni même rien « guérir ». Parfois, je disais un peu vite que je « modifiais », ou je parlais pompeusement d'« aiguiser la sensibilité du patient au plaisir en réduisant ses inhibitions ». Plus généralement, j'étais convaincu de l'efficacité de la conversation comme moyen de mettre au jour les conflits refoulés. Tout ce que Freud exigeait de ses patients, c'était une parole moins bridée – il ne leur demandait pas de changer de vie.

Pourtant, Bushy me dit un jour, comme s'il me confiait un secret, que Miriam avait « de l'estime » pour moi. Peut-être était-ce parce que ses voisins avaient commencé à me consulter pour des problèmes d'enfants (eczéma, dépendances, dépressions, phobies). La classe ouvrière est toujours la plus mal lotie en matière de santé mentale. Mais cela m'avait touché : il m'était donc possible d'impressionner ma sœur.

Miriam avait été une enfant infernale, qui piquait des crises, hurlait et ne lâchait sur rien. C'était une fille qui criait sur tous les toits qu'on ne s'occupait pas d'elle mais qui était au centre de tout à la maison et me reléguait au second plan, *manu militari* la plupart du temps. Mais, elle et moi, nous nous étions aimés à une époque. Quand nous étions enfants, que nous conspirions dans la chambre qu'elle avait partagée avec moi jusqu'à ses dix ans. Maman dormait en bas, dans une pièce minuscule que nous avions baptisée « le cercueil ». Avec Miriam, on jouait de sacrés tours aux voisins, on allait chaparder des pommes, on arpentait les champs des environs en se demandant quelle bêtise on pourrait bien commettre.

Malgré tout, quand on se bagarrait, ça prenait toujours des proportions apocalyptiques. Elle me griffait le visage comme une sauvage. Jusqu'à l'adolescence, j'ai encaissé ses coups sans rien dire. Mais c'est à cette époque-là que j'ai commencé à la détester, parce que tout ce qu'elle entreprenait, c'était des plans d'adulte dont j'étais exclu à cause de mon jeune âge.

Désormais, chez Miriam, j'avais l'impression d'incarner une sorte d'autorité symbolique. Heureusement, c'était un rôle de pure forme, comme il incombe à certains présidents. Grosso modo, je n'avais qu'à rester assis. Chez elle, l'univers se réduisait à mon canapé. Avant de sortir avec Henry, Miriam n'avait rencontré que des hommes violents, débiles ou drogués. Mais là, les vrais hommes se faisaient rares dans les parages, et aucun n'était aussi passionné de livres, aussi attentif au langage que moi. Où étaient-ils passés ? Au pub ? En prison ? Dieu seul sait comment les femmes et les filles du quartier se débrouillaient pour se retrouver tout le temps enceintes. En créant une société uniquement constituée de mères et de bébés, débarrassée de tous les hommes, c'était comme si les femmes signifiaient qu'elles n'auraient plus besoin d'eux, qu'elles les oublieraient et refouleraient leurs pulsions sexuelles, et le désordre qui va avec.

On voyait bon nombre d'adolescents traînailler dans le quartier, en baskets blanches, les cheveux coiffés en pointes, gluants de gel brillant. Ils arboraient, en plus de leur acné, des chaînes sans doute achetées à Miriam. Elle-même avait les bras couverts de bracelets en métal, du poignet jusqu'au coude. À ce rythme-là, elle aurait tout intérêt à opter pour une armure.

Certains jours, sa cuisine ressemblait à une salle d'attente, où des garçons à l'air renfrogné, qui se sentaient protégés par la bande mais qui manquaient de repères sur le bien et le mal, attendaient pour me rencontrer, moi, le Parrain des banlieues à temps partiel. Ils arrivaient en traînant les pieds, jetant partout des regards inquiets, à peine capables d'aligner deux mots : « Monsieur, si ça vous dérange pas, j'peux vous l'dire, la fille, là, elle est enceinte... » « M'sieur, j'ai fait une connerie... »

Un jour, Miriam me dit :

« J'ai parlé à papa.

— Comment il va ?

— Il a besoin d'un peu de réconfort.

— On se sent seul au paradis, c'est ça ?

— Oui, parfois. On se fait des fausses idées sur ce que c'est, le paradis. »

N'ayant pas réussi à communiquer avec papa ici-bas, Miriam pensait qu'elle aurait peut-être plus de chance si elle cherchait à entrer en contact avec lui dans l'« autre » dimension. Tous les deux, nous l'avions quitté dans des circonstances absurdes et horribles, si bien qu'elle espérait encore son pardon et une forme de compréhension de sa part.

Miriam avait deux ans de plus que moi. Avant d'émigrer aux confins de l'excentricité, elle était la plus intelligente des deux, la plus rapide, la plus drôle, la plus fine. Elle était bien moins nerveuse et réservée que moi. Toutes ces lectures dans lesquelles, enfant, je me réfugiais, elle considérait que c'était une perte de temps. Qu'est-ce qu'un livre comparé à une vraie expérience ? Maman et moi restions ensemble à lire à la maison, mais Miriam tenait plus de notre père. Toujours avec les autres, à discuter, à tirer dans les pattes des gens, à faire tout un tas d'histoires.

Ces derniers temps, toutefois, elle se préoccupait plus de contingences matérielles que de nouveautés. Elle était lasse. Je voulais lui dire le fond de ma pensée, que nous ferions mieux de partir quelque part, au bord de la mer ou à Venise, dans un endroit où nous pourrions discuter, nous reposer, nous ressourcer. Mais, moi aussi, j'étais fatigué (la séparation d'avec Josephine me pesait : c'est épuisant la haine !). Et, à vrai dire, je n'avais aucune envie de voyager.

Après avoir mangé mon *dhal*, je demandai à Miriam d'appeler Rafi pour qu'il descende. Il sursautait toujours quand il entendait sa voix. Une fois en bas, il commença à se plaindre, disant qu'il voulait rester dormir là. Quelquefois, les choses tournaient mal entre les enfants même s'ils ne faisaient pas de bruit : ils regardaient *Dumb & Dumber* ou encore *Blade 2* jusque quatre heures du matin. Coincé entre moi et sa mère, Rafi avait une vie trop rangée, mais je ne pouvais pas aller le récupérer chez Miriam à l'heure du petit déjeuner. Je voyais mon premier patient à sept heures, si bien que je n'aurais pas le temps de faire son sac de classe, de lui préparer son panier-repas pour le déjeuner, ni son équipement de foot.

Avant de partir, je n'oubliai pas de demander à Miriam pour le shit :

« J'ai un ami qui en a besoin, mais je ne peux pas te dire qui.

— Alors, c'est forcément Henry. Si c'est pour lui, il faut que je me bouge, dit-elle sans même toucher à la boîte à chaussures où il y en avait toujours. Hors de question que je lui donne ça, autant fumer du foin. »

Tandis qu'elle se levait et faisait quelques pas tout en se tenant aux meubles, je fus frappé de voir combien elle avait grossi, surtout ces derniers temps.

Elle se mit à fouiller dans divers tiroirs et sacs. Elle tâtait et reniflait les sachets qu'elle y entreposait, tout en appelant son chauffeur, qui s'était momentanément absenté : « Bushy ! Bushy ! Où est-ce qu'il est le bon matos ? » Je lui dis alors qu'Henry songeait à monter une adaptation des *Revenants* d'Ibsen. Il y avait des années de cela, j'avais emmené Miriam voir une mise en scène de courtes pièces de Beckett montées par Henry avec ses étudiants. Tous les deux ans, il présentait ces pièces de fin d'année jouées par des amateurs. Elles étaient très appréciées et attiraient une foule de metteurs en scène, d'écrivains, de critiques même. Ce spectacle avait particulièrement impressionné Miriam, ou tout du moins, c'est ce que je m'étais imaginé (elle avait oublié d'en parler).

« Qu'est-ce qu'il fait en ce moment, Henry ? Pas d'autres pièces du sieur Beckett ? Regarde : ça ira, ça ? »

Elle venait de comprendre que Bushy était au Cross Keys et me montrait un morceau de shit de la taille d'un dé à coudre.

« Et pourquoi il veut ce truc, ton ami ?

— Je crois qu'avec l'âge, Henry découvre la débauche. Il s'est mis à boire aussi. Il a toujours aimé le vin mais, maintenant, ce sont les effets du vin qu'il recherche.

— Il n'a besoin de rien d'autre ?

— Tu penses à quoi ?

— Il n'est pas intéressé par des films porno ? » Elle gloussa. « Tu te souviens quand tu travaillais dans ce créneau ?

— C'est sympa de me le rappeler. Je n'aurais jamais dû te le dire.

— Donc, tu ne me dis pas tout ?

— J'essaie de ne pas tout te dire.

— Ce n'est quand même pas toi qui écrivais les scénarios ?

— Les scénarios, non.

— Mais c'est ça qui t'aurait fait gagner pas mal d'argent. Tu n'as pas joué dans un porno non plus, hein ?

— Nom de Dieu, Miriam, tu me vois en acteur, surtout sans mon pantalon ?

— Tu leur en parles, à tes patients, de ton passé chelou ?

— Non.

— Il y a beaucoup de choses qu'ils ne savent pas sur toi, alors.

— Ils ne sont pas censés savoir. Pour eux, il faut que je sois une page blanche. Et pour ce qui est d'Henry, il pense qu'il est trop vieux pour le sexe, que son corps ressemble à un plat de spaghettis, ou à un glissement de terrain, c'est selon. La preuve, d'après lui : son fils sort avec une chroniqueuse de mode. Elle se balade chez lui en mules avec une robe de chambre de satin rouge qui s'ouvre à tout bout de champ, dévoilant des dessous encore plus vaporeux, plus affriolants, et pire encore. Tu imagines le calvaire pour Henry. Il est persuadé que cette femme aux mules fait ça uniquement parce qu'elle ne le voit pas comme un homme, mais comme un grand-père impuissant.

— Pauvre homme. » Ses yeux scrutaient jusqu'au plus profond de moi. « Mais, elle te plaît aussi, cette femme – la créature aux mules ? Tu as déjà eu l'occasion de la rencontrer ?

— Oui.

— Et qu'est-ce qui s'est passé ? »

J'hésitai.

« Toujours aussi perspicace ! Je l'ai invitée un soir. Le fils d'Henry était sorti. On a marché le long de la Tamise. On s'est arrêtés dans plusieurs pubs pour boire des whiskys. À la fin, on était bourrés. Je dois dire que je ne me suis jamais senti aussi attiré par quelqu'un, même pas par Ajita. La semaine qui a suivi, je me réveillais tous les matins en pensant à elle. C'était dingue, comme si je nageais en plein délire.

— Et après ?

— Après, rien. Pour elle, je n'étais rien. Si elle m'avait

donné le moindre signe d'espoir, je l'aurais suivie n'importe où. Mais je n'avais rien qui puisse l'intéresser.

— Oh, Jamal... Et pauvre Henry, aussi. » Elle avait recommencé à s'activer. « Bon, si finalement il veut des pornos, ils sont dans un carton dans ta cave.

— Ah bon ?

— Tu peux en prendre quelques-uns pour toi et lui en donner. Jordanie, ça te dit quelque chose ?

— Jamais mis les pieds.

— Mais non, l'actrice du X, pas le pays, pauvre pomme ! Elle a joué dans des films avec des Blacks. Tu ne vois pas qui c'est ?

— Tu me prends pour un intello mais tu as tort. Je raffole des programmes de la nuit. Au fait, je t'ai dit qu'on a proposé une décoration à Henry et qu'il l'a refuse ?

— Pourquoi est-ce qu'il n'en a pas voulu ?

— La respectabilité de sa génération, ça le rend dingue. À une époque, ils étaient à la tête du mouvement hippie. Aujourd'hui, ils sont à la tête d'établissements scolaires. Blair lui-même est un croisement de boy-scout et de Thatcher. Mais Henry, lui, a décidé de continuer à brandir l'étendard de la dissidence. »

Miriam referma le tiroir dans lequel elle fourrageait.

« Qu'on dise oui ou merde à notre putain de reine, cette came, elle n'est pas assez bonne pour des types comme Henry. Ça t'abrutit complètement, comme tous ceux du quartier.

— Je sais que tu as toujours eu un faible pour lui.

— Tu as raison. Lui, il ne m'a jamais prise de haut. Pas comme toi. Il aimait expliquer ce qu'il faisait, même si je suis grosse, même si je suis une sacrée béo... truc machin, là.

— Béotienne. Il vient déjeuner la semaine prochaine.

— Je vais me procurer la marchandise et je la fais livrer

directement chez toi. » Elle m'embrassa. « Je t'adore, frangin. »

Sur le chemin du retour, Rafi se lança dans une version
à l'harmonica de la *Neuvième* de Beethoven, ce qui me faisait toujours beaucoup rire, même si je savais que je finirais par louer la qualité de l'interprétation. Puis il me fit le
sketch du « dialogue entre un Irlandais, un Jamaïcain et
un Indien » et on faillit avoir un accident.

Au carrefour, quelque chose traversa à toute vitesse
devant nous, ça ressemblait à une boule de poils marron
montée sur pattes.

« Un loup ! dit Rafi. Il va nous attaquer ?

— C'est un renard. Il n'y a pas de loups par ici, sauf
ceux de l'espèce humaine. »

Nous étions rentrés. La soirée était agréable. J'ouvris les
portes qui donnaient sur le jardin.

Je pensais envoyer Rafi se coucher avant de m'installer
un peu dehors avec un verre de vin et le joint qui me restait de la veille. Il faisait encore jour et je vis que les chats
étaient perchés sur le mur du fond. Pas le gris, qui était
sur mon lit, à moitié enfoui dans ma sacoche, mais la
femelle noire à tête blanche et col roux des voisins, et le
matou tigré du coin – bourru, prêt à la bagarre – avec sa
grosse tête et ses yeux menaçants. Mais, pour l'instant, ils
se donnaient des petits coups de patte sur le nez.

« Viens voir, Rafi. J'ai l'impression que ces chats ne
vont pas tarder à se marier. Mais le mur n'a pas l'air très
confortable. »

Tout en gardant un œil sur sa Gameboy, Rafi observait
la scène, qui évoluait rapidement. Les chats avaient sauté
sur la pelouse, à quelques pas de nous. Le mâle planta ses
crocs dans le cou de la femelle, la plaqua au sol, grimpa

sur elle. Il n'avait pas l'air d'être à la noce. C'était plutôt comme de plonger la main dans un sac rempli d'aiguilles.

« C'est un viol ? me demanda Rafi.

— Elle m'a l'air d'aimer ça.

— Ils sont heureux ?

— Oui : pendant ce temps-là, ils ne pensent plus à rien. »

Je refermai la porte pour leur laisser un peu d'intimité.

« C'était la même scène au même endroit hier. C'est du brutal. C'est plus sauvage qu'on ne pourrait le croire dans le quartier. »

Elle était sur le dos. Il était sur elle, concentré sur son rythme, cherchant une meilleure position, poussant toujours davantage, tout en lui plantant une patte dans le ventre pour l'empêcher de bouger. Ils crachaient et miaulaient rageusement.

« C'est dégoûtant, dit Rafi en faisant la grimace. Et ce nouveau jeu est super dur, ajouta-t-il à point nommé, juste au moment où sa console émettait un petit bruit strident.

— Le poète américain Robert Lowell dit quelque chose du genre : "Mais la nature est ivre de sexe."

— Sans blague ?

— Apparemment, de toutes les espèces, les humains sont les seuls qui n'aiment pas qu'on les regarde pendant leurs ébats. Ce sont aussi les seuls animaux qui enterrent leurs morts. Et tu savais que le clitoris a été découvert en 1559 par Colomb ? C'était Renald Colomb de Padoue, il avait appelé ça la "douceur de Vénus".

— Ah ouais ?

— Je t'assure.

— Je connais déjà tout ça... Les choses de la vie et tout le reste. J'ai lu un livre, à l'école. Tu me trouves intelligent pour mon âge ?

— Oui. Et moi ?

— Oui.

— C'est parce que je lisais beaucoup quand j'étais petit.

— Pauvre vieux, il n'y avait rien de mieux à faire ? »

Les ébats félins se prolongèrent un certain temps. Rafi ouvrit les portes pour mieux profiter du spectacle, puis il alla se chercher une chaise. Il gloussait, s'exclamait. Malgré ces perturbations, le couple ne se laissait pas facilement distraire. Quand ils eurent fini, la Rousse se roula sur le dos, s'ébattant, s'étirant, toute à sa satisfaction, tandis que le matou restait assis. Il l'observa un moment avant de se lécher les testicules. Après quoi, ils s'éloignèrent tous les deux d'un pas nonchalant, vers d'autres jardins. S'ils avaient eu des bras, ils seraient partis main dans la main.

Rafi voulait appeler sa mère, pour lui raconter ce qu'il venait de voir. S'il lui avait détaillé la scène, je suis sûr qu'elle m'aurait reproché de l'avoir laissé regarder. Mais son téléphone ne répondait pas. Sans doute essayait-elle de faire comme les chats.

Quand il s'agit de transmettre l'art du plaisir, écoles et parents peuvent être de véritables obstacles et, parfois, provoquer des catastrophes. Tandis que j'observais mon fils, je songeais à mon père, qui ne m'avait pratiquement rien dit sur la sexualité, ou même sur ce qu'il pensait de la place du plaisir dans la vie. Quand j'avais vingt ans, je lui en voulais de n'avoir jamais essayé de m'expliquer ce que j'appelais alors la « vérité sur le sexe ».

Mais qu'aurais-je pu souhaiter qu'un père, ou même une mère, me dise ? En quoi consiste la sexualité ? Qu'est-ce que mon fils va pouvoir désirer ? Je me souviens avoir évoqué cette question avec Josephine, une fois. Je l'ai interrogée sur la variété des expériences sexuelles possibles et sur les éventuelles préférences de notre fils. « Tant que c'est fait avec gentillesse et amour », m'avait-elle doucement. Certes, mais comme disait La Rochefoucauld à propos des fantômes et de l'amour : « Tout le monde en parle, mais peu de gens en ont vu. »

Sa remarque m'avait fait réfléchir. Je savais que mon fils découvrirait qu'il existe de nombreuses variétés de comportements sexuels. La promiscuité, la prostitution, la pornographie, la perversion, le téléphone rose, les nuits sans lendemain, la drague, les pratiques SM, les sites de rencontres, la sexualité conjugale, l'adultère. La liste était longue, aussi dense que le texte d'une nouvelle. Par quoi serait-il tenté ? Freud, qui était un monogame déclaré, avait ouvert ses célèbres *Trois essais sur la théorie sexuelle* par des remarques concernant le fétichisme, l'homosexualité, l'exhibitionnisme, le sadisme, la bestialité, la sexualité anale, la bisexualité, le masochisme et le voyeurisme. Une blague me revint à l'esprit : quelle forme de normalité aurait votre préférence, la normalité névrotique, la normalité psychotique ou la normalité perverse ?

Peut-être qu'un jour, mon fils aimerait se faire tailler une pipe par un inconnu dans des toilettes, ou peut-être qu'il apprécierait de se faire fesser par un travesti noir tout en se faisant sucer. Le plaisir empruntait de multiples voies, sans parler du côté esthétique : il y a les odeurs, les sons, les goûts. Ainsi que les paroles. Plus de cinquante pour cent de la sexualité réside dans les mots ; les mots enflamment le désir. Si la parole est un art érotique, qu'y a-t-il de plus excitant qu'un murmure ? Toutefois, la répétition est le signe d'un amour qui ne faiblit pas. Dans *La Philosophie dans le boudoir* du marquis de Sade, Mme de Saint-Ange déclare qu'en douze ans de mariage, son mari lui a demandé chaque jour la même chose : qu'elle lui suce la bite pendant qu'elle déféquait dans sa bouche.

Je pourrais également ajouter, bien que cela puisse

paraître cynique, et ce n'est pas quelque chose que j'aurais abordé avec Josephine, que le fait d'aimer quelqu'un, ou même de bien aimer quelqu'un, n'a jamais permis d'accroître le plaisir sexuel. D'ailleurs, ne pas particulièrement aimer l'autre, ou ne pas l'aimer du tout – ou le détester à la folie –, peut libérer le plaisir. Il n'y a qu'à penser à l'agressivité, à la violence même, que suppose une bonne baise.

Quels étaient donc les plaisirs envisageables ? Qui pouvait les garantir à coup sûr ? S'agissant de Rafi, devais-je orienter son désir vers la destination ultime, voire tyranniquement idéale, que Freud appelait, d'une manière plutôt optimiste, le « stade adulte de la sexualité génitale » ? Ou est-ce que je ferais mieux de lui suggérer de s'arrêter d'abord à d'autres gares, de suivre d'autres rails ? Comme l'avait justement noté le grand satiriste viennois Karl Kraus – que Freud décrivait comme un demeuré complètement fou –, le plus tragique, pour un fétichiste, c'est de se retrouver avec une femme entière quand il ne désire qu'une chaussure.

L'une des « vérités » que Rafi découvrirait, peut-être dans peu de temps, avait partie liée avec l'extrême complexité de la sexualité, la façon dont on peut la détester, ainsi que l'accumulation de honte, d'embarras, de violence qu'elle peut engendrer. Henry et sa génération ont beaucoup contribué à nous instruire sur la nature du désir mais, bien que nous nous croyions très libres, débarrassés que nous sommes des horreurs de la morale religieuse, nos corps nous empoisonneront toujours avec leurs étranges désirs et leurs refus pervers, comme s'ils avaient une volonté propre, comme s'il y avait un inconnu en chacun de nous.

Josephine aimait qu'on flirte avec elle, mais elle faisait semblant de ne pas comprendre le sous-texte. Pour des parents à temps plein, il existait plusieurs occasions de se livrer à ce type de sport. Nombre de nos voisins avaient des vies très chargées qui s'organisaient autour de l'école ; les amants pouvaient ainsi se retrouver à la sortie deux fois par jour. Si les enfants étaient occupés à jouer les uns avec les autres, les parents ne l'étaient pas moins. Josephine ne tarderait pas à le comprendre, d'autant que la cour de récréation était un champ de mines émotionnel, du fait que les parents musulmans tenaient leurs enfants à l'écart des maisons des Blancs. Quand nous étions couchés, du temps où nous partagions le même lit, Josephine me rapportait les ragots. Ça me rappelait un livre, *Couples*, de John Updike, que papa m'avait prêté et qui m'avait semblé, à l'époque, délicieusement corrompu dans son récit des trahisons ordinaires au quotidien. Là aussi, c'étaient les trahisons – et les secrets qu'elles engendraient – qui constituaient les transgressions les plus délectables.

De toutes les perversions, la plus étrange, c'est le célibat, ce désir d'annuler tout désir, de le haïr. Non pas qu'on puisse l'abolir une bonne fois pour toutes. Le désir, comme les morts, ou comme un mauvais repas, remonte toujours – au final, il est impossible à digérer. La mère de Rafi s'était drapée dans son innocence, elle s'y était accrochée. Tout ce qui n'allait pas, c'était toujours ma faute. De son point de vue, c'était une division rationnelle du travail. Ce qu'elle ne voyait pas, c'est que les innocents ont tout – l'intégrité, le respect, la bonté morale – sauf le plaisir. Le plaisir : vortex et abîme – ce que nous craignons et désirons tout à la fois. Le plaisir suppose qu'on se salisse les mains et l'esprit, qu'on se sente menacé. On y trouve la peur, le dégoût, la haine de soi, l'échec de la morale. Le plaisir, c'est un sacré boulot. Tout le monde ne peut supporter la perspective d'y accéder. Vraisemblablement pas la majorité des gens.

Le spectacle des ébats était terminé. Mon fils laissa ses

vêtements en tas par terre puis il partit se coucher. Je le regardais dormir par la porte entrebâillée. Il avait son casque sur les oreilles et le son était si fort que je profitais largement de la musique de 50 Cent, ce dont je me serais bien passé. Quand les battements des longs cils de Rafi commencèrent à s'espacer, comme les ailes d'un papillon qui se pose, j'arrêtai son lecteur.

Je m'assis à mon bureau avec une partie de mon héritage : une des habitudes préférées de mon père, et à présent la mienne – un verre de vodka frappée et un pot de glace Häagen Dazs à la vanille. Une lampée, une cuillerée, le chat assis sur mes papiers. J'étais paré. J'écrivais d'abord au stylo-plume avant de tout taper sur mon nouvel Apple G4. Je pouvais écouter de la musique sur cet ordinateur, et quand je m'ennuyais, je regardais des photos, des images qui m'intéressaient. Incapable de dormir, secoué d'explosions d'une intensité impressionnante – ce qui était nouveau pour moi –, je songeai à la citation d'Ibsen qu'Henry répétait souvent : « Nous voyageons avec un cadavre dans les soutes. »

D'une manière ou d'une autre, cela me renvoya à cette phrase qui m'avait traversé l'esprit un peu plus tôt et qui ne me quittait pas : « Elle était mon premier amour mais, moi, je n'étais pas le sien. »

Ajita, si tu es toujours en vie, où es-tu maintenant ? T'arrive-t-il encore de penser à moi ?

3

Il faut donc que je raconte cette histoire dans-l'histoire.

Un jour, une porte s'est ouverte et une fille est entrée.

On était au milieu des années 1970.

La première fois que je vis Ajita, c'était à la fac, nous étions en classe, dans une salle sans fenêtre, oppressante et confinée, dans les tréfonds d'un nouveau bâtiment construit sur le Strand, au bout de la rue quand on vient de Trafalgar Square. J'allais à l'université à Londres, où j'étais inscrit en philo et en psycho. Ajita était passablement en retard pour la discussion sur la « flèche de saint Anselme ». Ce jour-là, le cours touchait à sa fin. De toute façon, cela faisait déjà deux mois qu'il était commencé. Elle avait dû leur donner de bonnes raisons pour qu'ils acceptent une inscription si tardive.

Il faisait aussi chaud dans cette salle de classe que dans un hôpital. Ajita était rouge et avait l'air embarrassé quand elle entra une demi-heure après le début du cours. Elle posa ses clés de voiture, ses cigarettes, son briquet et plusieurs revues à la couverture glacée, dont aucun des titres ne comportait le mot « philosophie ».

Nous étions environ douze étudiants dans ce cours. Des hippies pour la plupart : le genre d'intellos bosseurs qui s'habillaient avec des vêtements usés jusqu'à la corde (que mon fils décrirait volontiers comme des « polards »). Mais il y avait aussi un gothique et quelques punks qui arboraient des épingles de nourrice et des pantalons moulants en cuir. Les branchés du groupe étaient en train de se convertir à la mode punk. J'étais allé à l'école avec certains et je les voyais toujours quand, avec mon ami Valentin, nous nous rendions au Water Rat ou au Roebuck, et parfois au Chelsea Potter sur King's Road. Mais je trouvais qu'ils étaient sales, sans énergie aucune, avec leurs airs de voyous qui crachaient à tout bout de champ. Leur musique, ça comptait, mais personne n'avait envie d'écouter du punk.

J'avais toujours été un gamin très droit et l'absence de talent, que les punks avaient érigée en principe, ne m'inspirait guère. Je savais que j'étais doué, pour une chose ou pour une autre. Mon look avait évolué. Je mettais des costumes noirs et des chemises blanches, ce qui était à la fois anti-hippie et trop lisse pour faire punk, même si ça pouvait passer pour du New Wave. Vous ne verrez jamais William Burroughs avec des perles ou des épingles de nourrice.

Ensuite, la jeune Indienne s'assit sur une chaise avec tablette en bois escamotable. Elle enleva son chapeau, son écharpe et tenta de les faire tenir sur la petite planche relevée devant elle. Tout tomba par terre. Je ramassai ses affaires, les reposai sur la tablette. Tout retomba. Ce qui nous fit sourire. Puis elle retira son manteau, ainsi que son pull. Mais où allait-elle pouvoir poser tout ça ? Qu'est-ce qui viendrait encore après ?

Cette petite scène, qui la mit mal à l'aise, parut s'éterniser car tout le monde la regardait. Quelle quantité de vêtements, de parfum, de cheveux, de bijoux et autres falbalas pouvait-il bien y avoir sur la surface relativement restreinte de son corps ? Pas mal.

Brusquement, la philosophie, la quête de la « vérité », que j'adorais jusque-là, me semblèrent bien fades. Le professeur grimaçant dans son pull informe et son pantalon de velours côtelé, vieux comparativement à nous (il avait peut-être le même âge que moi aujourd'hui, ou peut-être était-il plus jeune), shooté au Valium, ainsi qu'il se plaisait à nous le répéter, ressemblait à un clown. On échangeait des sourires entendus chaque fois qu'il disait, en insistant bien sur le mot, « dégueule », dont il nous assurait que c'était la prononciation exacte pour « d'Hegel ». Et dire que, la veille encore, l'université était au cœur du bouillonnement intellectuel, de la contestation, de la révolution même !

La vérité, c'était une chose, mais la beauté, juste à côté de moi maintenant, c'en était franchement une autre. Cette fille avait beau transporter une tonne de trucs, elle n'avait sur elle aucun des accessoires les plus ordinaires, tels un bloc-notes ou un stylo. Je dus lui prêter du papier et mon crayon. C'était le seul que j'avais sur moi. Mais je lui dis que j'en avais d'autres dans mon sac. Je lui aurais donné tous les crayons, tous les stylos que j'avais, ou n'importe quoi d'autre dont elle aurait eu besoin. Y compris mon corps et mon âme. Mais cela viendrait plus tard.

Après le cours, elle s'était assise toute seule au restaurant universitaire. Il me fallait récupérer mon crayon, mais oserais-je lui parler ? J'ai toujours préféré écouter. Tahir, mon premier analyste, disait souvent : « Les gens parlent pour ne pas entendre certaines choses et ils écoutent pour éviter d'en dire trop. » À l'époque, je ne pensais pas que j'avais un talent particulier pour écouter les autres. Je n'imaginais même pas que je pouvais en faire mon métier. C'était simplement atroce quand je devais prendre la parole. Je parlais tout le temps, c'est certain, mais en fait, je me parlais à moi-même uniquement. C'était plus sûr.

Pendant des années, j'ai déstabilisé les femmes avec cette façon que j'avais de les écouter. Et j'en ai épuisé plusieurs. Elles parlaient jusqu'à l'extinction complète des dernières forces qu'elles mettaient à trouver les mots justes. Je me rappelle une fille qui m'avait planté là en hurlant que je l'avais écoutée tout l'après-midi : « Tu m'as bien eue ! J'ai l'impression d'avoir été dépouillée ! »

Avant que mon analyste ne me le dise, je n'avais pas compris que ce qui les intéressait, c'étaient les mots que j'aurais pu leur donner plus que l'oreille que je leur prêtais. Mais avec Ajita, je ne pouvais même pas m'asseoir à côté d'elle pour lui demander : « Je peux t'écouter ? » J'ai encore du mal à m'asseoir avec des inconnus, sauf avec ceux que je reçois en consultation. Les gens ont un tel pouvoir. Le champ de force qui enveloppe leur corps ainsi que tous leurs souhaits enfouis peuvent vous laisser littéralement KO.

J'essayai de gagner du temps, espérant peut-être qu'elle partirait pour toujours : j'allai me chercher un café. Lorsque je me retournai, je vis que mon meilleur ami, Valentin, un beau garçon bien bâti, m'avait suivi. Il était allé s'asseoir juste à côté d'elle avec son café. Dieu sait à quel point le café était immonde à l'époque. C'était probablement du café soluble. Comme pour notre purée et nos gâteaux, il suffisait d'ajouter de l'eau. Si l'on n'avait pas grand-chose d'autre en stock, il nous restait toujours quelques-uns de ces sachets. Mon père, qui avait connu la puissance britannique durant son enfance quand ils occupaient encore l'Inde, aimait à faire remarquer que la guerre avait beau être terminée depuis trente ans, on avait toujours l'impression que la Grande-Bretagne se remettait péniblement d'une grave maladie – dépossession, récession, désorientation. L'« homme malade de l'Europe » : voilà comment on appelait notre pays. La fin de l'empire n'était même plus tragique à l'époque. Elle était sordide.

C'était un coup de chance que je sois là ce matin, et un coup du hasard pour Valentin. Il n'assistait guère aux cours. Ils commençaient trop tôt à son goût ; surtout si, la veille au soir, il avait travaillé au casino. Finalement, quand il venait à la fac, c'était pour rencontrer des filles, pour me voir. Mais c'était avant tout parce que les repas du restaurant universitaire ne coûtaient pas cher.

Valentin était bulgare. Je lui demandais souvent de me raconter comment il s'était enfui de son pays et, chaque fois, il me donnait un peu plus de détails. Je n'avais jamais entendu aucun autre « récit de vie » qui soit aussi prenant. Après son service militaire, il avait intégré l'équipe olympique de cyclisme, puis il avait appris l'escrime et la boxe. Il était si bien rentré dans le moule qu'il avait pu devenir steward, l'une des rares possibilités de voyager pour les habitants des pays de l'Est. Pendant un an, il avait travaillé pour la même compagnie aérienne sans dire à personne qu'il projetait de s'échapper. Mais quelqu'un avait commencé à avoir des soupçons. Alors qu'il espérait s'exiler aux États-Unis, son dernier voyage l'avait conduit à Londres. Au moment où il s'apprêtait à prendre l'avion pour Sofia avec le reste de l'équipe, il avait tourné les talons et s'était sauvé, traversant l'aéroport comme un fou pour trouver un policier. Plusieurs organisations de réfugiés l'avaient aidé. Une femme qui travaillait pour l'un de ces organismes était mariée à un professeur de philosophie. C'est ainsi qu'il était venu habiter chez eux et qu'il s'était retrouvé dans mon groupe à la fac.

Valentin ne pouvait pas rentrer chez lui, il ne pouvait pas revoir ses parents, sa famille, ses amis. Et le traumatisme le privait de la réussite dont il était capable. En Grande-Bretagne, il était censé faire des études, mais il se contentait de traîner à droite, à gauche, la plupart du temps avec moi et notre pote allemand, Wolf, chacun de nous cherchant à s'attirer des ennuis pour peu qu'ils soient intéressants.

M'asseoir à côté de Valentin et d'Ajita, c'était dans mes cordes. De même que je pouvais encore l'écouter se vanter, comme il aimait le faire, et dire que sa chambre était tellement proche de la fac qu'il mettait cinq minutes pour venir en cours. Moi, en comparaison, je devais prendre le bus, le train, le métro. Je mettais une heure et demie mais, grâce à British Rail, je n'ai eu aucun mal à terminer les *Investigations philosophiques* et *L'Interprétation des rêves*. C'est à cette époque que je me suis vraiment mis à lire. C'était comme rencontrer un amant extraordinaire, qu'on ne quittera jamais.

Assistés de Valentin, Ajita et moi avons commencé à discuter. Elle était indienne et, par un heureux hasard, elle habitait en banlieue tout près de chez moi. Apparemment, la mère d'Ajita n'avait guère apprécié l'Angleterre. Elle trouvait que c'était un « endroit peu recommandable », obsédé par le sexe, corrompu, drogué jusqu'aux yeux, où les familles étaient en mille morceaux. Six mois plus tôt, elle avait bouclé ses nombreuses malles pour rejoindre Bombay, la ville natale de mon père, laissant son mari et ses deux enfants aux bons soins d'une tante paternelle. La mère d'Ajita n'aimait pas la vie sans amis et sans serviteurs qu'elle menait dans ces banlieues de Blancs. À Bombay, elle habitait la maison de son frère. Celui-ci possédait des hôtels où gravitaient toujours quelques stars du cinéma, et les domestiques ne coûtaient rien.

« C'est comme si j'étais en vacances permanentes. Mais mon père est un homme fier. Il ne pourrait pas vivre de la charité des autres. » La mère avait des amants, c'est ce qu'Ajita pensait, mais elle reviendrait, insinuait-elle aussi, si la situation évoluait de manière favorable à ses yeux. Bref, Ajita plaignait ce père qui se retrouvait seul, possédait une usine quelque part dans le nord de Londres et n'était pas très souvent à la maison.

Après le café, Ajita proposa de me ramener. Je n'avais pas l'intention de rentrer chez moi. Je venais juste d'arriver, et j'avais prévu de passer la journée à Londres avec Valentin et Wolf. Mais je serais allé n'importe où avec elle. Cette fille avait plus d'une qualité : elle avait de l'argent, une voiture (une Capri couleur or, où elle écoutait du funk dernier cri), une grosse maison et un père fortuné. Quand Valentin lui demanda : « Et qu'est-ce qu'il fait, ton copain ? », elle lui répondit : « Mon copain ? Mais je n'en ai pas. »

Que pouvait-on espérer de plus ?

« Elle est à toi, murmura Valentin au moment où je partais.

— Merci, vieux. »

C'était dans sa nature de se montrer généreux. Ou peut-être qu'avec toutes les femmes qui lui tournaient autour, une de plus ou une de moins ne faisait pas une grande différence. Pour lui, elles étaient là, il trouvait ça on ne peut plus normal. Ou alors, il était indifférent aux échanges humains. Il pouvait très bien rester des heures assis, à observer, à fumer, bougeant à peine, sans manifester aucun de ces embarras, aucune de ces intermittences du désir qui, pour ma part, m'assaillaient régulièrement.

Une attitude posée comme celle-là, pensais-je, serait forcément un atout. Un soir, récemment, je discutais avec un ami scénariste qui travaille sur un film de « gros durs » et on se demandait pourquoi les hommes sont fascinés par les gangsters. En fait, ceux qui sont forts ne sont taraudés par aucune subtilité. La culpabilité ne les perturbe pas. Ils sont narcissiques – aussi impitoyables que les enfants dès qu'il s'agit de leurs droits. À mes yeux, ils sont aussi autonomes, accomplis et imperturbables qu'un lecteur captivé par le même livre pour l'éternité.

C'est ça que je voulais être à l'époque. Pourquoi ? Peut-être parce que, étant gosses, quand Miriam et moi on se bagarrait, ou quand elle me chatouillait, elle était plus forte, plus brutale et plus méchante que moi. Elle aimait me cogner, me taper dessus avec des bâtons – quelque chose, maintenant que j'y pense, que Josephine aimait faire elle aussi. J'avais le sentiment que j'étais la fille et elle, le garçon. Comme d'autres l'ont déjà constaté pour eux-mêmes, mon corps ne semblait pas devoir coïncider parfaitement avec mon sexe. J'étais mince, élancé, j'avais des hanches larges. Je pensais que j'avais le corps d'une fille prépubère, pas très grande et faiblarde. Maman disait que j'étais « mignon », pas tellement que j'étais beau. Je souf-frais d'émotions intenses. Je hurlais intérieurement, ce qui me laissait complètement épuisé, vidé, à sangloter sur mon lit. Je rêvais souvent que j'étais le bonhomme Miche-lin, plein d'air au lieu de gravité ou de noblesse d'âme. Un jour, je pourrais m'envoler, enfin délesté du poids de la masculinité. Qu'est-ce que font les « hommes » ? Ils sont gangsters, ils tracent leur chemin à la force de leurs déci-sions et de leurs désirs. Avec Ajita, n'était-ce pas ce qui s'offrait à moi ?

Nous n'avons pas cessé de discuter tout le temps que nous traversions le sud de Londres. Plus on se rapprochait de mon « manoir », comme nous l'avions alors baptisé, plus je me sentais fébrile. Je fus ravi qu'elle me demande si je voulais voir où elle habitait.

« On y est », annonça-t-elle en coupant le moteur.

À l'époque, si sa maison me faisait penser à une maison américaine, c'était parce qu'elle était située dans une nou-velle impasse et que c'était typiquement ce que l'on voyait dans *I Love Lucy*.

La structure d'ensemble était assez basse, légère, aérée par de nombreuses baies vitrées. Juste à côté, il y avait un grand garage et, devant, une pelouse tondue de près, fermée par une petite barrière en bois. À l'intérieur, on trouvait des tapis indiens, des tentures et des tapisseries, des éléphants en bois, des coupes, des meubles ouvragés. À part cela, il n'y avait presque rien. Ils auraient tout aussi bien pu la louer, avec un décor « ethnique » intégral. Mais, en fait, ils l'avaient achetée quatre ans plus tôt, après avoir quitté l'Ouganda dont ils avaient rapporté très peu de choses.

J'aimais sa maison. J'avais envie d'y être, pas seulement à cause d'Ajita, mais parce que les pavillons de banlieue que je connaissais étaient tous vieux. Les meubles étaient vieillots et dataient d'avant la guerre. Ils étaient tous extrêmement massifs, ils avaient tous la même couleur marron. Étant gamin, quand je les grattais avec mes ongles, je récupérais toujours du vernis. Mon grand-père maternel, qui laissa sa maison à maman, possédait un magasin de meubles d'occasion, une boutique de bric-à-brac disait-on avec Miriam, qui nous avait permis de remplir nos maisons. Il y avait des pare-feu, des horloges qui faisaient tic tac et qui sonnaient, des rideaux ruchés, des cimaises et des cantonnières, des pots de chambre et des lits étroits, sur lesquels maman, quand elle avait rencontré papa, s'était mise à entasser des dizaines de photos orientales, de pièces de tissus chatoyants et d'objets laqués.

Souvent, au cours de mon enfance et de mon adolescence, on me confiait à mon grand-père qui portait, en plus d'un chapeau (ce qui se faisait à l'époque), un grand caleçon blanc, une cravate, de larges pantalons retenus par des bretelles et des bottes énormes, qu'il ouvrait à la lame de rasoir pour laisser « respirer » ses cors. Il ne s'est jamais demandé ce qui aurait pu me distraire. Il m'emmenait partout où il allait, tout simplement. Quand il avait encore son magasin, je jouais là-bas toute la journée, à désosser des réveils avec un tournevis. Ensuite, j'ai dû passer un bon nombre de déjeuners assis à côté de lui au pub (qui lui tenait lieu de club et de bureau) alors qu'il « étudiait les pronostics des courses » dans le journal, buvait de la Guinness, fumait des cigarettes roulées, mangeait des tourtes au steak et aux rognons, presque toujours à la même heure.

Pour seule distraction, j'avais droit au *Daily Express* et à *People*. Mon goût immodéré pour les journaux ne s'est pas démenti depuis. Mais ce n'était pas tout. Nous allions à Epsom pour les courses de chevaux, à Catford pour les chiens et à Brighton en « char à bancs » pour parler pigeons. Le dimanche, on allait voir les terrains de foot des alentours. Le plus près, c'était le Crystal Palace, mais Millwall, surnommé « l'Antre », était le plus redouté de tous. Quand on se promenait dans les environs, grand-père me montrait les endroits où d'anciens camarades d'école étaient morts au moment des bombardements, ainsi que les abris où il se cachait avec maman quand il était enfant.

Dans mon esprit, les pubs ressemblaient à du Dickens puissance dix, surtout quand il y avait un pianiste : des patronnes trop habillées pour l'endroit, excessivement parfumées, qui vous pinçaient la joue et vous servaient de la limonade et des chips ; des messieurs rougeauds portant costume-cravate installés dans les « alcoves » privées, et toujours ce frisson qui passait entre mon grand-père et une femme qui attendait là, signe à peine perceptible d'un plaisir à portée de main, dont je me demandais quand il me serait donné d'y goûter.

Peut-être serez-vous tentés de croire que mon récent penchant pour les bas quartiers n'est rien d'autre qu'une forme d'affectation. Mais combien de fois suis-je entré dans un pub ici ou là, espérant y trouver les personnages de mon enfance, tous issus de cette authentique classe ouvrière blanche de Londres.

Quand j'étais avec mon grand-père, je passais plus ou moins pour un Blanc. Parfois, les gens demandaient si j'avais des origines « méditerranéennes ». Mais, cela étant, il y avait très peu d'Asiatiques là où nous habitions. La plupart des Blancs estimaient que les Asiatiques étaient « inférieurs », moins intelligents, moins bien en tout. En fait, à ce moment-là, on ne nous appelait pas encore Asiatiques. Officiellement, il semblerait plutôt qu'on nous désignait comme des immigrants. Plus tard, pour des raisons politiques, nous sommes devenus des « Noirs ». Mais nous avons toujours considéré que nous étions indiens. En Grande-Bretagne, l'appellation la plus courante est encore « Asiatiques », même si nous ne sommes pas plus asiatiques que les Anglais ne sont européens. Bien plus tard, on nous transformerait en musulmans, une autre étiquette choisie pour des raisons politiques, elle aussi.

Jusque-là, dans le cours de philo, j'étais le seul étudiant à avoir la peau foncée. Je me disais qu'Ajita et moi, nous allions former un beau couple. Elle était mince, pas très grande, athlétique, un peu garçonne et, de ce côté-là, nous étions assez semblables. Elle avait de longs cheveux noirs, des vêtements coûteux assortis de bijoux, de sacs à main et de chaussures à talons hauts. Elle avait beau être indienne, elle s'habillait comme une Italienne qui se serait aspergée d'or. Elle aimait Fiorucci, qui possédait une boutique non loin de chez Harrods. Tous les samedis, elle allait faire du shopping avec ses cousines.

Ajita n'était pas une fille révoltée, ni une féministe, une hippie ou une Mod. Je la voyais bien à la tête d'une entreprise. Mais, devant ses soupirs, ses regards désespérés et ses mines boudeuses, je compris vite qu'elle aurait quelques soucis avec la métaphysique. Je me disais que je pouvais l'aider pour ça, mais aussi pour l'épistémologie, l'ontologie, l'herméneutique, la méthodologie, la logique, et peut-être pour d'autres choses encore, mais, à mes yeux, pas autant qu'elle pouvait m'aider.

Je commençais aussi à prendre goût à l'argent depuis que, grâce aux médias, j'avais compris le bon usage que pouvaient en faire nos diverses stars. À mes yeux, la famille d'Ajita était riche, tandis qu'à la maison, on avait toujours tiré le diable par la queue. Quand maman nous faisait un cadeau, on savait l'effort que cela représentait et on essayait de le faire durer plus qu'il ne le méritait. Apparemment, au Pakistan, mon père avait un chauffeur, un cuisinier, un vigile. Mais il ne nous donnait rien. Il n'y pensait pas.

Lors de ce premier jour ensemble, Ajita était partie chercher des disques et je me promenais dans la maison, inspectant chaque pièce, comme si j'envisageais d'acheter les lieux et de changer toute la déco. Son père et son frère n'étaient pas là mais je sentais une odeur d'oignons frits dans l'huile et les épices. J'aperçus bientôt un profil et un œil marron : ils devaient appartenir à cette tante au nez crochu qui restait obstinément derrière la porte entrouverte.

Alors qu'elle mettait de la musique, Ajita me dit soudain sur un ton nerveux :

« Si on te demande quoi que ce soit, tu dis que tu es un ami de mon frère, que tu es venu pour le voir.

— C'est quoi le prénom de ton frère ? »

Ajita murmura quelque chose que je n'entendis pas.

« Quoi ? Qu'est-ce que tu dis ?

— Il s'appelle Mustaq. On l'appelle parfois Mushy, ou Moustache. Je pense que ça va bien marcher, vous deux.

Toi aussi, tu as envie que ça se passe bien avec lui, non ? Il a tellement besoin qu'on l'aime en ce moment.

— Je ferai le maximum.

— Tu n'es pas obligé de parler tout bas. Elle ne parle pas anglais.

— Ah, c'est comme dans ma famille. J'ai plein d'oncles et de tantes qui viennent à Londres l'été. Les autres n'ont jamais quitté le Pakistan.

— Tu n'y es jamais allé ?

— Papa nous a invités plusieurs fois. Maman pense qu'avec Miriam, on devrait accepter. Mais Miriam peut difficilement atteindre le bout de la rue sans laisser une tranchée derrière elle. Tu comprendras quand tu la verras. Ajita, est-ce que tous les deux, on ne pourrait pas aller au Pakistan ?

— Pas avant le mariage.

— Déjà ?

— Ils sont très vieux jeu là-bas. De toute façon, ma mère se démène pour me trouver un mari en Inde. Mon frère se fiche de moi. Il me dit : "Comment va ton beau petit mari d'amour ?" Allez, Jamal, mon nouveau pote, tu veux sortir avec moi ? »

Nous avons dansé sur ses chansons disco préférées. On regardait nos pieds, on se tenait la main, on se touchait les cheveux. Puis nous nous sommes embrassés. Je ne savais plus trop quoi faire (ça semblait trop tôt pour aller plus loin, comme de manger tous les chocolats d'un coup) et je lui ai demandé :

« Tu veux regarder *Le Dernier Tango à Paris* ou tu préfères une balade en voiture jusque Keston Ponds ? On pourrait aussi faire un saut chez moi. C'est juste à dix minutes.

— D'accord, chez toi. »

Sur le chemin, je passais la tête par la portière, espérant

que des gens que je connaissais allaient voir que j'étais dans une voiture avec une fille. Mais tous étaient au travail, à la fac, ou à l'école. Une chose était certaine, Ajita voulait voir ma maison, elle voulait me connaître. Il était aussi vital pour moi que Miriam sache que j'avais une vraie petite copine, qu'elle me voie comme un adulte et pas comme un gentil petit frère.

Pourtant, la perspective de leur rencontre me rendait nerveux. Mais je n'étais pas sûr non plus que ma sœur soit à la maison. La porte de sa chambre était toujours fermée et je n'avais pas le droit d'y pénétrer, sous peine d'une confrontation indésirable entre mes bijoux de famille et une râpe à fromage. La plupart du temps, le seul moyen de savoir si Miriam était là, c'était de se mettre à genoux pour renifler sous la porte d'éventuelles odeurs de cigarette, de shit ou d'encens. Quand elle sortait, et si j'en avais le courage, j'entrais furtivement, je prenais quelques disques en laissant les pochettes vides (*Blood on the Tracks*, *Blue*, *Split* étaient mes préférés, mais j'aimais bien Miles Davis aussi), puis j'allais me les passer en boucle dans ma chambre, jusqu'à ce que j'aie l'impression de les avoir parfaitement digérés.

Dans la chambre de Miriam, on pouvait tout aussi bien croiser un prof de fac, deux ou trois gars du coin, un mec de passage ou sa dernière petite amie en date. Quand elle était à la maison, elle restait couchée jusqu'à ce que maman rentre, à cinq heures. À l'époque, notre mère travaillait dans une boulangerie, où elle portait un drôle de petit chapeau blanc. Elle rapportait toujours des tas de choses à manger, même si c'était un peu rassis parfois.

Ce jour-là, avec Ajita, nous ne sommes pas allés jusque chez moi. Nous nous sommes arrêtés dans une petite rue tranquille et nous sommes restés à nous embrasser dans la voiture. On ne s'en lassait pas. On ne pouvait s'empêcher de recommencer. C'était comme si nous étions scotchés l'un à l'autre.

Le lendemain matin, nous sommes allés dans un bois situé non loin de mon ancienne école et nous avons fait l'amour pour la première fois. Pourtant, avec son jean serré et ses bottes, nous avons cru un moment qu'il faudrait appeler quelqu'un à la rescousse pour tout enlever. Puis on l'a fait dans la voiture, dans une rue à l'écart près de chez elle. Quelque chose d'important avait commencé. Elle était toute à moi, enfin presque. Ce n'était pas ma première petite amie, mais c'était mon premier amour.

4

Ma copine et moi avons commencé à nous voir tout le temps. Surtout à Londres, à la fac et dans le quartier de Soho. Ou alors on se retrouvait à l'arrêt de bus le plus proche de chez moi pour aller en ville.

Je pense que j'ai toujours regardé Londres avec mes yeux d'enfant. Ce Londres que j'aimais était la ville des exilés, des réfugiés, des immigrés. De ceux qui considéraient que la métropole était une créature fantastique, et que les codes de la société anglaise étaient indéchiffrables. De ces gens qui n'avaient nulle part où aller et qui ne savaient pas qui ils étaient. C'était la ville telle que mon père la voyait.

Mon meilleur ami, Valentin, était hongrois et son autre grand ami, Wolf, était allemand. Aucun des deux n'avait le profil de l'étudiant type. Ils ne ressemblaient en rien aux jeunes lycéens immatures tout droit sortis d'une école huppée. Wolf avait dix ans de plus que moi, Valentin au moins cinq. Mon père avait beaucoup de frères plus âgés, que j'idéalisais totalement. Je m'imaginais qu'il y avait toujours eu quelqu'un pour s'occuper de lui et j'aurais aimé qu'il en soit de même pour moi.

Wolf, qui n'était ni salarié ni étudiant, louait une chambre dans la même maison que Valentin. C'est là qu'ils s'étaient connus et que je l'avais rencontré. Il portait un imper à la Bogart, des souliers noirs et des gants de cuir noirs. Les seules fois où il enlevait ses gants, c'était pour jouer au tennis sur les cours municipaux de Brook Green, tout près de là où j'habite maintenant et où j'emmène Rafi pour les leçons qu'il prend avec un Sud-Africain agile.

Avec Valentin, on s'asseyait sur le banc du pub d'en face et on riait de voir Wolf flanquer une raclée à son adversaire. Lui ne se trouvait ni absurde ni ridicule, pas plus que les autres en tout cas, contrairement à Valentin et à moi. Ça aurait été trop gros si nous avions tous été faits sur le même modèle.

On s'amusait beaucoup de l'attaché-case en cuir lisse que Wolf ne lâchait jamais et qu'il ouvrait avec une clé, en le plaquant contre lui pour que personne ne voie ce qu'il y avait dedans. Mais que pouvait-il bien y ranger ? Armes, argent, drogue, couteaux, trombones ? Quand il l'entrouvrait, il jetait un coup d'œil inquiet autour de lui, pour s'assurer que personne ne l'observait, alors que tout le monde le regardait justement, tant son comportement piquait la curiosité.

Wolf et Valentin avaient chacun une chambre dans une pension mal chauffée et humide tenue par une vieille veuve, sur Gwendre Road, qui donnait sur North End Road dans l'ouest de Londres. Valentin, qui lisait Kierkegaard et Simone Weil pour le « plaisir », comme il disait, aimait à déclarer, en faisant un clin d'œil en direction de la veuve, que « Raskolnikov se serait senti comme chez lui ici ».

« Tout le monde se sent comme chez soi ici », répondait-elle, ce qui nous faisait bien rire.

On s'installait autour de la table de la cuisine pour discuter philosophie, sport, boire de la bière et fumer un peu d'herbe. Le lino se décollait par endroits et ça sentait en permanence le gaz et le pipi de chat. Il y avait une cuisinière en fonte et des morceaux de toile cirée sur les tables tavelées. Les fauteuils étaient graisseux, les canapés donnaient l'impression de ne pas avoir de fond. La chasse d'eau des toilettes ne fonctionnait pas toujours, les fenêtres ne fermaient pas et il faisait froid. Les poêles dégageaient une forte odeur de mazout mais ne chauffaient guère, si bien que nous avions pris l'habitude de porter nos manteaux à l'intérieur.

Avec Valentin, nous aimions tout particulièrement débattre des principes moraux intangibles, ainsi que d'idées glanées chez Balzac, Nietzsche, Tourgueniev et Dostoïevski, à propos du nihilisme et du meurtre, mais aussi de comment et quand il serait légitime de débarrasser le monde des faibles, des idiots, des malfaisants pour laisser les autres s'épanouir. Qui avait le droit de tuer ? Après tout, seuls les pacifistes les plus pervers pouvaient refuser le meurtre en toute occasion. Pour étayer cette hypothèse, Valentin et Wolf regardaient des polars et les films avec Sylvester Stallone à la télé. Pour rien au monde ils n'auraient raté une apparition de Steve McQueen. Ces films étaient de véritables « guides de carrière », comme je les appelais. Ajita les regardait un moment avec nous avant de s'enfuir en criant : « Trop de chaises électriques ! »

« C'est là-dessus qu'il va finir », murmurais-je à Valentin en lui montrant Wolf. Valentin était impeccable dans son costume noir, avec son nœud papillon et ses chaussures bien cirées, prêt à partir au casino où il travaillait le soir. Maintenant que j'y pense, je me dis que c'est de lui que je dois tenir mon goût pour les costumes noirs. Val venait d'Europe de l'Est, il avait été formé pour devenir coco. C'était un mondain bien élevé, qui n'avait pas grand-chose à voir avec le goût pour la fripe des hippies de l'Ouest.

Wolf était un aventurier. Ses histoires (où il racontait qu'il fessait des hôtesses de l'air, des serveuses, qu'il avait baisé des playmates de *Playboy*) me titillaient à tous les coups. J'admirais cette classe virile qui était la sienne. Quand il sortait en contrebande des diamants d'Afrique du Sud qu'il s'enfilait dans le cul. Quand il rencontrait Amin Dada et Kim Philby, les deux ensemble, à Tripoli, avant qu'on ne l'arrête et qu'on ne l'accuse d'être américain. Quand il passait de la drogue au Mexique, quand il avait été contaminé par une aiguille usagée lors d'une visite chez le médecin, quand il parlait de la qualité des bordels d'Ipanema au Brésil. Souvent, on ne le soupçonnait pas d'être un criminel mais, pire encore, on le prenait pour un flic !

Comme bon nombre de truands, il avait un grain de vraie folie – plus qu'un grain, en fait. Il n'était pas névrosé comme moi, ou comme la plupart des gens que je connaissais, mais excessivement normal, rationnel, intense, convaincant et très fort pour mentir. Le matin, il se levait de bonne heure pour préparer le petit déjeuner de tout le monde. Parfois, on le trouvait en train de faire des pompes ou de soulever des haltères. Il était extrêmement organisé : il adorait mettre au point des plans où il nous entraînait tous.

À l'inverse, Valentin aimait qu'on le distraie. C'était un homme séduisant, dont on pourrait dire qu'il était élégant, chic, surtout quand il portait un polo sombre sous une veste noire. Mais il était d'une noirceur à la Kierkegaard. À cause de cette faille, il n'avait pas cette même estime de soi attachante qu'on trouvait chez Wolf, ni la même vantardise, ou la même ferveur.

Vraiment, j'adorais la compagnie de ces hommes à la trempe éprouvée. Moi, le gamin désireux de bien faire, ils me traitaient avec condescendance quand j'essayais de les divertir avec quelques plaisanteries, mon langage de corps de garde et ma démarche de crâneur. Souvent, Wolf et Valentin parlaient français ou allemand. Mais, après tout, j'étais habitué à côtoyer des gens dont je ne comprenais pas la langue.

Quand mon père venait à Londres (puisqu'il nous rendait visite pour quelques semaines par deux fois au moins dans l'année), il ne nous voyait que rarement seuls, Miriam et moi. Ses nombreux amis, ses « chamchas », qui parlaient ourdou et punjabi, portaient des costumes occidentaux ou traditionnels, buvaient, racontaient des blagues. Ils étaient toujours avec lui, dans les appartements que papa louait près de Marble Arch ou de Bayswater.

Quelquefois, il n'emmenait que nous au restaurant, pour parler politique. Il était de gauche, probablement communiste, anti-impérialiste (ça allait de soi) et, aussi, favorable à Mao, au Viêt-cong, aux étudiants. En Inde, nous expliquait-il, il était fils d'un riche propriétaire terrien et, durant son enfance, il avait eu l'impression d'être en complet décalage avec les masses rurales indiennes. Autant qu'il l'était avec les gens qui habitaient la campagne en Angleterre. Mais, après avoir été maltraité par son père, qui était colonel dans l'armée, il s'était toujours identifié à ceux que l'on appelait alors les « opprimés ».

Ces soirs de retrouvailles, quand Miriam et moi commencions à nous dire qu'il allait bientôt falloir prendre le train pour retourner dans notre banlieue (enfin, c'est ce que je me disais ; Miriam, elle, allait souvent faire la fête à Londres et restait là-bas quelques jours ensuite), les amies de papa, beautés époustouflantes qui avaient oublié d'être bêtes, faisaient leur entrée en scène.

Moi, j'étais content de voir papa, seul ou pas. À l'inverse, Miriam, qui était tantôt sous acide, tantôt sous calmant, ou les deux, pouvait le prendre assez mal. Elle s'était imaginé qu'ils seraient en tête à tête, à discuter pendant des heures, à partager leurs secrets, leur désespoir. Son père devait forcément avoir envie de la connaître. Comment pouvait-il ne pas tomber sous le charme ? Ses mots tendres l'empêcheraient de « passer à l'acte ». D'après elle, non seulement il n'avait rien fait pour la protéger contre le racisme, mais il l'y avait précipitée.

Elle attendait donc que papa lui parle, qu'il lui dise combien il était fier d'elle. Mais il était incapable d'avoir ce genre de relation avec sa fille. Quand nous partions de chez lui, nous traînions ensemble dans King's Road et je lui posais des questions dont je connaissais déjà les réponses.

« Qu'est-ce qu'il a dit, papa ?

— Rien.

— Ah bon ?

— Non, rien de rien.

— Tu lui as dit que tu étais enceinte ?

Eh bien, non.

— Il t'a demandé ce que tu faisais ?

— Oui.

— Qu'est-ce que tu lui as répondu ?

— Pas grand-chose. »

Mes parents se sont connus quand papa était étudiant en relations internationales à la London School of Economics. Une amie de maman, Billie, l'avait traînée à un bal de cette école, se disant que maman « s'entendrait » mieux avec un intellectuel qu'avec les garçons de leur quartier. Ils étaient allés au restaurant ensemble, à l'India Club, sur le Strand. Maman racontait qu'elle n'avait jamais rencontré quelqu'un comme papa, qui parvienne si facilement à captiver les gens avec ses histoires.

Elle ne parlait pas souvent de lui, mais si on appuyait là où il fallait au bon moment, il lui arrivait de lâcher brusquement :

« Oh, Jamal, tu lui ressembles tellement.

— Ah bon, en quoi ?

— Bah, tu sais bien. Son côté péremptoire. Sa grossièreté sidérante. Son autoritarisme. C'était un homme qui avait l'habitude d'avoir des domestiques, qui considérait que les femmes devaient le servir. Il savait vous faire sentir que vous étiez stupide, bonne à rien. »

À d'autres moments, elle disait : « Tu ne peux pas savoir quel type formidable c'était, ton père, quand il était jeune et qu'il ne buvait pas. Il était beau, intelligent, il avait ce petit truc en plus. Comment on appelle ça ? La classe. Oui, c'est ça : il avait une classe naturelle. » Elle me regardait : « Toi aussi, tu as quelque chose de cette arrogance, je suis sûre qu'on te le dira un de ces jours. Mais, contrairement à toi, lui en était parfaitement conscient. Et tu sais quoi ? Il s'en fichait royalement. »

« J'étais éblouie », continuait-elle, et je me demandais si elle l'aimait encore. Parfois, elle ajoutait ce détail incroyable : « *Il était comme une lumière qui brille dans vos yeux.* Je me demande ce qui a bien pu l'intéresser chez moi. J'étais une fille de banlieue, j'ai toujours eu l'impression d'être la cinquième roue du carrosse face à lui. Quand il ne m'embrassait pas, il m'emmenait au restaurant pour me faire connaître ses frères et ses amis. Je préférais les Pakistanais aux Anglais. J'aimais leur cuisine, leurs bonnes manières. Je n'ai jamais été très féministe, je ne pouvais pas me le permettre, mais je me sentais insultée quand je voyais qu'ils s'attendaient à ce que je reste à la cuisine, à m'occuper du repas, de la vaisselle. Enfin, mes parents n'ont jamais rien dit de mal sur ton père. Je leur avais raconté que c'était un prince indien. »

Pendant que papa faisait ses études à Londres, ses huit frères firent émigrer le reste de la famille de l'Inde vers le Pakistan, imaginant que cette nouvelle nation – brutalement arrachée au vieux pays, dans un soubresaut de dernière minute, ultime coup bas de ces vandales de Britanniques au moment de leur fuite – serait un nouveau départ. Même si papa s'était installé dans la banlieue de Londres avec sa nouvelle famille, c'est à cette époque qu'il commença à se rendre compte qu'il n'avait pas de vraie maison, ni de vraie vocation non plus.

Comme disait maman : « La banlieue n'était pas faite pour lui. On habitait chez mes parents. On s'était fiancés, on s'était mariés, on avait eu des enfants. Mais il était toujours en transit. Qu'est-ce qu'il faisait ? Il allait au pub. Il jouait au cricket dans le Kent, n'importe où pourvu qu'il trouve un match. Il n'arrêtait pas de me parler de politique, de sport, de sa famille, pendant que moi, j'étais occupée à vous nourrir tous les deux. Je finissais toujours par lui dire : "Ne perds pas ton temps à me raconter ça à moi, écris ton histoire. Envoie-la à un journal !" C'est ce qu'il a fait. Il a commencé par écrire pour des journaux indiens et pakistanais. Et alors, il a compris qu'il devait y aller, qu'il avait envie de s'impliquer. Il était prêt à retrousser ses manches. Il voulait prendre part à ce qui se passait là-bas. »

Il est donc reparti. Il n'y a pas eu de rupture officielle mais maman a toujours pensé que « quelque chose l'avait perturbé ».

À la maison, quand nous mangions des currys en sachet devant la télé (c'était le seul moyen que nous avions de rester en contact avec le sous-continent), nous répétions quelques formules qui nous permettaient de ne pas l'oublier totalement : « Ce que tu fais là, ça ne plairait pas à papa », ou : « Ça, papa, ça le ferait beaucoup rire. » Il devint un père fabriqué de toutes pièces, un collage de souvenirs épars. Nous avions chacun notre représentation, notre fantasme de ce qu'il était, tandis qu'il restait dans l'ombre, comme Orson Welles dans *Le Troisième Homme*, toujours sur le point de faire irruption dans nos vies – enfin, c'est ce que nous espérions. Quand maman en parlait, elle disait « ce type », ou encore « votre enfoiré de père » mais, au moins, il était toujours avec nous. Toutefois, il pouvait également servir des fins moins glorieuses.

Un jour que Miriam était furieuse contre maman, elle lui lança : « Tu dis que papa était alcoolique, que parfois, il se comportait carrément mal, qu'il était insultant, blessant, mais il a réussi sa vie. Ça mène où de s'occuper des autres ?

— Je ne dirais pas qu'il a réussi sa vie, rétorqua maman. Laisser sa famille en plan, pour moi, ce n'est pas une réussite. »

Ce à quoi Miriam avait répondu :

« Papa n'avait pas d'autre choix que de te quitter.

— Qu'est-ce que tu insinues ?

— Tu es tellement méchante, stupide... fasciste ! »

Maman lui avait sauté à la gorge. Quand elles se battaient comme ça, je me précipitais dehors et je m'asseyais dans l'abri du parc où je fumais, rêvant à mon avenir tout en me lamentant : « Il doit bien y avoir un moyen de se sortir de là... »

Je n'avais jamais bien su quel métier je ferais. Papa nous conseillait et nous interdisait rarement quoi que ce soit. On pourrait dire qu'il a refusé de confier à Miriam les projets qu'il avait pour elle. Il se confiait davantage à moi. Il me serrait contre lui, il m'embrassait les joues, ébouriffait mes cheveux, me témoignant ainsi son adoration, me disant que je me faisais trop de souci à propos de tout et n'importe quoi. Je pouvais aisément le convaincre de m'acheter des vêtements et des livres : je savais m'y prendre. Notre amour était à la fois passionnel et tendre. Je pense que Miriam avait notre mère pour elle tandis que j'avais notre père, mais je me sentais coupable d'être, selon toute apparence, son préféré.

Il m'a donné autre chose encore et je ne l'en ai jamais remercié. Un jour, j'étais allé le voir seul à son hôtel, j'attendais l'ascenseur quand j'ai vu sortir une femme d'une trentaine d'années, pas très grande, habillée de manière assez quelconque, comme si elle passait un entretien – rien à voir avec les beautés habituelles. La porte de leur chambre n'était pas complètement fermée et, en entrant, je me suis aperçu qu'il dormait, ou qu'il était évanoui. L'odeur du parfum qu'elle portait flottait encore dans la pièce.

Je me suis précipité dans l'escalier, puis dans la rue. Je l'ai hélée. Elle a hésité avant de s'arrêter. Je pensais qu'elle allait se mettre à courir mais, bien que surprise de me voir, elle n'en a rien fait. Telle une héroïne de Jean Rhys dans ses chaussures éculées, elle semblait nerveuse, déçue, ébranlée, imbibée de gin. Je l'ai invitée à prendre un verre avec moi au pub d'en face où j'ai commencé par lui poser une question, puis une autre, jusqu'à ce qu'elle m'ait raconté toute son histoire, d'une voix sourde et éraillée.

Quand la conversation a commencé à s'étioler, je lui ai demandé franchement, avec mon culot d'adolescent, combien elle prenait. Elle a éclaté de rire et m'a proposé un prix. Bien sûr, je ne disposais pas d'une telle somme, pas plus que je n'avais idée de l'endroit où nous serions allés. Je ne pouvais pas rivaliser avec papa. Si j'avais eu plus de cran, j'aurais peut-être pu lui demander si elle faisait un tarif familial. Quoi qu'il soit, j'en ai gardé une passion pour les prostituées – comme on dit dans les publicités, en cas de doute, adressez-vous à une professionnelle – même si, tout comme avec les autres filles, on attend toujours celle qui va nous convenir, nous plaire, ou celle à qui on plaira.

Un jour, papa m'avait raconté qu'il voulait être médecin, comme son père, et que ça ne lui poserait aucun problème si je choisissais cette voie. Contrairement à la majorité des premiers freudiens, qui étaient médecins, je n'avais aucun talent pour la biologie ou la chimie, mais je découvris que cela ne m'empêchait pas de devenir chirurgien des âmes. Un jour, mon père me dit, sur un ton équivoque mais qu'il voulait bienveillant : « Quoi que tu fasses, je compte sur toi pour ne pas finir comme un raté. » J'imagine que le choix du métier d'analyste m'a permis de résoudre un certain nombre de problèmes. En tout cas, il m'a donné l'occasion de passer du temps avec des gens qui m'ont fait réfléchir sur la nature humaine.

Ajita et moi pouvions nous voir souvent : quelqu'un avait dit à sa tante qu'à la fac, on commençait à neuf heures pour finir à cinq heures et qu'il y avait parfois des cours le soir. Son père était rarement chez eux. Du lundi au samedi, il rentrait de l'usine vers vingt-deux heures et il partait tôt le matin. Le dimanche, ils allaient rendre visite à des oncles et tantes à Wembley. Ajita dansait avec ses cousines dans leur chambre.

C'était vraiment une fin d'adolescence très agréable. À l'époque, la fac me donnait l'impression d'être en vacances prolongées tout en suivant les dernières semaines de cours d'une année au lycée. À la différence du lycée malgré tout, il n'y avait ni matraquage ni bachotage. Nous ne nous préoccupions ni de nos carrières ni d'argent comme maintenant. Pour moi, que je sois reçu avec ou sans mention ne changeait rien : personne ne me demanderait jamais quoi que ce soit.

Je lisais plus que je ne l'avais jamais fait jusqu'alors, avec une frénésie que je ne me connaissais pas et qui me surprenait. J'étais comme quelqu'un qui, après avoir mené une vie parfaitement sédentaire, découvre qu'il peut courir, sauter. Un de mes profs nous avait dit : « Faites un devoir sur le sujet de votre choix. » Je rédigeai un travail sur mon philosophe viennois préféré, Wittgenstein, et sa notion de « langage privé ». Les questions qu'il posait étaient d'une bizarrerie qui me plaisait. Je mettrais du temps avant de vraiment comprendre Freud.

Quand nous n'allions pas en cours, ce qui était le cas le plus fréquent, j'emmenais Ajita chez Valentin et Wolf. Elle faisait les courses et nous préparait un steak-frites. Nous formions une vraie petite famille. Lorsque je la présente comme mon premier amour, ce que je veux dire au fond, c'est qu'elle était la première femme dont je ne pouvais me détacher une minute. Même quand nous n'étions pas ensemble, elle était toujours là, dans ma tête. J'y pensais sans arrêt. Quand elle devait partir, ça me chagrinait beaucoup.

On prenait le lit de Valentin pour faire l'amour et, pendant ce temps-là, les deux copains fumaient dehors. Wolf nous disait : « Allez-y, profitez en ! On voit bien que ça vous démange. »

C'est à cette époque que je fis l'expérience d'un phénomène sexuel inédit pour moi. Des premières caresses jusqu'à l'orgasme, c'était une progression sans faille. Les émois, les palpitations, les spasmes embrasaient mon corps tout entier au lieu de se limiter à mon sexe. Je découvrais l'orgasme multiple. Il ne se terminait pas brutalement : il semblait pouvoir continuer presque indéfiniment, comme une série de coups dont l'intensité allait décroissant.

Qu'est-ce qu'un criminel ? Quelqu'un qui est poursuivi – recherché – par la police. Je n'étais pas recherché par la police, pas encore. Et mes amis ? Je dois dire que je ne savais pas quels genres de « crimes » Valentin et Wolf avaient pu commettre, si tant est qu'ils en aient commis. Ils parlaient de bagarres, me racontaient comment Romeo avait assommé quelqu'un avec une chaise. Ils faisaient des allusions à des policiers ripoux ou à des avocats véreux, m'expliquaient qu'il était extrêmement simple de soudoyer un juge ou d'acheter un passeport.

Il y avait beaucoup de magasins d'antiquités et de brocante dans le quartier et on en faisait la tournée avec Wolf. Je connaissais bien ce genre d'endroits et je pouvais l'aider à dénicher de bonnes affaires. Mais ça n'était pas si facile car, chaque fois que nous entrions, Wolf faisait aussitôt une distribution de billets de cinq livres aux employés. Ça devait les impressionner puisqu'ils se mettaient aussitôt à déambuler entre les rayons, l'air inspiré, pour lui montrer différents vases. Je doute qu'il ait jamais été remercié autrement pour ses largesses. Les prix avaient plus tendance à monter qu'à descendre. Peut-être leur déférence lui suffisait-elle ? Moi, je m'en contentais. À cette époque, j'avais encore dans l'idée que je serais universitaire, tout en menant une double vie d'escroc. J'aimais l'idée de ce décalage – être Platon le bandit.

Une fois, pourtant, il est arrivé quelque chose de franchement limite à Valentin. Il avait rencontré un type au Water Rat, qui voulait que Valentin baise sa femme pendant que lui se branlait. Valentin avait besoin d'argent et il a accepté une ou deux fois. L'épouse avait l'air de trouver cela moyennement passionnant. Ce dont elle avait vraiment envie, c'était de voir Val en tête à tête, d'aller au restaurant puis au théâtre avec lui. Elle aussi était prête à le payer. Puis le type en question est revenu voir Valentin en lui disant qu'il lui donnerait plus de fric encore, un beau paquet, s'il acceptait d'attacher sa femme, de « lui taper dessus », de « lui coller quelques beignes ».

Valentin était malade, dégoûté à l'idée de faire ça, même si Wolf et moi avions l'impression qu'il tenait un bon plan. Vu l'argent qu'on lui proposait, il aurait pu demander plus. En fait, ce qui s'est passé, c'est que quand le gars lui a fait cette proposition, Valentin lui a cassé la figure. À ce moment-là, il était déjà déprimé et sujet à des périodes d'absence pendant lesquelles il restait prostré. Cette expérience n'a rien arrangé. Il n'avait pas envie de faire la pute, il n'avait pas envie de devenir violent. Pourquoi est-ce que ça lui arrivait à lui ? Bizarrement, je me souviens lui avoir suggéré de voir un psy alors que je ne savais quasiment rien sur le sujet. Il m'a répondu que, s'il voulait parler, il me parlerait à moi, au pub. Pas besoin d'aller chercher plus loin.

Ça revenait donc à parler. Ce que font beaucoup de gens. Dans la famille, tout le monde aimait les histoires. Ma grand-mère, qui avait vécu avec nous avant de prendre un petit appartement tout près, lisait Agatha Christie et Catherine Cookson. Elle en avait des piles, sous son lit, dans un coin de la pièce, à côté des toilettes. Ma mère regardait des séries télévisées tandis que mon père lisait Henry Miller en avion. J'adorais James Bond.

Mais les paroles des personnages de romans ne sont pas aussi dangereuses que celles qui nous échappent parfois. Un jour, Ajita m'avait dit quelque chose que j'avais failli rater, mais qui est resté gravé dans ma mémoire, revenant sans cesse me hanter, tels les murmures du diable.

Elle était arrivée en retard au cours de philo où je la retrouvais : elle avait beau être inscrite en droit, il lui fallait une autre « unité d'enseignement » pour compléter son année. Contrairement à ce que j'avais espéré, elle n'aimait pas la philo. Elle n'en voyait pas l'intérêt, même si elle s'amusait de mes efforts pour lui expliquer de quoi il s'agissait.

« C'est une histoire de sagesse indispensable à tous, de rapport au bien et au mal, non ?

— S'il n'y avait que ça. Je crois qu'il faudra que tu t'inscrives en psycho si ces questions t'intéressent. Mais je pense que tu ne peux plus changer de cours maintenant. Pour moi, la philo, c'est l'idée d'Aristote que la recherche du plaisir est au centre de notre vie. Mais, malheureusement, on nous enseigne surtout des concepts. Sur notre appréhension du monde. Ou sur la connaissance – comment nous savons que nous savons. Ou encore, ce que nous pouvons dire de la connaissance, en quoi ça nous aide à comprendre le monde. »

Comme je sentais que je m'évertuais à la convaincre en pure perte, j'optai pour un angle d'attaque plus personnel :

« J'ai envie de te connaître. De tout connaître de toi. Mais comment saurai-je jamais que je connais tout de toi ?

— Je n'ai pas envie que tu connaisses tout de moi, me dit-elle tout à trac.

— Ah bon ?

— Tu n'aurais plus envie de moi.

— Comment tu le sais ?

— Je le sais, c'est tout.

— Tu as des secrets ?

— Ne me pose pas de questions.

— Oui, mais maintenant, je ne peux plus faire autrement. Je ne vais pas pouvoir m'en empêcher, Ajita. »

Elle me souriait. « La curiosité est un vilain défaut, tu ne crois pas ? Les chats en savent quelque chose.

— Mais il faut bien que les chats sachent de quoi il retourne, non ? C'est dans leur nature. S'ils ne vont pas voir ce qu'il y a au fond du sac, ils deviennent fous.

— Mais ça ne leur fait pas beaucoup de bien, mon amour.

— Le bien, ce n'est pas toujours quelque chose qu'on peut décider à l'avance.

— Dans notre cas, si, absolument. Allez, arrête ! »

Je l'ai regardée fixement, surpris de la trouver aussi hostile. Elle était presque toujours douce avec moi. Elle me caressait et m'embrassait tout le temps quand nous discutions. Cette conversation avait eu lieu derrière son garage, où l'on pouvait s'installer sans être vus depuis la maison. Il y avait là un jardinet avec un coin de pelouse qui ne servait jamais. Au printemps, quand il a commencé à faire meilleur, c'est là qu'on se retrouvait en cachette pour écouter Radio One avant de prendre la voiture pour aller déjeuner à Londres.

Même si, dans le quartier, notre peau déjà sombre nous valait un certain nombre d'insultes, de la part des automobilistes surtout, nous avons commencé à prendre plaisir à nous mettre nus au soleil. Nous avions tout ce dont nous avions besoin à portée de main : musique, boissons, nourriture préparée par la tante. Souvent, Ajita apportait un sac de vêtements avec elle. Elle adorait pratiquer l'amour avec les yeux et m'enseigner l'érotique du regard. Elle aimait son corps alors. Elle aimait le montrer, poser à moitié dévêtue, ou nouer des liens autour de ses chevilles, de sa gorge ou de ses poignets.

Pour moi, le temps passé dans ce jardin fut une période de fête. Nous avions survécu aux épreuves de l'enfance (les parents, l'école, une obéissance sans faille, la peur au ventre) et c'étaient nos vacances avant de nous embarquer pour l'âge adulte. Nous étions encore des gamins qui se comportaient comme tels. On se courait après, on se chatouillait, on se tirait les cheveux. On se regardait en train de faire pipi, on faisait des concours de spaghettis, des courses avec un œuf dans une petite cuillère, nos sous-vêtements entortillés autour de nos chevilles. Puis on s'affalait par terre en riant et on refaisait l'amour. Nous avions franchi la barrière de l'enfance, mais peut-être pas complètement ?

Si la tante d'Ajita avait regardé vers ce jardin – et je me demandais souvent si tel n'était pas le cas car j'avais la sensation que quelqu'un nous observait –, elle aurait vu Ajita allongée sur le dos, les yeux clos, et moi à genoux, couvrant son corps de baisers, tandis que ses lèvres s'entrouvraient de plaisir. Toute la journée, je jouais avec sa peau, jusqu'à me dire que, même les yeux bandés, je la reconnaîtrais entre mille.

Je me posais effectivement des questions au sujet de la tante d'Ajita, avec cette façon qu'elle avait de se déplacer, furtive et invisible, cachée derrière son foulard. J'imagine que, si j'avais été plus jeune, elle aurait communiqué avec moi, d'une manière ou d'une autre. Quand j'étais enfant et que mes tantes indiennes venaient nous rendre visite à Londres, elles s'empressaient autour de moi, m'embrassaient et me câlinaient sans cesse, plus que ma mère, ça ne fait aucun doute. Mais à qui cette tante parlait-elle véritablement ? Certainement pas à Ajita, ni à son frère. Elle faisait le ménage et la cuisine pour eux, mais elle ne mangeait jamais avec eux. La plupart du temps, elle était seule dans sa chambre, reléguée comme une domestique plus que comme un membre de la famille isolé. Je pense que j'étais déjà convaincu de la nécessité de parler. J'étais convaincu, en fait, qu'elle souffrait de ne pouvoir discuter avec quiconque.

Il semblait n'y avoir personne d'autre dans les parages. Le voisinage était désert : les enfants étaient à l'école, les adultes au travail. Notre radio marchait tout bas. De temps à autre, nous jetions même un coup d'œil aux livres au programme. Sinon, tout ce qu'il y avait à regarder, c'était le ciel et la maison d'en face. Pendant des jours entiers, j'observai cette maison, le couple qui y vivait, sans vraiment les voir, jusqu'à ce que je me dise que, s'il fallait un coup de pouce à ma vie de criminel – et j'étais persuadé qu'il en fallait un : avec Wolf et Valentin, je n'arrêtais pas de penser que je devais faire mes preuves si je voulais devenir un dur comme eux –, c'était peut-être l'occasion ou jamais.

Et puis je me mis à poser de plus en plus de questions à Ajita. Ce que je voulais savoir, c'était ce qu'elle ne voulait pas me révéler. Elle m'avait expressément demandé de ne pas m'avancer sur ce terrain, mais c'était justement là que j'avais besoin d'aller.

C'est à peu près à cette époque, alors que nous sortions ensemble depuis plusieurs mois, que les événements ont pris un tour encore plus bizarre, et j'ai commencé à me dire que j'étais au beau milieu d'une histoire que je n'arriverais jamais à comprendre.

On a tous le cœur brisé, un jour ou l'autre.

5

« Quelqu'un pour vous au téléphone, docteur Khan »,
me dit Maria.

Elle était une sentinelle pour moi et, d'ordinaire, elle ne
me passait jamais un appel à cette heure-là, sauf en cas de
menace de suicide – la hantise de tout analyste, que beaucoup ont dû affronter.

Je dirais volontiers qu'un analyste sans femme de
ménage n'est d'aucune utilité à personne. Pas plus qu'un
analyste sans cabinet miteux. Quand, en 1921, après
avoir erré autour de son immeuble pendant des jours,
André Breton est allé rendre visite à Freud, il a été extrêmement déçu par le grand homme : par l'immeuble où
il vivait, par ses objets d'art anciens, par son bureau, par
sa taille. (L'acolyte de Breton, Tristan Tzara, disait que
Freud faisait de la « psychabanalyse ».) De même, les
détails de décoration de la salle d'attente de Lacan – le
tapis usé, la pièce de bois de forme phallique posée
sur la table – en ont déçu plus d'un. On s'attend à rencontrer un magicien, un mage, et on ne rencontre qu'un
homme. L'analyse a au moins l'avantage de nous dessiller
les yeux.

Nous étions en train de déjeuner (saumon froid, salade,
pain, vin), une semaine après la visite que Rafi et moi

avions faite à Miriam. Henry était venu pour discuter et se
distraire un peu.

Donc, Maria me tend le téléphone :

« M. Bushy attend dehors.

— Je vois. Merci. »

En raccrochant, je dis à Henry :

« C'est pour toi. Bushy apporte les provisions que tu
attends.

— Ah ! Les provisions. Enfin. Comment est-ce que
Baudelaire appelle ça ? "La recherche de l'infini". Faites
entrer ! »

Il y eut un énorme bruit de ferraille dans le couloir,
comme si quelqu'un renversait un sac plein de pièces sur
un toboggan en métal. Ça ne pouvait pas être Bushy. Son
passé de cambrioleur en avait fait un homme silencieux.
C'était Miriam en personne, qui à l'évidence s'était parée
de tous ses bijoux et se tenait fermement sur ses deux
jambes, sans l'aide des cannes dont elle avait parfois
besoin. Elle entra, ôta son manteau noir de velours frappé,
le tendit à Maria, qui lui manifestait le respect dû à toutes
les « reines » – hommes et femmes confondus – qui for-
çaient mon admiration.

Miriam portait un ensemble de plusieurs épaisseurs de
tissu brillant pseudo-psychédélique, avec un haut noir en
toile d'araignée, dans le plus pur style gothique. Ses cheveux hirsutes étaient parsemés de mèches rouges et bleues
toutes récentes. Sur son visage, ses piercings étincelaient.
Une telle entreprise de ravalement avait dû lui donner
énormément de mal.

« Ce matin, j'étais dans une cage avec le vieux loup que
je vois en ce moment, annonça-t-elle en faisant irruption
dans la pièce. J'étais en parfaite osmose avec lui. Il avait le
regard perdu en direction de l'Orient. Il se fait du souci
pour ceux qui sautent sur des bombes dans cette guerre. Il

m'a fait comprendre que je devais venir. Des liens allaient se créer. Du coup, j'ai dû apporter ça moi-même.

— Très bien », dit Henry tout en la regardant intensément.

Je dois avouer que j'étais surpris de la voir arriver sans que personne ne l'accompagne. Comme de nombreuses célébrités, elle n'aimait pas qu'on la voie seule et, la plupart du temps, du fait de son handicap, elle était flanquée de deux personnes plus petites sur lesquelles s'appuyer.

Henry avait l'air impressionné. « Oui, absolument. Il fallait venir. »

Nous nous sommes penchés pour voir ce qu'elle apportait. L'« infini » se trouvait dans le délicat coffret en bois qu'elle nous tendait. Je le reconnaissais. Notre mère, qui était une passionnée de brocantes et d'objet anciens, avait fait une collection de toutes sortes de choses « orientales » et ne s'en était jamais séparée. « Il n'y a que le mari qui a déménagé », lui ai-je dit un jour, alors qu'elle époussetait inlassablement toutes ses chinoiseries.

Miriam lui donna le coffret :

« Henry, voilà pour vous.

— Adorable Miriam, vous êtes quelqu'un de vraiment bien !

— Oui, oui, je sais, mais vous êtes le seul à vous en rendre compte ! »

Il fallait le voir pour le croire – soudain, les voilà dans les bras l'un de l'autre, comme de vieux amis qui ne se seraient pas vus depuis longtemps.

Miriam s'assit à côté d'Henry, ouvrit le coffret, prit un peu de shit. Elle le lui mit sous le nez, ce nez qui avait parcouru la France de long en large à la recherche de bons vins, en compagnie d'acteurs et amis suffisamment coriaces pour apprécier ses monologues.

« Contre la mort et l'autoritarisme, il n'y a qu'une chose, m'avait-il dit un jour.

— L'amour ?

— Je dirais plutôt la culture. Bien plus important. N'importe quel imbécile est capable de tomber amoureux ou de faire l'amour. Mais écrire une pièce, peindre un Rothko ou découvrir l'inconscient : est-ce que ce ne sont pas là d'incroyables prouesses de l'imagination et la seule façon de nier notre désir de meurtre ? »

Maintenant, il tombait en pâmoison à tout moment et son double menton se mettait à trembler pour un rien.

« Qu'est-ce que tu ressens ? lui demanda Miriam.

— Ah, Miriam, je suis en admiration devant tes ongles.

— Je sais.

— Où est-ce que tu as trouvé ce vernis noir ?

— Attends, attends ! lui dit Miriam. Approche un peu. »

Gagné par son excitation, Henry se pencha vers elle :

« Qu'est-ce que tu vois ? »

Maria et moi, nous la regardions placer ses deux mains sur le crâne d'Henry. Elle secoua la tête d'un air chagrin : elle sentait l'insatisfaction d'Henry vibrer sous ses doigts.

« Qu'est-ce qu'il y a ? insista Henry. Un génie ? Un cancer ? Un djinn ?

— Tu es de quel signe ? »

Ce n'était pas une bonne question à poser à Henry mais elle enchaîna :

« Tu as vu un fantôme récemment ?

— Un fantôme ? Et comment !

— Combien ?

— Tu veux vraiment le savoir ?

— Ce que je peux te dire, c'est qu'à coup sûr, tu es habité ! dit-elle d'un ton ferme.

— Je l'ai toujours su. Mais il n'y a que toi pour le voir !

— Mais tu n'es pas possédé !

— Non ? Je ne suis pas possédé ? »

Je voyais que Maria, qui nous écoutait depuis la porte, était au bord de la panique. J'avalai un dernier morceau, jetai un coup d'œil à ma montre : « Bon, je vais faire mon tour. »

De l'autre côté de la rue, Bushy attendait en fumant, appuyé contre sa voiture. Je lui fis signe et l'appelai. Quand il m'aperçut, il se redressa. Je vis sa bouche articuler quelque chose : il laissait vraisemblablement échapper un rêve.

« Je te dépose quelque part ? » hurla-t-il.

Il vint vers moi mais je continuai sur ma lancée. Il m'avait bientôt rattrapé.

« Attends, dit-il. Tu sais tout ça, toi – j'ai jamais autant baisé de ma vie ! Un homme qui trouve pas chaussure à sa bite, c'est pas un homme.

— Je suis content de l'apprendre, Bushy », lui répondis-je en m'échappant.

Quand je rentrai de ma promenade, juste avant l'arrivée de mon premier patient de l'après-midi, Henry et ma sœur étaient partis. Maria débarrassait la table. Elle m'informa que Bushy les avait emmenés le long de la Tamise, à Hammersmith, où il y avait un pub, le Dove, qu'Henry connaissait bien.

« C'est sûr, ajouta-t-elle d'un air réprobateur, ils vont y passer l'après-midi.

— Très bien, dis-je en gagnant mon cabinet. Faites entrer le patient, s'il vous plaît. »

6

Un homme va voir un psychanalyste et lui dit : « Je vous en prie, monsieur, je n'en peux plus, si vous me guérissez, je vous donne toute ma fortune ! » Le psy répond : « Je ne veux pas de votre fortune, c'est juste cinquante livres la séance. » L'homme demande : « Pourquoi si cher ? » Le psy répond : « Au moins, vous connaissez le prix à payer. »

Parmi mes patients, il y a des hommes d'affaires, des putes, des artistes, des adolescents, des éditeurs de magazines, des acteurs, des gens qui travaillent dans les relations publiques, une femme de quatre-vingts ans, un psychiatre, un mécanicien, un footballeur et trois enfants – entre autres. Quand j'accueille un patient à la porte et que je le suis dans mon cabinet, lui laissant le temps de s'asseoir ou de s'allonger sur le divan (je préfère qu'il s'allonge ; comme disait Freud : « Je n'aime pas que l'on me dévisage huit heures par jour »), je suis impatient d'écouter ce qu'il va me dire et je fais mon possible pour que tout se passe bien entre nous.

En tant que thérapeute, de quel type de savoir suis-je détenteur ? Ce que je fais est démodé, un peu décalé comparé à ce qu'offre désormais la médecine d'un point de vue technologique et scientifique. Bien que je ne fasse aucun examen et ne prescrive aucun médicament, je suis comme un médecin traditionnel dans la mesure où je soigne la personne dans son ensemble plus que la seule maladie. Au fond, c'est moi qui suis le médicament et je constitue une partie intégrante de la cure. Non pas que la plupart des gens souhaitent réellement guérir. La maladie leur apporte plus de satisfactions qu'ils ne peuvent en supporter. Les patients sont des artistes inconscients de leur propre malheur. En fait, ce qu'ils appellent leur symptôme n'est autre que leur vie. Et ils ont tout intérêt à l'aimer !

Il y a des gens qui préféreraient se faire tuer plutôt que de parler. Mon rôle se limite à laisser le sujet parler pendant un long moment. Chacun de nous deux prend ce qui se dit au sérieux, sachant que même quand les gens disent la vérité, ils mentent et que, quand ils parlent de quelqu'un d'autre, ils parlent d'eux.

Je pose des questions concernant la famille, en remontant jusqu'aux grands-parents. De nos jours, vers quoi les gens qui souffrent peuvent-ils se tourner pour endiguer les désordres de leur désir ?

Quand on y réfléchit bien, qu'est-ce qui déclenche l'entrée en analyse ? Une chose éminemment humaine : la reconnaissance d'une douleur inexplicable et une certaine forme de curiosité pour sa vie intérieure. Comment une analyse pourrait-elle ne pas être difficile ? Avoir vécu de telle manière pendant des années, des décennies même, et puis essayer de tout défaire par la parole, ce n'est pas une mince affaire. D'autant que ça ne réussit pas à tous les coups. Il n'y a aucune garantie de quoi que ce soit, et c'est bien ainsi. Il y a toujours un risque.

Malheureusement, et cela en surprend plus d'un, faire une analyse n'aide pas nécessairement à mieux se comporter, ni à être meilleur. À l'inverse, on peut devenir plus empoisonnant, plus polémique, plus exigeant, plus conscient de ses désirs et moins susceptible de subir l'emprise des autres. En ce sens, la psychanalyse est subversive et libératrice. De fait, il y a peu de gens qui, une fois vieux, se disent qu'ils auraient voulu vivre une vie plus vertueuse. D'après ce que j'entends dans mon cabinet, la plupart de mes patients regrettent de ne pas avoir commis davantage de péchés. Ils regrettent aussi de ne pas s'être mieux occupés de leurs dents.

Une femme intelligente, riche et élégante avait pris rendez-vous avec moi. Elle s'est installée sans hésitation sur le divan, sans rester sur le bord, comme d'autres patients plus angoissés ont tendance à le faire, puis elle s'est adressée à moi comme si elle me faisait passer un entretien d'embauche. Elle m'a dit deux ou trois choses sur elle-même avant de commencer à me raconter qu'elle venait parce que son mari avait « des problèmes » avec son travail. Nombreux sont ceux qui viennent consulter pour des difficultés liées au travail. C'est seulement plus tard qu'ils abordent leurs problèmes affectifs et sexuels. Tout en étant persuadée qu'elle n'était nullement responsable du sort de son mari, elle voulait « en discuter ». Elle n'arrêtait pas de préciser qu'elle était « normale » ou « pas anormale du tout ».

Plus tard, au cours de ma promenade, je me suis demandé pourquoi je sentais qu'il fallait que je me méfie de la « normalité ». Ce qu'il y a de frappant dans la normalité, c'est qu'elle n'a rien de normal. La normalité n'est pas autre chose que la dénomination bourgeoise de la folie ordinaire – vous n'avez qu'à demander à n'importe quel surréaliste. En analyse, la plupart du temps, l'« enfant normal » désigne l'enfant sage et obéissant, celui qui veut surtout faire plaisir à ses parents et qui se crée ce que Winnicott a appelé un « faux self ». D'après Henry, l'obéissance est un des problèmes de ce monde, elle n'en est pas la solution, comme beaucoup ont pu le penser. Mais se peut-il qu'il existe une définition du normal qui ne soit pas synonyme d'ordinaire ou de terne ? Ou qui ne soit pas normative, ou ridiculement guindée ?

Bien sûr, cela faisait partie de la spécificité de mon travail de passer du temps avec des « cinglés », comme les appelait Miriam, de même qu'un docteur en médecine s'occupe des corps malades. Mais, comme le disait Freud, et j'ai appris cela avec l'expérience, mes patients ne se distinguaient guère du reste de la population. C'étaient ceux qui ne demandaient pas d'aide qui étaient le plus susceptibles d'être fous ou dangereux. Je me rappelais une histoire à propos de Proust qui, à la fin de sa vie, tournait désespérément les pages de la *Recherche* et constatait combien tous ses personnages étaient excentriques, voire anormaux. Comme si on pouvait écrire un roman, ou même fonder une société, à partir d'éléments fades et strictement conventionnels.

Mon travail avec cette femme « normale » consisterait à l'aider à devenir poète : elle verrait ce qui était à la fois déconcertant mais aussi fascinant dans cette expérience qu'elle cherchait à neutraliser en la qualifiant de normale, alors même qu'elle s'efforçait de nous convaincre l'un et l'autre que le normal n'était pas digne d'investigation.

Contrairement à cette femme « normale », j'ai toujours été sidéré par la nature et la variété du plaisir humain, question délicate s'il en est. En consultation, je voyais un fétichiste du pied, un masturbateur compulsif qui risquait de perdre son travail à cause du temps qu'il passait aux toilettes, deux hommes qui s'habillaient en femmes, un homme d'affaires important qui prenait des risques invraisemblables pour espionner des femmes chez elles, une fillette qui avait une peur bleue des chats, une patiente qui avait fait une dépression nerveuse quand elle avait appris, à l'âge de trente ans, que sa mère avait toujours eu un œil de verre. Et puis, il y a ceux qui couchent à droite à gauche, les frigides, les paniqués, les abusifs et les abusés, ceux qui ont le vertige, ceux qui se tailladent, ceux qui s'affament, ceux qui se font vomir, ceux qui se sentent pris au piège et ceux qui se sentent trop libres, les épuisés et les hyperactifs, et les enchaînés à vie à leur bêtise. J'entends les récits de tous. Je suis l'assistant de l'autobiographe, la sage-femme des fantasmes, je rouvre les anciennes plaies, je libère la parole et la transforme en art érotique, je démasque les vérités illusoires. L'analyse rend le familier étrange, elle nous conduit à nous demander où s'arrêtent les rêves et où commence la réalité – si tant est que la réalité commence jamais.

J'ai rencontré mon premier analyste, un Pakistanais du nom de Tahir Hussein, quelques mois après avoir quitté l'université, alors qu'avec Ajita, les choses avaient pris une tournure plus que singulière. Je dois admettre que j'en avais grandement besoin.

Ajita et moi nous étions quittés sans imaginer que nous ne nous reverrions pas. Nous n'étions pas brouillés. Notre amour ne s'était pas épuisé. Il avait été violemment interrompu.

Toutes ses déclarations d'adoration me manquaient. Ses baisers, ses éloges, ses encouragements et cette façon qu'elle avait de dire « merci, merci » quand elle jouissait. De toutes les femmes que j'ai connues, elle était la plus inoubliablement tendre, vulnérable, désinhibée, pareille à une beauté espagnole à la Goya, ses longs cheveux noirs dissimulant son visage quand elle s'occupait de ma verge. Elle m'appelait son joli garçon, disait qu'elle aimait ma voix, qu'elle trouvait « bien timbrée ».

Je l'avais attendue pendant des mois, pensant qu'un jour elle réapparaîtrait. Je la voyais dans la rue, dans des trains en partance, dans mes rêves et mes cauchemars. J'entrais dans un bar et elle était là, à m'attendre. Je l'entendais qui m'appelait, avec son léger accent indien, de mon lever à mon coucher.

Cependant, j'avais bien reçu le message qui était plus que clair, finalement : elle n'était plus intéressée. Elle m'avait dit qu'elle m'aimait mais, en définitive, elle ne voulait pas de moi. Son père était mort, notre relation était morte. Ajita était partie. Je n'avais pas envie de guérir, mais il le faudrait bien un jour. En ce moment, elle devait être avec un autre homme, peut-être était-elle mariée. Pour elle, j'étais déjà de l'histoire ancienne et j'imagine qu'elle m'avait plus ou moins oublié.

À l'âge de vingt ans environ, j'avais quitté ma mère. Je savais depuis un moment qu'il était temps de quitter la maison et le quartier. Si la banlieue était la réponse commode à la question de savoir comment vivre sa vie, il valait mieux que je parte.

Par l'intermédiaire d'une personne rencontrée à la fac, une personne que j'avais dirigée dans une production d'*En attendant Godot* jouée uniquement par des femmes, j'avais trouvé une chambre dans une maison louée par un groupe de militants blancs, tous issus des classes moyennes. Il y avait un charpentier, des enseignants, des travailleurs sociaux, des féministes et des avocats engagés, dont deux finiraient députés, et blairistes convaincus (on les voyait souvent à la télé défendre la guerre en Iraq). Ils étaient à l'initiative de plusieurs autres regroupements semblables dans le quartier.

Dans un premier temps, toutefois, je n'avais pas pu emménager dans la chambre qui me plaisait. Il y avait une liste d'attente et ces militants pouvaient se montrer démocrates à leurs heures. Je dus subir un entretien, même si je savais pertinemment que les gauchistes m'accepteraient à la minute où je leur demanderais combien de Noirs habitaient là. La culpabilité leur tordit les boyaux comme une gastro et je fus accepté, malgré la pâleur de ma peau et la file de Blancs qui patientait dehors.

Ce n'était pas exactement une communauté. Chacun avait sa chambre. On ne partageait ni les repas ni les tâches ménagères, sauf quelques-unes. Il y avait de nombreuses réunions et des discussions à n'en plus finir, du pédalage et du recyclage. Tous les jours, on découvrait dans l'entrée de nouvelles affiches (« Contester pour survivre ! ») ou la photo d'un singe de laboratoire, des tracts appelant à tel ou tel meeting, des stocks de bois à écluser.

Souvent nous enfourchions nos vélos, direction la forêt où nous emportions du vin et de la came. Je me souviens d'une fois où les autres se sont tout de suite mis à poil pour piquer une tête dans une mare boueuse. D'habitude, j'étais plutôt du genre coincé, mais cette fois, je les ai rejoints.

La plupart des week-ends étaient occupés à organiser des manifs antinucléaires. Pendant la semaine, le parti travailliste tenait des réunions de section dans les pièces glaciales de bâtiments sociaux délabrés. J'y allais parce que tout le monde y allait. Je voulais me tenir au courant de ce qui se passait. C'était un sacré boulot. La vieille garde, les piliers de la classe ouvrière qui fumaient la pipe et parlaient pendant des heures avec des accents à couper au couteau – beaucoup d'entre eux avaient bien connu l'époque d'Harold Wilson –, ainsi que les excentriques, les petits vieux, les tarés et ceux qui n'avaient nulle part où aller le soir, tous étaient progressivement remplacés par les gens que je fréquentais.

La génération montante était composée de jeunes avocats brillants, de responsables au logement, de radicaux issus des universités de province. En réalité, quelques-uns de ces « militants » étaient des trotskos ou des cocos, avides de respectabilité et attirés par le pouvoir ; d'autres canalisaient leur ambition par le biais de carrières politiques plus conventionnelles. L'idée était de faire évoluer le parti travailliste sur sa gauche en y intégrant les éléments radicaux qui étaient apparus au milieu des années 1970 : les homosexuels, les Noirs, les féministes. Michael Foot avait été élu à la tête du parti travailliste, puis ce fut au tour de Neil Kinnock. Le parti commençait à se moderniser, mais pas au point de se retrouver au gouvernement. Pour ça, il fallait que la gauche change. Nous détestions tous Margaret Thatcher, c'est un fait, mais c'était elle qui avait le vent en poupe.

J'étais effaré de voir à quel point la politique au quotidien n'était que rancœurs, bassesses, cruautés. Là comme ailleurs, l'idéalisme n'était qu'une excuse pour se livrer à l'agressivité la plus débridée. Je distribuais des tracts dans les cités et faisais du porte-à-porte au moment des élections municipales. Quelquefois, les gens nous invitaient à entrer chez eux. Je n'avais jamais vu d'endroits pareils à Londres et je peux vous assurer que ça m'a ouvert les yeux.

Là où j'habitais, je ne parlais pas beaucoup avec qui que ce soit. Je restais dans ma chambre et je lisais. La plupart du temps, les gens qui venaient là étaient eux aussi des militants. C'était l'époque où l'on ne voyait pas encore la classe ouvrière comme un ramassis de dégénérés tout juste bons à consommer et à porter des vêtements bon marché couverts de noms de marques. Ils tiraient encore une certaine dignité d'un travail pénible mais essentiel aux yeux de tous.

Les mineurs en grève avaient la cote auprès des homos. Les militantes de Greenham Common, elles, étaient soutenues par les lesbiennes, mais à condition, apparemment, qu'elles acceptent d'abord de prendre un bain. Pour nous autres, il restait le Nicaragua. Plusieurs membres de notre groupe étaient partis à Managua donner un coup de main. J'y avais pensé aussi un moment mais j'avais entendu dire qu'il fallait beaucoup manier la pioche. J'aimais leur compagnie, j'aimais sentir qu'il y avait des gens autour. C'était la première fois que j'avais un lieu à moi, un endroit pour lequel je devais payer.

Peu de temps auparavant, Miriam et moi étions rentrés du Pakistan où nous étions allés retrouver nos racines auprès de notre père. Résultat de l'opération : on se détestait et on détestait tout. Non seulement je ne savais pas ce que j'allais devenir mais, psychiquement, j'étais en piteux état. Je commençais à comprendre que j'avais imaginé, après le cyclone Ajita, que le voyage au Pakistan serait une sorte de tournant. Si je n'y trouvais pas Ajita – et comment l'aurais-je pu ? – je trouverais au moins mon père, je trouverais une certaine orientation à ma vie, une certaine force, le meilleur de moi-même. Mais ce que Miriam et moi avions rapporté de là-bas, il allait falloir des années pour le digérer.

J'aurais dû deviner que je finirais par m'embarquer dans une histoire avec les livres. Je trouvai un boulot monotone mais pas compliqué à la British Library, où je me transformais en ver de terre muni de bras afin de remonter à la surface des livres qui s'entassaient sur des kilomètres de tunnels sous Bloomsbury. Je passais mes journées dans les entrailles de ce sinistre bâtiment, cerné par des monceaux de papier imprimé qui tombait en poussière, émergeant de temps à autre dans la lumière et l'espace de la magnifique salle de lecture. Tout en travaillant, je chantais, ou je fredonnais : « Je suis un ver et je vis sous la terre. »

Mes yeux, comme ceux de mes compagnons de travail, s'étaient adaptés à cette seule lumière tamisée et artificielle. Nous, les mineurs de livres, nous méprisions les lecteurs, leur arrogance, leur oisiveté, les jeux de séduction auxquels ils s'adonnaient entre eux. Ne se rendaient-ils pas compte qu'ils étaient dans une bibliothèque ? Même si nous étions un peu bizarres, un peu monstrueux même – véritables notes de bas de page du corps de leur texte –, ne pensaient-ils jamais à ce que nous faisions pour les approvisionner ? J'aimais pousser mon chariot, le dos courbé, dans les profondeurs de la terre, dans ce que Keats appelait les « passages sombres ». Certains de ceux avec qui je travaillais peinaient dans cette vallée de livres depuis trente ans. Ils étouffaient mais se sentaient en sécurité, au milieu de cette forêt de papier où ils avaient fait leur trou. Il n'y avait pas de meilleur endroit où s'enterrer vivant.

Parmi les universitaires qui travaillaient dans la salle de lecture – sur les *Carnets de notes* de Coleridge et sa fascination pour *Les Mille et Une Nuits* –, il y en avait un que j'avais connu à la fac. Certains de mes amis l'avaient eu en cours. Il marchait avec des béquilles et son corps était tout rabougri, déformé, autant à cause des médicaments qu'il prenait qu'à cause de sa maladie. Nous déjeunions souvent dans tel ou tel café de Bloomsbury et, un jour, il m'a complimenté sur ma longue et luxuriante chevelure. Je lui ai avoué que je ne me laissais pas pousser les cheveux pour des questions de mode mais parce que je ne supportais pas de m'installer dans le fauteuil d'un coiffeur, ni qu'on me touche.

« Même si c'est une femme ?

— Euh... Oui ! Surtout si c'est une femme.

— Vous n'avez pas de petite amie ?

— J'en avais une. Mais elle est partie et elle ne reviendra pas. Je pensais qu'elle reviendrait. Mais on dirait que non finalement.

— Je suis sûr que vous plaisez aux femmes. Si j'avais votre physique, je ne passerais pas mes journées assis dans cette bibliothèque. Je reste assis parce que je ne peux pas marcher correctement. Je sais que je suis sur la pente descendante.

— Les bibliothèques sont des lieux sexuels. Ce silence, ces murmures. Vous autres, lecteurs, vous ne nous voyez pas vous regarder, mais nous savons tout ce qui se trame. On repère qui sort de la bibliothèque avec qui et on en fait des gorges chaudes. Mais dites-moi donc ce que vous aimeriez faire au lieu d'être ici.

— M'envoyer en l'air, pardi. La vérité, c'est qu'aujourd'hui, les seules femmes qui me touchent sont des prostituées, mais vous ne savez pas ce que c'est, vous. À l'inverse, je suis persuadé qu'il y a des femmes qui seraient prêtes à vous payer. »

Pendant un moment, il me parla de lui et de ses problèmes. Puis il me demanda : « Vous avez d'autres symptômes ?

— Des symptômes ?

— Des états d'âme qui vous empêchent de mener une vie suffisamment épanouie. »

Je lui expliquai que, depuis peu, il m'arrivait de m'arrêter brutalement en pleine rue, de sentir que j'étais incapable de bouger, d'avancer ou de reculer. Un jour, j'étais resté planté au même endroit pendant une heure — suspendu, paralysé, mort —, les yeux rivés sur une publicité, et j'étais arrivé en retard au travail. Lorsque je n'étais pas complètement pétrifié, je me surprenais à insulter les gens mentalement. J'avais envie d'en découdre, j'avais envie de me faire massacrer.

La plupart du temps, toutes ces pensées folles restaient cantonnées à l'intérieur de moi mais je bousculais les gens dans le bus et je me pris un coup de poing dans un pub. Je n'étais pas loin de ressembler à ces fous qui grommellent et s'emportent contre eux-mêmes aux arrêts de bus. Il fallait que je quitte le travail de bonne heure afin de m'enfermer dans ma chambre parce que j'étais persuadé, par intermittences, que les autres dehors pouvaient entendre mes pensées et que ma tête était aussi transparente qu'un bocal à poissons.

Le soir, comme vous, j'apercevais du coin de l'œil des rats, des oiseaux, des alligators. Je rêvais d'ours qui dansaient avec moi et me sodomisaient. On me fourrait des poulets vivants sous ma chemise, dans mon dos.

Un jour, alors que je venais juste d'être embauché, je me rendis compte que je ne pouvais plus marcher. J'avais un disque lombaire écrasé. On m'a opéré, mis dans une salle avec les amputés et j'ai fait des séances de rééducation. Les choses les plus élémentaires du quotidien m'étaient de plus en plus pénibles.

Le plus étrange, c'est que j'avais le sentiment que ma vie ne se déroulait pas dans ce monde-ci, mais au-delà, dans une sorte de vide. Il n'y avait pas de mots pour mes souffrances. Tels des morts vivants, les voix intérieures de la haine frappaient à ma porte sans relâche, en quête d'un repos inaccessible. Si j'étais tellement mal, si mon état empirait, comme je le croyais, serais-je un jour capable d'avoir une vie utile ?

Mon ami de la bibliothèque me fit remarquer :

« Ce que je peux vous dire, si je me fie à nos discussions, c'est que l'art que vous aimez, c'est le modernisme – l'exploration d'états mentaux extrêmes, la névrose, la psychose. Moi aussi, j'ai passé ma vie dans ces livres, mais ni la lecture de Kafka ni celle de Bruno Schulz ne peut vous emmener plus loin. Vous trouverez des personnages qui vous ressemblent dans ces livres. Mais vous ne vous y trouverez jamais, vous. Sauf si vous en écrivez un. Vous ne cherchez pas au bon endroit. Pour prendre une autre métaphore, vous ne pouvez pas sortir d'une pièce fermée à double tour si vous n'avez pas la bonne clé.

— C'est quoi, la bonne clé ? Où est-elle ? » Je criais presque. « Vous l'avez dans votre poche ? Ouvrez-moi donc cette porte ! »

Il me répondit que la clé s'appelait peut-être Tahir Hussein.

Le jour suivant, il s'est procuré le téléphone d'Hussein et il a précisé en me le donnant qu'on parlait beaucoup de lui. Je lui ai répondu qu'on parlait beaucoup de moi, mais que j'étais parano. Je n'avais aucune idée de qui étaient ces gens qui parlaient de Tahir Hussein. Probablement une petite élite littéraire et urbaine qui s'était formée à la fac. On fonctionnait ainsi en Angleterre. Mais j'étais encore assez lucide pour me dire que, si je ne me faisais pas aider, j'allais basculer dans un trou noir. J'ai attendu des semaines avant d'appeler cet homme. Je persistais à penser que je pouvais me débrouiller seul et que je guérirais comme par magie.

Un autre jour : c'était le matin, avant que je ne commence mon travail à la bibliothèque. J'étais dans la rue. Les gens étaient pliés en deux : on aurait dit des tables qui couraient. Tout le monde avait un but, un endroit où aller. À leur arrivée, ils auraient des tonnes de choses à se raconter. Et moi, je n'avais pas de projets ? Mais... j'étais sur le point de dire que je les avais oubliés. Non. Ce n'est pas tant que j'avais égaré mes projets dans une zone lointaine de mon esprit. Le futur n'exerçait plus aucun attrait à mes yeux. J'étais la proie d'étourdissements, j'étais submergé par des bouffées délirantes. Je ne souhaitais qu'une chose : m'évanouir, perdre conscience. Mais on ne peut pas décider de s'évanouir, je le sais, pas plus qu'on ne peut contrôler un rêve, un rire ou un pet. Je désirais ardemment être libéré de cette souffrance. Même la mort me semblait préférable. Je n'avais pas de tendance suicidaire. Je voulais juste être débarrassé de ce vacarme et de ce tourbillon incessants.

Au même moment, j'aperçus devant moi une cabine téléphonique rouge comme on en trouve à Londres. Il y avait une sorte de fossé ou de tranchée que je franchis tant bien que mal. Une fois dans la cabine, je constatai avec surprise que le téléphone fonctionnait, que j'avais de la monnaie, que la sonnerie retentissait à l'autre bout du fil et que Tahir en personne me répondait. Et c'est avec encore plus de surprise que je l'entendis m'inviter à venir le voir.

Il me dit qu'il était en mesure de s'occuper de moi. Je pouvais passer le lendemain. Il me donna son adresse et m'indiqua tout simplement : « Venez demain matin à huit heures et nous commencerons. »

S'il avait fallu que j'attende plus d'une semaine, je n'y serais jamais allé. L'attente était une autre de mes phobies. Mais n'allais-je pas mourir avant le rendez-vous ? Et puis je savais qu'une analyse me coûterait cher, qu'elle allait grever mon maigre budget. Mais je ne voyais pas d'autre solution, et si je n'avais pas un sou en poche, cela ne me faisait pas peur. Ma vie était à ce prix.

Mais pourrais-je jamais lui dire la vérité ?

7

Quand je suis entré dans cette pièce qui allait changer ma vie, j'avais beau avoir étudié Freud à la fac et au Pakistan, je n'avais pas vraiment idée de ce qu'impliquait une analyse, et je n'avais personne à qui poser la question.

Dans la maison de gauchistes où je vivais, je dissimulais *Malaise dans la civilisation* sous mon lit, avec mes pornos préférés, *Game* et *Readers' Wives*, et un E. P. Thompson au format poche sur le haut de la pile. Parmi les jeunes de l'intelligentsia de l'époque, l'origine sociale était le seul critère recevable. C'était un concept opératoire, plus facile à manipuler que la sexualité, moins dangereux aussi. Les problèmes du prolétariat n'avaient rien à voir avec le fait d'être né humain et de vivre en famille, mais ils avaient tout à voir avec les conflits de classes. Une fois qu'on aurait tout résolu grâce au progrès social, la plupart des problèmes disparaîtraient d'eux-mêmes. Les difficultés résiduelles pourraient être réglées au sein des groupes maoïstes.

La gauche puritaine avait des arguments infaillibles : au paradis de l'avenir lointain, on pourrait baiser autant qu'on le voudrait mais, dans l'immédiat, ce qui importait, c'était que chacun œuvre pour le changement. On vilipendait Freud qui n'était qu'un sale bourgeois blanc et macho, et on jugeait que, comme théorie, la psychanalyse était exsangue. On rejetait, en particulier, l'idée que les femmes étaient prêtes à admettre qu'elles enviaient notre petit pénis même si, bien sûr, le féminisme n'était rien d'autre que cela. Comme l'écrivait Adorno : « Dans la psychanalyse freudienne, il n'y a rien de plus juste que ses exagérations. »

Pourtant, R. D. Laing (que beaucoup appelaient « les deux Ronnies », du nom des deux comiques de la télé) était toujours apprécié des étudiants, qui idéalisaient souvent la folie. De nombreuses thérapies, mélanges de pratiques de l'école de Vienne et de l'école de Californie, voyaient le jour. Je savais que Lennon et Ono avaient poussé leur cri primal et s'étaient roulés par terre avec Janov, ce qui avait donné naissance au fameux album *Plastic Ono Band*. Mais je ne voyais pas en quoi tout cela pouvait m'aider. *Quid* des doux dingues, des déboussolés ordinaires qui n'étaient pas photogéniques ?

Tahir Hussein me dit que le fait de ne rien connaître à la démarche psychanalytique était le meilleur moyen d'aborder une analyse. Pour conduire une voiture, personne n'a besoin de savoir ce qu'il y a sous le capot.

« Vous êtes le mécanicien des âmes ? » lui ai-je demandé.

Il m'a invité à m'allonger sur le divan et à raconter ce qui me passait par la tête. Ce que j'ai tout de suite fait, bien décidé que j'étais à ne rien manquer de la véritable expérience freudienne. Son fauteuil était juste derrière ma tête mais, à sa respiration, je savais qu'il se penchait vers moi en se grattant le menton et qu'il était prêt à écouter.

« Ce qu'il y a... », ai-je dit.

Je me suis jeté à l'eau : les hallucinations, les crises de panique, les colères inexplicables, les passions frénétiques et les rêves. Il m'a semblé qu'une minute s'était à peine écoulée quand il m'a annoncé qu'on devait s'arrêter là.

Une fois dans la rue, et comprenant que je reviendrais quelques jours plus tard, je fus secoué de vagues de terreur, mon corps se désarticula, j'explosai. Je dus m'accrocher à un lampadaire pour ne pas m'écrouler. Je commençai à faire sous moi sans pouvoir me retenir. Je sentais que ça coulait le long de mes jambes, jusque dans mes chaussures. Je me suis mis à pleurer, puis j'ai vomi – je vomissais le passé. J'en avais plein ma chemise. Mes tripes étaient étalées sur le trottoir. Tout le monde me regardait. Je n'étais pas beau à voir. Mon costume était bon à jeter. Mais quelque chose s'était mis en marche. J'en suis venu à aimer mon psy plus que mon père. Il m'a donné davantage. Il m'a sauvé la vie. Il m'a construit et reconstruit.

Après quelques séances, quand je lui ai demandé comment il pensait que j'allais payer mon analyse, il m'a dit simplement : « Vous trouverez l'argent. »

Je me suis ressaisi. J'avais remarqué que le prof qui m'avait donné le numéro de Tahir Hussein lisait toujours les résultats des courses quand il déjeunait mais ne pariait jamais. Pourtant, disait-il, il était persuadé de pouvoir gagner une belle somme par ce biais-là. Je lui expliquai mon problème et lui demandai s'il pouvait encore m'aider. « Facile », dit-il en me confiant un tuyau pour le lendemain. Je mis tout ce que j'avais sur le numéro qu'il me donna, deux cents livres environ, mises de côté pour mon loyer, et je raflai plus de deux mille livres, que je consacrai entièrement à mon analyse. J'y allais trois matins par semaine. Le rythme était dense et soutenu. C'était la première fois que je me prenais vraiment au sérieux alors qu'habituellement, j'estimais que ce qui m'arrivait n'était pas digne d'intérêt. Il n'était que temps.

Mon ami de la bibliothèque m'avait dit qu'un des avantages de la psychanalyse en Angleterre était qu'elle avait été pratiquée non seulement par des femmes, mais aussi par des gens de toutes nationalités – il voulait dire nationalités européennes. Bizarrement pour un analyste, Tahir Hussein était un musulman pakistanais. Il avait un appartement très chic à une adresse très chic dans South Kensington. Quand je m'y rendais, je sentais la haine sourde des passants qui me croisaient.

Chez Tahir, c'était plein de pots, de tapis, de meubles qu'il fallait cirer, de peintures qui devaient être assurées et de sculptures qu'il fallait brancher pour les éclairer. Luimême était passablement excentrique. Je m'étais un peu attendu à trouver un homme tranquille en costume et nœud papillon. Mais Tahir était assez extravagant et portait les vêtements traditionnels de l'après-guerre. Il pouvait très bien mettre un *salwar kameez*, un caftan, un pantalon baba-cool, un fez même, ainsi que ces babouches qui remontent au bout. Je dirais que, parfois, il ressemblait moins à un médecin qu'à un magicien en partance pour un long voyage.

Pourtant, il avait le charisme et la présence du parfait docteur venu de contrées exotiques. Avec sa peau sombre, ses cheveux longs grisonnants, il était impérieux, beau, impressionnant. Il devait se rendre compte que certains le trouvaient ridicule. La plupart des gens pensaient probablement qu'il était arrogant, cruel, alcoolique et terriblement narcissique. Mais j'imagine qu'il se réservait le droit d'être lui-même, autant qu'il pouvait se le permettre. Pour lui, comme pour les autres psys tendance baba, une analyse n'était pas faite pour transformer les gens en conformistes respectables mais pour les laisser être aussi fous qu'ils le souhaitaient, vivant pleinement et assumant leurs conflits – même au prix de plus grandes souffrances – sans s'autodétruire. Je l'ai compris assez vite, quand il a cité Pascal : « Les hommes sont si nécessairement fous que ce serait être fou que de n'être pas fou. »

Je suis tombé amoureux de lui, comme c'est censé se produire, peut-être même avant de le rencontrer, et je fantasmais sur sa vie privée. J'ai essayé de le séduire, le suppliant de me prendre là, sur le canapé, tout en étant convaincu que ce n'était pas vraiment ce que je voulais ; je lui ai apporté des petits cadeaux, du café, des stylos, des cartes postales, des romans.

Quand il s'agissait de l'essentiel, l'écoute et l'interprétation, il réagissait sans tarder. Il n'était pas de ces analystes dont le silence vous terrifie – sphinx incarnés par leur seule immobilité. Une fois, il m'a demandé si je trouvais qu'il parlait trop, mais je lui ai répondu que non. J'aimais cet échange. Il m'a dit que le silence était une arme puissante au point qu'elle pouvait aussi recréer le scénario du parent inaccessible et de l'« enfant en demande ». Ainsi, quand il avait quelque chose à dire, il le disait. Discuter de la théorie freudienne a toujours été perçu comme une résistance, je le savais. Mais je voulais résister. La théorie commençait à me fasciner.

Chaque fois que je le voyais, je sentais que j'avançais dans ma compréhension des choses. Au moment où j'arrivais dans sa rue, je me posais déjà de nouvelles questions. Les mauvaises langues prétendaient que Tahir avait des aventures avec ses patientes. Apparemment, il les appelait au téléphone alors qu'il les voyait en consultation. Il allait même à l'opéra avec certaines. Mais avec moi, il était surtout concentré. De temps à autre, je lui demandais ce qu'il faisait de sa soirée. Il évoquait ses amitiés avec des peintres, des danseurs, des poètes, sachant que j'aimais m'identifier à lui et que c'était le genre de situation que j'espérais vivre un jour.

À la fin de chaque séance, tandis que je feuilletais ses catalogues, ses recueils de poésie, il me disait : « Prenez-les, prenez ce dont vous avez besoin. » Il savait que j'avais envie de m'ouvrir l'esprit, maintenant que j'avais soif de nourritures intellectuelles. Quand je lui disais que je voulais comprendre Freud et la psychanalyse, il m'encourageait à lire Proust, Marx, Emerson, Keats, Dostoïevski, Whitman et Blake.

Il me disait que, dans la plupart des pièces de Shakespeare, il y a toujours au moins un fou et que, dans leur folie, non seulement ces personnages vous disent qui ils sont, mais ils énoncent des vérités fondamentales. Il disait que l'analyse fait partie de la culture littéraire, mais la littérature est bien plus vaste que la psychanalyse et l'engloutit comme la baleine le menu fretin. Tout grand artiste a une connaissance intime de l'existence de l'inconscient, qui n'a pas été découvert par Freud dans la mesure où celui-ci en a simplement mis au point la carte.

Il disait aussi : « Mon métier n'est pas considéré comme une science exacte, et il ne doit pas l'être. Freud ne pouvait pas dire qu'il soignait les gens avec de la poésie. Et pourtant, regardez de près les grands de ce domaine et vous verrez qu'ils sont très proches des poètes, avec leurs sauts spéculatifs et leurs métaphores. Jung, Ferenczi, Klein, Balint, Lacan – chacun d'entre eux chante l'histoire de son évolution, de sa passion, de son esthétique. Leurs différents points de vue ne s'annulent pas, ils coexistent, comme l'œuvre de Titien et celle de Rembrandt. »

C'est sûr, au début de l'analyse, nous avons dû chacun passer outre quelque chose de noir dont je devais lui parler. Mais je voulais le connaître un peu mieux, être sûr que je pouvais lui faire confiance, et me faire confiance, avant de lui confier ce que j'appelais mon histoire du meurtre du « fils de la nuit ».

Je découvris qu'il avait un grand mérite : il pouvait me parler avec une réelle profondeur et il semblait me comprendre. Il s'adressait à cette partie de moi qui était comme un bébé. Il était une sorte de père attentif qui peut voir toutes vos peurs et vos fantasmes, et qui est entièrement dédié à votre bien-être. Comment pouvait-il me connaître à ce point ? D'où cela lui venait-il ? Je voulais être comme lui, avoir pareil impact sur autrui. Et cette envie ne m'a jamais quitté.

Je m'étais toujours perçu comme quelqu'un de pressé, coincé, impatient, enclin à l'inquiétude. Avec lui, je pouvais me détendre. De quoi étais-je amoureux ? De la qualité du silence qui régnait entre nous. Parfois, la peur ne fait aucun bruit, me disais-je, alors que nous étions assis là, à démêler l'écheveau, maman, papa, grande sœur, Ajita, Mustaq, Wolf, Valentin. Lui, penché vers moi, dans la lumière tamisée, au cours de ces matinées londoniennes pluvieuses et lugubres, à l'heure où les gens se précipitent au travail. Mais là, régnait un bon silence bienveillant, apaisant, qui durait de longues minutes – rien à voir avec ce silence qui vous fait perdre tous vos moyens.

« Est-ce que vous avez grandi dans une maison bruyante ? me demanda-t-il.

— Oui, effectivement. »

Quand je me tournais pour le regarder, il avait toujours un air amusé. Ce n'était pas tant qu'il trouvait la souffrance humaine divertissante, même quand on se l'inflige à soi-même, comme c'est le cas la plupart du temps et comme il le savait. Il me montrait ainsi qu'il avait bien conscience que ça avançait. « Être malade, c'est manquer d'inspiration », disait-il.

Avant que je ne commence mon analyse, j'avais fait un rêve qui m'avait perturbé pendant des jours. C'était comme une peinture surréaliste. J'étais seul, debout au beau milieu d'une pièce vide, les bras le long du corps, et j'avais des dizaines et des dizaines de guêpes dans les cheveux, qui faisaient un bruit effroyable. Certes, j'étais près d'une porte, mais un homme qui a la tête pleine de guêpes ne peut ni bouger ni se soucier de la géographie de ses émotions.

Bien sûr, les « guêpes » étaient les WASP[1], entre autres, et une fois que nous en eûmes parlé, l'image a libéré de nombreuses associations. À l'époque, l'analyse n'avait pas « guéri » mon esprit de ses fureurs et de sa noirceur, mais elle avait mis au jour différents affects, les constituant en questions de fond, au lieu de les laisser à l'état de désagréments dont j'espérais qu'ils disparaîtraient d'eux-mêmes. D'après Tahir, les guêpes représentaient quelque chose. Si je pouvais trouver quoi, je pourrais améliorer mon investissement vis-à-vis de moi-même et du monde. Les guêpes posaient d'utiles questions, qu'il ne fallait pas laisser s'envoler. Malgré l'intensité de ma dépression, Tahir parlait de la « valeur » de la maladie et de la « chance » qu'elle représentait.

C'est ainsi que je compris que l'analyse suscite l'intérêt et crée la vie. Je ne quittais jamais une séance sans avoir matière à réfléchir. Je m'asseyais dans un café, je prenais des pages et des pages de notes, poursuivant la libre association de la séance et le travail sur mes rêves.

Je m'étais déjà penché sur *L'Interprétation des rêves* et *Malaise dans la civilisation* mais, dorénavant, je commençais à m'intéresser aux circonstances qui avaient conduit Freud à écouter les mots et les histoires de ceux qui avaient des problèmes mentaux, ce que personne n'avait jamais fait jusque-là. Il avait découvert que, s'il se concentrait sur les récits que ses patients faisaient de leur vie, la piste menait immanquablement jusqu'à leur jouissance.

---

1. En anglais, *wasp* désigne une guêpe, et WASP est l'acronyme qui renvoie au groupe des White Anglo-Saxon Protestants (Anglo-Saxons blancs et protestants). (*N.d.T.*)

Pour Freud, comme pour n'importe quel poète, les mots, ceux que le patient prononce et ceux de l'analyste, sont magiques. Ils déclenchent le changement. Je trouvais cela captivant. Heureusement, grâce à mon travail au musée, j'avais accès à tous les livres dont j'avais envie. Si un lecteur demandait un livre sur lequel je travaillais, je pouvais toujours dire qu'il s'était égaré. Je m'installais par terre, au fond de la bibliothèque, dans un tunnel éloigné, et je lisais ; puis je dissimulais le livre jusqu'à mon retour. Je relisais le « livre sur les rêves » de Freud comme un guide pour entrer dans la nuit, si bien que le moment où je me couchais était devenu l'expérience la plus intéressante de ma journée.

J'adorais cette activité à laquelle se livrent deux individus intelligents assis face à face pendant des heures, des jours, des semaines, des années peut-être, passant au tamis les moindres détails pour y trouver une impureté significative, scrutant le moindre recoin d'un rêve pour y dénicher une vérité codée. Il se manifestait là une telle concentration, une telle intensité. Cette analyse arrivait à point nommé. Ce qui me fascinait, c'était la profondeur du quotidien, ce que pouvait receler le geste ou le mot le plus insignifiant. C'était là que l'histoire personnelle rencontrait l'histoire collective. Tel un romancier, je trouvais matière à faire surgir du sens à partir de ces histoires banales que j'aimais écouter.

Il me semblait que Tahir et moi avions longuement échangé, que nous travaillions sur une excavation profonde. La haine compréhensible que Miriam nourrissait à mon égard étant enfant, sa violence et ses hurlements de psychotique, ses tentatives pour éloigner ma mère de moi afin de la garder pour elle. Ce sentiment que j'avais d'être seul, d'avoir été abandonné par mes deux parents, comme le scarabée blessé de Kafka quand il se dissimule sous son lit.

Mais un jour, après un long silence, Tahir me demanda :
« Avez-vous quelque chose à me dire ? »

On y était ! J'ai cru qu'il sous-entendait que je passais sous silence le plus important.

J'avais perdu mon aptitude au bonheur. La vérité, c'est que j'avais tué un homme. Pas dans un fantasme, comme c'est le cas pour beaucoup, mais dans la réalité, et il n'y avait pas longtemps de ça. Au bout du compte, c'était le seul critère qui me permettait d'évaluer Tahir Hussein : est-ce que je pouvais lui faire confiance ou est-ce que j'irais en prison ? Je n'avais confié mon secret à personne même si, dans ces pubs sordides où j'allais quasiment tous les soirs après le travail, j'avais souvent été tenté de m'en décharger auprès d'un poivrot quelconque qui aurait tout oublié le lendemain matin. Mais j'étais suffisamment intelligent pour savoir que cela ne soulagerait en rien ce vide intérieur qui me pesait.

L'homme que j'avais tué ne me laisserait pas m'en tirer aussi facilement. Il s'accrochait à moi, plantait ses ongles dans ma chair. Quand je me réveillais, mon regard plongeait dans la terreur vacillante de ses yeux de condamné. Le passé me chevauchait tel un beau diable, me bourrait de coups de poing, me mettait la main devant les yeux et me bouchait les oreilles pour son plus grand plaisir. Tandis que j'avançais en haletant, il se rappelait sans cesse à mon bon souvenir. Ainsi va le monde. Ce sont nos fantasmes qui nous terrifient. Ils sont la Chose.

Mon esprit me faisait l'effet d'être un objet étranger fiché à l'intérieur de mon crâne : je voulais l'en arracher et le jeter par-dessus bord. Les livres ne m'étaient d'aucune aide, pas plus que la drogue ou l'alcool. Je ne pouvais libérer mon esprit en travaillant sur mon esprit avec mon esprit. Je me disais : « Allume la mèche, tu verras bien. » Allais-je faire exploser ma vie ou dégoupiller une grenade enfouie dans mon histoire pétrifiée ? À qui d'autre pouvais-je me fier ?

Finalement, je n'ai pas eu le choix. Je devais m'en remettre à la miséricorde de Tahir Hussein et en accepter les conséquences. Un matin, je pris la décision de lui dire la vérité. Comment l'analyse pourrait-elle opérer si je refoulais un événement aussi crucial ? Je racontai à Tahir les symptômes physiques, les tremblements et la paranoïa. Je lui racontai les rêves où des yeux mourants me regardaient sans ciller. Je lui racontai Wolf, Valentin, Ajita. Je lui racontai la mort.

« Qu'en pensez-vous ? » lui demandai-je.

Il me dit simplement, sans détours, que certaines personnes méritent un bon coup sur la tête. J'avais rendu un fier service au monde en le débarrassant de ce salopard. Ça ne m'empêchait pas d'être humain. C'était juste un « petit » meurtre. Il n'avait pas l'air de penser que j'allais en faire une habitude, ni une profession.

Je fus soulagé que mon secret soit si bien caché, au grand jour. Tahir craignait que je ne sois tenté d'avouer et que je me fasse prendre, à cause de ce besoin d'être puni, ou de cette tentation de me dévoiler à tout le monde. Dissimuler, c'est révéler. La plupart des meurtriers, selon lui, conduisent sciemment la police sur les lieux du crime, tant ils sont soucieux de leur victime. Raskolnikov ne se contente pas de retourner sur les lieux du crime, il souhaite louer une chambre dans la « maison du meurtre ».

Tahir est le seul à qui je l'ai dit. J'étais prêt à tout à l'époque et, maintenant que Tahir est mort, il a emporté avec lui ce secret qui ne sera jamais mis au jour, ce secret qui avait pourri mon âme, au point que je ne parvenais plus à avancer seul. Avec les deux autres analystes qui ont succédé à Tahir, je l'ai gardé pour moi. Ça n'aurait pas été très compatible avec mes projets de carrière.

Au bout d'un an d'analyse, j'avais dit à Tahir que j'aimerais bien faire le même métier que lui. Pourquoi donc ? Je savais, depuis que j'étais tout jeune, que lorsqu'on rencontrait des gens dans la rue avec ma mère, j'adorais écouter leurs ragots. C'était un bon moyen, je le compris plus tard, d'accéder à ce qu'il y avait de plus enfoui en eux. Pas nécessairement à leurs secrets, même si ça en faisait partie, mais à ce qui les avait construits et hantés au sein de leur système familial.

Bientôt, cependant, les conversations de la vie de banlieue n'avaient plus suffi. Je voulais du costaud, du « profond ». À la fac, j'avais découvert Nietzsche et Freud par le biais de Schopenhauer dont l'ouvrage en deux tomes, *Le Monde comme volonté et comme représentation*, m'avait bel et bien diverti. J'en avais recopié le passage suivant : « L'instinct sexuel est l'essence même de la volonté de vivre. On pourrait ainsi dire que l'homme est un désir sexuel fait chair puisqu'il est né d'un acte de copulation, que son souhait le plus intime est un acte de copulation, et que cette tendance à elle seule perpétue et concentre toute son existence phénoménale. L'instinct sexuel est la manifestation la plus parfaite de la volonté de vivre. »

À l'époque, je m'imaginais volontiers devenir artiste, écrivain, réalisateur, photographe ou même (solution de repli) universitaire. J'avais écrit des livres, des chansons, des poèmes, mais ils ne semblaient pas m'apporter de réponses satisfaisantes à ce que je cherchais. Évidemment, on ne peut pas gagner sa vie en écrivant des haïkus. J'avais toujours été impressionné par les gens qui ont une vaste connaissance du monde. La seule chose que ma mère et moi faisions ensemble, c'était de regarder les jeux à la télé. *University Challenge* était notre préféré et elle me disait : « Tu devrais savoir tout ça. Ce ne sont pas des gens aussi intelligents que toi, et regarde comment ils sont habillés. »

Aucun des métiers auxquels j'avais songé ne m'emballait. Mais, sans que je m'en rende compte, un déclic s'était produit. Le séjour avec mon père au Pakistan, même s'il avait été catastrophique et déprimant pour de multiples raisons, avait insufflé en moi quelque chose de l'esprit des lycées britanniques. Le sens de la famille, l'intérêt pour son histoire, ses réalisations – mes oncles étaient devenus journalistes, sportifs, généraux, médecins –, ainsi que l'attente implicite d'une réussite obtenue sans effort s'étaient avérés à la fois exaltants et intimidants. Je n'étais pas seulement un « Paki ». Soudain, contrairement à Miriam, j'avais un nom et un endroit où m'enraciner, ainsi que les responsabilités qui en découlaient.

Je commençais à comprendre que non seulement j'étais intelligent, mais qu'il fallait que je trouve un moyen d'utiliser mon cerveau. Cela avait partie liée avec l'« honneur de la famille », perspective que j'aurais trouvée absurde quelque temps auparavant. C'est grâce à Tahir que j'ai pu tout reconstituer. J'ai mis du temps à aborder la question avec lui. J'avais peur qu'il ne me soupçonne de vouloir prendre sa place.

Mais j'ai fini par lui en parler :

« Qu'en pensez-vous ? Est-ce que j'en suis capable ?

— Vous êtes largement aussi doué que n'importe lequel d'entre nous. »

Au cours de la première année d'analyse avec Tahir, je voyais peu Miriam et ma mère. Je me donnais un mal fou pour les éviter. J'avais compris une chose : en l'absence d'un père qui les aurait désirées chacune de manière différente et qui se serait interposé, leurs disputes et leur intimité étaient un vrai calvaire.

Mais quand Miriam me dit que nous devrions y aller pour le repas de Noël, je n'eus pas le courage de refuser.

Certes, j'avais envie de voir son premier-né, un bébé adorable qu'elle avait eu avec un chauffeur de taxi qu'elle n'avait pu payer en rentrant un soir. À ce moment-là, elle vivait au dernier étage d'un logement social, elle attendait un deuxième enfant et le seul adulte sur lequel elle pouvait compter était un homme qui la battait. La plupart du temps, elle était défoncée ou se refaisait une santé à l'hôpital psychiatrique. Plus tard, elle a emménagé dans la banlieue de Londres. Pas question, expliquait-elle, d'habiter en hauteur, étant donné les voix qui lui hurlaient : « Saute, mais saute ! » « Mais elles ne hurlent pas encore assez fort... », faisait remarquer maman.

Au moment du dessert, elles m'ont demandé si j'avais l'intention de passer toute ma vie à la bibliothèque et si mon ambition était de faire partie des meubles. Je leur ai répondu que « non, ce n'était pas dans mes projets ». Je savais désormais ce que je voulais faire. Je serais analyste, psy, médecin de la tête. J'ai lancé l'idée avec autant de sérieux que je le pouvais mais j'ai dû essuyer un certain nombre de remarques irritantes. Miriam a marmonné : « Il a sacrément besoin d'un docteur de la tête. » Maman : « C'est toi qui en as besoin. » Miriam : « En fait, maman, si tu prenais la peine de regarder un peu comment tu fonctionnes, tu t'apercevrais que c'est toi qui en as besoin. » Maman : « Regarde-toi d'abord, ma chère. » Miriam : « Après tout, c'est toi qui nous as faits... » Et ainsi de suite. C'était sans fin.

Quand elles ont commencé à se calmer, j'ai enchaîné. Alors que dans *Le Dictionnaire du diable*, on peut lire à « médecin » : « Celui en qui nous fondons tous nos espoirs quand nous sommes malades, et sur lequel nous lâchons nos chiens quand nous nous portons bien », Josephine, elle, vous aurait dit que le mot « médecin » faisait presque toujours bonne impression. Tout en leur expliquant en quoi consistaient la formation, la théorie, la pratique, les revenus, et l'intérêt de la chose, j'ai constaté avec étonnement qu'elles étaient suspendues à mes lèvres. Je me suis dit que ma détermination et mon engagement devaient les surprendre. Je savais ce qu'elles pensaient de moi (je le pensais moi-même) : que j'étais passif, refoulé, que je n'avais ni volonté ni désir particulier.

Mais cette fois, au lieu d'avoir le sentiment d'être là sans y être, comme souvent – quand je me disais que ma vie n'était qu'un intermède dans la leur –, j'avais l'impression de peser dans la balance. Je me sentais à la hauteur. À mon grand désarroi, il me sembla qu'à l'inverse, elles perdaient en stature et se révélaient même un peu pitoyables, comme si toute ma vie, je n'avais cessé de me dévaloriser pour leur permettre d'être les plus fortes. Contrairement à elles, je savais ce que je faisais, où j'allais. Mon crime était mon éperon. Je passerais le restant de mes jours à rembourser cette dette initiale. J'étais heureux de le faire.

« Tu vas bien t'en sortir, alors ? me demanda Miriam.

— Peut-être pas trop mal.

— C'est chouette. » Il n'y avait aucun sarcasme dans sa remarque. Les multiples facettes de sa personnalité se dissimulaient presque toujours derrière son agressivité, son côté « râleur et buté », deux mots qui lui allaient comme un gant. « Alors, tu vas pouvoir m'aider ? »

Elles me regardaient toutes les deux d'un air implorant.

« Vous savez bien, l'une comme l'autre, qu'un médecin ne peut pas s'occuper de quelqu'un de sa famille. »

Au cours de ma première année de formation, alors que je commençais à travailler avec des adolescents, nous avions appris que papa était mort. Après être rentrés du Pakistan, Miriam et moi ne l'avions jamais revu. L'avons-nous pleuré ? J'aurais voulu lui dire que j'avais trouvé ma vocation. Qu'il ait pensé que j'avais fait un bon choix, j'en doutais. Mais j'étais suffisamment solide à ce moment-là pour ne plus avoir besoin de son approbation. J'étais seul mais, enfin, j'avais trouvé un sens à mon existence.

Cette nuit-là, après mon départ, tandis que je parcourais ces rues familières d'où j'avais cru ne jamais pouvoir m'échapper, tel un enfant paralysé par quelque chose qu'il ne comprenait pas, j'étais pressé de retrouver mon édition complète de Freud, de découvrir mes nouveaux patients, les conférences auxquelles je me rendrais, les livres que j'écrirais. J'avais envie de me rendre utile et de faire quelque chose de ma vie.

Mais, même à cet instant, tout en me sentant porté par un espoir formidable, tout en aspirant à l'avenir, j'entendais les paroles du mort résonner à mes oreilles : « Que veux-tu de moi ? »

8

De but en blanc, je dis à Miriam ;

« Tu sais que je suis une langue de pute, alors ne tournons pas autour du pot.

— Quand je vous écoute, toi et Henry, je me dis que vous vous ressemblez tellement. Mais il est comme Tigger, et toi, tu n'as jamais été aussi extraverti. À moins que tu aies changé ?

— Là, c'est toi qui commences à parler comme lui.

— Oh là là ! On déteint les uns sur les autres ! »

C'était le soir. Miriam était dans sa cuisine quand j'étais arrivé. Les gamins faisaient des tours de vélo dans la cour. Il y avait encore d'autres garçons et filles dans la maison ; un ado devant la télé à l'autre bout de la pièce, une main sur les seins d'une sacrée pouf, l'autre sur la télécommande. Bushy, pieds nus, assis sur une chaise, glissait de l'argent dans ses chaussettes avant de les enfiler. Puis il jeta ses clés en l'air, les rattrapa au vol et partit en quête d'un client solvable.

Installée à sa place habituelle, Miriam avait un air distrait, voire préoccupé, comme lorsqu'elle était plus jeune, qu'elle avait envie d'être ailleurs et se demandait ce qu'elle faisait là. Mais je remarquai qu'elle ne me lâchait pas du regard tandis que je m'activais dans la cuisine pour me préparer des pâtes.

« Alors ? Ça t'a plu de voir Henry ? Tu es restée long-temps chez moi ? lui demandai-je.

— Ah, nous y voilà ! » Elle avait son visage des jours graves, peut-être même des jours tragiques, ce qui me décontenança un peu. Mais je ne pouvais plus revenir en arrière. « Tu avais tout manigancé ?

— Henry m'a demandé de lui trouver du shit. C'est ce que j'ai fait.

— Interdiction d'entrer ! » hurla-t-elle à l'intention de tous ceux qui étaient dans la maison. Puis elle ferma la porte de la cuisine qu'elle coinça avec une chaise, revendi-cation d'intimité qu'elle manifestait rarement. « Qu'est-ce qui s'est passé ? Henry voulait du shit mais il ne sait même pas se rouler un joint. Je lui en fais quelques-uns, histoire de lui apprendre, et il me dit : "C'est le truc le plus utile que j'aie appris depuis des années." Tu connais sa façon de parler, comme s'il s'adressait à toute l'Angleterre et à lui-même en même temps, comme s'il s'attendait à ce qu'on l'écoute. Même moi, j'ai dû m'écraser. Si ce n'est pas de l'autorité, ça. Rien que d'y penser, ça me met dans tous mes états.

— Qu'est-ce qu'il a dit ?

— Je lui ai expliqué d'entrée de jeu que je n'avais pas un sou. Que je n'avais jamais rien eu, mais que ce n'était pas faute d'avoir essayé. Je ne suis bonne à rien si ce n'est pour la débrouille, alors qu'il n'aille pas s'imaginer que je suis un beau parti même si, peut-être, j'aurai un petit héritage un jour. Lui m'a dit qu'il avait vécu dix années de luxe avec sa femme, Valerie. Maisons, voitures, fêtes, vacances. Ils avaient des amis connus : des artistes, des acteurs, des représentants du monde politique. Tous venaient chez eux, buvaient leur champagne, se baignaient dans leur piscine. Quand sa femme avait besoin d'argent, elle vendait un tableau.

— Henry a fait du sacré beau boulot à cette époque.

— Sans que ça lui rapporte des mille et des cents, d'après lui. C'est elle qui l'entretenait, qui tenait les cordons de la bourse. Plus il en parlait, plus il s'énervait. Il disait que c'était "une vie de mensonge". Je ne savais pas quoi faire. Il est complètement fou. Tu en vois tous les jours des gens comme ça.

— Vous n'avez fait que parler ?

— Je lui ai passé le joint. Ce n'était pas de la camelote. Je savais que ça lui ferait de l'effet. »

Miriam vint s'asseoir à côté de moi et me dit tout bas :

« Je vais te raconter comment il s'y est pris pour que je tombe amoureuse.

— Amoureuse, déjà ? »

Henry avait demandé à Bushy de les conduire jusque chez lui, au bord de la Tamise, à Hammersmith, là où il avait un appartement à l'étage. J'y allais souvent. Dans le salon, il y avait une grande fenêtre qui donnait sur la rivière et les arbres du chemin de halage. Dans la maison, les trois autres appartements étaient occupés par des folles sur le retour qui gravitaient dans le monde du théâtre. Ils se disputaient constamment avec Henry, pour les poubelles, à cause des jeunes prostitués (ou, plus vraisemblablement, des jeunes acteurs) qu'il entendait sans cesse monter et descendre. Mais parfois, sur le palier, ils discutaient à perte de vue des spectacles produits par le Royal Court au milieu des années 1960.

En plus du salon, il y avait quelques pièces, petites ou moyennes, remplies de souvenirs de théâtre, ainsi que d'« œuvres d'art » qu'Henry avait commencé à créer quelques années plus tôt. Sur des tapis usés, trônaient ses « sculptures » en fil de fer et plâtre, ou constituées de boîtes à œufs collées avec du mastic. Et sur les murs, entre les miroirs cassés, les affiches, les esquisses de costumes réalisés à l'occasion de divers spectacles, il avait accroché ses dessins et ses aquarelles.

Comme beaucoup de gens, il tirait plus de fierté de ses hobbies que de son travail. Son fils Sam avait expliqué à la « femme aux mules » – en fait, à toutes les femmes qui passaient – que, si on s'extasiait devant les photos d'Henry, on se le mettait dans la poche, si c'était ce qu'on cherchait à faire. La « femme aux mules » était tellement ravie à l'idée de vivre tout à côté de la Tamise (elle pouvait la contempler des heures durant) qu'elle avait essayé de faire un peu de ménage. Mais elle avait vite compris qu'une bonne équipe devrait s'y atteler plusieurs jours au moins pour voir une quelconque différence. En attendant, elle avait rendu hommage aux photos et, en échange, Henry n'avait pas manqué de lui témoigner sa reconnaissance.

Il avait un grand fauteuil près de la fenêtre et une radio sur la table juste à côté. C'est là qu'il lisait journaux, poésie, théâtre et Dostoïevski, tout en regardant couler la Tamise. Il aimait raconter que, la nuit, à travers les arbres, il voyait ses amis homos se livrer à des orgies en plein air.

Miriam ajouta :

« J'ai adoré son appart. L'histoire de sa vie partout, les prix, les photos de lui avec cette actrice française connue, Brigitte Bardot.

— Jeanne Moreau.

— À peine arrivés, on s'est jetés l'un sur l'autre. On était tous les deux en manque. Il était comme une vieille femme folle, il disait que son corps était dégoûtant. Il ne voulait pas se déshabiller. Il a même enfilé un pull. Tu sais que les expériences bizarres, ça me connaît. Mais c'est devenu franchement étrange de me retrouver nue au lit avec un inconnu tout habillé qui n'arrêtait pas de me dire qu'il avait peur. Mais passons, tu n'as pas besoin d'entendre ça.

— Pourquoi ?

— Ça pourrait te déprimer. »

J'éclatai de rire. Parfois, elle était aussi sentimentale que Rafi quand il me disait : « Oh, papa, je ne veux pas que tu sois triste. »

« Après l'amour, il a sorti un livre. On était à la vodka et on a allumé un autre joint. Il m'a demandé de lire à haute voix, pour lui. Elle s'appelait Sonia.

— Dans *Oncle Vania* ? Le dernier monologue ?

— Il a placé une chaise au milieu de la pièce et il a regardé comment je me tenais. Il a eu le culot de me donner des consignes.

— Qu'est-ce qu'il t'a dit ?

— Il m'a demandé de lire plus lentement. Il m'expliquait quand je devais regarder le livre, quand lever les yeux. En même temps, il voulait que je sois naturelle, comme si j'étais chez moi. Le passage parlait de travail, des anges, du paradis. C'était très théâtral. Il y en avait trop sur le travail à mon goût. Il était complètement dedans. Il ne tenait pas en place. Je n'aurais jamais pensé qu'il pouvait être aussi vif. »

De temps à autre au fil des années, j'avais assisté aux répétitions d'Henry, tant pour des pièces classiques que pour des pièces modernes. J'aimais tout particulièrement les ateliers qu'il organisait avec des gens ordinaires et la façon dont il était sensible à ce qu'il appelait la « naïveté » de leur jeu qui, à ses yeux, avait une beauté bien spécifique. « Amenez-moi les plus mauvais acteurs, je n'en veux pas d'autres ! Quoi de plus déprimant que le talent ? disait-il. J'espère ne plus jamais rencontrer quelqu'un qui a du talent ! »

Quand il montait un spectacle, s'il y avait un acteur avec lequel il n'arrivait pas à s'entendre, il me demandait de venir jeter un coup d'œil. Puis nous allions prendre un verre pour en parler. Dans son travail, Henry était un autre homme. J'avais entendu dire qu'il pouvait être brutal, surtout avec les femmes, mais il semblait sorti de cette phase. En répétition, j'étais impressionné par son assurance et l'intensité de sa concentration, par son souci des acteurs et son intérêt pour leurs idées, ainsi que par sa fermeté quand il voulait quelque chose de précis. Je voyais bien que c'était sa vocation, sa raison d'être. Mais je me demandais aussi pourquoi cette personnalité, si éveillée, si vivante, était si différente de celle que je connaissais au quotidien.

« Il m'a dit que, peut-être, il m'enregistrerait pour la télé. Il mentait ou il était juste en train de m'embobiner ? Venant des hommes, j'ai l'habitude. Les hommes mariés m'ont toujours adorée.

— Ah oui ?

— Je gobais tout.

— Effectivement.

— Ça ne me dérange pas qu'il mente, mais...

— Ce n'est pas le genre d'Henry. Il est censé faire un documentaire sur le travail des acteurs. Si tu ne te méfies pas, tu vas en être.

— Pour de vrai ? Il va falloir que j'aille chez le coiffeur et que je cache mes tatouages. Si seulement j'avais de l'argent. »

Il y a quelques années de cela, j'avais présenté Henry à une de mes ex-copines, Karen Pearl, que l'on appelait parfois affectueusement la « garce de la télé ». Et, voilà dix-huit mois, elle avait accepté de produire un documentaire auquel Henry songeait depuis un moment. Mais, au lieu de le tourner sur une dizaine de jours comme c'est le cas la plupart du temps, Henry avait décidé qu'il ferait le film « sur plusieurs années », avec sa caméra à lui, tout en continuant à faire d'autres choses, comme enseigner, voyager, donner des conférences. Bref, ses activités de « retraite », même s'il n'était pas retraité, bien sûr.

Karen voulait qu'il y ait des gens connus dans le documentaire. Elle entendait par là des stars de séries télévisées, alors qu'Henry voulait filmer des acteurs de talent avec lesquels il avait travaillé, mais aussi des amateurs jouant pour la première fois des extraits du répertoire classique.

Petit à petit, Henry m'en avait voulu de les avoir fait se rencontrer, et Karen prétendait qu'avec son entêtement, il mettait sa boîte en faillite, même s'il ne pouvait en être tenu pour seul responsable. Récemment, elle m'avait invité à l'un des événements qu'elle organisait, dans un entrepôt plein de pseudo-gamins plus ou moins dévêtus et outrageusement maquillés. Avec ses airs d'infirmière en chef, ses attitudes hautaines de grande dame, elle était l'Hattie Jacques de la série *Carry On*.

Elle adorait la gloire et elle était aussi pénible et têtue qu'Henry. Elle avait été une des premières à lancer des émissions de relooking (pour le jardin, la maison, la femme), mais ce n'était pas encore dans l'air du temps. Aujourd'hui, tout le monde fait ça. La société qu'elle avait créée s'était récemment fait débarquer d'une série qu'ils étaient en train de tourner. Ce pour quoi je me disais que Karen ne serait pas franchement réjouie par la nouvelle et touchante idée d'Henry d'insérer dans le documentaire l'intégralité de la tirade lue par sa copine. On n'en avait pas fini avec cette histoire.

Miriam poursuivit :

« Bushy m'a ramenée à la maison. J'avais l'impression d'être sur un petit nuage. Ça fait des années que je n'ai pas été vraiment amoureuse. Je n'arrêtais pas de chanter. J'avais envie d'entendre une chanson d'Enya.

— Oh, pas de chance... » J'enchaînai avant qu'elle ne me donne un coup : « Tu vas le revoir ?

— Seulement si tu me dis pourquoi je lui plais.

— Mais tu as de quoi plaire !

— Pourquoi tu ne te trouves pas quelqu'un, toi ? Je sais que Josephine te manque.

— Il m'arrive de me sentir seul, oui. Mais, comme disait mon premier analyste : "Ne t'inquiète pas pour moi, j'ai eu mon heure de gloire."

— C'est celle d'avant Karen, Ajita, que tu as toujours gardée dans un petit coin de ton cœur.

— Ah oui ?

— Je l'ai rencontrée combien de fois ? Deux ou trois fois ? Ça m'a suffi pour comprendre. Elle était adorable, elle ne se prenait pas la tête. Et puis elle m'avait donné des bijoux. Pourquoi vous n'êtes pas restés ensemble ?

— Ça a foiré.

— Qu'est-ce qui s'est vraiment passé ? Peut-être que ça pourrait encore marcher entre vous. Pourquoi tu ne cherches pas à la retrouver ?

— Je ne suis pas certain d'en avoir envie.

— Il y a eu un mort, non ?

— Oui.

— Quand est-ce que tu me raconteras toute l'histoire ?

— Je pense beaucoup à elle. Cette époque de l'année correspond à la dernière fois que l'ai vue. Quand je pense à elle, je me sens terriblement, mais terriblement mal.

— Jamal, essaie de la retrouver. Elle doit habiter dans le coin. Comme toi, elle aura vécu avec d'autres, mais j'ai le sentiment qu'il y a quelque chose entre vous.

— Et s'il n'y avait rien ? Est-ce que ça ne serait pas pire encore ? Pour moi, c'est la boîte de Pandore.

— Tu n'en sauras rien tant que tu ne l'auras pas retrouvée.

— Écoute, Miriam, dis-je pour changer de sujet, tu peux aller chez Henry quand tu en as envie mais, quelquefois, il y a son fils. Je veux bien vous prêter mon appartement. Je vais faire faire un double des clés. Allez-y quand vous voulez, quand je ne travaille pas le soir, ou les weekends. Si Maria est là, vous lui dites d'aller faire un tour. »

Je m'aperçus que Bushy était entré. Il était là, debout, à hocher la tête en regardant Miriam. J'avais déjà noté, sans vraiment bien enregistrer la chose, qu'elle s'était maquillée et parfumée.

« Jamal, il faut que j'y aille. Henry m'emmène prendre un verre dans un club.

— Très bien. »

Elle se passa plusieurs fois la main sur le visage.

« Qu'est-ce qui ne va pas ? demandai-je.

— Je n'en ai pas envie. Je déteste sortir. J'ai ma tribu, mes enfants, Bushy. Henry me déstabilise. Peut-être qu'il va me détruire et j'ai détruit ma vie trop souvent déjà. Je dois vraiment y aller ?

— Oui. »

Derrière nous, Bushy se raclait la gorge.

« Miriam, dis-je, c'est comme au bon vieux temps. Toi, tu t'apprêtes à sortir le soir et moi, je vais me coucher.

— Je t'inviterais bien, mais Henry a envie de me voir, moi, en tête à tête.

— Quant à moi, je travaille à mon livre. C'est ce qui m'intéresse le plus en ce moment. »

Ces dix dernières années, j'avais publié deux livres d'études de cas, *Six personnages en quête d'analyse* et *Le Lecteur de signes*. Pour chaque volume, je choisissais certains patients et je commentais mes séances avec eux, tout en réfléchissant, au fil de chaque histoire, à la nature des « maladies ordinaires » ou à certains symptômes : peurs, obsessions, inhibitions, phobies, addictions. Rien que du matériau courant, de tous les jours, où n'importe quel lecteur pouvait se reconnaître : des symptômes qui régissent des vies entières, et sur lesquels, parfois, elles achoppent.

À ma grande surprise, et à celle de mon éditeur aussi, mes livres ont eu un franc succès et ont été traduits dans cinq langues. En même temps qu'une tentative pour remettre au goût du jour l'idée de Freud selon laquelle une étude de cas est un mélange de littérature, de spéculation et de théorie, il s'agissait pour moi d'expliquer la psychanalyse à une nouvelle génération, de leur faire comprendre qu'une analyse pouvait réussir, mais qu'elle pouvait tout aussi bien rater. Et donc, il était en partie question de montrer combien les gens résistent à la perspective de renoncer à leurs symptômes. Abandonner sa maladie est un vrai risque, quand on sait qu'elle fonctionne comme remède à d'autres conflits.

J'avais évité d'utiliser un langage trop technique et découvert que ces récits de détresse adoptaient naturellement la structure, l'organisation et l'impulsion narrative de n'importe quelle autre histoire. En fait, c'étaient des études de caractères, où chacun était un collage de vrais patients, assemblés avec des bouts de moi-même et d'autres morceaux inventés. C'est par ce biais que je me suis le plus approché de l'écriture de fiction, et ça y ressemblait beaucoup. Contrairement aux articles universitaires, c'était une forme relativement libre, dans laquelle je pouvais dire ce que j'avais besoin de dire, tout en réfléchissant à ma pratique quotidienne ainsi que sur les écrits des autres, poètes, philosophes, analystes.

Je n'étais pas tout à fait novice comme plumitif. J'avais un contrat pour un autre livre et la ferme intention de l'écrire : j'avais besoin de cet argent. Mais tout ce matériau sur Ajita, qui émergeait spontanément et occupait pratiquement tout mon temps d'écriture, c'était quelque chose d'autre. Je me disais que le portrait que je dresserais d'elle,

décousu et chaotique en apparence, ne serait pas très différent des récits qui s'élaborent au cours d'une séance :
mélange de rêves, de souhaits, d'interruptions, de débats,
de fantasmes, de résistances, de souvenirs de différentes
époques, et tentative de trouver un fil conducteur. Qui
mènerait où ? J'essayais de le comprendre.

Je quittai la maison en même temps que Miriam et
remarquai que Bushy portait ce qui ressemblait fort au
baise-en-ville de ma sœur. Avant de remonter dans ma
voiture, je l'embrassai, regardai Bushy lui ouvrir la porte
arrière et attendis qu'elle s'installe tant bien que mal, avec
force ahanements et soupirs de « vieille femme ».

Puis, alors qu'elle filait vers son plaisir, elle agita la main
en criant : « À plus tard, frangin. »

9

Celle que j'aimais était secouée de sanglots. Je ne l'avais jamais vue dans un pareil état.

Scrutant le ciel pour voir si des nuages n'arrivaient pas, Ajita et moi avions décidé de sortir nos serviettes de bain, quand elle fondit en larmes. Il lui fallut un certain temps pour admettre que quelque chose de grave la taraudait. Son père avait des problèmes à l'usine, cette entreprise qu'il voulait qu'elle dirige avec lui quand elle aurait fini ses études. Elle avait d'ailleurs envisagé que, peut-être, nous pourrions la gérer à deux le jour où il prendrait sa retraite.

La télévision avait diffusé un documentaire sur l'usine et je l'avais regardé avec maman, sans me rendre compte que c'était celle du père d'Ajita.

Quelques mois auparavant, celui-ci avait été contacté par un réalisateur qui lui avait parlé d'un éventuel « docu » qui montrerait, sans polémique, la vie de ces Asiatiques ougandais qui étaient arrivés les mains vides ou presque, mais qui, petit à petit, s'élevaient dans l'échelle sociale. Une belle histoire d'immigration et d'intégration réussies. Le père d'Ajita s'était bien entendu avec le réalisateur : ils avaient souvent parlé cricket, Inde et politique du tiers-monde. Mais, au final, le réalisateur s'était révélé être une sorte d'agent double, comme beaucoup d'autres disait-on à l'époque. C'était un communiste qui venait d'une très bonne famille et avait fait ses études à Cambridge. Bref, un renégat, malin, qui savait ce qu'il faisait, détestait sa classe et son milieu d'origine.

Dans le documentaire, on voyait de nombreux plans de l'intérieur de l'usine, ainsi que des entretiens avec les ouvriers. Le père d'Ajita avait bien coopéré, il était flatté d'être impliqué dans le projet. Mais le communiste de Cambridge en avait fait un impitoyable exploiteur de ses propres compatriotes, le prototype même du capitaliste, un vrai gros méchant. Celui-ci avait alors essayé de joindre le réalisateur pour lui dire sa façon de penser. Mais le coco ne voulait plus lui parler. Ajita me dit que son père ne comprenait pas que quelqu'un puisse être aussi fourbe. De son point de vue, c'était « typiquement anglais » et ça relevait aussi de ce qu'il appelait un « colonialisme marxiste ».

Bien évidemment, les ouvriers de l'usine avaient vu le reportage et l'atmosphère s'était dégradée : ils se plaignaient ouvertement et menaçaient même de déclencher une grève. Il est clair qu'en Afrique ou en Inde, ils auraient été renvoyés ou mis au pas à coups de matraque. Ajita me demanda : « Pourquoi ne peuvent-ils pas travailler, tout simplement ? Ils devraient bien se rendre compte que, dans le contexte politique actuel, ils ont de la chance d'avoir un boulot. » C'est ce que son père avait dû lui dire.

Je lui expliquai sans détour que, face à ce genre de situation, j'étais du côté des ouvriers. Je suivais mon instinct et mes convictions, que je tenais de mon père. Je lui dis sur un ton assez moralisateur que je soutenais l'initiative de « Rock contre le racisme » qui s'était formé en réaction aux propos ouvertement racistes qu'Eric Clapton avait tenus sur scène à Birmingham. La lettre du *Melody Maker* qui avait lancé la campagne disait en substance : « Reconnais-le, Eric. La moitié de ce que tu fais vient de la culture black. Tu es le plus grand colonisateur du monde rock. » Mais Ajita n'avait pas l'intention de se convertir à ces positions gauchistes. Elle ne dit rien. Elle n'était pas prête à se laisser subvertir.

Ce que j'espérais, c'est que malgré nos divergences, nous puissions reprendre notre vie d'indolence, financée par son exploiteur de père. Plus son paternel restait à l'usine, même si cela nous tourmentait, plus j'avais de temps pour manger ses réserves de nourriture, boire sa bière et baiser sa fille. La politique ne me passionnait pas, sauf quand il était question de couleur de peau. Dans les années 1970, les gens étaient toujours en grève : c'était leur seul moyen de se consoler de l'obligation qu'ils avaient de travailler. Il y avait des coupures d'électricité presque toutes les semaines. Chaque fois, un tonnerre d'exclamations ironiques retentissait dans les pubs et les discothèques du coin, juste le temps d'attraper une fille au passage et de sortir les bougies. Il y avait aussi des restrictions sur la nourriture, sur l'essence, sans parler de cette crise nationale pendant laquelle les ministres démissionnaient les uns après les autres tandis que les gouvernements tenaient à un fil. Parfois, l'IRA posait une bombe : entre autres choses, ils aimaient faire sauter des pubs, le pont d'Hammersmith aussi, qui avait subi deux explosions. Dans la foulée, on torturait des innocents, on les obligeait à avouer et on les jetait en prison. Nous avions l'habitude.

Mais cette crise à l'usine bouleversait tellement Ajita qu'elle ne voulait plus faire l'amour. « Ne me touche pas, Jamal, me disait-elle en se détournant. Je n'ai plus envie. Je me sens trop mal. » C'était la première fois qu'elle se refusait à moi. Première ombre au tableau de mon fol engouement.

Rien ne pouvait la réconforter. Pour nous distraire un peu, nous allions à la fac prendre un verre au bar avec Valentin, sans échanger un mot. J'aimais cet endroit, où les hommes la regardaient. C'était vraiment une fille qu'on remarquait. J'avais ma petite bande à moi désormais. Je me sentais protégé.

Les Iraniens en exil constituaient l'un des groupes d'étudiants les plus actifs. Tous les midis, ils distribuaient des tracts avec des photos horribles des victimes du shah et de sa police secrète, la Savak, organisme soutenu par les États-Unis, toujours prompts à se lier d'amitié avec un dictateur et à le soutenir financièrement. Je discutais avec les jeunes gauchistes qui cherchaient notre soutien ; ils expliquaient qu'ils prévoyaient d'utiliser les mosquées pour mobiliser le peuple. Une fois que la rébellion serait en marche, la gauche prendrait le relais.

L'autre groupe très actif du campus, toujours sur le pied de guerre, était affilié à la Ligue contre le nazisme. Il s'agissait du parti des travailleurs socialistes. Un étudiant de notre cours de philo vint nous distribuer quelques-uns de leurs tracts. Comme le marxisme lui-même, il n'était pas prêt à céder un pouce de terrain. Il prit un tabouret et commença à expliquer à Valentin que la prochaine réunion était cruciale.

Les trotskos essayaient toujours de le convertir, ce qui était pour le moins ironique puisqu'il avait été élevé dans un État communiste qu'il avait eu quelques difficultés à fuir, à cause de l'idéologie marxiste qui avait ravagé son pays, disait-il. Malgré leurs arguments pour montrer que le système avait « basculé » quand il était tombé aux mains des staliniens, ils ne parvenaient pas à le convaincre. Valentin me disait qu'il les trouvait drôles, voire « limite fous » mais, faute d'avoir mieux à faire, il les écoutait souvent.

On avait l'impression que Valentin méprisait le moindre effort, la moindre entreprise humaine, comme si tout cela n'était pas digne de lui. Sans aucun doute, il devait penser que je ne lui arrivais pas à la cheville, ce qui peut peut-être expliquer pourquoi j'étais tellement désireux de l'impressionner. Une fois, je lui avais demandé de me donner un coup de main pour un cours de logique et il m'avait répondu : « Oh, ça fait des mois que j'ai compris ça. » Et, quand nous allions dans King's Road le vendredi soir et le samedi soir pour draguer des filles, c'est lui qui les emballait la plupart du temps, si bien que je devais toujours prendre le dernier train pour rentrer chez moi. J'imagine que, quand il m'a « donné » Ajita, c'était un autre exemple de sa condescendance.

Je remarquai qu'après avoir jeté un rapide coup d'œil au tract, Ajita se mit à le lire et à le relire plusieurs fois de suite, ce qui me surprit car elle n'avait jamais été très emballée ni par la lecture ni par la politique.

Le trotsko posa son index sur le tract : « Le propriétaire de l'usine, là, celui qui nous intéresse... » Il se passa le doigt sur la gorge, ouvrit la bouche et écarquilla les yeux, comme ces personnages de Bacon saisis par la panique.

Je répondis avec nonchalance : « C'est ça, mec. »

J'entendis une voix un peu paniquée : « Jamal... » C'était Ajita qui me parlait à l'oreille. Elle voulait aller se promener un peu le long de la Tamise, du côté d'Embankment.

Malgré ses sanglots, je réussis à comprendre que l'usine décrite dans le tract trotskiste, l'endroit où l'on demandait aux étudiants d'aller manifester, était l'usine de son père.

Pendant trois ans, la famille d'Ajita avait eu la belle vie : le père montait son affaire, la mère élevait ses enfants, l'argent ne manquait pas. Les gamins s'adaptaient bien, ils aimaient l'Angleterre. Mais il apparaissait maintenant que cette même Angleterre ne voulait plus d'eux. Le père d'Ajita avait l'habitude de diriger les choses, d'avoir du pouvoir mais, depuis peu, il avait commencé à craindre qu'on ne lui reprenne tout. Il ne faisait pas beaucoup de bénéfices, il n'avait pas pu augmenter les salaires qui n'étaient guère élevés. Toute l'affaire menaçait de s'écrouler. Il allait se retrouver avec d'énormes dettes et il pourrait bien être mis en faillite. Que feraient-ils alors ? Ils pointeraient au chômage, comme tout le monde en Angleterre ?

La grève, qui démarra peu de temps après la diffusion du documentaire, était menée par une minuscule femme bengali. Cette figure courageuse et rebelle était devenue l'héroïne de toutes les femmes, de la gauche entière. Elle avait tout pour elle : l'origine ethnique, le sexe, la classe sociale, la taille. L'attroupement autour du piquet de grève grossissait chaque jour. L'usine n'était pas très loin de Londres et elle se trouvait à deux pas d'une station de métro. Des acteurs de la Royal Shakespeare Company et du monde du cinéma venaient tenir le piquet de grève en attendant l'arrivée des ouvriers le matin. Un ministre travailliste s'était rendu sur place. Le conflit était en train de devenir une *cause célèbre**.

Il y avait là quelques Antillais, mais la plupart des employés venaient d'Asie du Sud : c'était un mélange d'Indiens du Kenya, de Pakistanais, de Bengalis, de femmes d'un certain âge, d'étudiants et d'hommes, tous encadrés par des contremaîtres blancs. Ajita me dit que, contrairement à ce que tout le monde pensait, les ouvriers n'étaient pas des paysans, qu'ils avaient une formation scolaire et politique. Ils voulaient créer un syndicat mais son père refusait de négocier avec ce genre d'organisation. Les

---

* Tous les mots en italique suivis d'un astérisque sont en français dans le texte original. (*N.d.T.*)

ouvriers avaient la même origine que lui. Il connaissait bien leur mode de vie, leur religion, leur nourriture. Il ne voyait pas pourquoi il leur fallait un syndicat tenu par des Blancs pour faire pression sur lui. Il ne les payait pas bien mais il ne les payait pas moins bien que n'importe qui d'autre.

Le père d'Ajita était à la fois furieux et sur la défensive. Il avait licencié quelques-uns des jihadistes socialistes et il refusait de les réintégrer. Quand on l'accusa d'essayer d'implanter le tiers-monde en Grande-Bretagne, il rétorqua que c'était une remarque typiquement raciste. D'après Ajita, il était l'objet d'une campagne de harcèlement. « Est-ce que vous croyez que je suis le seul exploiteur de ce pays ? » disait-il. Mais le pays ne voulait pas céder face à lui : cet homme ne pouvait faire tout ce que bon lui semblait. Cependant, il n'avait pas d'autre choix. Il avait mis tout son argent dans l'usine. Malgré les circonstances, il bénéficiait encore de quelques appuis : certains conservateurs parlaient d'« anarchie » et de « respect de la loi ».

Après cette explosion de larmes, cet après-midi-là au pub, nous repartîmes dans notre banlieue. Ajita retourna chez elle pour travailler. Au lieu de l'accompagner, je rentrai chez moi lire et écouter de la musique dans ma chambre. J'allai me coucher vers neuf heures. Comme étudiant, je n'avais pas l'habitude de me lever tôt : d'ordinaire, je prenais le train pour Londres après l'heure de pointe, vers dix heures.

Mais le lendemain matin de bonne heure, tandis que maman et Miriam dormaient encore, sans en avoir rien dit à Ajita, je me rendis à l'usine. Ou, plutôt, à la manif.

La première chose que je vis en sortant du métro, c'était une grande banderole qui disait : « Seuls les esclaves ne peuvent cesser le travail. » À huit heures, un monde fou attendait aux portes. Il devait y avoir trois cents personnes, qui faisaient un sacré boucan et dont la colère était palpable. À première vue, la foule était surtout composée de travailleurs asiatiques licenciés, d'étudiants appartenant à divers groupes radicaux, de bon nombre de sympathisants, ainsi que de photographes et de journalistes. On avait l'impression qu'ils étaient ceinturés par d'impressionnants cordons de forces de l'ordre.

D'après ce que je pouvais voir depuis les grilles, l'usine assiégée se composait de deux bâtiments bas tout en longueur qui ressemblaient à des bâtiments construits avec des morceaux de carton ou de plaque d'amiante. Quand je discutai avec les ouvriers, ils se plaignirent, entre autres choses, de la chaleur en été et du froid en hiver.

J'avais entendu parler de ces lourds ballots de tissu que les ouvriers devaient déplacer à mains nues pour les conduire à la découpe. Les machines à coudre n'étaient pas fiables ; les aiguilles cassaient sans arrêt et abîmaient les doigts des ouvrières. On avait l'impression que des morceaux de tissu flottaient dans l'air. Tout le monde avait le nez bouché, personne ne respirait correctement. Il y avait au moins un accident par mois. Les ouvriers avaient droit à deux semaines de vacances par an, mais pas l'été, parce qu'il y avait alors plus de travail que d'habitude. Les toilettes et les lavabos étaient dégoûtants, les femmes étaient moins bien payées que les hommes, les femmes enceintes se faisaient renvoyer, une employée déclara que les patrons blancs obligeaient les ouvrières à coucher avec eux.

La foule se faisait plus dense, plus bruyante. Je remarquai que les manifestants avaient apporté des pierres, des briques et des morceaux de bois. Mais, d'un seul coup, le bus qui transportait les briseurs de grève arriva à tombeau ouvert ; les vitres étaient protégées par du grillage à petits trous. Je n'en revenais pas de le voir foncer dans la foule, tandis qu'une pluie de missiles s'abattait sur la carrosserie. La police s'efforçait de nous faire reculer à grands coups de matraque mais les gens réussissaient à se faufiler pour aller cracher et taper sur le bus.

Une voiture luxueuse suivait le bus en question et je vis le père d'Ajita au volant.

Je le reconnus parce que je l'avais croisé une fois chez eux, un jour qu'il était rentré à l'improviste « chercher des papiers » mais, à mon avis, plutôt parce qu'il voulait regarder un match de boxe à la télé. Ce jour-là, j'avais vu l'expression du visage d'Ajita, quand il avait ouvert la porte et était entré dans la pièce où nous étions installés, les pieds sur le plateau de verre de la table basse, en train de manger des chips et de nous trémousser au rythme de Fatback Band. J'avais compris qu'elle avait peur de lui. Ça n'avait rien à voir avec la nervosité. J'avais même cru qu'elle allait faire une syncope.

Heureusement, Mustaq était là, assis dans un coin à me regarder, comme toujours, par-dessus la couverture de *Young Americans*, si bien qu'Ajita m'avait présenté comme un de ses amis à lui, suivant le plan que nous avions échafaudé. Mais il avait fallu en rajouter. Afin de prouver que lui et moi étions vraiment proches, j'avais dû passer l'après-midi dans sa chambre. Ajita m'avait souvent demandé de « parler » à son frère, qui lui causait du souci. Leur père était trop « ailleurs » pour lui accorder la moindre attention. Mustaq manquait de repères et de conseils paternels. Il faisait un peu fille et ne connaissait rien au football.

Ce jour-là, le gamin était ravi de m'avoir pour lui tout seul. Et il en a bien profité ! D'abord, il me prit en photo, avant de me montrer ses « trésors » : un train électrique, son album annuel de *Peanuts*, ses autocollants Snoopy, une poupée vaudoue qu'il avait fabriquée lui-même à partir d'un morceau de bois puis couverte d'épingles et de chiffres tracés au marqueur noir, sa batterie et sa guitare acoustique. Il y avait aussi une vieille boîte de préservatifs, un couteau suisse et la photo d'une cousine en bikini sur une plage.

Ensuite il me demanda de me battre avec lui.

« Pas de problème, lui répondis-je, allons-y. »

Pourquoi acceptai-je ? Je pensais que ça le calmerait. Je devins livide en le voyant enlever tous ses vêtements l'un après l'autre, à l'exception de son slip.

La bagarre ne me tentait guère, d'autant moins qu'il paraissait très motivé : il sautillait sur place, courait sur la pointe des pieds, tapait vigoureusement ses poings dans ses paumes – *paf, paf, paf!* Même s'il était plutôt grassouillet, il avait tout l'air d'un sale petit con qui voulait en découdre.

Tel un ours, il se jeta sur moi, toutes dents dehors, les bras écartés. Il me saisit à bras-le-corps et ne me lâcha plus. Ensuite, il me fit basculer du lit, me releva et me porta à travers toute la chambre avant de finalement s'asseoir sur mes genoux et de m'embrasser sur les deux joues. Quand j'essayai de me dégager, il fourra ses mains dans mon pantalon. Je n'osai pas crier, de peur que son père ne tire sur nous à travers la porte. Au-dessus de moi, Mustaq se trémoussait frénétiquement et se déchaînait comme un jeune travelo ou une ado surexcitée. Il voulait me tailler une pipe, à quelques mètres de son père et de sa sœur.

Quel soulagement quand il bondit vers son piano pour jouer une de ses créations, qui s'intitulait apparemment *On a tous le cœur brisé, un jour ou l'autre.*

« Écoute, écoute, me dit-il. Dis-moi ce que tu en penses !

— Super, super chanson, mec. J'aime bien le "un jour ou l'autre".

— C'est vrai ?

— Tu devrais l'enregistrer, mec, et l'envoyer à quelqu'un. »

J'avais tellement hâte de me sortir de là que je tombai du lit, ce qui me donna l'occasion de voir ce qui se trouvait en dessous – multiples barres chocolatées à peine entamées, papiers brillants de bonbons, œufs de Pâques immangeables.

Je sortis de là à peu près intact, en maudissant toute sa famille.

« Reviens vite me voir, murmura Mustaq.

— Alors, c'était bien ? me demanda Ajita en souriant. Je suis tellement contente que vous vous entendiez, tous les deux ! »

Et moi, j'étais tellement amoureux d'elle. J'étais prêt à faire comme si sa famille n'existait pas.

Je ne dis rien à Ajita à propos de son frère mais, la fois suivante, j'emportai des livres et des magazines, surtout des trucs de « rebelles » américains dont je pensais qu'il ne les connaissait pas, Rechy, Himes, Algren, Burroughs même, que j'étais prêt à lui passer à condition qu'il ne me pelote pas.

« Les pères aiment bien que leurs fils lisent. Ils pensent que les livres, ça ne peut faire que du bien. Ils n'ont aucune idée du danger qu'ils représentent. »

Je fus surpris de constater qu'il avait lu tout ce que je lui avais donné, qu'il en parlait et en redemandait. Je lui passai *Tropique du Cancer* et *Jours tranquilles à Clichy*, et il m'écrivit un petit texte où il expliquait qu'il n'avait jamais trouvé autant de poésie surréaliste, de folie et de bêtise dans un seul et même livre. (Puis il se mit à lire Céline.) Je lui offris ma pochette un peu abîmée de *Transformer* de Lou Reed parce que je connaissais trop l'album, mais à chacune de mes visites je pus continuer à écouter le son décadent et vicieux de la musique de Bowie.

J'aimais bien faire le crâneur avec lui. J'aimais le provoquer comme un grand frère impressionnant qui saurait tout, comme le faisait ma sœur avec moi. À un moment, je m'étais demandé si je pouvais le choquer ou même le corrompre, mais je m'aperçus bien vite qu'il était plus aventureux que moi.

De temps en temps, il essayait de me tripoter, et il se changeait toujours quand j'étais là – « Tout ce qui m'intéresse, c'est de savoir si tu m'aimes avec des rayures ? » « Seulement si tu te les coinces dans le cul » –, mais c'était un allié tout ce qu'il y a de plus réglo, tant que j'acceptais de discuter avec lui. C'était comme si j'avais eu un jeune frère collant. Il avait même mis une photo de moi sur son mur, au milieu des boxeurs, des acteurs où je reconnus une des premières photos que Bailey avait prise de Jagger, quand Mick ressemblait à un ado Mod à l'air maussade.

Chaque fois que je le voyais, Mustaq m'invitait au concert ou au cinéma. Je refusais toujours, jusqu'à ce qu'il me propose un plan irrésistible : trois billets pour les Stones à Earl's Court. On était tout au fond et, sur la scène, les minuscules bonshommes ressemblaient à des marionnettes. C'était comme regarder la télé, si ce n'est qu'on ne pouvait pas zapper. Ajita et moi n'arrêtions pas de nous bécoter tandis que Mustaq, avec son tee-shirt Mick Jagger, était littéralement en transe.

À la fin, il déclara :

« Je veux qu'on me regarde comme ça. Je veux faire ça chaque jour de ma vie. Jamal, dis-moi, tu crois que je vais y arriver ?

— Ton père serait ravi », répondis-je.

Le jour où leur père était rentré de bonne heure, il ne m'avait pas prêté attention, mais moi, je l'avais bien regardé. Il n'était pas revenu pour travailler : il s'était allongé sur le canapé avec un verre de whisky bien rempli, il avait regardé la télé et fumé cigarette sur cigarette. Il était grand, mince, pratiquement chauve. L'air sévère, il avait la peau mate, marquée par les rides et des cicatrices de boutons, comme si une bombe lui avait sauté au visage.

Même si les années 1960 étaient terminées et que le féminisme avait commencé à s'imposer, les hommes de sa génération détenaient encore l'essentiel du pouvoir. On trouvait ça normal. Les pères étaient des hommes, des vrais. Ils avaient trop d'autorité pour pouvoir s'asseoir par terre avec leurs enfants. Ils étaient distants, ils faisaient peur. Cet homme avait ri plusieurs fois avec Ajita mais je ne le vis jamais sourire. Il n'avait aucun charme. Je dirais qu'il était terrifiant. Si j'avais envie qu'Ajita devienne ma femme, je ne voulais en rien être lié à son père.

Au moment où la voiture entra dans la cour de l'usine, alors que j'étais au piquet de grève, j'aperçus Ajita à l'arrière : elle avait la tête sur les genoux et elle se protégeait les oreilles (ou la tête peut-être ?) avec les mains. Que faisait-elle là ? Pourquoi ne m'avait-elle rien dit ?

Je criai et gesticulai de toutes mes forces, mais c'était peine perdue. Le spectacle ne dura pas longtemps. Les gens commençaient à se disperser.

Je dis tout haut :

« Drôle de scène...

— Qu'est-ce que tu veux dire ? me demandèrent deux étudiants qui se trouvaient à côté de moi, grisés par ce qu'ils venaient de faire.

— Un petit groupe d'ouvriers asiatiques qui se fait insulter par une troupe d'étudiants de la classe moyenne blanche. »

J'ajoutai, pour faire bonne mesure : « Je parie que vos pères à tous les deux sont médecins. »

Ils se regardèrent, puis me regardèrent : « Tu es de quel côté, au fond ? »

Plus tard, Ajita vint à la fac. Nous étions tous les deux à la manifestation ce matin-là, mais aucun de nous n'y fit allusion. Je me posais de nombreuses questions. Est-ce qu'on aime quelqu'un quoi qu'il fasse, ou est-ce que l'amour change au fur et à mesure que la perception qu'on a de l'autre évolue, au fur et à mesure qu'on le connaît mieux ? L'amour est en mutation constante, la donne n'est jamais la même. Je m'ennuyais à la maison, j'avais eu soif d'inconnu, d'une vie pleine d'expériences et j'étais en plein dedans – j'en avais même plus que mon compte.

Cette nuit-là, j'étais allongé sur mon lit, maman était en bas en train de regarder la télé ; Miriam était allée voir Joan Armatrading à l'Odeon d'Hammersmith. Je me demandais ce qu'Ajita pouvait bien faire au même moment. Probablement se faisait-elle du souci au sujet de la grève. Puis, d'un seul coup, je me dis que ce n'était peut-être pas la seule explication à son comportement étrange.

Pour la première fois, je pensai : « Ajita me trompe. » Est-ce que tous les amants ne se posent pas la question un jour ? Si on a envie de quelqu'un, n'est-il pas normal qu'il fasse envie à d'autres, d'autant qu'il devient de plus en plus désirable ? Mais au moment où cette hypothèse me traversa l'esprit, je me dis qu'elle était complètement loufoque. Pourquoi ne la comprenais-je plus en ce moment ? J'avais l'intuition qu'elle me cachait quelque chose. Pourquoi était-elle si bizarre ? Elle me cachait forcément quelque chose.

Bientôt, le secret allait jaillir au grand jour. Je l'interrogerais quand je la verrais. Il fallait que je sache.

10

Il n'y a pas longtemps encore, maman allait chez Miriam pour fêter Noël et les anniversaires. Elle s'endormait dans un fauteuil, se réveillait avec un chien qui bavait sur ses genoux et elle demandait à Bushy de la ramener à cause de sa tête qui la faisait horriblement souffrir. Mais, maintenant, elle ne venait plus. C'était « fatigant », disait-elle, ce à quoi Miriam répondait : « Bon, tu devras te contenter de me regarder à la télé, comme tout le monde. »

Ça n'était pas facile d'arracher Miriam à son quartier. Elle ne se sentait plus en sécurité dès qu'elle devait quitter son cercle protecteur, mais Bushy et moi insistions pour que, tous les trois mois à peu près, nous déjeunions ensemble avec maman. Nous allions généralement à Piccadilly, à la Royal Academy – c'était un peu son « club », comme pour toutes les vieilles dames qui y emmenaient leur fils. Maman prenait aussi volontiers un thé léger chez Fortnum où, pourtant, Miriam avait été interdite de séjour pour cause de « tenue indécente ». J'imagine qu'ils n'avaient jamais vu autant de tatouages sur une seule femme. Maman avait dit qu'elle l'avait mise dans une situation très embarrassante. Miriam était absolument furieuse que sa mère l'ait traitée d'« adolescente ».

Après avoir quitté la boulangerie, maman avait trouvé une place dans les bureaux d'une grande entreprise où elle travailla jusqu'à cinquante-cinq ans. Elle avait toujours eu un salaire correct et elle put toucher une retraite. Quand Miriam et moi avions quitté la maison, elle avait continué de vivre comme avant pendant des années. Allers et retours aux courses avec son caddy de vieille femme, feuilletons à longueur de journée (*Coronation Street* et *Emmerdale*), promenades au parc s'il n'y avait pas trop de vent, rendez-vous un peu angoissants chez le médecin, visites d'une amie qui ne parlait que de son mari décédé, morts d'amis proches et de voisins, remplacés par des familles jeunes et bruyantes.

Elle nous a toujours bien fait comprendre qu'elle avait tout sacrifié pour nous. Sans un tel fardeau, elle aurait mené la belle vie à Paris. En bonne hystérique, elle préférait la mort à la sexualité et disait souvent qu'elle « attendait sa dernière heure ». En fait, ajoutait-elle avec force soupirs et mines désespérées, elle se « languissait » de mourir. Elle était « prête ». Étant donné qu'elle avait passé sa vie à s'esquiver ou à jouer la morte, on ne peut guère nous reprocher, à Miriam et à moi, de ne pas nous être inquiétés. Un jour, nous avons compris que, loin de se précipiter vers la tombe dans l'espoir de trouver dans l'au-delà ce qui lui manquait ici, elle avait opéré une révolution dans sa vie. Désormais, où qu'elle aille, Billie l'accompagnait.

Autant que je puisse dire, maman avait consacré peu de temps et peu d'intérêt au sexe et à ses émois. Après papa, elle ne s'était jamais remise avec qui que ce soit. À plusieurs reprises, elle avait découché, pour nous faire croire qu'elle avait quelqu'un. Miriam et moi échangions des sourires narquois à l'idée qu'elle sortait avec un homme que nous avions surnommé M. Invisible. Parfois, elle laissait traîner le programme d'un spectacle de danse ou de théâtre, ou encore des catalogues d'exposition, mais personne ne venait jamais à la maison.

J'aurais dû me douter que quelque chose avait changé le jour où elle m'a dit qu'elle voulait aller au cinéma, dans « un endroit qui s'appelle le ICA ». Est-ce que je savais où ça se trouvait ? Je dus reconnaître que j'avais passé une bonne partie de ma jeunesse là-bas, pour y voir des spectacles, des films et des filles au bar. De son côté, maman dut admettre qu'elle ne me connaissait pas très bien, qu'elle ignorait tout des lieux que je fréquentais, mais elle était contente de voir que j'avais mes repères dans Londres.

Ce jour-là, elle avait envie de voir un film sur un peintre. En consultant *Time Out*, je compris qu'il s'agissait d'*Andrei Roublev*. Je dus la prévenir qu'un film russe en noir et blanc d'une durée de trois heures serait peut-être un peu trop pour nous, mais elle ne voulut pas en démordre. Nous étions les deux seuls dans le cinéma et je me disais que ce qu'il y avait de merveilleux dans cette ville, c'était qu'un homme et sa mère pouvaient regarder un tel chef-d'œuvre dans une salle située quelque part entre Buckingham Palace et le Parlement.

C'était il y a trois ans. Depuis cette époque-là environ, maman vivait avec Billie, une femme de son âge qu'elle connaissait depuis qu'elle avait huit ans. Maman a toujours beaucoup vu Billie et j'aimais discuter avec elle quand elle venait à la maison. « Tu préfères être avec elle qu'avec moi », me dit-elle une fois. Je lui répondis qu'elle était « plus en prise avec le réel », ou quelque chose d'approchant. Ce que je ne pouvais pas dire à ma mère, c'est que quand j'étais adolescent, et même plus jeune, j'avais eu le béguin pour Billie. Elle avait conscience d'avoir un corps. Elle bougeait bien, elle était sensuelle.

Pendant des années après notre départ, à Miriam et à

moi, maman parla de vendre la maison pour acheter un petit appartement de « grand-mère ». Nous nous y attendions, sachant que ce qu'elle aimait par-dessus tout, c'était rester assise au même endroit et faire chaque jour les mêmes choses. Je n'avais jamais compris ce mode de fonctionnement, jusqu'à ce que je lise *Au-delà du principe de plaisir*, où Freud explique qu'une telle forme de répétition est « démoniaque » et « mortifère », tout simplement. Au bout du compte, elle mit la maison en vente et, à notre grande surprise, elle réussit à s'en défaire.

Miriam refusa de revenir une dernière fois là où nous avions vécu. C'était douloureux de devoir ranger nos jouets, nos bulletins scolaires, nos livres pour tout rapporter à Londres. Je dus jeter beaucoup de choses (j'adore faire place nette), mais il me semblait que chaque perte était comme un coup. Je pense que maman s'imaginait que nous serions plus attachés aux lieux ; nous y avions grandi mais, pour nous, elle ne représentait rien de vital.

À partir de là, maman est allée vivre chez Billie, en nous disant que l'appartement qui l'intéressait n'était pas encore « prêt ». Billie habitait toujours la maison de son enfance, une bâtisse énorme tout près des Common, où je n'étais pas allé depuis des années mais dont je me souvenais comme d'un endroit fourmillant de dessins, de peintures, de sculptures et de chats. Billie, c'était « M. Invisible ».

Elle avait enseigné trente ans dans un atelier pour artistes situé dans un quartier dur au sud de Londres. Elle avait aussi mis en place des ateliers photo, peinture, dessin et sculpture pour les gens des environs. Billie avait eu de nombreux petits copains mais elle n'avait jamais « trouvé le grand amour » ni eu d'enfants. Elle mettait encore du fard à paupières, portait des sandales dorées, se coiffait à la Cléopâtre et s'habillait avec les vêtements de fripe et les vieux bijoux qu'elle dénichait régulièrement avec maman.

C'était quelqu'un d'intelligent et ça faisait toujours du bien de parler avec elle. Désormais, les deux femmes se levaient de bonne heure pour se rendre à l'atelier. Elles faisaient la cuisine, s'achetaient des meubles, voyageaient, passaient de nombreux week-ends à Bruxelles, à Paris, où elles allaient aussi juste pour déjeuner ou se promener l'après-midi. Elles parlaient de louer un appartement à Venise ou de partir en vacances à Barcelone.

Maman ne voulait pas qu'on pense qu'elle était bizarre, individualiste ou radicale ; elle avait simplement changé de maison. Étaient-elles amantes ou pas, nous ne le lui avons jamais demandé. Certains mots n'avaient pas voix au chapitre entre nous. Quand notre mère parlait de Billie, elle disait « mon amie ». Parfois, je l'appelais sa compagne, sans qu'elle me contredise. C'était la meilleure relation que notre mère ait jamais eue. Billie ne semblait pas se soucier de cette tendance que maman avait à s'apitoyer sur elle-même, à s'alarmer, à avoir peur pour un rien, ni de son penchant pour l'immobilisme. Maman n'angoissait pas Billie comme elle pouvait nous angoisser. Billie était trop occupée pour ça.

Malheureusement, alors que maman s'était inquiétée toute sa vie pour Miriam, elle s'en préoccupait à peine à présent. Ma sœur se sentait abandonnée, mais j'étais plus fort qu'avant ; j'essayais de l'empêcher de s'en prendre à notre mère.

Au début, quand Miriam et moi voyions maman et Billie ensemble, souvent après une série d'achats frénétiques de livres chez Hatchards, il était difficile de ne pas remarquer la force de leur intimité. C'était une révélation. Surtout quand elles exhibaient les bagues, les coupes de cheveux qu'elles s'étaient offertes l'une à l'autre. Puis, à l'occasion d'un déjeuner, Billie avait demandé si Miriam « avait quelqu'un ». Maman n'a sans doute jamais eu une très haute opinion des copains de sa fille ; elle considérait

qu'ils étaient juste des « gamins » – immatures, peu intéressants –, pas des vrais hommes. Miriam répondit simplement : « J'ai déjà beaucoup de chance d'avoir plusieurs
enfants. »

Cette fois-là, quand nous nous retrouvâmes, Billie se
montra polie avec Miriam mais il était évident qu'elle la
trouvait vraiment limite, ce qui pouvait se comprendre
dans le contexte. Billie avait fait allusion à quelque chose
de « merveilleux » qu'on pouvait voir à la Tate Modern et
Miriam avait rétorqué que c'était tellement bête de dire
« Tate Modern » plutôt que « Modern Tate », ce qui,
d'après elle, aurait été moins prétentieux et plus pertinent.
Billie répondit que ce serait la même chose si au lieu de
dire « les bâtiments du Parlement », on parlait du « Parlement et ses bâtiments ».

Au fur et à mesure de la conversation, je voyais bien
que, dans ce genre de circonstance, Miriam était à deux
doigts de retrouver ses réflexes d'adolescente, toujours aux
aguets sous la surface, et je me demandais si elle n'allait
pas fracasser quelque chose contre le mur. Il faisait froid ce
jour-là et la chaleur qui émanait de son corps suffisait
presque à me réchauffer, mais ce que je ne lui souhaitais
vraiment pas, c'était d'engager un bras de fer avec Billie.
Maman paraissait absente, telle une tortue qui regarde
passer un défilé.

Je m'étais demandé si Miriam annoncerait qu'elle avait
« rencontré quelqu'un », si son histoire avec Henry allait
pouvoir être officialisée. Mais ma sœur ne raisonnait pas
ainsi. Elle était déjà trop en colère. Ce qui la mettait hors
d'elle, ce n'était pas seulement que les deux femmes voya-
gent ou s'achètent des tableaux comme elles en avaient
envie (certains leur avaient coûté 3 000 livres), c'était plutôt qu'elles avaient l'intention de faire construire un atelier
d'artiste dans leur jardin dès qu'elles auraient trouvé

un architecte à leur convenance. Maman et Billie semblaient penser qu'elles pourraient le faire « pour moins de 15 000 livres ».

Comme tout le monde en Grande-Bretagne, ma mère avait gagné plus d'argent dans l'immobilier qu'en travaillant. Elle avait vendu la maison, remboursé son emprunt et elle dépensait à vitesse grand V ce qui lui restait.

Elle m'avait dit :

« Je me moque de tout flamber avant de mourir. Au besoin, j'utiliserai mes cartes de crédit pour emprunter.

— Tu as bien raison », lui avais-je répondu.

De manière encore plus surprenante, elle ne donnait jamais d'argent à ses enfants ni à ses petits-enfants. Et pourtant, Miriam se plaignait de plus en plus ouvertement que sa maison, achetée une bouchée de pain auprès des services sociaux, tombait en ruine. La peinture et les papiers peints n'avaient pas été refaits depuis des années et la toiture était pourrie. Pour une raison que Miriam n'arrivait pas à s'expliquer, maman partait du principe que sa fille devait travailler pour s'en sortir.

Miriam reprochait à Billie d'avoir une « mauvaise influence », mais maman n'avait pas attendu Billie pour changer. Quand Miriam fit remarquer qu'elles étaient peut-être trop vieilles pour s'engager dans pareil projet immobilier, Billie rejeta l'idée en bloc.

« On est vieux quand on a plus de quatre-vingt-dix ans, dit-elle avec une pointe de défi. Bientôt, les gens vivront jusqu'à trois cents ans.

— C'est bien vrai, enchaîna maman. On n'est pas trop vieilles pour aller à l'opéra. Tant qu'il y a deux entractes et des toilettes pas loin. »

Elle ouvrit son sac et chacune en extirpa une poignée de pilules « anti-âge » qu'elles avalèrent avec une gorgée de vin bio.

« Que personne ne s'avise de m'appeler mamie non plus », ajouta Billie sur un ton menaçant.

Je me demandai si, en discutant au téléphone avec maman, Miriam n'aurait pas insinué qu'elle était une grand-mère négligente car Billie déclara alors qu'après le mariage, la vie de famille était probablement l'un des modes de vie les plus dégradants qui soit. Visiblement, elle détestait tout ce qui avait un rapport avec l'école, avec ces mères terrestres et bovines chargées de bouteilles de lait en plastique, encombrées d'enfants sales impossibles à distinguer, d'autant qu'ils s'appellent tous Jack ou Jill.

Puis les deux femmes passèrent tout l'après-midi chez le coiffeur, avant de refaire un peu de shopping et de se rendre à une fête chez un artiste local. Nous dûmes les aider à sortir du restaurant et monter dans leur taxi, non pas parce qu'elles étaient infirmes, mais bien parce qu'elles étaient complètement soûles et qu'elles n'arrêtaient pas de glousser.

Dans la voiture, sur le chemin du retour, Bushy ne disait rien, moi non plus. Miriam tremblait sur son siège. On entendait ses bijoux s'entrechoquer. Elle vibrait plus qu'un diapason. Nous avions mis un peu de temps à le comprendre, mais maman était bel et bien partie. Elle ne couperait pas les ponts, mais nous n'étions plus au centre de sa vie. Elle donnait l'impression de ne pas nous aimer plus que cela, comme si nous étions de vieux amis avec qui elle se serait fâchée. Elle avait rendu son tablier et avait décidé de disparaître de la circulation.

Miriam finit par lâcher :

« Et toi, tu es là, tranquille, ravi. Ça m'énerve...

— Qu'est-ce qui t'énerve au juste ?

— Le fait que tu ne dises rien ! Si tu t'amuses à jouer au psy avec moi, tu vas le sentir passer.

— Peut-être que je n'ai rien dit, mais j'ai passé un bon

moment. Qu'est-ce qui te prend ? Toi aussi, tu as eu ta période "je tente ma chance avec une fille", non ?

— Et tu crois que j'ai aimé ? Et puis, de toute façon, ces filles n'avaient pas soixante-dix balais, elles avaient un corps. Maman jette notre argent par les fenêtres. Un atelier... La sculpture. Une loge à l'opéra. C'est dingue – elles passent le plus clair de leur temps à boire.

— C'est son argent. Ce n'est pas mal, ce qu'elles vivent, les deux vieilles copines. Elles s'offrent une belle dernière ligne droite, à s'occuper l'une de l'autre et à s'aimer.

— Pourquoi elle ne veut rien nous donner ? J'ai un nouveau mec à nourrir, moi ! Il va s'attendre à ce que je prenne soin de lui.

— Tu lui as dit, pour Henry ?

— Elle va penser que c'est le même genre que les autres. Avec elle, c'est tous des salauds et des bons à rien. Et ses petits-enfants ? Elle ne s'en occupe pas !

— On est adultes, lui dis-je, alors que j'étais justement fatigué de devoir jouer l'adulte. Bientôt, les enfants seront grands. Ils vont vivre leur vie.

— Vous m'avez toujours méprisée, toi et maman.

— Mais, si tu veux le savoir, c'est moi qui aurais des raisons de me plaindre. Quand tu étais à la maison, maman se disputait avec toi. Quand tu sortais, tu t'arrangeais pour qu'elle se fasse un sang d'encre. Qu'est-ce qui me restait comme place, entre vous deux ?

— J'avais de sérieux problèmes. Et quand tu disais que ma vie serait nulle, ça n'arrangeait rien. Toi, avec tes livres, tes mots à rallonge, tes poètes, tes chansons. Toujours à te moquer de ma folie. C'est moins vrai maintenant, mais tu as toujours été un sale prétentieux ! Au Pakistan, tu m'as laissé tomber comme une vieille chaussette.

— Va te faire voir !

— Oh, toi... »

Elle m'avait saisi le bras. J'empoignai son autre main. J'ai beau être un professionnel de la parole, tout le monde conviendra avec moi qu'à certains moments, une bonne claque lui aurait fait le plus grand bien. Mais, ce jour-là, elle semblait convaincue qu'un bon coup de poing me ferait le plus grand bien.

Bushy freina brusquement en pleine rue et se retourna : « Vous deux, ça suffit ! Pas de chahut dans la voiture. C'est ce que je dis toujours aux enfants. »

Miriam tenta de me frapper mais je lui tenais les poignets, ce qui augmentait les risques de recevoir un coup de tête. Comme les voitures commençaient à klaxonner derrière nous, Bushy redémarra. Il tenait le volant d'une main et hurlait, tout en essayant de nous séparer de l'autre.

« Si vous continuez, je m'arrête et je vous sors de la voiture ! C'est pas possible... Vous êtes pires que des mômes ! »

Miriam décida de faire un saut chez Henry pour se calmer. Elle n'avait pas l'intention d'aller le « déranger ». Non, elle pensait plutôt s'installer sous ses fenêtres « pour penser à cet homme, là, qui ne me prend pas de haut, qui ne me traite pas comme de la merde, pas comme toi, maman et sa saleté de copine ! »

Je voyais les yeux de Bushy qui nous regardait dans le rétroviseur. Je haussai les épaules. Je savais depuis longtemps qu'il était inutile de chercher à discuter avec Miriam. Il gara la voiture non loin de la Tamise. Nous accompagnâmes Miriam jusque chez Henry et, voyant qu'elle restait plantée là, Bushy lui dit : « Vas-y, Juliette, monte ! Je repasserai plus tard », puis nous partîmes.

Peut-être l'aventure de notre mère l'avait-elle inspirée. Peut-être maman lui servait-elle davantage de modèle qu'elles ne le pensaient toutes les deux. Dans les semaines qui suivirent, il est évident que la relation de Miriam et d'Henry prit un tour plus sérieux. Et, du fait de certains événements, j'en appris plus que je ne l'aurais souhaité sur le sujet.

11

Miriam et Henry avaient commencé à utiliser la chambre que je leur prêtais pour leurs rendez-vous. Ils allaient au théâtre ou au cinéma à peu près une fois par semaine mais c'est là qu'ils se retrouvaient le soir, quand je sortais avec des amis, donnais une conférence ou quand j'allais me promener en ville pour réfléchir aux cas de mes patients.

Ils m'avaient demandé un placard qui fermerait à clé. Ils pourraient y entreposer des écharpes, des fouets, des vêtements, une boîte de vasodilatateurs, des vibromasseurs, des vidéos, des préservatifs et deux boules à thé. Je me posais des questions concernant ces deux derniers accessoires : servaient-ils de pinces à tétons ou bien Miriam et Henry se préparaient-ils une tasse de thé à l'orange en fin de soirée ?

Ce nouvel arrangement faisait suite à une crise qui avait éclaté chez Henry. Il s'était laissé surprendre avec Miriam.

Lui et moi dînons au moins une fois par semaine ensemble, toujours dans des restaurants indiens du quartier que nous expérimentons pour l'occasion. Nous avons une réelle passion pour la cuisine indienne, mais aussi pour le décor : papier peint floqué, tableaux lumineux de chutes d'eau ou du Taj Mahal, serveurs en costume noir et nœud papillon. Quand je déambulais dans Londres, je repérais ces restaurants qui étaient progressivement remplacés, comme les pubs, par des constructions plus cossues.

J'avais exposé à Henry ma théorie selon laquelle, pour la grande majorité des Britanniques, les restaurants indiens (rarement tenus pas des Indiens, mais plutôt par des Bangladais) étaient une forme de transposition de l'expérience coloniale. Nous étions en train de nous installer et je lui dis : « C'était comme ça pour tes ancêtres, Henry : ils se faisaient servir par des Indiens respectueux, pleins de déférence, habillés en domestiques. Ici, on te donne l'impression d'être un roi, ce que tu es d'ailleurs. »

Mon interprétation lui plaisait mais, dès qu'il était question de son repas, il refusait néanmoins d'endosser le rôle du colonisateur. Il campa sur ses positions, même quand je lui dis que j'avais le sentiment d'être à Disneyland puisque, là aussi, on nous cachait les vraies conditions de production... De fait, les propriétaires n'étaient pas des Blancs, de vrais Britanniques, mais des gens qui venaient du Bangladesh, le pays le plus pauvre du monde. J'eus beau ajouter que les serveurs avaient laissé leur pays en plan pour passer à l'ouest, il ne se laissa pas davantage perturber, malgré un certain malaise. Henry me déclara qu'ils avaient bien le droit de profiter de nos richesses après ce que leurs ancêtres avaient subi au moment de la colonisation.

Au restaurant, il discutait toujours avec les serveurs – de Tony Blair et de Saddam Hussein, de leur mal du pays et de leur croyance en un Dieu qui les sauverait, ou tout au moins qui les apaiserait, de leur recours à la religion comme thérapie. Il disait parfois qu'il songeait à se convertir à l'islam, mais que le plaisir du blasphème serait une tentation trop forte.

Nous venions de passer commande quand il me dit :

« Si on voit ces gars-là comme de grands enfants, c'est plus à cause de leur foi que de leur situation sociale. En même temps, ils ont de la chance. Cette histoire de Dieu permet vraiment de tout expliquer. On peut dire sans beaucoup se tromper qu'elle est plus efficace que les antidépresseurs, non ? Il y a plus de désespoir dans une société sans dieux que dans les sociétés où ils pullulent. Tu ne crois pas ?

— Je ne sais pas. Franchement, je n'en sais rien.

— Tu ne peux pas être d'accord avec moi là-dessus, étant donné la chance que tu as.

— Ah bon ?

— Tu écoutes des femmes à longueur de journée. Elles t'idéalisent complètement, elles t'adorent. À une époque, je me disais que tu étais un "collectionneur de soupirs". »

Il poursuivit :

« Bien sûr, j'arrive à un âge où la mort exige de moi que je pense constamment à elle. J'ai remarqué que la vie ne s'arrange pas avec le temps. Malgré tout, comme un certain nombre d'hommes qui prennent de l'âge, je pense souvent au plaisir. Les autres nous troublent toujours : c'est ce qui fait leur intérêt. Mais, quand ce sont des acteurs, je peux m'arranger pour qu'ils jouent dans un de mes spectacles. J'ai toujours fui mes passions, pour autant que ce soit possible. Je craignais de devenir dépendant. J'ai bien essayé de trouver des dérivatifs. Mais j'aime à croire que je suis encore capable d'aimer. »

Henry avait toujours été le premier à dire qu'il avait peur de vivre une vie sexuelle pleinement satisfaisante. C'était presque phobique et il s'en était tenu à l'écart pendant longtemps, en partie parce qu'il culpabilisait, après avoir quitté ses enfants, quand il avait compris qu'il serait totalement absurde de continuer à vivre avec Valerie.

« Je me souviens, me dit-il, il y a des années de ça, une actrice avec qui je sortais m'a raconté qu'elle avait rendu visite à un vieil homme, quelqu'un de très distingué. Dans la pièce à côté, son épouse agonisait. Il a supplié cette amie de lui montrer ses seins, de le laisser les embrasser. On trouvait tous les deux que ce n'était pas très glorieux comme comportement. Mais, aujourd'hui, cet homme, c'est moi.

» L'une des découvertes les plus importantes de l'après-guerre, en plus des Rolling Stones et des gens de leur trempe, ça a été la pilule. On pouvait dissocier sexualité et reproduction et on a décrété que les relations sexuelles seraient désormais le loisir numéro un. Mais, il y a là une forme d'ironie... Il ne faut pas oublier que quand j'étais jeune, les femmes étaient poilues et, en plus, elles portaient des bottes. Elles mettaient des bleus de travail. Elles avaient les cheveux en brosse et des grands anneaux aux oreilles. Elles balayaient les rues, elles travaillaient dans le bâtiment. On disait que c'était un tournant dans l'histoire. On avait bien raison. Aujourd'hui, ces femmes travaillent pour Blair.

» Mais les jeunettes sont redevenues espiègles. Londres vibre à leur rythme. L'été, on en pleurerait de voir toutes ces beautés inatteignables partout dans les rues. À l'époque, les poils en terrifiaient plus d'un : ce n'était pas franchement romantique. Si tu mettais la main au mauvais endroit, tu passais pour un violeur. Et, déjà, les hommes étaient aussi fiables qu'une grenade dégoupillée. J'ai fini par me convaincre que mon corps dégoûtait les autres et, c'est sûr, le corps des autres me dégoûtait. On est de la merde pleine de désirs. Ouais, c'est pas croyable que je sois barré à ce point.

— Mais, maintenant, tu as Miriam. »

Il sourit. « Oui, oui. Et ce qui me surprend vraiment, c'est que je continue à lui plaire. »

Le regard perdu dans les sables mouvants de son *dhal*, il me dit que, la plupart du temps, ils faisaient l'amour chez moi. Mais, la nuit précédente, ils avaient eu envie de rester à son appartement. Vers onze heures, la porte s'était ouverte alors qu'ils étaient très occupés avec des cordes, des masques et une anthologie de poésie. Quelques secondes après, Sam et la « femme aux mules » découvraient le tableau.

L'espace d'un instant, ils se sont regardés. Puis Henry a demandé qu'on les laisse un peu seuls et si quelqu'un pouvait mettre la bouilloire en route. Miriam a détaché Henry. Ils se sont rhabillés. Sam et la « femme aux mules » attendaient dans la cuisine. Bushy a raccompagné Miriam. Puis tout le monde est allé se coucher.

Un an plus tôt, quand son fils lui avait dit qu'il voulait vivre avec lui, Henry avait paniqué, surtout à cause de l'euphorie que cela déclenchait chez lui. Sam avait toujours vécu avec sa mère mais, finalement, il commençait à trouver la situation un peu gênante. Il avait une copine que Valerie méprisait. (« Quels jolis vêtements vous avez là, vous les avez faits vous-même ? »)

Au début, Sam avait loué un appartement tout seul. Puis, quand il avait découvert qu'il fallait payer le loyer, mais aussi les factures, et parfois même acheter quelques meubles, ce qui ne laissait pas grand-chose pour la dope, la musique et les fringues, il avait quitté sa location pour venir chez Henry en déclarant : « Je n'en reviens pas que tout soit si cher dans cette ville ! »

Henry avait bien ri de la naïveté de son fils découvrant le monde réel. Il en avait même parlé à sa fille Lisa. La « professionnelle du réel » lui avait dit : « Et tu t'étonnes que je te méprise ! »

Ayant quitté le domicile conjugal alors que ses enfants étaient encore petits, Henry était littéralement extatique à l'idée de retrouver une vie de famille, avant qu'il ne soit trop tard. Une fois que Sam eut annoncé à son père qu'il venait vivre chez lui, Henry, le cœur battant, avait passé en revue la chambre d'amis, encombrée de cochonneries pleines de poussière. À qui pourrait-il demander de venir la vider ?

Comme il ne trouvait personne, petit à petit, il avait commencé à se débrouiller tout seul. Il avait consacré une nuit à décrasser la pièce à quatre pattes, à descendre tous les vieux trucs dans la rue, juste sous le panneau « Interdiction de déposer des ordures ». Chaque jour pendant une semaine, il avait dû passer à côté de ses chaises défoncées, de ses vieux cadres et de ses tapis mités.

Je ne l'avais pas vu aussi actif depuis longtemps. Il était plutôt du genre obsessionnel et il s'était déchaîné, entreprenant de repeindre les murs mais aussi le moindre grain de poussière qui se trouvait dans la pièce. Il alla chez Habitat (celui de King Street, à Hammersmith) acheter un lit à deux places, une lampe, une étagère et un nouveau tapis. Après deux jours d'activité intense, c'était la pièce la plus propre et la plus impeccable de tout l'appartement, voire de tout l'immeuble.

Le lendemain, Henry fut ravi de voir son fils sur le palier avec un énorme sac. Le garçon était vraiment impressionnant. Il était si grand, beau et charismatique. Comment pourrait-il jamais échouer ? Henry se réjouit encore davantage quand il aperçut, cachée derrière Sam, une femme (dont il ne retint jamais le prénom). Elle portait encore plus de sacs. Ils étaient remplis de chaussures. Elle viendrait chez eux quand elle serait de passage à Londres. Il leur offrit le champagne, ravi de cette occasion de se camper en *pater familias*. Il affirmait qu'il en avait toujours rêvé.

Il voulait tellement ne pas tout foirer qu'il a tout foiré. Le matin, Henry mettait son réveil de bonne heure pour leur préparer le petit déjeuner. Il déposait leurs vêtements au lavomatique, puis il allait au supermarché. Les quelques soirs qui suivirent, vêtu d'un tablier sur lequel était écrit : « Viande bovine 100 % britannique », Henry fit la cuisine pour sa « petite famille ». Il ne leur demanda jamais s'ils avaient faim. Il épuisa vite son stock limité de recettes. Il se mit donc à sortir sous la pluie pour aller acheter des plats à emporter. Il prit un abonnement satellite et, le soir, il regardait la télé avec eux. Il parlait sans arrêt, expliquant à ce public captif que ces émissions étaient absolument horribles, stupides – peut-être pourraient-ils essayer de se lire des passages du *Paradis perdu* ?

Au bout d'une semaine, le joyeux couple était devenu claustrophobe. Ils craignaient de rentrer à l'appartement où ils savaient qu'Henry les attendait avec un nouveau « festin ». Sam téléphona à sa mère, qui téléphona à Henry pour lui demander de se calmer. Il l'insulta copieusement et lui reprocha d'interférer dans leur relation, mais il reçut cinq sur cinq ce qu'elle lui disait. Il se calma, effectivement. Pendant un temps, lui et son fils retrouvèrent une forme d'entente. Quand la « femme aux mules » était là, ou n'importe quelle autre copine de Sam, Henry ne les poursuivait plus de ses assiduités.

« Vraiment, Jamal, je ne saurais trop te remercier. Je n'aurais jamais imaginé que cette passion pour Miriam me tombe dessus comme ça. Souvent, je repense à mes histoires d'amour ratées, aux nombreuses occasions ratées. Je me dis que l'amour est le seul territoire sinistré de ma vie. Et alors ? J'ai fait d'autres choses. Mais je me sens tellement plein de tendresse pour elle. Quand elle dort, je

m'assieds à côté d'elle et ça la calme. Je lui roule ses joints.
Je l'ai présentée à mes amis. Ça la met dans tous ses états :
elle croit qu'elle est incapable d'aligner deux mots, surtout
avec eux qui sont très bavards et elle qui ne connaît rien.
Mais elle s'en sort superbement. Elle a du cran, elle engage
la conversation avec le premier venu. On s'est ressuscité
nos appétits respectifs. Et puis vlan, Sam et la "femme aux
mules" sortent d'un film de Woody Allen – franchement,
qui peut avoir envie d'aller voir ça ? Ils nous tombent
dessus alors qu'on est en pleine action.

— Il a réagi comment, Sam ?

— Eh bien, le lendemain, sa copine avait disparu. On
a pris notre petit déjeuner tous les deux, comme d'habitude, mais il faisait une tête de six pieds de long. Je commençais à sentir la colère qui montait. Il refusait de parler.
Tout à coup, le voilà qui m'explique qu'il l'a demandée en
mariage et qu'elle a dit oui. Mais maintenant qu'elle m'a
vu pratiquer à même le sol des choses franchement peu
ordinaires...

— Et alors ?

— Il m'a dit que sa fiancée me verrait toujours attaché
à un pied de chaise avec une paire de fesses greffée dans le
dos. Je lui ai répondu que ce souvenir en valait un autre.
J'aimerais bien en avoir une photo. En fait, je crois en
avoir une quelque part. »

Les reproches de Sam s'arrêtèrent là : ses projets de
mariage avaient incité Henry à lui dire qu'il était trop
jeune pour s'engager, d'autant qu'il changeait sans arrêt de
partenaire. Le garçon aimait les femmes. Il n'était tenu à
rien vis-à-vis de la "femme aux mules". Quelle drôle
d'idée de vouloir se lier à une seule et même personne à
son âge ?

« Je me suis rendu compte, me dit Henry, que j'étais
parti dans un laïus interminable. Enfin, tout de même, je

suis son père. J'ai le droit de lui donner des conseils, même si ça le barbe profondément. Mais il fallait que je parle à la "femme aux mules". J'ai dit à Sam qu'on devrait se voir. Je lui expliquerais tout sur le monde, les hommes qui prennent de l'âge, la variété des expériences sexuelles à l'époque jurassique. Je lui présenterais mes excuses aussi et ils pourraient reprendre leur vie sans m'avoir dans les jambes.

» Ce qu'ils veulent, poursuivit-il, c'est me coincer dans le rôle du vieux grand-père inoffensif : impuissant, routinier, sans exigences particulières, assis dans un coin, n'ayant rien de mieux à faire que des gargarismes au whisky. Ça me dégoûte. Ma seule fierté maintenant, c'est de me comporter de manière indigne. »

La « femme aux mules » n'avait pas remis les pieds à l'appartement depuis l'« incident ». Sam ne voulait pas qu'Henry lui adresse la parole. Il avait dit à son père qu'elle venait d'une « bonne famille ».

« Une bonne famille ? Tu en as déjà rencontré beaucoup ? » avait demandé Henry.

Et, apparemment, le garçon lui avait répondu :

« Papa, les gens te respectent, comme metteur en scène, comme personne même. Tu es un artiste, un grand homme. Il n'y en a pas beaucoup qui ont ton talent. Comment tu peux te laisser aller comme ça ?

— Je me laisse aller exactement comme j'en ai envie.

— Et nous ? Tu as pensé à nous ? »

« "Je ne vous ai jamais laissé tomber à ce point", lui ai-je répondu. Mais, Jamal, l'histoire ne s'arrête pas là. Il m'a accusé de regarder la "femme aux mules" avec des yeux concupiscents, qui parcouraient les moindres recoins de son corps comme des mains poisseuses. Et quand ses potes venaient à la maison, j'étais toujours là, à les asticoter, ces garçons si pleins de pêche, avec toute la vie devant eux. Il m'a dit que j'étais un vieil enragé, répugnant, grande gueule, jaloux de la jeunesse des autres. »

À ce moment de la conversation avec Sam, Henry avait eu la très bonne idée de lui dire que la "femme aux mules" était une exhibitionniste. N'était-ce pas elle, plutôt, qui cherchait à attirer les regards, à se promener comme ça, habillée comme une pute ?

« Note que j'aime bien les putes. Ces derniers temps, chaque fois que je regarde une femme, j'ai du mal à ne pas me demander combien elle prend. »

Sam lui avait alors répondu que c'était lui l'exhibition-niste, avec tous ses « discours délirants ». Henry avait perdu le contrôle de la situation. Il avait commencé à brailler et, si j'ai bien suivi, il avait cherché à flanquer une bonne claque au petit merdeux, mais d'une manière assez maladroite. Résultat, il avait loupé son coup, le garçon avait dévalé les escaliers, hurlant des tas d'insultes, traitant son père de « pervers ».

« Tu verras, le jour où ça t'arrivera, me dit-il alors. Tes enfants, bouffis de haine, qui se retournent contre toi, sans que tu saches pourquoi. »

Puis, telle une actrice en plein désarroi, Henry s'était effondré par terre, la tête entre les mains. Peu de temps après, comme chaque fois qu'il avait le moindre problème, il m'avait téléphoné. Il avait appelé sa femme Valerie, ainsi que plusieurs de ses ex, y compris celles avec qui il n'avait quasiment jamais couché. Pour Henry, ce n'est pas parce qu'il avait quitté une femme depuis un moment qu'il allait s'interdire d'évoquer avec elle des sujets très personnels. Tous les jours, à tout bout de champ.

Puis il était allé se mettre au lit. Et c'est là qu'il avait reçu un coup de fil de Lisa. Elle lui avait dit qu'elle aussi était « trop dégoûtée ». Certes, elle n'avait pas assisté à l'incident, mais son petit frère lui avait tout raconté.

Henry avait bien récupéré l'affaire : il avait expliqué aux deux mômes qu'ils feraient mieux de se mêler de ce qui les regardait. Est-ce qu'il leur disait, lui, avec qui ils pouvaient baiser ?

« "Trop dégoûtée"..., répétait-il sans cesse. "Trop dégoûtée" ! C'est ça l'expérience la plus dure de leur vie ? Mais dans quel monde est-ce qu'ils vivent ? »

La menace que Sam avait brandie de quitter l'appartement le mettait sens dessus dessous. Henry lui avait opposé un refus catégorique, lui disant qu'il le suivrait où qu'il aille, qu'il le traînerait par la peau du dos pour le ramener à l'appartement, ou qu'il dormirait sur le seuil des amis qui l'hébergeraient.

Les choses avaient très mal tourné. Je rappelai à Henry que maintenant qu'il avait Miriam qui lui prenait beaucoup de temps et d'attention, cela aurait forcément des répercussions sur l'humeur de Sam. Le garçon n'avait pas envie de se dire qu'il trahissait sa mère en acceptant de s'asseoir à table avec Henry et sa nouvelle copine Miriam, même si son père était enfin vraiment amoureux.

« Oui, me dit-il, je peux comprendre ça. »

Il semblait qu'Henry avait parlé à tout le monde de cet épisode où son fils l'avait surpris en flagrant délit, mais il ne dit rien à Miriam de la réaction de Sam et de Lisa. À vrai dire, Miriam n'avait posé aucune question : elle n'imaginait pas que les enfants d'Henry, issus d'une classe moyenne plutôt tolérante, puissent être bouleversés par une telle broutille.

Même si l'incident et ses retombées avaient semé une certaine confusion, je constatai que cela ne contrariait nullement sa découverte du plaisir, qui s'enrichissait de jour en jour. À la fois fasciné et épouvanté par ses amis homos, Henry avait toujours adoré les écouter raconter leurs aventures dans les clubs, les bars, au parc d'Hampstead Heath, ou même dans la rue. Il avait envie de leur demander de l'emmener avec eux, « pour voir », mais il n'avait jamais eu le courage d'y aller. Il s'était toujours demandé si un hétéro invétéré pourrait adopter les mêmes comportements.

Quelques jours après notre dîner, alors qu'Henry était chez Miriam, celle-ci lui montra ses photos : maman et papa, elle et moi au Pakistan, ses enfants petits, les hommes qui l'avaient battue, ses tatouages préférés.

« C'est quoi, ça ? demanda-t-il en désignant un album fermé par une cordelette.

— Mon album noir ? dit-elle. Des photos cochonnes. Mon premier mari me demandait de prendre des poses et il les envoyait à des magazines porno, du genre *Readers' Wives* et autres. Il en tirait 50 livres. Il y en a quelques-unes là-dedans, avec des photos de trucs qu'on faisait avec les voisins, des orgies et des fêtes où on allait. » Elle commença à dénouer la cordelette. « Si tu regardes, promets-moi que tu ne seras pas choqué. »

Henry me raconta : « J'ai regardé ces clichés obscènes. Les vêtements bon marché, la misère des gens. J'étais profondément choqué de penser qu'on se livrait à de telles activités dans les foyers les plus ordinaires pendant que, moi, j'étais en train de lire, par exemple. Ça m'a excité. Depuis ce matin seulement, je me dis que je ferais mieux de voir le bon côté des choses. Je suis au seuil de la deuxième moitié de ma vie, je vais droit sur la période des avaries. Au programme, il devrait y avoir peinture, petits-enfants, vacances détendues avec un livre que j'ai toujours eu envie de lire, entretiens sur ma carrière, mon point de vue sur les cinquante dernières années.

» L'autre jour, des amis avaient organisé une fête. Quand je suis arrivé, j'ai vu que tout le monde avait des cheveux blancs ou gris. Ils étaient tous vieux, fatigués, comme moi. Je les avais toujours connus.

» J'ai cru que j'allais m'ennuyer à mourir, jusqu'à ce que je comprenne qu'il y avait une autre solution. Le diable me tirait par la queue ! Enfin, il m'accordait un peu d'attention ! »

Henry et Miriam n'avaient jamais de relations sexuelles chez elle. Ce n'était guère envisageable, avec tous les gosses, la pagaille, les gens qui dormaient à droite et à gauche.

« J'étais tellement excité d'avoir vu les photos que j'ai réussi à la convaincre de m'accompagner jusqu'à l'abri de jardin. C'est là que Bushy fait pousser de l'herbe grâce à un éclairage artificiel. Il y avait un vieux matelas. Je n'arrivais pas à croire qu'à mon âge, je pouvais ressentir un désir si pressant. Le sexe, c'est de la folie ! De la folie totale, Jamal !

— Tu avais oublié ?

— Au moment de nous déshabiller, je me suis dit : "Pourquoi on ne ferait pas ça aussi ?"

» Je suis donc allé chercher un Polaroid, plaisir ultime du pervers, et une petite caméra DV. J'ai déjà fait des films, c'est sûr. Mais pas de ce genre.

» Je me dis que je ne peux pas te les montrer : il y a ta sœur aînée dessus. Mais quand je filme, je ne peux pas m'empêcher de passer du porno au vrai court-métrage. Imagine : je peux les monter sur l'ordinateur portable de mon fils ! J'ai même mis une bande-son, quelques morceaux brésiliens un peu olé-olé. On dirait des petits films comiques.

» Depuis, les choses ont encore évolué. On a découvert un club, sous la voie de chemin de fer aérienne, dans le sud de Londres. »

Il me fit la description d'une entrée quelconque située dans le pilier d'un pont. « Ben Jonson l'aurait reconnue, lui. »

Ils revenaient d'une séance de cinéma et Bushy leur avait dit qu'ils « aimeraient peut-être jeter un œil ». Il connaissait un couple qu'il emmenait régulièrement là-bas. En fait, Bushy lui-même avait été sollicité pour jouer de la guitare au cours de l'une de leurs « fêtes ». Il s'était entraîné, motivé à fond mais, une fois sur place, il était dans un tel état de nerfs qu'il avait été incapable de faire quoi que ce soit. Devant la porte, Miriam et Henry constatèrent que Bushy avait omis de leur préciser qu'ils ne pouvaient pas entrer « habillés en civil ». Ils devaient porter un costume adapté : uniforme, cuir ou caoutchouc. L'autre option était d'y aller nu.

« Je riais, me dit-il. C'était tout nouveau pour moi. Non, je ne suis jamais entré nulle part nu comme un ver. Apparemment, ce n'était pas le cas de Miriam. Il faisait froid mais cela ne m'a pas dérangé. Et puis, j'ai mis en scène un *Roi Lear* avec des acteurs nus.

— Comment aurais-je pu l'oublier ? Même les filles du roi étaient nues.

— Malheureusement pour les spectateurs, tous les vieux mecs meurent d'envie de se déshabiller. Je me suis dit que je n'avais pas à avoir honte. Quant à Miriam, elle ne s'est pas embarrassée de ce genre d'atermoiements. Et je me suis retrouvé là, avec juste mes chaussures aux pieds et ma bite qui n'était plus qu'un champignon ratatiné. Mais à l'intérieur du baisodrome, l'ambiance était chaude, amicale. Tout le monde nous disait bonjour. Je n'ai pas mis longtemps à succomber.

» Il y avait des gens tenus en laisse, d'autres étaient étendus dans une baignoire et attendaient qu'on leur pisse dessus, d'autres encore se prélassaient à plat ventre dans un hamac et certains venaient pour être fouettés. Il y avait des gens qui faisaient la queue, qui se précipitaient littéralement sur le corps des uns et des autres. J'ai accompagné

Miriam dans une petite pièce où elle s'est allongée jusqu'à satisfaction complète.

» Puis j'ai rencontré un serveur, un garçon de vingt-trois ans, dont le plus grand plaisir était de te lécher les bottes pour les faire briller. Il sait ce qu'il veut, ce qu'il aime, déjà à son âge. Je te le dis franchement, Jamal : je n'avais pas ressenti un tel sens de la communauté depuis l'époque où j'ai été socialiste. »

Il me faisait rire. « Henry, tu ne me feras pas croire que tu étais membre de la Fabian Society.

— Il faut voir les visages de ces gens qui sont au plus près de leurs désirs ! Est-ce que Nietzsche n'a pas dit quelque chose là-dessus ? Pourquoi tu ris ? Je suis sûr qu'avec ton boulot, tu en as entendu de belles ?

— Je ne me moque pas de toi, Henry : je rigole de t'entendre justifier et rationaliser ce que tu as pu faire.

— Dans *La Naissance de la tragédie*, Nietzsche parle d'extases, de chansons, de danses, de la manière dont on devient soi-même une œuvre d'art, et pas seulement un spectateur. Tout est là, avant Freud. Pas étonnant que Freud n'ait pas souhaité le lire comme il le méritait. Il connaissait la menace, le danger. »

Henry et Miriam étaient restés là-bas jusqu'au petit matin, à discuter, à boire, à regarder le corps des autres. Je lui demandai s'il ne s'était pas senti jaloux, ou si le but, justement, n'était pas de mettre à l'épreuve sa jalousie.

« Ni l'un ni l'autre. Quand je la vois avec un autre homme, je me dis qu'il est là uniquement pour son plaisir à elle.

— Tu es sûr que c'est quelque chose dont vous aviez envie tous les deux ?

— Oui. On en avait envie tous les deux. Et on a envie de recommencer. »

12

J'avais suffisamment eu l'occasion d'observer et d'écouter Ajita. Il fallait que je lui fasse part de mes soupçons. Mais quand je l'ai revue après ce qui s'était passé à l'usine, j'ai compris qu'elle avait de vrais soucis.

« La grève se durcit, me dit-elle. Chaque jour, ils font tout ce qu'ils peuvent pour nous détruire. Je pense qu'ils ne s'arrêteront pas là. Papa est bien décidé à s'opposer à eux. Mais il faudra bien qu'un des deux camps cède. »

Elle ne lisait plus, n'étudiait plus, ne mangeait plus autant de pizza qu'avant. Je lui fis remarquer que, si elle n'y prenait pas garde, elle n'arriverait jamais à rattraper son retard. Je me mis à l'emmener avec moi à la bibliothèque. Je restais à côté d'elle tandis que ses yeux parcouraient une page. Je l'aidais à prendre des notes mais, vu son état d'inquiétude, elle ne parvenait à se concentrer sur rien. Elle finissait toujours par repousser son cahier et se mettait à parler tout à trac. On allait alors au pub poursuivre la discussion.

« J'ai très peur, Jamal. Les cocos n'en démordent pas et, pendant ce temps-là, ma famille perd de l'argent. »

J'aurais pu défendre le point de vue de la partie adverse, mais c'était ma copine. Qu'est-ce que je pouvais dire ?

« Si ça continue comme ça, on va faire faillite et on

devra aller en Inde, vivre chez des oncles et tantes. On sera ruinés, humiliés. »

La mère d'Ajita était restée en Inde. Elle avait entendu parler de la grève et avait téléphoné, mais elle n'avait nullement l'intention de revenir. Elle voulait que ses enfants la rejoignent pendant l'été, quand ils auraient fini leurs études, et qu'ils laissent leur père se débrouiller. Cette perspective ne me réjouissait guère. Je ne voulais pas qu'Ajita s'en aille. Je voulais qu'on soit ensemble tout le temps. Six semaines, c'était une éternité.

Parfois, je voyais l'ombre d'une angoisse folle passer sur son visage. Avant les événements, nous faisions souvent l'amour, dans les toilettes de la bibliothèque, dans des placards, dans sa voiture ou chez elle. Mais désormais, les occasions devenaient rares. Et encore fallait-il que j'insiste. Elle était ailleurs. Nous avions parlé de nous marier – un jour, on verrait bien –, mais notre relation était en train de se dégonfler doucement comme un vieux pneu.

Parce que j'étais incapable de m'accommoder de cette infidélité qui l'accaparait, encore moins de lui en parler, j'eus la brillante idée de lui dire que je l'avais trompée. Quand j'avais imaginé qu'Ajita était vraisemblablement infidèle, presque aussitôt après, c'est moi qui l'avais trompée, pensant qu'un peu d'égalité en la matière me guérirait de cette impression de trahison que je ressentais. À son tour d'éprouver les mêmes tourments que moi.

Une semaine plus tôt, j'étais passé voir mon ex-copine, Sheridan, pour récupérer un tableau qu'elle m'avait donné. Dans le courant de l'après-midi, nous nous étions retrouvés au lit, comme souvent à une époque. À trente-cinq ans, elle était divorcée et illustratrice d'albums. Quand ses enfants rentrèrent de l'école, nous nous levâmes pour leur préparer le goûter. Ce qui m'avait surtout attiré chez elle, c'était qu'elle soit plus expérimentée que moi. Elle m'emmenait jouer au billard dans son club, où elle me présenta à quelques soiffards patentés, affublés d'un visage ravagé, mais aussi à Slim Galliard, qui m'impressionnait beaucoup.

Ils ne devaient plus être très nombreux à être de ce monde, ceux à qui Kerouac avait consacré deux pages entières de *Sur la route* ; il y décrivait comment, à San Francisco, Slim pouvait passer deux heures à improviser (« Grand-orooni... tous-orooni... oroonirooni »), à caresser ses bongos du bout des doigts pendant qu'à l'arrière de la voiture, Dean Moriarty hurlait : « Vas-y ! Ouais ! » Slim était toujours beau, élégant, pétri d'une courtoisie de vrai gentleman. Sheridan et moi avons parfois dîné avec lui mais il préférait nettement la compagnie des dames. Il avait connu Little Richard. Il était sorti avec Ava Gardner, Lana Turner et Rita Hayworth.

Mais quand je racontai à Ajita mon bref retour de flamme pour Sheridan, elle réagit comme si mon infidélité ne l'affectait guère. Si la jalousie est le piment de l'amour, je m'étais dit qu'elle s'enflammerait aussitôt, qu'un tel incendie la forcerait à tout avouer. Mais je ne voyais aucun signe d'embrasement. Je pouvais donc aisément imaginer qu'elle avait fait la même chose que moi. Mais ce que je voulais, c'étaient des détails, pour savoir où nous en étions l'un et l'autre.

Je la harcelai de questions : D'où tenait-elle son indéniable expérience ? Avec qui d'autre couchait-elle ? Cette histoire durait-elle encore ?

« Oui, tu t'en doutes, me dit-elle, j'ai eu d'autres copains. Tout comme toi tu as eu d'autres copines. Je sais bien que tu n'as pas vraiment envie que je t'en parle. Ça va te perturber, Jamal, poursuivit-elle en me caressant le visage.

— Tu as raison, mais ça me perturbe déjà. Alors, c'est ça : tous les deux, on a été infidèles ces derniers temps ?

— D'une certaine manière.

— Seulement d'une certaine manière ?

— Oui.

— Tu le reconnais ! Donc, maintenant, je sais à quoi m'en tenir. Enfin un peu de vrai. Ouf ! Ajita, on est quittes, j'imagine.

— Pas vraiment.

— Qu'est-ce que tu veux dire ? »

Elle ne répondit pas.

Pourquoi n'étais-je pas le seul objet de son désir ? De quelle infidélité parlait-elle ? Comment pouvait-elle sortir avec quelqu'un d'autre alors que, la plupart du temps, nous étions ensemble ? Quand elle n'était pas avec moi, elle allait voir ses nombreuses amies, les gens de son immense famille. Comment était-ce possible ?

Moins elle voulait m'en dire sur le sujet, plus il m'obsédait. Je n'avais jamais éprouvé cette tristesse haineuse et mordante auparavant. Il est certain que personne ne s'était jamais comporté de manière aussi sciemment cruelle avec moi. Venant de celle que j'aimais, je ne m'y attendais pas. Comment pouvais-je me protéger dans ces conditions ? Quand Valentin et Wolf me firent remarquer que j'avais beaucoup maigri, que j'avais l'air épuisé, je reconnus que j'avais des problèmes avec Ajita : « Je pense qu'elle voit quelqu'un d'autre. »

Ils l'aimaient bien : ils ne me crurent pas et balayèrent d'un revers de main ce qu'ils prenaient pour des querelles d'amoureux. Ils pensaient que je m'étais lancé à fond dans mes études et, de fait, je m'étais mis à beaucoup lire. Mais j'étais incapable de me concentrer sur mon travail. Comment Ajita ne voyait-elle pas que je souffrais horriblement ? Qu'était devenu son amour pour moi ?

Quand je la suppliais de m'expliquer ce qui se passait, c'est à peine si elle me prêtait attention. Elle avait l'air d'être ailleurs. Elle n'avait pas du tout l'attitude d'une femme surprise dans un moment de trahison inutile.

Je revenais toujours à la charge avec mes questions, tandis que le noir secret m'envahissait et pesait de plus en plus lourd. Mais elle ne voulait rien me dire.

« Ne t'inquiète pas, répétait-elle. S'il te plaît, tu peux comprendre. Je t'aime, je vais t'épouser, quand tu me l'auras demandé dans les règles. Mais il se passe tellement de choses en ce moment, tu le sais bien. »

Ce rien avait pris une place énorme entre nous. Et, au fur et à mesure que cette blessure s'aggravait, Ajita et moi avions de moins en moins de choses à nous dire. C'est alors que ma carrière de délinquant bifurqua. Wolf me fit découvrir la cocaïne. Quand j'en prenais, je me mettais à parler, à parler sans discontinuer pour la première fois de ma vie. Tant et si bien que je me lançais dans des conversations tout à fait inhabituelles.

Valentin et Wolf avaient toujours mijoté de « drôles de plans », comme ils disaient. Mais, soit ils me tenaient à distance, soit ils ne m'en parlaient pas – soit, comme je le soupçonnais, ils ne faisaient jamais rien puisque je n'en avais jamais « vu la couleur ». Un jour, pourtant, Wolf est arrivé dans une Cadillac rose, obtenue à la suite d'un échange quelconque. Après plusieurs virages maladroits dans les rues étroites de West Kensington, elle s'était « volatilisée ». Une autre fois, ils avaient soutiré de l'argent à une femme dont le mari allait être condamné et à qui ils avaient promis de soudoyer le juge. Quand ils se sont enfuis avec le pactole, elle a juré de les traîner en justice.

J'avais bien compris que Valentin essayait de monter un coup au casino : Wolf irait jouer là-bas tandis que Valentin s'arrangerait pour qu'il gagne au black-jack. Mais j'avais l'impression qu'ils en parlaient trop pour passer à l'acte. Ils discutaient surtout de ce qu'ils feraient une fois l'argent en poche. Dans quelle région du sud de la France iraient-ils vivre ? Peut-être se trouveraient-ils un bateau. Mais quel genre de bateau ? Ils imaginaient même la décoration de leur maison, les journées qu'ils passeraient à lire les journaux, à manger, à nager, à faire l'amour et à fraterniser avec d'autres escrocs. Un jour, alors que je me moquais de leur incapacité à devenir de vrais truands (je les avais surnommés « les petits joueurs »), Wolf me demanda si j'avais de meilleures idées puisque j'étais si malin. Je lui dis que oui, j'en avais.

Un matin, j'emmenai Valentin et Wolf chez Ajita. Une fois sur place, je leur indiquai la maison qui se trouvait derrière chez elle. Je leur expliquai que les propriétaires partaient le jeudi pour ne revenir que le lundi matin.

Quelques jours plus tard, c'était un vendredi : Ajita était à la fac, son père au travail, son frère à l'école et sa tante au marché. Nous pénétrâmes dans la maison des voisins et nous prîmes tout un tas de choses. Bizarrement, Wolf avait tenu à ce que l'on emporte un ramasse-poussière et une balayette pour faire le ménage derrière nous. D'après Valentin, un pote cambrioleur avait expliqué à Wolf que les vrais méchants ne laissent rien au hasard. Ils sortirent le butin par l'arrière de la maison et le firent transiter par le jardin de chez Ajita jusqu'au garage. Quand ils furent prêts et qu'il commença à faire noir, ils prirent le large.

Les gens qu'ils avaient cambriolés étaient un couple de personnes âgées. On avait volé toutes leurs économies, on les avait traumatisés à vie, pour rien en fait. Notre effraction n'avait posé aucun problème. J'avais été surpris de la facilité déconcertante avec laquelle nous avions pu agir. Il n'y avait même pas de serrures aux fenêtres. Wolf ayant travaillé dans le bâtiment, il savait comment enlever un vantail. Et comme je n'étais pas très grand, j'avais pu me glisser dans l'ouverture de la fenêtre pour faire entrer les deux autres. Mais je trouvai l'expérience détestable : entrer par effraction, violer l'intimité de ce couple. Les voleurs ne sont pas censés penser à ce que les gens vont ressentir quand ils rentreront chez eux. Pour devenir un vrai méchant, il ne faut surtout pas avoir d'imagination.

Je ne savais pas exactement ce qu'ils avaient dérobé. Il y avait plusieurs sacs remplis de toutes sortes d'objets : horloges, montres, décorations diverses, photos, ainsi que des bijoux et de l'argenterie, j'imagine. Je suggérai à Valentin et à Wolf de tout remettre en place. Nous avions largement le temps, s'ils le voulaient. J'étais accablé de remords : il était évident que je n'avais pas la fibre du gangster-né.

Nous avions prévu de fêter ça entre méchants. Après avoir rapidement fourgué la marchandise, ils passèrent le reste de la journée à acheter des costumes et des chaussures. Ils m'invitèrent à dîner puis nous nous rendîmes au club, juste en face du Muséum d'histoire naturelle où Valentin avait travaillé comme gardien. J'avais beaucoup bu et j'avais envie de transgresser toutes les règles habituelles, maintenant que je connaissais les plaisirs extrêmes de la cruauté et de la corruption.

Au club, une femme (qui, à mes yeux, était une femme « plus âgée » : telle une héroïne de Colette, elle devait approcher la trentaine) vint s'asseoir à côté de moi et glissa ma main sous sa jupe. À la fin de la soirée, quand je lui dis qu'il fallait que je prenne un train de banlieue pour rentrer, elle proposa de m'accompagner jusqu'à la pension de famille de West Kensington. Wolf et Valentin nous rejoindraient plus tard. Une fois là-bas, elle se dirigea vers la chambre de Wolf en me disant qu'il fallait qu'elle s'« apprête ». Quand elle m'appela, elle ne portait rien, à l'exception d'un long gant de velours. Visiblement, elle avait très envie de me sucer. Avant de partir, je lui demandai si elle voulait aller au cinéma le lendemain. Mais elle me dit que non, elle avait un « client ».

J'avais prévenu Valentin et Wolf en leur disant que les choses n'allaient plus très bien entre moi et Ajita. Elle m'avait trompé et refusait de me dire avec qui. D'un côté, ils aimaient bien Ajita et me conseillèrent une réconciliation ; d'un autre côté, ils n'aimaient pas me voir souffrir.

Ajita et moi faisions encore parfois l'amour mais le cœur n'y était plus, ce qui était pire que tout et ne faisait qu'accroître mon sentiment de solitude. J'avais les nerfs qui grésillaient, qui sautaient en permanence. Je voulais me persuader que j'avais le contrôle de mon esprit, que je pouvais l'orienter dans telle ou telle direction, mais il était clair que je me leurrais.

« Dis-moi qui c'est, qu'on règle ça une bonne fois pour toutes. »

Elle refusa de me répondre. Je lui demandai ce qu'elle me reprochait, ce qui la poussait à aller voir ailleurs.

« Ce que je te reproche ? Mais tu ne m'as jamais rien fait que je puisse te reprocher. Tu es tout ce dont j'ai envie.

— Je ne te crois pas. C'est forcément ma faute. Sinon, dis-moi ce qu'il a de plus, l'autre. Pourquoi tu le désires, lui ?

— Qu'est-ce qui te fait dire que je le désire ?

— Tu ne pourrais pas m'épargner ce supplice ?

— D'accord, dit-elle. Je vais tout te dire. Tu es prêt, mon chéri ? Assieds-toi et écoute-moi bien. »

Elle me raconta toute la vérité.

Pendant des jours et des jours, partout où j'allais, je pensais à ce qu'elle m'avait avoué et je m'efforçais de comprendre. Après ce que j'avais entendu, j'ai cru que j'allais devenir fou, littéralement fou, et que je ne pourrais plus jamais être le même qu'avant.

13

Voici ce qu'elle m'a raconté.

Les vacances d'été approchaient. Nous sortions ensemble depuis huit mois. Dès que le soleil était réapparu, nous avions repris nos habitudes dans le jardin. Nous nous allongions sur une couverture avec nos livres, la radio, du vin, des cigarettes. J'étais en train de lui masser les pieds, de lui caresser les chevilles, et je me demandais si elle avait envie de faire l'amour. Mais je lui dis :

« Il y a quelques semaines, je suis allé faire un tour à l'usine.

— Ah bon ? »

Je lui expliquai que j'avais voulu voir à quoi ressemblait le piquet de grève, les étudiants, tout ce chaos qui régnait alors. Je lui dis aussi que je l'avais vue entrer dans l'usine, à moitié cachée à l'arrière de la voiture.

« Ce n'est un secret pour personne, me répondit-elle en touchant tendrement mon visage. Tu ne m'as jamais rien demandé là-dessus. »

Elle avait commencé à se rhabiller, ou tout au moins à se couvrir, comme si elle ne portait pas les vêtements qui convenaient pour ce qui allait suivre.

« Depuis le temps que tu me bombardes de questions sur mes amants, comme tu les appelles.

— Moi, je te bombarde de questions ? Est-ce que dire la vérité n'aurait pas été une solution ? Tu n'as jamais rien dit pour faire taire mes soupçons.

— Je ne peux pas t'empêcher de poser des questions. Il faut toujours que tu saches tout sur tout. C'est d'ailleurs ce qui me plaît chez toi. Eh bien, je vais te répondre. Après, tu seras sans doute moins curieux.

— C'est Valentin, c'est ça ?

— Quoi ?

— C'est Wolf ?

— Ce serait plus crédible, oui.

— Pourquoi ?

— C'est le genre qui ne lâche pas et la trahison le gênerait moins, lui.

— Il t'a draguée ?

— Ce sont tes amis, jamais je ne ferais une chose pareille. Tu m'offrirais à lui ?

— Jamais de la vie !

— Alors, pourquoi tu penses ça de moi ? »

Je me pris la tête entre les mains. « Comment puis-je savoir ce que je dois penser si tu ne m'aides pas ? Je deviens fou ! D'une manière ou d'une autre, c'est la vérité qui nous attache l'un à l'autre, je le sais. Il y a quelqu'un que tu aimes plus que moi ? Je suis juste un deuxième choix ?

— Allez, viens là. Viens dans mes bras et écoute-moi bien. Je ne vais pas pouvoir le répéter. Les mots sont trop lourds. Parfois, après minuit, mon père vient dans ma chambre et me fait l'amour.

— Lui ? Il fait ça ?

— Oui, lui, Jamal. »

Je devais secouer la tête tout en la fixant. Je me sentais vide. Je la regardai droit dans les yeux. Je me disais qu'il fallait que j'en sache plus.

« Ça fait longtemps que ça dure ?

— Qu'est-ce que tu veux dire ?

— Ça a commencé avant qu'on ne se connaisse et qu'on tombe amoureux, ou après ? »

Elle baissa les yeux. « Avant.

— Il le faisait déjà quand on s'est rencontrés ?

— Il venait juste de commencer.

— Pourquoi tu ne me l'as pas dit ?

— Comment j'aurais pu ? J'étais en train de tomber amoureuse de toi. C'est sûr, les autres l'auraient sans doute appris, mon père aurait été arrêté. Il aurait pu dire adieu à sa réputation.

— Sa réputation ?

— Pour nous, au sein de la communauté, c'est très important. Si on enfreint certaines règles, on est exclu.

— Tu n'imaginais pas que tu devrais m'en parler un jour ?

— Je ne sais pas. Qu'est-ce que j'imaginais ? Rien. Peut-être que je pensais que ça s'arrêterait, que j'oublierais toute cette histoire, d'une manière ou d'une autre. Je n'ai pas beaucoup d'expérience dans le domaine. Mais tu m'aimes encore malgré tout ? Ou je te dégoûte ? Je te fais horreur ? »

Je l'embrassai. « Mais bien sûr que je t'aime toujours. Plus qu'avant, même.

— C'est vrai ? C'est pour ça, Jamal, que j'avais tant besoin de sentir que tu me protégeais, que tu m'aimais. Toute cette assurance, tu me l'as donnée. Mon seul et unique amour, tu m'as fait beaucoup de bien.

— Toi aussi. Tu es toute ma vie. Je veux t'épouser.

— Vraiment ? »

Sa bouche se crispa. « Moi aussi, je veux qu'on se marie. Mais ce n'est pas le bon moment pour en parler.

— Comment ça a démarré exactement, avec ton père ?

— Quand ma mère est partie en Inde. Une nuit, mon

père est entré dans ma chambre. Il s'est glissé dans mon lit. Il m'embrassait – comme un amant, tu sais, avec la langue – et il s'est frotté contre mon ventre. Il a éjaculé, puis il est parti. Il était dans une sorte de transe. Il me faisait penser à un fantôme tout droit sorti d'une pièce de Shakespeare. Il avait les yeux grands ouverts, la démarche saccadée, comme s'il était somnambule ou sous hypnose... La nuit d'après, j'étais terrifiée à l'idée qu'il puisse revenir. Je suis restée debout avec la lumière, la musique...

— Qu'est-ce qui s'est passé ?

— Il est revenu. Il a ouvert la porte. La musique hurlait. J'avais allumé toutes les lampes ! Ah, Jamal, imagine un peu. J'avais mis deux slips, deux pantalons, un pull, un gilet. J'étais trempée de sueur. Je devais avoir l'air vraiment bizarre. J'avais aussi un chapeau sur la tête, je ne sais pas pourquoi. Il m'a regardée fixement, puis il est parti. Je me suis couchée, soulagée. Mais je n'ai pas dormi de la nuit. Pendant plusieurs jours, il n'est pas revenu. Je me disais que je lui avais flanqué la trouille. Et puis, ça a recommencé. » Elle me dit qu'il venait toujours dans sa chambre. « Même si je mets des tonnes de vêtements, il enlève tout. Et ça dure encore plus longtemps. Maintenant, je me cache le visage avec un tee-shirt. Comme ça, je ne le vois pas et je n'ai pas à sentir son odeur.

— Mais, Ajita, tu ne peux pas t'enfermer ?

— Je n'ai pas de verrou à ma porte.

— Ce n'est pas compliqué d'en installer un. On peut le faire avec Wolf. Aujourd'hui.

— C'est gentil, mais je ne peux pas lui faire ça. Interdire à mon père d'entrer ? Il se tuerait.

— Ce ne serait pas mieux ?

— Non ! hurla-t-elle.

— Est-ce que tu as de bonnes raisons de penser qu'il se tuerait vraiment ?

— Il nous en a déjà parlé, en disant que si l'entreprise devait fermer, il n'aurait pas d'autre choix. Il serait incapable de tout recommencer à zéro. S'il devait manquer à ses devoirs envers sa famille, il ne pourrait pas vivre avec un tel sentiment de honte.

— Mais, Ajita, c'est du chantage.

— Il faut que je prenne soin de lui.

— Mais seulement en tant que fille. Tu n'es pas sa femme, nom d'un chien. Lui, c'est un vrai fasciste, un tyran.

— Tu ne le connais pas.

— Il te viole tous les jours.

— Il n'y a pas de violence. Maintenant, arrête, s'il te plaît. Je n'en peux plus. »

À sa grande consternation, je rassemblai mes affaires et m'en allai. J'avais besoin de digérer tout ce que j'avais entendu. Je ne pouvais pas en parler à maman, elle paniquerait. La seule personne qui, peut-être, en avait vu assez dans sa vie pour comprendre, c'était Miriam. Mais je ne savais pas dans quel état j'allais la trouver. Tout dépendait de ce qu'elle avait pris.

Le lendemain, c'est Ajita elle-même qui aborda la question : « Tu vois, j'écoute ce que tu me dis. » Elle ne pouvait pas fermer sa porte à clé, mais elle l'avait bloquée avec un morceau de bois. « Je l'ai entendu. Je ne dors plus beaucoup en ce moment. Tu dis que j'ai l'air épuisé mais, pour moi, aller me coucher, c'est l'horreur. La nuit dernière, j'ai entendu le bruit de ses pantoufles, comme tous les soirs. Elles claquent quand il marche, tu vois, si bien qu'on sait toujours où il est dans la maison. Il a tambouriné à ma porte.

» Plus il poussait la porte, plus elle se coinçait. Il a essayé pendant un long moment. Puis il a abandonné. Un peu plus tard, je l'ai entendu ronfler. Il s'était endormi dans l'entrée. Je suis allée mettre une couverture sur lui. Il frissonnait. Il aurait pu mourir...

— Ne sois pas ridicule.

— Ce qu'il veut, c'est ma chaleur.

— Il a une femme pour ça !

— Mais elle ne veut pas de lui. Elle pense que c'est un sombre idiot.

— Et ton père, il parle quelquefois de ce qui se passe la nuit ?

— Au petit déjeuner, il est comme d'habitude. Il a la gueule de bois, il est cassant, de mauvaise humeur. Il est pressé de partir à l'usine. Il nous demande si on apprend au moins quelque chose à la fac ou si on se contente de gaspiller son argent. Il veut savoir quand on va commencer à gagner notre vie. Jamal, tu ne dois jamais, jamais, parler de ça à personne, sous aucun prétexte. Promets-le-moi. Promets-le sur la tête de ta mère.

— Je te le promets. »

Quand je me suis couché ce soir-là, je n'ai pas réussi à m'endormir. Je pensais sans cesse à ce qu'Ajita m'avait raconté. J'imaginais son père, marchant dans le couloir, dans un état de demi-transe. Il ouvrait la porte, se glissait dans son lit et la forçait à écarter les jambes. Parfois, j'avais envie de me masturber, de me débarrasser de cette image que j'avais dans la tête depuis qu'elle m'avait dit : « Il a un si grand pénis. Il me remplit complètement. »

« Il te fait jouir ? » lui avais-je demandé. Quand on faisait l'amour, elle disait : « J'adore jouir ! Fais-moi jouir ! Je ne veux pas m'arrêter de jouir ! Avec toi, je mouille en permanence... »

« Espèce d'imbécile, répliqua-t-elle. Mais qui pourrait t'en vouloir, vu les circonstances ? Je suis vraiment désolée. J'ai tellement honte. Je me sens complètement perdue. »

Une nuit, n'arrivant pas à dormir, je me levai. Tel un

automate, j'enfilai mes vêtements et je sortis. Moi aussi, j'étais dans un état de transe. Autour de moi, tout semblait immobile, figé.

Je marchai en direction de chez elle. J'escaladai la grille en fer du parc, je traversai le parc, j'empruntai des rues silencieuses, longeant les voitures et les maisons plongées dans l'obscurité. Enfin, j'arrivai devant cette porte que je connaissais si bien.

En fait, je n'avais aucune idée de ce que je voulais faire, mais je restai là, à regarder les fenêtres de l'étage, où j'apercevrais peut-être une silhouette fantomatique errant à travers la maison.

Et s'il était justement en train de baiser ma copine, s'il était sur le point de fondre en larmes, en plein orgasme ? En sonnant ou en frappant à la porte, je pourrais peut-être le frustrer de son immonde plaisir. Tout ce vacarme lui ferait croire que c'était la police : ça le tirerait de son rêve éveillé. Je me tenais là devant la porte, le poing levé, prêt à frapper, prêt à prendre mes jambes à mon cou. Mais je ne pus me résoudre à faire irruption dans leur vie.

Peut-être étais-je troublé par la lumière que je voyais dans la chambre de son frère ? Je commençai à m'imaginer qu'il m'observait, caché derrière les rideaux. Terrifié à l'idée qu'il m'ait repéré alors que je rôdais autour de chez eux au beau milieu de la nuit, et qu'il me dénonce à son père qui n'aurait pas manqué de me rosser ou de me faire arrêter, je partis en courant.

Les jours qui suivirent, je revins trois fois encore, mais je fus absolument incapable de faire quoi que ce soit.

À la fac, je dormais debout. J'y retrouvais Ajita. J'espérais qu'elle redeviendrait celle que j'avais connue et que nous retrouverions nos premiers plaisirs. Mais rien ne pouvait laver la tache de ce forfait. On parlait, on faisait l'amour, on sortait dans les endroits habituels, mais nous avions perdu notre innocence. Quand on baisait, je me demandais si le visage de son père ne venait pas se superposer au mien. Est-ce que, moi aussi, j'étais un sale mec qui s'envoyait cette fille-là ? Quand j'y pensais, ça me coupait tous mes effets et nous restions allongés là, côte à côte, perdus.

Il n'y avait pas moyen de revenir en arrière. Mais je me disais qu'il y avait peut-être un moyen d'avancer. J'y songeais, plus ou moins consciemment, mais je n'étais pas encore prêt à me l'avouer.

Je l'avais surnommé « Hitler ». L'homme qui ne savait pas s'arrêter. L'homme pour qui « tout » n'était pas assez. L'homme qui faisait de moi un terroriste. Le mal avait surgi dans ma vie, tel un truand fou. Il exigeait qu'on s'occupe de lui. Nous ne voulions pas en être les malheureuses victimes. Ce serait lui ou moi.

Quel homme allais je devenir ?

14

J'ai rencontré Henry grâce à un ami qui avait traduit une pièce de Genet et qui voulait justement qu'Henry la mette en scène. J'avais déjà vu quelques-uns de ses spectacles et je suis allé le voir pour en discuter. Nous étions au bar d'un hôtel du centre de la capitale. Un de ces endroits avec murs lambrissés, lumières tamisées et ambiance feutrée qui ne vous donne pas du tout l'impression d'être à Londres. Tandis qu'il se demandait si c'était le moment pour Genet de « réintégrer notre monde » (il ne le pensait pas), Henry se prit d'amitié pour moi.

Je le dis en ces termes parce que ce fut très soudain. Lorsque Henry s'enthousiasme pour quelqu'un, il n'y a pas un moment de relâche. Ce fut intense. Il se mit à m'appeler plusieurs fois par jour, ou il venait chez moi sans prévenir quand il avait besoin de parler. Il m'invitait deux à trois fois par semaine.

Comme Josephine aimait à le faire remarquer quand je faisais allusion à son indolence (ce qui m'arrivait souvent), la plupart du temps, à Londres, si des gens comme Henry se retrouvent pour déjeuner, ils parlent plus travail qu'ils ne travaillent effectivement. Pour ces « classes papoteuses », la vie n'est qu'une longue suite de petits déjeuners, brunchs, déjeuners, thés, soupers, dîners et autres repas organisés dans ces restaurants situés au cœur du nouveau Londres. Incontestablement, c'était très agréable. La vie d'Henry me ravissait. Mais il n'avait aucune envie que je lui ressemble : ainsi, nous étions complémentaires.

Je découvris que sa femme Valerie, dont il était séparé mais avec qui il était en contact permanent, occupait une position assez centrale dans ces nombreux groupes, cercles, milieux, familles, dynasties qui se superposent et s'entre-croisent sans arrêt, formant un maillage très représentatif du mode de vie bourgeois-bohème de l'ouest londonien. Les groupes s'agrandissaient sans cesse, se retrouvaient à l'occasion d'innombrables week-ends, fêtes, remises de prix, scandales, suicides et vacances. Les enfants, qui fréquentaient les mêmes écoles, les mêmes centres de rééducation, se mariaient entre eux. Certains s'embauchaient les uns les autres tandis que leurs rejetons jouaient ensemble.

Valerie était issue d'une famille dont la richesse et la distinction remontaient à plusieurs centaines d'années. Tous étaient collectionneurs d'art, professeurs, érudits, rédacteurs en chef. Parlant d'un dépravé imbu de sa personne, Henry disait parfois : « Oh, oui, c'est le second cousin par alliance de Valerie. Tu ferais mieux de le zapper sinon tu vas gâcher le Noël de quelqu'un. »

Il ajoutait souvent : « Ils sont partout dans cette famille. On dirait une famille extra-large. » Non seulement ils avaient beaucoup d'argent, mais ils représentaient à eux tous un capital social non négligeable. Ils étaient amis, et parfois mariés, avec des membres de familles très connues, dont les Guinness, les Rothschild ou les Freud. Dans le salon, il y avait un dessin de Lucian Freud, un portrait de Valerie et Henry par David Hockney, un tableau de Hirst, un Bruce McClean, une petite chose d'Anthony Gormley, ainsi que quelques vieilles curiosités que l'on pouvait observer à loisir tout en spéculant sur leur provenance. La maison ressemblait à un musée familial, mais aussi à un corps que les années auraient entamé, blessé, marqué au gré des transmissions aux générations qui devaient en assumer la charge.

Tous les soirs pratiquement, Henry et sa suite se rendaient à des cocktails puis à des dîners en ville. Cela revenait cher : vêtements, nourriture, drogue, boissons, taxis. L'argent n'était pas un problème pour eux, c'est sûr ! « Mais c'est comme dans un roman d'Evelyn Waugh », disait Lisa qui avait du mal à couper les ponts définitivement avec eux. « C'est un de mes auteurs préférés », rétorquait Henry. Quoi qu'il en soit, on ne pouvait accuser ce groupe d'artistes, de metteurs en scène, de producteurs, d'architectes, de thérapeutes, de stars et de créateurs de mode d'être des gens indolents ou intolérants.

Voilà ce que signifiait être privilégié, Henry le savait bien. Et la seule manière de se dédouaner de ce luxe, c'était de travailler. La plupart d'entre eux s'y employaient. Ils n'étaient pas non plus particulièrement ennuyeux. Mais Henry les connaissait trop bien. Il affirmait que si l'on allait dans n'importe quelle soirée à Marrakech ou à Rio, on retrouvait les mêmes têtes, on souffrait de la même impression de claustrophobie et de déjà-vu qu'en vacances, ou dans un festival d'art ou de cinéma. Aussi, quand il se rendait à un dîner, à une fête ou à une inauguration quelconque, avait-il besoin de quelqu'un de neuf pour discuter avec lui dans le taxi ou pour quitter les lieux, après quelques minutes seulement, qui lui avaient permis de constater que l'ambiance était mortelle. Il m'emmenait régulièrement. Ma curiosité faisait le reste. Et puis, ce qu'il avait à dire m'intéressait.

Henry avait douze ans de plus que moi. Il avait vécu et travaillé à Londres toute sa vie. Il connaissait « tout le monde ». Quand il s'est séparé de sa femme, il a fait deux ans d'analyse avec un type assez austère, de la vieille école, qui ne disait jamais rien et qui était bien moins intelligent que lui. La thérapie fascinait Henry, qui déclarait être « carrément siphonné », mais pas assez pour chercher un autre analyste. Je lui servais à exposer et à explorer ses problèmes et, dès le début, il aborda les sujets les plus intimes et les plus cruciaux. J'aimais cette façon d'être. Mais notre amitié ne se limitait pas à ça.

Quand j'ai commencé à travailler, je n'avais que quelques patients. Bien sûr, ils n'étaient pas les meilleurs patients pour démarrer puisqu'ils refusaient de se laisser soigner. Ayant vécu avec Karen, j'avais appris qu'à Londres, à moins de posséder quelques signes de distinction, on ne pouvait espérer changer rapidement de statut social : c'était un processus qui pouvait se révéler aussi douloureux que vain. Parfois, quand je sortais avec Henry, j'avais le sentiment que les gens étaient absolument ravis de s'embrasser, de se tomber dans les bras les uns des autres tandis que moi, avec mon costume du dimanche, je restais dans mon coin tout seul, sans même que les serveurs m'accordent la moindre attention.

Mais maintenant, les paroles de Tahir ne me quittaient plus. Je m'imposais sans trop de vergogne dans les conversations. J'étais moins timide qu'avant et j'essayais volontiers d'entreprendre les serveuses : les employés étaient toujours plus alléchants que les invités et ils étaient sans aucun doute mieux habillés. Le pire, c'étaient les soirées avec dîner, surtout quand je me retrouvais coincé à côté de l'épouse délaissée du directeur adjoint de telle maison d'édition alors que chacun avait le plaisir d'être installé à la droite de son meilleur ami ou à la gauche de son fan le plus enthousiaste.

Henry faisait du théâtre depuis qu'il était sorti de Cambridge et il avait peu d'expérience de ce genre d'attitudes condescendantes. En fait, il n'imaginait même pas que ça puisse exister. Heureusement, il y a des gens, comme Angela Carter, qui sont d'un abord très agréable. Ils se souviennent de votre nom même s'ils ne vous ont rencontré qu'une seule fois, ils ne considèrent pas que la vie mondaine doive être une version pour adultes du jeu de l'oie.

Quand Henry et moi sommes devenus amis, c'est tout juste si Valerie, son épouse, me prêtait attention. Et pourtant, j'étais souvent chez eux. J'avais le sentiment qu'elle avait du mal à me situer, à comprendre ce que je faisais là. Depuis longtemps, à Londres, elle était connue pour son « regard fasciné ». Coude sur la table, menton posé sur le poing, elle pouvait vous regarder pendant une éternité, sans cligner des yeux, comme si vous étiez le summum du ravissement. Pour les pontifiants comme pour les intimidés, c'était l'occasion de se lancer dans de longs monologues, mais pour les plus anxieux, ils risquaient de s'effondrer ou, tout au moins, de traverser une crise de doute existentiel.

Mais, le jour où un critique incontournable de l'*Observer* publia un bon papier sur mon premier livre, *Six personnages en quête d'analyse*, elle écarquilla les yeux en me voyant arriver. Puis elle vint vers moi, me prit par les épaules pour effleurer mes joues de ses lèvres, où elle laissa une légère trace rose, et se mit à me donner du « mon cher » par-ci, « mon cher » par-là. Elle avait enfin posé les yeux sur moi : j'étais intégré dans son cercle. Personne ne m'éconduirait plus.

Je ne fus pas le moins du monde désarçonné par ce revirement d'affection, mais je doutai que Valerie ait pris la peine de parcourir ce que j'avais écrit. Elle-même était sous Prozac. À ses yeux, la révolution freudienne était révolue depuis longtemps, au même titre que le surréalisme et l'échelle dodécaphonique. Mais, pendant quelques semaines, le livre demeura bien en vue sur la table de son salon.

Six personnages s'était bien vendu (« étant donné ce que c'est », comme le rappelait mon éditeur), surtout en version poche. On disait même qu'il avait fait une belle percée dans le domaine du développement personnel. Il s'avérait donc qu'une flopée de lecteurs avait besoin d'aide. Apparemment, les gens voulaient faire travailler leur esprit comme ils faisaient travailler leur corps. Pour eux, le cerveau était un muscle comme un autre et les névroses profondément ancrées en chacun de nous n'étaient que des dysfonctionnements psychiques faciles à corriger.

J'ai participé à des débats sur ces âneries. On m'avait demandé de parler du caractère frauduleux de Freud et j'étais ravi de constater qu'il avait toujours la capacité d'en exaspérer certains. J'ai fait plusieurs émissions de radio et une émission de télé, où l'on m'a demandé de résumer mon livre en quelques phrases « vigoureuses ». J'ai donné des conférences à l'étranger, j'ai été invité d'honneur dans des colloques. Comme tout auteur qui se respecte, je suis allé dans les librairies faire des séances de dédicace. J'ai également été invité dans des festivals littéraires. J'y ai lu des extraits de mon livre, Henry m'interviewait, je répondais à des questions sous une tente à moitié vide et pleine de courants d'air. Enfin, j'ai été pressenti pour plusieurs prix et j'ai dû assister à des dîners atroces où je portais un smoking trop étroit, une cravate trop grande et des chaussures vernies, ce qui me mettait les nerfs en pelote.

Mais, grâce à ce genre de manifestations, j'avais repris contact avec mon ancienne copine, Karen Pearl. Je ne sais pas exactement quelle image elle avait gardée de moi. Mais elle devait s'imaginer que j'étais un cas désespéré si je repense à sa réaction de surprise mêlée de curiosité quand elle comprit que le « jeune analyste branché », c'était moi. Elle me passa un coup de fil et nous recommençâmes à nous voir pour déjeuner. Après notre séparation à la fin des années 1980, j'avais été saisi par une frénésie libidinale incontrôlable. J'avais ainsi connu pas mal de filles (certaines étaient maladroites, ou drôles, la plupart étaient embarrassantes), avant de rencontrer le malheureux antidote à mon instabilité en la personne de Josephine. Après deux ans passés ensemble, Karen et moi nous étions séparés dans des circonstances assez pénibles. Mais elle avait retrouvé quelqu'un et semblait presque heureuse.

Quant à Valerie, à partir du moment où Henry lui donna un exemplaire de mon livre, elle identifia mon nom sur la couverture (« Je le connais, celui-là, il est toujours à la maison ») et je commençai à exister à ses yeux. J'étais un homme non dépourvu de prestige, qu'elle pouvait faire évoluer dans son milieu.

Valerie était intelligente et d'assez bonne compagnie si l'on ne tenait pas compte de sa propension (très inhabituelle et vulgaire pour quelqu'un de sa classe) à émailler sa conversation de noms de gens connus, comme si elle vous remplissait les poches de petits cailloux blancs. Ce qui la crucifiait, c'était de savoir qu'en dépit de ses chaussures à la va-te-faire-voir et de ses tétons à la baise-moi, elle était tout à fait ordinaire. Si bien qu'elle ne pouvait s'empêcher de détester toute femme plus jeune et plus belle, à moins qu'elle ne fût très connue. Mais elle avait tracé son chemin toute seule et avait fait la preuve de sa valeur quand elle avait commencé à produire des films, pour lesquels elle achetait les droits de romans « pas désagréables », leur trouvait un metteur en scène et rassemblait les capitaux nécessaires à la réalisation du projet.

Son bureau était au sous-sol de la maison. Elle aimait

tellement que Sam vienne la voir qu'elle lui avait acheté un écran plasma en espérant garder son fils à demeure. Quand il revint vivre avec elle, il lui raconta qu'il était tombé sur Henry « en train de faire des trucs dégoûtants avec une femme tatouée ». Valerie, toujours très contente de l'arrangement qui lui conférait un certain pouvoir sur son ex, lui avait dit quelque chose du genre : « Au moins, il était avec une femme. Mais pourquoi faire tant d'histoires ? Papa est artiste, il fait ce que bon lui semble. Ils sont tous comme ça, fous comme des lapins. Tu n'as pas vu cette émission sur Toulouse-Lautrec récemment ? »

Elle était assez maligne pour ne pas se plaindre de Miriam, dont elle parlait en disant « la sœur de Jamal », ma valeur rejaillissant sur elle d'une certaine manière. À aucun moment Valerie n'imagina qu'une autre femme pourrait la remplacer.

Il s'est donc écoulé un certain temps entre le moment où Henry et moi sommes devenus amis et la première fois où j'ai été invité à l'une de ses soirées, en partie parce que j'avais publié un livre mais aussi pour tenir compagnie à Henry qui ne se sentait pas très à l'aise dans cet endroit qui était surtout la « maison de Valerie ». Cela faisait quelques années qu'il ne vivait plus là. Il travaillait à l'étranger plusieurs mois d'affilée, habitait à droite et à gauche, chez des amis ou chez d'autres femmes. Mais il laissait ses vêtements chez Valerie, revenait pour voir les enfants, travailler dans la pièce qu'elle lui avait gardée, ou traîner là, tout simplement. Valerie se disait, et elle le disait à d'autres aussi, qu'Henry avait besoin de temps et de silence pour créer. C'est comme ça qu'il avait compris qu'elle avait peur de le perdre ou, pour le dire autrement, combien elle lui était attachée. Aussi pouvait-il faire tout ce dont il avait envie, elle ne dirait rien, préférant dissimuler sa propre frustration, craignant même qu'il ne l'utilise comme un argument pour la quitter définitivement.

Ces célèbres soirées avaient toujours lieu dans la grande cuisine du rez-de-chaussée, dont les baies vitrées donnaient sur le jardin illuminé par des bougies. Elle avait un personnel nombreux qui s'activait dès le matin de bonne heure car il y avait parfois trente convives à table, buvant force champagne et vin onéreux. Il y avait des gens bien plus riches qu'elle à Londres mais peu avaient son élégance dans la dépense, ou étaient capables de rassembler autant de personnalités à la mode autour d'une même table. Pour certains Londoniens, il n'y avait pas d'événement plus effrayant qu'une invitation chez elle : quelques-uns s'y préparaient comme à une soutenance de thèse, d'autres constataient qu'il n'y avait rien de plus déprimant que de se rendre compte qu'ils ne faisaient plus partie des *happy few*.

Henry et Valerie avaient divorcé dans de bonnes conditions. Ils s'étaient comportés en individus raisonnables, comme les riches peuvent se le permettre parfois. Il n'y avait eu ni avocat ni jugement. C'était comme si chacun savait que du moment où leur mariage prenait fin, ils devenaient amis. Valerie pouvait bien ennuyer Henry, l'empoisonner, le critiquer, elle portait toujours son nom et ne prenait aucun risque susceptible de provoquer son départ. Tant qu'il répondait quand elle l'appelait au téléphone, il pouvait faire ce qu'il voulait. Un jour, c'est elle qui organiserait ses funérailles et qui parlerait la première à son enterrement. Il serait à nouveau tout à elle. Mais avant cela, elle tenait à vivre à ses côtés le plus souvent possible, que cela lui plaise ou non, que cela plaise ou non à ses copines. Elle tenait aussi à pouvoir assister à toutes ses avant-premières, à parler comme elle l'entendait avec ses amis, à contrôler sa « vie amoureuse », dont elle était sûre qu'elle ne serait jamais satisfaisante.

C'est elle, après tout, qui l'avait aidé à affirmer et à développer son talent, l'obligeant à entrer dans le jeu social, lui disant qu'il était doué, qu'il pouvait rencontrer qui il voulait à Londres, mais aussi qui elle voulait. Avec lui comme carte de visite culturelle, elle avait désormais la possibilité d'évoluer dans tous les milieux, comme ceux à qui la beauté ouvre toutes les portes. Du gosse aux cheveux longs, dépenaillé, à l'air bohème, mélange de timidité et de colère qu'il était lors de leur première rencontre, elle avait fait un individu sociable pourvu d'une maison de campagne avec piscine où leurs amis étaient régulièrement invités.

Au cours de leur mariage, il avait eu plusieurs aventures (des coups de cœur, essentiellement), puis il l'avait quittée. Ce fut douloureux pour elle mais elle avait ravalé sa haine, d'autant qu'elle voyait que ça n'y changerait rien. Tout ce qui lui restait à faire, c'était de prendre son mal en patience. S'il ne répondait pas au téléphone, peut-être parce qu'il était en pleine lune de miel, elle attendait qu'il revienne. Quand il avait faim, c'est chez elle qu'il venait. Quand il avait besoin d'un conseil ou d'une opinion, c'est à elle qu'il s'adressait. Et, bien sûr, ils avaient les enfants.

Henry savait qu'elle était ravie quand Sam venait vivre chez elle, d'autant plus que leur fille, Lisa, faisait de l'opposition systématique et n'avait jamais été très commode. Elle les méprisait pour leur argent, leurs privilèges, leur aisance sociale, les accusant de ne côtoyer que des riches, exception faite de leurs nombreux employés – femmes de ménage, maçons, jardiniers, nounous, jeunes filles au pair. En tant que travailleur social, Lisa avait vu de près le monde d'en bas, auquel elle s'était identifiée. Elle refusait que sa mère lui donne de l'argent et la voyait à peine. À une époque, elle avait même laissé tomber son travail pour faire des ménages dans de petits hôtels pour chômeurs ou dans des bed-and-breakfasts. Elle avait été renvoyée pour s'être plainte du salaire et des conditions de travail, et pour avoir essayé de monter une section syndicale.

Lisa avait toujours eu pour ambition de se déclasser, de devenir pauvre, et elle était bien la seule de sa famille à nourrir de tels projets. Toutefois, contrairement aux vrais pauvres, en cas de besoin, elle pouvait très bien aller voir sa mère et récupérer un chèque de 10 000 livres, sans jamais avoir à le rembourser. En fait, ses parents auraient été enchantés qu'elle leur demande de l'aide. Quelques années plus tôt, d'ailleurs, elle n'avait pas hésité. Le chèque, d'un montant d'au moins 5 000 livres, avait été directement transmis à une organisation de réfugiés palestiniens. Elle avait dit à sa mère : « Il y a des gens à qui personne ne donne d'argent ! C'est comme si nous n'étions pas sur la même planète. Qu'est-ce qui t'effraie dans l'égalité ? »

Henry et Lisa ne se parlaient plus beaucoup depuis quelque temps. Il était de gauche, et avait tendance à se radicaliser quand il voyait la richesse et la vulgarité qui s'affichaient de plus en plus à Londres. Il la faisait doucement ricaner. Elle disait que ça n'était « que de la surface ». Après le départ de Sam, Henry ne décoléra pas. Il ne voulait pas accepter que le gamin ne reviendrait pas et il refusait de le laisser venir chercher ses affaires. Sam voulait récupérer son ordinateur, ses habits, son iPod, mais le jour où il est venu chez son père, Henry avait tout bouclé, disant que s'il tenait à ses affaires, il n'avait qu'à revenir vivre avec lui. Le garçon n'avait pas cédé – le contraire eût été surprenant. Il lui avait dit qu'il repasserait et que, s'il le fallait, il défoncerait la porte. Henry ne s'était pas laissé impressionner, ni par ses menaces ni par les coups de fil incessants de sa mère. Après tout, c'était le signe qu'il gardait le contact avec Sam.

Je dois dire que je ne suis pas sûr de comprendre pourquoi Henry avait ces réactions d'amant éconduit, puisqu'il n'était quasiment jamais chez lui. Quand j'allais chez Miriam, il était là le plus souvent, à faire la cuisine, la vaisselle, ou assis dans un coin à discuter avec les enfants et leurs copains, qui n'avaient jamais rencontré quelqu'un de pareil. À cette époque, il travaillait avec un groupe d'étudiants en cinéma et il continuait à donner un cours par-ci, par-là à qui le voulait. C'était un bon prof, il en connaissait plus qu'il ne fallait en matière de culture, de politique, d'histoire. Il essaimait des idées, des noms, des tendances. Parfois, il était vite énervé par l'ignorance de ses étudiants, comme s'il partait du principe qu'ils devaient déjà tout savoir. Mais, s'il était égoïste, il n'était pas du tout narcissique.

Quand Henry se passionnait pour quelque chose de nouveau, il devenait intarissable, comme s'il était le premier à faire cette découverte. Il me reparla du club où il était allé avec Miriam : c'était le « lieu le plus démocratique » au monde.

« La baise, c'est un événement social, après tout. On peut rencontrer toutes sortes de gens par ce biais-là.

— C'est comme si on allait au National Theatre ? lui demandai-je.

— Non, c'est mieux ! Au club, tu croises des coiffeuses, des employés de banque, des petits commerçants, des conducteurs de camionnette, des gens qui vivent dans des petits pavillons à la périphérie des villes. D'un côté, ça peut sembler absurde, banal. Mais d'un autre côté, nous savons tous que grands ou petits de ce monde seraient prêts à sacrifier beaucoup – tranquillité d'esprit, biens divers, mariage, réputation – pour donner libre cours à leurs envies. Nous savons aussi que nos enfants accéderont un jour à ce monde du désir insatiable. C'est vraiment bizarre de penser qu'il y a une telle folie logée au cœur de chacun d'entre nous. »

Il me dit qu'avec Miriam, ils n'étaient pas encore repus l'un de l'autre et qu'ils faisaient toujours l'amour normalement. Ce n'était pas non plus comme s'ils avaient fait le tour de toutes les expériences possibles et imaginables. En matière de sexualité, certains hommes pensent qu'idéalement, il faudrait qu'un tiers participe (souvent un très bon ami) afin de satisfaire pleinement leur partenaire, au cas où eux-mêmes en seraient incapables. Mais je savais que Miriam était une de ces femmes compétentes qui savent s'y prendre pour que chacun trouve son compte.

Un jour, ils s'étaient préparés chez moi, tel un couple d'adolescents qui se rend à une boum : musique des Rolling Stones à fond (« *Hey, shouldn't we go and see them, aren't they coming to town ?* »), l'eau qui coule à flots. Je dois dire qu'ils formaient un touchant tableau : Henry dans un pantalon moulant en skaï, avec une veste sans manches, des bottes hautes, et Miriam en minijupe, avec des chaussures à talons, des jarretelles et un haut transparent.

« On ne va pas les garder longtemps, nos vêtements », déclara-t-elle.

Je ne pus m'empêcher de dire :

« J'espère qu'il fait noir, là-bas.

— La guérison par la baise, résuma Henry en se dirigeant vers le taxi de Bushy.

— Pourquoi tu ne viendrais pas avec nous ? demanda Miriam.

— C'est vrai, ça, ajouta Henry. Je suis sûr que tu ne rencontreras aucun patient là-bas. Ceux qui seront là ce soir viennent faire un autre type d'analyse !

— Je viendrai. Mais pas ce soir. Un autre jour. Ça vous va ?

— Oui », dit Miriam en m'embrassant.

Après leur départ, je me rendis compte que leur présence bruyante et pleine d'espoir me manquait. L'appartement me parut vide. J'étais là, en train de relire un livre, cachant mon sexe entre les pages.

Je m'installai pour écrire. Il était temps que je mette en mots, pour moi-même, ce qui s'était passé la nuit où j'avais craqué et où j'avais décidé de passer à l'action. Il fallait que je m'y replonge et je savais qu'il faudrait que j'y retourne encore et encore, sans relâche.

15

Wolf, Valentin et moi attendions devant le garage, dans une voiture que nous avions empruntée.

J'étais un trou noir. Plus rien ne résonnait en moi.

J'aurais pu me demander si le temps avait été suspendu ce soir-là, mais nous patientions depuis au moins deux heures, dans le silence, sans bouger, respirant à peine, fumant, soupirant, chuchotant, nous trémoussant sur nos sièges – nous étions à court de coke, comme toujours dans ces cas-là.

Plus les minutes s'écoulaient, plus je sentais la nervosité me gagner. Je commençais à souhaiter que le père d'Ajita ne rentre pas. Qu'il passe la soirée avec sa maîtresse, s'il en avait une : ça lui éviterait d'avoir à « croiser notre chemin ». Oui, ce serait une nuit idéale pour aller retrouver cette femme imaginaire, d'autant que son fils et sa fille (ma bien-aimée) étaient invités chez des amis à Wembley.

Deux nuits plus tôt, Wolf m'avait demandé :

« Qu'est-ce qui ne va pas, mon pote ? Tu as encore une de ces têtes.

— J'aimerais bien t'y voir, si quelqu'un se tapait ta copine.

— Tu ne crois pas que c'est fini, cette histoire ? Est-ce que c'est vraiment vrai ? Mais qui ça pourrait être, mec ? Quand est-ce qu'elle aurait le temps de le voir ?

— Je ne peux pas te le dire. Elle m'a supplié de ne pas en parler. C'est vraiment grave, Wolf.

— Tu sais qui c'est ?

— Oui, je le sais maintenant. Elle me l'a dit, au bout du compte.

— Ah ouais ? Il faut que tu nous dises, on est tes copains, tes potes. C'est une fille vraiment super. Elle vient à la maison. Elle nous fait la cuisine. On l'adore. Si tu n'étais pas avec elle, je n'hésiterais pas à la draguer – direct. » Il fit claquer ses doigts.

Je m'étais laissé convaincre d'aller au pub avec eux, où je leur avais tout raconté.

« Putain, c'est super grave, dit Wolf.

— Je ne peux pas la laisser subir ça une nuit de plus. Il faut faire quelque chose. Si on était dans un film, on débarquerait là-bas et on le descendrait. Ce serait un plaisir.

— Tu as raison. Ça lui apprendra, au paternel. On va lui remonter les bretelles, en douceur. Rien de plus facile.

— Pourquoi pas, oui ? Il ne vous connaît pas, vous. Il n'ira pas voir les flics s'il ne veut pas qu'on découvre ses manigances. Qu'est-ce que tu en dis, Val ? »

Valentin était moins emballé. C'était un garçon plutôt doux, qui avait des dispositions pour le sacrifice et la souffrance comme on en trouve chez les prêtres. Mais il n'avait pas envie de laisser tomber ses meilleurs amis. Au bout d'un moment, il nous dit même que ce que nous faisions était « moralement juste ». Apparemment, c'était « bien », dans le sens où Socrate entendait le « bien ». Clairement, si Socrate trouvait que c'était bien, moi aussi.

Mes amis étaient décidés. Nous irions le voir dès que je leur donnerais le feu vert. J'attendais le moment où Ajita me dirait qu'elle était absente. Je savais qu'il valait mieux agir vite, avant que notre enthousiasme ne retombe. Cela pouvait être assez simple si nous connaissions les allées et venues des uns et des autres. Dès qu'Ajita m'avait annoncé qu'elle et son frère sortaient ce soir-là, nous avions minutieusement organisé notre « surprise ».

Nous étions à moitié endormis, ou dans un état d'engourdissement avancé, quand nous entendîmes une voiture. Il y avait peu de passage dans ce quartier. Je me retournai pour jeter un œil et soufflai :

« C'est lui.

— On y va, dit Wolf. Tranquilles. On se tient à ce qu'on a dit. »

Nous nous cachâmes quand il passa à notre hauteur.

Puis tout se déroula très vite. Les portes du garage s'ouvrirent. Il rentra sa voiture. Une fois à l'intérieur, il ne pouvait plus nous voir. Nous nous glissâmes dans le garage par la porte latérale, celle qu'il emprunterait pour sortir, à quelques mètres de la cuisine.

Nous étions dans la place. Je fermai la porte derrière nous. Valentin avait pris une lampe torche : il l'alluma et la posa sur un banc. Nous avions assez de lumière pour pouvoir repérer notre victime. Quand il sortit de sa voiture, il était cerné.

Du plat de la main, Wolf lui administra deux bonnes claques sur la tête, afin qu'il comprenne ce qui se passait. Valentin s'avança pour lui mettre un coup de poing au creux de l'estomac, avec une force qui nous surprit.

Pendant ce temps-là, je lui dis d'une voix menaçante : « Laisse-la tranquille, ta fille ! Tu ne la touches plus jamais... C'est ton enfant : tu ne couches pas avec elle. Tu comprends ça ? Sinon, on te coupe les couilles ! »

Il tenta de hocher la tête. Il avait beaucoup de mal à respirer. Il était terrifié et ne semblait pas saisir ce que je lui disais ni ce que nous faisions là.

Puis il fit quelque chose d'étrange. Valentin l'avait plaqué contre la voiture et j'avais l'impression qu'il cherchait à attraper quelque chose. L'espace d'un instant, je ne sais pas pourquoi, je me dis qu'il avait une arme. Puis je compris qu'il avait enlevé sa montre et qu'il me la tendait d'une main tremblante. Je la glissai dans ma poche.

Quand je le pris par le colback pour lui dire ses quatre vérités bien en face, il essaya de me donner son portefeuille. Il répétait sans cesse : « Qu'est-ce que vous attendez de moi ? Mais, je vous connais, vous ! Je vous ai déjà vu ! Comment vous appelez-vous ? Qu'est-ce que vous faites ici ? Au secours ! Appelez la police ! »

Je refusai de prendre le portefeuille. À ce stade, je n'avais qu'une idée en tête, qu'il arrête de hurler et qu'il m'écoute attentivement. Je sortis de mon blouson un des couteaux de cuisine de ma mère. Je voulais lui flanquer la trouille, qu'il arrête ses simagrées. De fait, il a eu la peur de sa vie.

Lorsqu'il vit le couteau, il commença à manquer d'air. Il suffoquait, il n'arrivait plus à parler. Sa main agrippa mon poignet. Je dus le forcer à desserrer les doigts.

Il eut un malaise. Il étreignit son bras et sa poitrine, se mit à éructer quelques borborygmes, appela au secours alors qu'il tombait à genoux et basculait sur le côté.

Je fis un pas en arrière. J'étais prêt à lui donner un coup de pied dans la tête mais Valentin dit « Ça suffit ! » et il me tira en arrière.

Nous récupérâmes la lampe torche et sortîmes.

Alors que j'allais fermer la porte, il s'étrangla. On aurait dit qu'il était en train d'étouffer. Ou peut-être l'ai-je imaginé. Je me souviens que Wolf a dit : « C'est fait », puis il m'a serré la main. « Il a son compte, le salaud.

— Il a compris la leçon », ajouta Valentin.

Wolf tapait dans ses mains gantées de cuir noir. « On ne l'a pas loupé. Des vrais pros. »

Wolf et Valentin repartirent pour Londres et me déposèrent au passage. Je déambulai dans le quartier un bon moment, m'arrêtant au gré des pubs pour boire une bière. J'avais du mal à marcher normalement. C'était comme si les différentes parties de mon corps étaient déconnectées les unes des autres.

Une fois rentré, je lavai le couteau dans le lavabo de la salle de bains – même si je n'avais pas de raison particulière de le faire –, le séchai, le rangeai dans le tiroir et me retournai vers maman qui entrait dans la cuisine. Ce soir-là, j'étais content de la voir.

Comme toujours à cette heure, sous sa robe de chambre, elle portait une nuisette rose en synthétique qui faisait de l'électricité statique quand elle se levait pour éteindre la télé. À l'époque, je ne comprenais pas comment elle pouvait rester devant son poste, les yeux brillants, sans une goutte d'alcool, heure après heure, année après année – complètement fascinée par les silhouettes tremblotantes du petit écran.

Avant le journal de vingt et une heures, elle aimait manger des crackers à la crème avec du fromage et des cornichons dessus. Je passais au moins trois soirées par semaine avec elle, à écouter de la musique, à lire, pour ne pas la laisser en tête à tête avec sa mélancolie.

Ce soir-là, j'étais persuadé qu'elle me regardait plus attentivement que d'habitude. Je devais donner l'impression d'être sur mes gardes. Peut-être avais-je rougi, ou peut-être mes yeux avaient-ils un éclat particulier.

« Qu'est-ce que tu fais ? me demanda-t-elle.

— Je viens m'asseoir avec toi. Il y a quoi, ce soir, à la télé ? Tu veux que je t'apporte une tasse de thé ? »

Même si ça sonnait un peu faux, je ne crois pas que maman se soit doutée une seconde que je venais d'agresser le père de ma copine. Pourtant, cela ne surprendra personne, mon corps me rappelait sans cesse que quelque chose ne tournait pas rond. Quand j'apportai son thé à ma mère, il me fallut tenir à deux mains la soucoupe, la petite cuillère et la tasse, afin qu'elle ne voie pas que je tremblais comme une feuille.

Le couteau est resté chez maman, bien sûr. Elle l'a gardé pendant des années, peut-être l'a-t-elle encore.

Devant la télé, toute la soirée, je sentis la montre dans ma poche. Plus tard, je la cachai dans ma chambre. Puis quelques mois passèrent et je me mis à la sortir pour la regarder, repensant chaque fois à ce qui était arrivé. Je commençai à la mettre à la maison de temps en temps. J'avais dit à maman que j'aimais bien ce type de montre, que je l'avais échangée contre des disques. Je la mis une ou deux fois pour sortir. À chaque nouvel appart, je l'emportais avec moi. Je la détestais mais je ne pouvais m'en séparer.

Le matin suivant l'agression, je ne savais pas quoi faire. Je tournais en rond dans le quartier depuis cinq heures. À neuf heures, je rentrai en passant par le jardin. Je me disais que j'allais aller à la fac voir si je trouvais Valentin.

Au moment où je sortais de la maison, le téléphone sonna. Je me précipitai pour décrocher.

« Papa est mort, me dit Ajita. Je suis à l'hôpital.

— Qui est-ce qui l'a tué ?

— Les grévistes. Ils sont venus à la maison pendant notre absence. Il a eu tellement peur qu'il en est mort. Son cœur n'allait déjà pas fort. Il avait passé des examens récemment. »

Il y eut un silence. Je pense que je m'attendais à ce qu'elle en parle avec une sorte de plaisir, de soulagement. Ne lui avais-je pas rendu un fier service ?

« Quand on l'a trouvé, avec Mustaq, il n'avait pas l'air

apaisé du tout, comme on le dit souvent à propos des morts. Non, son visage était angoissé, tourmenté, méconnaissable. Il avait des marques de coups, du sang lui coulait du nez. Je me demande qui peut avoir envie de torturer quelqu'un à ce point.

— Mon Dieu...

— Je sens que je vais me mettre à pleurer. » Je l'entendais déjà qui sanglotait. « Je ne veux pas t'imposer ça. Je te rappelle. » Elle raccrocha.

J'appelai Wolf et Valentin pour leur annoncer que le bonhomme était mort. Je n'en dis pas plus car je ne souhaitais rien divulguer au téléphone. Je les recontacterais plus tard.

Ce soir-là, quand Ajita me rappela, c'était pour me dire que son père avait été assassiné par des gens du syndicat. Ils avaient réussi à trouver son adresse et s'étaient introduits chez eux. Deux personnes avaient été arrêtées. Elle pensait que c'étaient des « racistes » :

« Qui d'autre pourrait faire une chose pareille ?

— Et pourquoi pas des cambrioleurs ?

— Mais ils n'ont rien volé. Son portefeuille était par terre mais il y avait tout dedans. »

Je n'avais aucun moyen de savoir si Valentin et Wolf avaient été arrêtés. J'appelai plusieurs fois leur pension mais personne ne répondait, ou la propriétaire me disait qu'ils étaient sortis. Je me rendis finalement chez eux, et la logeuse m'annonça qu'ils avaient déguerpi. « Bon débarras, tiens, me dit-elle. Et pourtant, ils me doivent de l'argent. »

Cette nuit-là, je reçus un appel en PCV depuis une cabine téléphonique située en « bord de mer ». Comme à son habitude, Wolf chuchotait. Il m'annonça qu'ils avaient fait leurs bagages, quitté la pension avec la vieille Porsche achetée grâce à l'argent du cambriolage, et qu'ils roulaient vers le sud de la France. Ce serait mieux, ajouta-t-il, s'ils pouvaient faire « profil bas » pendant un petit moment. Depuis le temps qu'ils cherchaient un prétexte pour partir.

Ils n'avaient même pas de casier judiciaire. Ils prirent la fuite sans être tracassés, sauf par leur conscience peut-être, s'ils en avaient une. Je pensais qu'ils ne reviendraient jamais.

Le lendemain, au téléphone, Ajita me dit :

« Je n'arrive pas à croire que je ne reverrai jamais papa.

— Au moins, tu pourras dormir tranquille maintenant.

— Qu'est-ce que tu veux dire ?

— Tu sais bien ce que je veux dire.

— Mais je n'ai pas réussi à fermer l'œil de la nuit ! Les racistes sont à nos trousses maintenant, Jamal. On est en danger ici. »

Ce n'était pas de la paranoïa. À l'époque, on ne savait pas comment le « problème racial » (pour reprendre l'expression de certains) allait évoluer. Mon père disait souvent que les « persécutions » pouvaient démarrer d'un jour à l'autre. Quand les choses commenceraient à se gâter, il viendrait nous chercher. « Merci, papa », lui avais-je dit.

« Il n'y a pas un autre endroit où on pourrait aller habiter ? demandai-je à Ajita. Je ne peux pas venir avec toi ?

— Mon chéri, il y a mon oncle qui s'occupe de moi en ce moment. Je te rappelle. »

Elle me rappela effectivement – de l'aéroport. Elle me raconta qu'avec Mustaq, son oncle et la tante qui vivait chez eux, ils ramenaient le corps de son père en Inde pour l'inhumation. La maison allait être mise en vente.

« Au revoir », me dit-elle. Et avant que j'aie pu lui demander quand elle revenait, elle ajouta : « Attends-moi. N'oublie pas que je t'aimerai toujours. » Puis elle raccrocha.

Je suivis le déroulement de l'enquête par médias inter-posés. Je lus tous les journaux de la bibliothèque universi-taire. Finalement, ils abandonnèrent les accusations qui pesaient contre les meurtriers présumés. De nombreuses hypothèses circulaient. Il était question d'agressions racistes perpétrées par des casseurs blancs ; la gauche accusa la police de ne pas prendre ces agressions racistes au sérieux. Mais ils ne trouvèrent pas le moindre indice. À part la montre, nous n'avions rien emporté. Il n'y avait pas d'em-preintes, pas de sang.

L'usine ferma, les piquets de grève disparurent. Je n'en revenais pas de me dire que la police ne réussissait pas à remonter jusqu'à moi. J'imagine que j'aurais avoué assez facilement, mais rien ne permettait d'établir un lien quel-conque entre la victime et moi.

Résultat de ce coup de maître : je ne revis jamais Ajita. Elle était en Inde et je ne savais pas comment la retrouver. J'ai attendu mais elle n'a jamais cherché à me joindre. Pourtant, j'avais prévenu maman que si Ajita appelait, il fallait absolument qu'elle prenne ses coordonnées.

Elle était partie. Je n'avais pas compris qu'à l'aéroport, elle me disait au revoir pour toujours. Il n'y avait plus que le silence. Et j'avais perdu mes trois meilleurs amis.

Il y avait une autre explication à mon état de choc. Certes, je n'avais pas tué son père de mes mains mais, sans moi, il serait toujours en vie, probablement encore aujour-d'hui.

C'est moi qui l'avais fait passer de vie à trépas et c'est moi qui m'accusais d'être un « meurtrier ».

16

L'avion avait dû atterrir aux environs de trois heures du matin.

Il fallut que je secoue Miriam et que je lui colle une claque pour la réveiller. Elle vivait dans un squat à Brixton et n'avait qu'une envie : partir. Son quartier venait d'être mis à sac au cours d'émeutes urbaines. Miriam était sur le pont depuis une semaine, à lancer des briques ou à apporter son concours au service d'aide juridique. À l'époque, le slogan du mois conseillait : « Pour aider la police, vous n'avez qu'à vous en prendre à vous-même. »

Forcément, Miriam avait pris quelque chose pour ne pas s'angoisser pendant la durée du vol. Un sirop contre la toux (un de ses remèdes préférés) qui l'avait terrassée. Je l'aidai à boucler les nombreux sacs à franges qu'elle emportait et la poussai vers le tiers-monde. Les veinards.

Le jour n'était pas encore levé mais il faisait moins froid. Dans le chaos qui régnait aux abords de l'aéroport, des hordes menaçantes de clochards en haillons se pressaient autour de nous. En voyant les Dr Martens rouges de Miriam, des femmes se jetèrent à ses pieds pour les embrasser.

Nous parvînmes à nous échapper en montant dans la première voiture qui voulut bien nous prendre. Je me sentais nerveux. Je me demandais comment nous allions pouvoir retrouver notre chemin et, une fois de plus, Miriam ferma les yeux, refusant de s'occuper de quoi que ce soit. Je l'aurais volontiers plantée là si ça n'avait pas dû me créer plus de problèmes encore.

Nous étions au Pakistan, terre de nos ancêtres, depuis une heure à peine, quand le chauffeur de taxi braqua un revolver sur nous. Jusque-là, lui et son compagnon, un garçon d'environ quatorze ans, enveloppé dans une couverture grisâtre qui le protégeait du froid de la nuit, s'étaient montrés plutôt amicaux. Au moment de quitter l'aéroport, alors que les fenêtres de la voiture vibraient au son de la musique Bollywood, ils nous avaient demandé :

« Bonne cassette ? Bon siège, confortable, n'est-ce pas ? Vous voulez *paan* ? Vous voulez coussin ?

— Sensass, murmura Miriam en fermant les yeux. J'ai déjà l'impression d'être sur un coussin. »

Nous étions au début des années 1980. Je venais d'avoir ma licence, Lennon avait été assassiné et la révolution était là, enfin : Margaret Thatcher en était le fer de lance. Nous étions montés dans une vieille Morris Minor décorée de perles et de clochettes accrochées au plafond. Miriam devait s'imaginer que nous allions rejoindre un camp de hippies où nous nous serions retrouvés nez à nez avec Mia Farrow, Donovan ou George Harrison en pleine méditation devant un Indien en prière.

Brutalement, le chauffeur sortit de la route. Nous traversâmes des bois, des zones délabrées. Puis il arrêta la voiture. Il nous fit sortir et nous ordonna de le suivre. Nous ne cherchâmes pas à discuter. Il nous agitait son arme sous le nez. Cela se passait dans le pays de notre père, au petit matin. Notre mort ne serait pas très différente de celle que j'avais provoquée peu de temps auparavant. Ce ne serait que justice, non ? Un karma honnête et instantané ? Je me

demandais si, en Grande-Bretagne, les journaux parle-
raient de nous, si maman leur fournirait des photos.

Nous n'étions pourtant pas seuls. Tout autour, il y avait
des gens qui vivaient dans des tentes ou des cabanes. Certains, accroupis, nous regardaient, d'autres, des enfants et
des adultes d'une maigreur atroce, se tenaient là, debout,
tout simplement. On avait l'impression d'être dans un festival musical permanent : toiles de tentes déchirées en
train de pourrir, plaques de tôle ondulée défoncées, feux
de camp, chiens, gosses qui courent partout, la chaleur qui
monte, le jour qui se lève. Personne ne viendrait à notre
secours.

L'espace d'un instant, nous regardâmes bien ceux que
nous avions en face de nous. Nous n'avions pas une
seconde à perdre ! Nous nous mîmes à hurler, à nous agi-
ter dans tous les sens, à brailler comme des possédés, ce
qui troubla beaucoup notre voleur. Il paraissait avoir com
pris que nous n'avions pas d'argent. Puis Miriam, qui avait
l'habitude des situations critiques, eut l'idée géniale de lui
donner du corned-beef.

« Pour eux, ce n'est pas un animal sacré, je ne me
trompe pas ? dit-elle.

— Non, je ne crois pas. »

L'idée lui semblait imparable. Elle était persuadée qu'ils
n'attendaient que ça, du corned-beef. Peut-être s'imagi-
nait-elle qu'ils sortaient tout juste d'une famine. De fait,
ils acceptèrent volontiers ses boîtes. Le voleur s'empara de
son gros sac et le garda auprès de lui sans même regarder
ce qu'il y avait dedans. Puis, l'autre individu nous ramena
à la voiture et nous conduisit jusque chez papa. À Karachi,
même les braquages de taxis ne se passent pas comme
ailleurs.

Quand nous eûmes retrouvé la route principale, je fis
observer : « Donc, papa n'aura pas de sac flambant neuf. »

Miriam grommela quelque chose. Sur la route, nous évitions régulièrement des charrettes tirées par des ânes, des BMW, des chameaux, tel tank avec des inscriptions en chinois, des cars de toutes les couleurs qui transportaient des gens suspendus aux poignées du plafond comme des perles de rideau.

Heureusement, j'avais mis quelques conserves de corned-beef dans mon sac, avec les disques de reggae que papa m'avait signalés. Il ne fut pas déçu : c'était ce qu'il avait demandé. Même si, apparemment, il avait dit à Miriam que ce qui lui manquait le plus au Pakistan, c'était le corned-beef, je ne pense pas qu'il en ait réclamé une valise entière. Mais, c'est vrai, il avait un faible pour cette spécialité anglaise, qu'il mangeait à même la boîte, installé à son bureau, et qu'il faisait glisser avec une vodka offerte par un ami policier. « Ça pourrait être pire, disait-il. Après le corned-beef, la seule chose digne d'intérêt, c'est le curry de cervelle de bouc. »

Maman avait insisté pour qu'on y aille. Elle ne supportait plus de se faire tant de souci quand Miriam n'était pas à la maison, de se disputer avec elle quand elle rentrait pour aller s'affaler sur son lit. Et puis, parfois, elle était aussi très remontée et très amère vis-à-vis de papa. Certes, nous n'étions pas des enfants faciles, mais il ne lui apportait aucun soutien. Ça nous ferait du bien à tous de passer un peu de temps ensemble, pour voir comment il vivait, comment il envisageait les choses. Même Miriam était d'accord.

Bien avant notre départ pour le Pakistan, ma sœur s'était offert un retour aux sources, comme cela arrive souvent aux « gens issus de l'immigration ». Elle était d'origine pakistanaise, faisait partie d'une minorité installée en Grande-Bretagne, mais il y avait aussi cet autre pays, avec lequel elle avait un lien profond, spirituel, de nature quasi mystique. Pour préparer le voyage, elle était allée voir un groupe de derviches tourneurs de Notting Hill. Quand elle m'a fait une démonstration à Heathrow, son numéro était assez gentillet – une sorte de version pour thé dansant. Mais nous venions de saisir toute la profondeur de la spiritualité de ce pays. La preuve : nous étions à peine descendus de l'avion qu'on nous avait pointé un revolver sur la tempe.

À notre arrivée chez notre père, un domestique nous prépara du thé et des toasts. Papa n'était pas seulement aussi mince et fragile qu'une statue de Giacometti, il avait également un air très digne dans sa tunique et son pantalon blancs. Il nous dit que nous ne pourrions pas habiter chez lui mais que notre oncle, son frère aîné Yasir, nous hébergerait. Pour être franc, c'était un soulagement.

Lorsque nous fûmes seuls, Miriam me demanda : « C'est quoi cette maison ? Un squat ? »

Il apparut en effet que papa, qui passait pour un aristocrate aux yeux de tous ceux qu'il avait laissés derrière lui, vivait dans un appartement en ruine. La peinture s'écaillait, les fils électriques couraient sur les murs, les meubles en piteux état donnaient l'impression d'avoir été posés là au hasard, dans l'attente d'une place plus appropriée. La poussière s'infiltrait par les fenêtres, se déposait çà et là entre les piles de vieux journaux tout froissés posés à même le sol, entre les tas de feuilles blanches gondolées par la chaleur.

Plus tard dans la matinée, notre père nous informa qu'il devait rédiger son article et il demanda à son domestique de nous conduire chez Yasir. Celui-ci avait une grande maison à un étage, qui ressemblait à ces propriétés que l'on voit dans les films tournés à Beverly Hills, ainsi qu'une piscine vide pleine de feuilles sèches où, de temps à autre, des rats se livraient à quelque cavalcade.

Miriam était déçue qu'on ne loge pas chez papa mais je me ralliais à l'aventure telle qu'elle se présentait. Tout en étant un gosse de banlieue désargenté, j'avais un certain goût pour le luxe. Et il y avait de quoi faire, chez Yasir : j'y trouvai tout ce que j'aimais.

C'était une demeure où vivaient au moins quatre belles aux yeux de biche. Je les avais surnommées « le Raj Quartet ». Je n'étais pas encore remis du départ d'Ajita, c'est évident, et je me disais que nous nous retrouverions à son retour. Je n'avais pas renoncé à elle. Quand le moment viendrait, je lui dirais ce qui s'était passé avec son père. Elle serait abasourdie mais elle me pardonnerait quand elle comprendrait que je n'avais pas eu le choix. Cela nous rapprocherait. On se marierait et on aurait des enfants.

Quand je vis les filles de Yasir, je me dis que ce quatuor de femmes à la peau sombre et aux longs cheveux qui nous observaient depuis le pas de la porte pouvait peut-être m'aider à supporter la douleur.

En les regardant, je me trouvai confronté à l'angoisse de devoir choisir (un peu comme un chat à qui on présenterait des souris prisonnières dans une boîte), quand un vacarme retentit soudain. Un chien enragé avait grimpé sur le toit. Nous nous ruâmes à l'extérieur pour regarder les domestiques lui faire la chasse avec de grands bâtons. Ils réussirent à lui asséner quelques coups et le chien finit étalé sur la route, où il poussa des glapissements insoutenables. Plus tard, quand nous sortîmes, il était mort. L'homme qui surveillait la maison nous demanda : « Vous aimez notre pays ? »

On fit comprendre à Miriam que non seulement elle devrait partager une chambre avec deux de ses cousines, mais qu'il y aurait aussi une domestique, quelques enfants, ainsi que notre grand-mère, une soi-disant princesse. La vieille femme ne parlait quasiment pas anglais et passait ses journées à se laver les mains ou à laver du linge. Le reste du temps, elle priait ou lisait le Coran.

C'était une grande maison, mais les femmes demeuraient cantonnées dans une seule aile, où elles n'avaient guère d'intimité. Miriam et moi fûmes donc séparés et, chaque jour, nous faisions des choses différentes, comme c'était déjà le cas à la maison. Je me plongeais avec plaisir dans les livres que j'avais apportés, tandis que Miriam faisait le marché puis s'attelait à la cuisine avec les autres femmes. Le soir, papa et ses amis venaient nous rendre visite ou alors, il m'emmenait chez eux.

Pendant que papa écrivait son article (il commençait tôt le matin), j'allais chez lui écouter les grands noms du ska et du blue beat tout en me faisant raser la barbe. Papa rédigeait un texte sur la famille qu'il avait intitulé « Le beau-fils se lève aussi ». Il était dans une phase délicate de son élaboration. Après le premier jet, il devait réécrire son texte afin de le rendre plus obscur. Il fallait qu'il trouve une sorte de code poétique, de façon que le lecteur comprenne ce qu'il voulait dire alors que les autorités n'y verraient que du feu.

L'article qu'il devait rendre chaque semaine portait sur des sujets très différents, mais on pouvait toujours en faire une lecture politique. Pourquoi n'y avait-il pas plus de jardinières de fleurs le long des rues principales de Karachi ? Pourtant, plus il y aurait de couleurs dans cette ville (la variété de la palette chromatique symbolisant la démocratie), plus la vie serait animée, n'est-ce pas ? Quand il avait fait ce papier où il expliquait que les gens se lavaient trop, qu'ils auraient plus de personnalité s'ils étaient plus sales puisqu'ils s'exprimeraient ainsi de manière plus honnête, il abordait le problème de l'approvisionnement en eau. Un article qui s'appliquait à décrire la beauté subtile de l'obscurité et ses volutes veloutées évoquait en fait les pannes d'électricité quotidiennes. Il me demandait de les relire pour lui faire des suggestions. Je lui avais même proposé quelques paragraphes, qui furent mes premières publications.

Une fois ce travail achevé, nous faisions un tour en ville aux environs de midi. Nous rendions visite à certains de ses amis, la plupart du temps de vieux messieurs qui connaissaient toute l'histoire du Pakistan, et nous finissions au club où mon père avait ses habitudes.

Le soir, nous allions dans des fêtes où les hommes étaient en costume-cravate et les femmes portaient bijoux et jolies sandales. On s'y tenait bien, on buvait beaucoup et on y parlait avec animation des avantages, des statuts des uns et des autres, de leur standing également (voitures, maisons, vêtements).

Loin de la « spiritualité » de Miriam, Karachi était la ville la plus matérialiste que nous ayons jamais vue. Seule la perspective des privations motivait les gens. J'aurais très bien pu partir du principe que les amis de mon père étaient creux et vulgaires, mais c'était moi qui me sentais minable. J'avais été assez stupide pour ne pas saisir ma chance en Grande-Bretagne. Ces bourgeois de province se moquaient gentiment de moi tandis que mon père m'observait du coin de l'œil pour voir comment je réagissais. Quelle espèce d'homme – un pied ici, un pied là-bas – étais-je devenu ? De nouveau, j'étais une énigme incompréhensible, comme quand j'étais à l'école.

Dans le même temps, mon père faisait mon éducation et me racontait l'histoire du pays : la partition, l'islam, le libéralisme, le colonialisme. J'avais beau être un jeune Britannique bagarreur entouré de potes trotskos et grand fan des punks de Jam, je commençais à comprendre combien mon père dépendait de ses compagnons, fervents adeptes du libéralisme, de Reagan et de Thatcher. À mes yeux, c'était l'abomination de la désolation mais, pour un peuple sur lequel l'islam avait de plus en plus d'ascendant, ils incarnaient la « liberté ». Dans ce pays relativement neuf, mon père et ses amis avaient très peu de marge de manœuvre et ils étaient convaincus que leurs conditions de vie se dégraderaient au fur et à mesure que le pays s'engagerait dans la théocratie. Comme disait papa : « L'honnête homme est une denrée rare. En fait, je suis peut-être le seul et unique ici. Et il faut nécessairement compter avec ceux qui veulent instaurer une république vertueuse. »

Bon nombre de ses amis essayèrent de me faire comprendre qu'en tant que représentant de la génération « montante », je devais faire de mon mieux pour que la liberté au Pakistan ne soit pas compromise. « On est en train de crever ici. S'il vous plaît, aidez-nous. » Les Britanniques étaient partis, le pays avait connu un long passage à vide et, maintenant, les barbares prenaient le dessus. Regardez ce qui s'est passé en Iran : la politique « spirituelle » de la révolution a finalement débouché sur une dictature sanglante, qui a embrassé Dieu à pleine bouche, usant et abusant des amputations, lapidations, exécutions. Si, là-bas, le peuple a pu démettre quelqu'un d'aussi puissant que le shah, que pourrait-il se passer ailleurs, dans d'autres pays musulmans ?

Je découvris que papa était un homme impressionnant. Il s'exprimait parfaitement, il était drôle, ses écrits étaient très appréciés. Il avait failli se retrouver en prison et n'avait dû son salut qu'à ses « relations ». Il était certes provocateur, mais pas stupide. J'ai lu ses différents textes, qui ont fini par être rassemblés dans un volume, publié uniquement au Pakistan. Dans un pays si corrompu, il représentait une forme d'indépendance, d'autorité et d'intégrité.

Il semblait avoir une bonne approche de la vie. Il fallut

bientôt que je lui pose la question qui me terrorisait. Pourquoi n'était-il pas resté avec nous ? Qu'est-ce qui l'avait poussé à venir ici ? Pourquoi n'avions-nous jamais été une famille comme les autres ?

Il ne chercha pas à esquiver et me répondit bille en tête, comme s'il s'était préparé à ce moment depuis des années. Mis à part les « difficultés » qu'il avait rencontrées avec maman – les problèmes habituels entre un homme et une femme : ce à quoi j'acquiesçai d'un air grave, faisant mine de comprendre –, une offense impardonnable avait tout remis en cause, me dit-il. Il avait aimé maman. Il la respectait encore. C'était étrange de l'entendre parler d'elle comme d'une petite amie qu'il avait connue des années plus tôt mais qui, désormais, le laissait complètement indifférent.

Toutefois, il me raconta qu'il avait eu une brève aventure alors qu'il connaissait déjà notre mère. Les parents de la jeune femme en question l'avaient invité à dîner chez eux dans le Surrey. Ils étaient à table quand le père lui demanda : « Ah, vous mangez avec un couteau et une fourchette ? Je pensais que, vous autres, vous mangiez avec les doigts. »

Il avait dit cela à un homme élevé dans une riche famille indienne libérale qui habitait Bombay à l'époque de l'Empire britannique. De tous ses frères et sœurs, papa était le prince, celui qui avait hérité du talent familial. « N'est-ce pas un homme extraordinaire ? me dit Yasir. Ton grand-père m'a demandé de veiller sur lui. »

Papa avait fait ses études en Californie, où il s'était acquis une réputation de champion du débat et de grand séducteur. Il était persuadé que son talent et sa prestance faisaient de lui un bon candidat pour devenir ministre du gouvernement indien, ambassadeur à Paris ou à New York, rédacteur en chef ou président d'université. Papa me dit qu'il ne pouvait plus supporter de tels préjugés, comme on disait à l'époque. Il s'était « tiré » et il était venu s'installer dans ce pays natal qu'il ne connaissait pas, pour participer à sa naissance et y vivre une aventure de « pionnier ».

Nous roulions dans Karachi (il avait l'air minuscule au volant de sa voiture), quand il fondit en larmes – cet homme impeccable dans son *salwar kameez* blanc, ses sandales, qui dégageait toujours un léger parfum d'alcool que je finis par aimer. Il regrettait, me dit-il, que nous ne soyons pas tous ensemble comme une vraie famille où il pourrait jouer son rôle de père. Maman ne serait jamais venue au Pakistan et il était incapable de vivre en Grande-Bretagne.

S'il nous avait laissés là-bas, ajouta-t-il, c'était autant pour nous que pour lui. Il était évident que nous aurions plus de chances de réussir en Grande-Bretagne. Ce qu'il devait reconnaître, c'est que sa famille n'aurait jamais dû quitter l'Inde pour venir au Pakistan. En Inde, il avait toutes ses attaches. C'est là qu'étaient ses racines. Il avait grandi à Bombay et à Delhi, avec Yasir et ses autres frères et sœurs.

Il comprenait désormais qu'il aurait pu réaliser ses idéaux à Bombay, même si cette ville était complètement folle. Au Pakistan, il avait tout raté. Il reconnaissait qu'il aurait dû le prévoir : il n'avait qu'à se pencher sur l'Histoire. Tout État fondé sur un principe religieux, sur un seul Dieu, est condamné à devenir une dictature. « Voltaire n'aurait pas mieux dit, mon garçon. Il suffisait de regarder n'importe où autour de soi pour le comprendre. »

Il poursuivit :

« Les libéraux comme moi sont des marginaux ici. On nous a surnommés "la génération des cerveaux desséchés". De fait, notre principal outil de travail, c'est notre cerveau, mais nous sommes rarement à sec. On se promène au hasard des rues, dans l'espoir de croiser un ami avec qui discuter. Mais les plus jeunes, des éléments brillants, partent tous. Tes cousins n'auront jamais de maison fixe, ils erreront de par le monde toute leur vie. Pendant ce temps, les mollahs auront pris le pouvoir. C'est la raison pour laquelle je crée cette bibliothèque. »

Des colis entiers de livres en provenance de Grande-Bretagne et des États-Unis arrivaient plusieurs fois par semaine à son appartement. Il ne les ouvrait pas tous mais, à plusieurs reprises, je notai qu'il possédait déjà certains ouvrages, qu'il commandait dans de nouvelles éditions. Grâce à l'argent de Yasir, papa mettait sur pied une bibliothèque dans la maison d'un riche avocat. Un tel obscurantisme s'était abattu sur le pays que la préservation de toute culture critique était cruciale. Un étudiant, ou une femme, comme il le disait lui-même, pouvait avoir besoin d'accéder à cette petite bibliothèque, où il savait que les livres seraient protégés, même après sa mort.

Papa insistait pour que j'aille rencontrer sa sœur aînée, une poétesse qui enseignait à l'université. Quand nous arrivâmes chez elle, elle était au lit depuis dix jours et souffrait d'une crise d'arthrose. « Je t'attendais, me dit-elle en me pinçant la joue. Ça ne va pas être facile, mais il faut que tu le voies de tes yeux. »

Nous l'aidâmes à se lever et à prendre son déambulateur, puis nous l'emmenâmes à l'université, qu'elle voulait absolument me montrer malgré une fermeture administrative pour cause d'« agitations ». Tous les trois, nous parcourûmes les couloirs, poussâmes les portes des salles vides, pour ne voir que des rangées de bancs en bois et des murs sans apprêt dont la peinture s'écaillait.

Elle enseignait la littérature anglaise : Shakespeare, Jane Austen, les romantiques. Mais l'université était la cible de multiples attaques de la part d'islamistes radicaux, si bien que personne ne venait plus en cours. Ses auteurs de prédilection étaient classés *haram* – interdits. Pendant ce temps, le président Zia ouvrait des madrasas et autres « écoles de fabrication de bombes ». Les familles pauvres y envoyaient leurs enfants puisque c'étaient les seuls endroits où ils recevaient instruction et nourriture.

Quand je demandai à ma tante ce que cela signifiait pour elle d'enseigner la littérature anglaise à des gens qui n'étaient jamais allés en Grande-Bretagne, elle me dit : « Les Britanniques sont partis. Le colonialisme a contenu l'islam radical mais, au moins, les Anglais nous ont laissé leur littérature et leur langue. Une langue, ça n'appartient à personne. C'est comme l'air qu'on respire. Mais ils ont aussi laissé un vide politique que les autres remplissent de pierres. Les Américains, la CIA ont soutenu le retour de l'islam pour empêcher les communistes d'investir le Moyen-Orient. Nous autres, professeurs d'anglais, nous appelons cela l'ironie de l'Histoire. C'est pour les femmes que j'ai peur, les jeunes femmes qui grandissent ici. Il n'y a pas d'idéologie qui les haïsse davantage. Ces fanatiques vont réussir à mettre par terre tout le travail que les femmes ont pu accomplir dans les années 1960 et 1970. »

Elle reviendrait à la fac quand les temps seraient plus propices mais elle n'était pas sûre de vivre jusque-là.

« Un étudiant m'a dit : "On va éliminer dix mille personnes dans ce pays. Ça mettra les institutions par terre et il y aura la révolution. Puis on pourrait attaquer l'Afghanistan et ainsi de suite... L'Occident va venir à bout du communisme, mais pas de l'islam – parce que les gens ont foi en l'islam." »

En attendant, ma tante se contentait de rester dans sa chambre, où elle écrivait des poèmes. Elle avait publié cinq recueils à compte d'auteur, avec le texte ourdou sur une page et le texte anglais en vis-à-vis. Elle adorait le poète de Sainte-Lucie, Derek Walcott, qui était son fanal. « Son père, j'en suis certaine, était employé par l'administration coloniale, comme beaucoup de ceux de chez nous qui ont reçu une instruction. » Grâce à lui, elle avait compris qu'elle pouvait écrire de là où elle était – « à cheval sur plusieurs cultures », précisait-elle – et que cela avait du sens. D'autres poètes locaux se réunissaient chez elle, pour lire leurs poèmes et discuter. Ils ne seraient pas les premiers poètes, ni les derniers, à devoir travailler « de manière souterraine ».

« J'envie les oiseaux, dit-elle. Ils peuvent chanter. Personne ne leur cloue le bec ou ne les envoie en prison. Ils sont les seuls êtres libres ici. »

La langue, la poésie, la parole, la liberté. Le pays était épouvantable mais on y trouvait des gens merveilleux, condamnés à la gravité par les circonstances. Papa devait se douter des effets que cela produirait sur moi.

Nous avions mené des existences si distinctes. Quand il habitait en Grande-Bretagne, mon père ne savait pas à quoi ressemblaient nos écoles, ni même notre maison. Nous n'avions jamais connu cette affection nourrie par le quotidien. Mais alors que nous traversions Karachi, il me demanda : « Que fais-tu réellement de ta vie ? » – comme s'il avait besoin de connaître le secret que je m'étais bien gardé de révéler aux questionneurs inquiets de nos soirées.

Je n'avais pas grand-chose à lui répondre. Je lui dis que je songeais à écrire une thèse sur le dernier Wittgenstein. C'est ce que je racontais à tous ceux qui me demandaient ce que je ferais plus tard. Il pourrait se vanter auprès de ses amis ou, tout au moins, mettre un terme aux questions. Après tout, j'avais obtenu ma licence de philosophie avec les honneurs – mais à quoi ces honneurs correspondaient-ils exactement ?

C'était donc une réponse qui n'était destinée qu'aux autres et papa le savait. Quand nous étions entre nous, il disait que j'étais un « bon à rien ». Il agrémentait cette appellation de quelques adjectifs du type « inutile », « paresseux » ou, quand il était particulièrement soûl, « foutu paresseux, complètement stupide et inutile ». J'essayais de me défendre. Je n'étais pas la honte de la famille. J'avais l'intention de faire un métier intellectuel, d'une manière ou d'une autre, et j'avais même songé à un master. Mais, en fait, j'estimais que la philosophie n'était que la base de l'engagement intellectuel. C'était un outil critique, mais pas un but en soi, lequel aurait mérité de s'y consacrer totalement. Qui peut seulement citer le nom d'un grand philosophe britannique encore vivant ? Plus tard, la psychanalyse m'intéresserait parce qu'elle était plus proche de l'humain.

C'était bien trop vague pour papa, qui ne cessa pas de railler le « bon à rien ». Il me disait : « Tes autres cousins, que font-ils ? Des études pour devenir médecin, avocat, ingénieur. Ils pourront travailler partout dans le monde. Toi, qu'est-ce que tu vas faire avec une thèse de philosophie ? Yasir était comme toi, il passait son temps à traîner au pub. Du jour au lendemain, notre père se met à lui botter les fesses et le voilà qui ouvre des usines, des restaurants. Dis-toi bien que tu vas te faire botter les fesses ! »

Comment pouvais-je faire passer le plaisir avant le devoir ? De quoi pouvait-on avoir plus envie que de cela ? Papa m'avait botté le derrière. Mais dans quel but exactement ? J'avais l'impression d'être nul et j'étais content qu'il n'ait pas vécu avec nous à Londres : l'un des deux aurait fini par tuer l'autre.

Tout en réfléchissant aux implications de cette attaque paternelle, je déambulais autour de la maison de Yasir, cherchant à m'occuper. Je savais combien il était difficile d'être seul dans ce pays. Le prix à payer quand on a une famille puissante et nombreuse, c'est cette surveillance permanente de tous par chacun. La moindre parole, le moindre geste faisait l'objet d'une discussion, de critiques le plus souvent.

Un jour, je découvris que mon oncle aussi avait une bibliothèque. Ou tout du moins, il possédait une pièce qui en avait le nom. J'y trouvai un mur entier de livres, une grande table et quelques chaises.

Je décidai d'examiner de plus près cette collection de livres entièrement brochés. Poésie, littérature, beaucoup de théorie politique de gauche, dont de nombreux ouvrages publiés par Victor Gollancz. Ils avaient été achetés à Londres par un de mes oncles qui les avait envoyés par bateau au Pakistan. L'oncle en question était devenu schizophrène. Il vivait chez Yasir, « errant dans la maison toute la journée ». À vingt ans, il avait été un étudiant brillant, mais son cerveau n'avait pas tenu le choc.

Je m'assis à la table de la bibliothèque, ouvris un premier livre, qui se répandit en poussière sur le sol, tel un paquet de farine quand on le prend à l'envers. Je consultai d'autres volumes. Finalement, les insectes qui se régalaient de ces pages m'imposèrent mon programme de lecture. Parmi les livres qui n'étaient pas du goût des parasites locaux, j'eus le bonheur de trouver l'édition Hogarth de *Malaise dans la civilisation*. Je ne l'avais encore jamais lu. Je m'y plongeai et me fis la réflexion qu'il éclairait mieux le fonctionnement de la société pakistanaise que celui de la société britannique. J'accrochai dès la première phrase : « Ce qu'il y a de plus précieux dans la vie... »

Qu'y a-t-il de plus précieux dans la vie ? Qui ne souhaitait pas le savoir ? J'aurais pu attaquer ces pages à coups d'ongle dans l'espoir de m'imprégner de tout ce qu'elles disaient. Bien sûr, je devenais fou quand je découvrais que des phrases entières avaient été dévorées par les habitants des lieux. C'était d'ailleurs une des raisons qui me donnaient envie de rentrer à Londres : je voulais pouvoir le lire de A à Z. Je trouvai toutefois une manière de m'accommoder de cette dépendance (car je ne voulais pas demander de livres à mon père) : je me mis à lire et relire les mêmes pages, sans discontinuer.

Souvent, je n'avais pour seul compagnon que mon cousin schizophrène. Il s'asseyait au bout de la table tout en babillant, la plupart du temps de manière distrayante, sur un rythme joycien. Bien sûr, le sens de ses paroles restait très mystérieux, mais je l'aimais bien et j'avais envie de mieux le connaître. Cependant je n'avais aucun moyen d'aller plus loin avec lui. J'étais aussi « proche » que je pourrais jamais l'être.

Tandis que je m'installais dans une routine où je m'appliquais à tourner les pages de ces vieux livres dignes de parchemins médiévaux, je remarquai un mouvement du côté de la porte. Je ne dis rien mais je vis Najma m'observer. À vingt et un ans, elle était la plus jeune des cousines. Elle attendit que j'aie fini, souriant puis dissimulant son visage dès que je la regardai. Quand j'étais petit, nous avions joué ensemble à Londres. On se voyait au moins une fois par mois et j'avais le sentiment que nous avions un lien particulier.

« Emmène-moi dans un hôtel, s'il te plaît, me dit-elle. Ce soir. »

J'étais fou d'impatience. Le bon à rien se lève aussi.

Cette soudaine manifestation d'hétérosexualité me surprit un peu. Je connaissais cette sensualité diffuse qui est propre aux sociétés musulmanes. Par exemple, les femmes dorment dans la même pièce, sont toujours en train de se caresser, de s'occuper de leur corps et de leurs cheveux ; les garçons se tiennent toujours par la main, dansent, glous-

sent ensemble dans leur chambre, se livrent à des jeux
homo-érotiques. Ils m'avaient parlé du comportement
lubrique des hommes plus âgés, en particulier de ceux qui
enseignent le Coran, et ils racontaient qu'il valait mieux
garer ses fesses en leur présence. Bien sûr, nombre de mes
auteurs préférés étaient allés dans des pays musulmans
pour s'envoyer en l'air. Je me souvenais des lettres de Flau-
bert en Égypte. « Ces cons rasés font un drôle d'effet. Elles
avaient du reste des chairs dures comme du bronze et la
mienne possédait un admirable fessier. » « À Esneh j'ai en
un jour tiré cinq coups et gamahuché trois fois. » Et,
s'agissant des garçons : « (...) nous avons regardé comme
de notre devoir de nous livrer à ce mode d'éjaculation. »

On m'avait présenté à de jeunes hommes de mon âge et
j'étais sorti avec eux plusieurs fois. Nous discutions filles
devant des boutiques aux vitrines criardes où l'on vendait
des hamburgers et des kebabs. Mais si je comparais ce que
j'avais vécu avec Ajita avec ce que racontaient ces garçons,
j'avais peu d'espoir. Ils me donnaient l'impression d'être
bien trop jeunes. Je ne me sentais pas vraiment moi-même
en leur compagnie. Je ne savais pas quel était mon pays
d'appartenance, je ne savais même pas si j'en avais un. Il
fallait que je le trouve. Ou que je trouve quelqu'un à qui
parler.

Najma mit trois heures à se préparer. Je n'avais jamais
attendu une fille aussi longtemps et j'espérais qu'on ne
m'y reprendrait plus. Elle me rappela Ajita, toujours en
retard en cours, avec une excellente excuse – elle ne voulait
pas que le prof la voie mal coiffée.

Quand Najma arriva enfin, elle portait un *salwar
kameez* cousu de fils dorés et de sequins. Elle était resplen-
dissante. Elle s'était mis des bracelets d'argent aux poignets, avait peint ses mains avec d'étranges écritures marron. Ses cheveux ressemblaient à un tapis volant noir et

elle portait plus de maquillage que je n'en avais jamais vu sur quiconque, exception faite d'un travesti drogué que Miriam connaissait. Najma n'avait pas besoin de se peinturlurer comme ça. Elle était jeune et avait la peau lisse comme une porcelaine.

Je pensais que nous allions à l'hôtel pour baiser. Je n'avais pas compris que les hôtels de Karachi sont les endroits les plus chic qui soient en ville, là où vont tous les nouveaux couples. Régulièrement, les extrémistes musulmans menaçaient d'y poser des bombes, et ils le faisaient parfois. Mais étant donné qu'il n'y avait aucun bar et très peu de restaurants à Karachi, on ne pouvait sortir nulle part, sauf à s'inviter les uns chez les autres.

J'étais assis là, dans mon costume noir tout miteux (je pouvais me gratter la raie des fesses à travers le trou du fond de mon pantalon), n'ayant rien de plus fort à boire qu'un lassi salé, et tout ce qui m'inquiétait, c'était le prix de cette soirée, où je me sentais aussi peu à ma place que dans la rue. Mais, au retour, dans la voiture, Najma me demanda si je l'autorisais à me tailler une pipe. Cela me parut une bonne idée, d'autant que je n'étais pas sûr de pouvoir me frayer un chemin à travers les nombreuses superpositions de ses vêtements. Elle s'arrêta quelque part au bord de la route. Tout en passant mes doigts dans ses cheveux bruns, j'imaginais que c'était Ajita qui me donnait ce plaisir. Quand elle eut terminé, elle me dit : « Je t'aime, mon époux. »

Époux ? Je mis ça sur le compte du lyrisme de la passion. Najma et moi nous retrouvions souvent et, lorsque nous fîmes l'amour pour la première fois, elle me laissa clairement entendre qu'elle était amoureuse de moi. Ça me plut. Moi aussi, je tombe amoureux trop facilement. Vous voyez un visage et les fantasmes se mettent en branle. C'est comme si on frottait la lampe d'Aladin.

Elle aimait se moquer de l'Occident, de sa « corruption », de ses « excès ». Ce n'était pas un endroit recommandable mais elle avait hâte d'y être, pour échapper à ce cul-de-sac qu'était le Pakistan, à la recrudescence des actes de violence, au pouvoir des mollahs, aux hommes politiques véreux. Je serais son billet d'avion.

Souvent je lisais tandis qu'elle parlait, allongée sur moi, la tête sur mes genoux. Certaines des femmes qui venaient chez mon oncle suivaient une formation pour devenir médecin ou pilote de ligne, mais les femmes tchékhoviennes de ma famille ne voulaient qu'une chose, quitter ce pays pour l'Amérique ou la Grande-Bretagne – on disait l'« Inglestan ». Toutefois, il fallait absolument trouver un mari qui avait de l'ambition. Celles qui restaient en plan, ou qui attendaient le départ, regardaient des films Bollywood à la télé, rendaient visite aux amis et aux tantines, échangeaient des cancans, mangeaient des kebabs en ville. La plupart du temps, elles étaient contraintes à l'indolence. Mais leur imagination n'était pas moins riche en fantasmes.

Je n'avais pas envie qu'elle arrête de me sucer. J'adorais ça, tout comme j'adorais la fessée et d'autres pratiques que je n'avais jamais essayées. Elle aimait aussi l'économie. Je dirais même qu'elle en raffolait. « Non, pas une Mercedes, chérie, lui disais-je quand elle insinuait que nous en aurions une à Londres. Je préférerais une Jag. J'ai déjà eu des Jag, une Roller même et une Bentley pendant une semaine, mais je l'ai renvoyée. J'ai eu des tas de problèmes avec des Mercedes. Elles n'arrêtent pas de tomber en panne. La direction finit toujours par lâcher. »

Puis je lui disais que New York n'était pas assez bien pour elle. Il faudrait qu'on aille à LA, à Hollywood, où les piscines était trop cool et où, peut-être, elle pourrait devenir actrice. Avec son physique, elle avait tout ce qu'il fallait pour.

« La semaine prochaine ? me demanda-t-elle.

— Peut-être », lui dis-je en précisant aussitôt que, même si je n'avais pas beaucoup d'argent pour l'instant, ça n'avait pas toujours été le cas. Pour quelqu'un d'intelligent comme moi, il suffisait que je me remette au boulot et l'argent rentrerait à nouveau.

Je dois dire qu'au départ, je n'avais pas cherché à tromper Najma avec ces histoires cousues de fil blanc. D'entrée de jeu, elle s'était persuadée que j'étais riche et que je le serais plus encore, comme ses cousins. Elle était souvent allée en Grande-Bretagne mais ne savait pas véritablement comment nous vivions là-bas. La plupart du temps, on nous prenait pour des gens aisés. Si tel n'était pas le cas, nous devions être bien bêtes, ou un peu simplets. Un jour, je croisai un des domestiques de Yasir, qui avait mis des chaussures à moi et un de mes pantalons de costume. Quand je lui en fis la remarque, il m'adressa un large sourire :

« Mais vous êtes riche, me dit-il dans un anglais approximatif.

— Enlève-moi ça tout de suite ! Je vais le dire à Yasir. »

Il réagit comme si je l'avais frappé. « S'il vous plaît, non, ne faites pas ça, implora-t-il. Il va virer moi. »

Et il partit avec mes vêtements. Que pouvais-je faire ? Il ne gagnait presque rien. Miriam, qui était généreuse et ingénieuse, trouva un moyen de lui donner de l'argent qui nous arrangea tous. Elle lui demanda de nous procurer des joints, que nous allions fumer sur le toit. Peu de temps après, j'appris par Najma que papa nous avait surnommés *les enfants terribles**. Ses propres enfants !

Nous-mêmes l'observions attentivement et cherchions à connaître le dessous des cartes. Je savais très peu de chose sur sa vie sentimentale. Voyait-il quelqu'un ou pas ? Ça semblait peu probable. Il avait son train-train, ses soucis et ses livres.

Toutefois, il y avait sa deuxième femme. Miriam et moi étions allés la voir à son bureau. Elle était rédactrice en chef d'un magazine féminin. Elle était très posée, petite, avec un beau visage, polie, curieuse et intelligente. Elle parlait anglais avait un accent très recherché, qu'elle accompagnait de cette cadence et de ce léger mouvement de tête propre aux Indiens (j'en raffolais depuis Ajita). Je voyais bien que Miriam commençait à se prendre d'affection pour elle. Mais à aucun moment cette femme ne manifesta le moindre sentiment à notre égard. Elle n'évoqua jamais notre père, ni la vie que nous menions loin de lui. À la suite de cette rencontre, Miriam lui téléphona plusieurs fois mais on lui répondit qu'elle n'était pas disponible.

Puis les choses commencèrent à mal tourner. Un jour, j'étais dans la bibliothèque et Najma attendait à l'extérieur, comme d'habitude. J'allai la rejoindre, vérifiai que personne ne nous voyait avant d'embrasser légèrement ses lèvres brillantes. Je commençai à la caresser mais elle demeura de marbre et me repoussa. Elle ne disait rien et je compris que quelque chose n'allait pas. Puis elle se mit à m'insulter en ourdou. Son père surgit, il était furieux. Ils eurent une longue discussion que je ne compris pas. Je quittai les lieux. C'était le début de la fin.

En fait, Najma était allée voir Miriam et lui avait tout raconté. On s'aimait, on allait se marier, partir pour Londres, New York, Hollywood, à bord d'une Mercedes, à moins que ce ne soit une Jag ?

Miriam lui dit calmement de laisser tomber. Jamal n'allait épouser personne. « Il n'est même pas étudiant : il a le diplôme mais c'est le cas de tous les bons à rien et semi-débiles à Londres. Tu peux aussi faire une croix sur la Jag : l'enfoiré est peut-être capable de conduire mais il n'a jamais passé son permis. En Grande-Bretagne, il n'a pas le droit de prendre le volant. S'il a l'intention de se marier, dit-elle pour conclure, il ne m'en a pas parlé, alors qu'il me dit tout, sinon je lui colle une claque. »

J'étais furieux contre Miriam. Pourquoi avait-elle fait ça ? Elle aimait bien cette fille, me dit-elle. Ça la désolait de la voir si accro à mes mensonges et à mes histoires stupides. Mais elle-même faisait-elle mieux ?

Nous nous étions mis d'accord pour que j'accompagne papa tout au long de cette journée (j'apprenais beaucoup à son contact), tandis que Miriam resterait à la maison. Mais, apparemment, depuis quelque temps déjà, elle ne passait plus ses journées avec les autres femmes. Elle préférait emprunter la voiture de l'oncle Yasir, qu'elle conduisait sans se couvrir la tête. Quand on lui demandait où elle allait, elle répondait : « Faire du tourisme. » J'avais ma petite idée sur ses promenades touristiques. D'autant qu'elle m'avait dit que ce qu'elle préférait à Karachi, c'était la plage, où elle s'installait sous un cocotier pour s'ouvrir une noix de coco et y vider la moitié d'une bouteille de gin.

Quand elle faisait du tourisme, la plupart du temps, c'était entre les bras du fiancé d'une cousine. Un pilote de ligne qui avait une petite cabane en bord de mer. Il avait prévu de se marier dans l'année et il en profitait pour lier connaissance avec les éléments les plus marginaux de la famille. Il retrouvait également Miriam à l'hôtel où j'avais emmené Najma, hôtel dont il connaissait le gérant.

Quelqu'un les avait reconnus. À Karachi, les rumeurs circulaient à la vitesse de l'éclair. Il avait dans l'idée que les Anglaises étaient des filles légères et, en rencontrant Miriam, il a dû se dire qu'il ne s'était pas trompé. Je me demandais pourquoi elle connaissait si bien le pays. Bien sûr, notre cousine, folle de rage, alla jusqu'à menacer de tuer Miriam. Celle-ci n'était pas en position de force : je refusai de l'aider.

Ma sœur avait imaginé que nous pourrions rester au Pakistan pour trouver un travail, économiser un peu, passer du bon temps à la plage, vendre du shit, etc. Mais, en moins d'un mois, la situation était devenue intenable. Nous étions trop différents. On ne pouvait pas espérer s'intégrer. Certes, il y avait des épouses américaines et britanniques qui vivaient là-bas, mais elles avaient adopté les mœurs locales, elles s'habillaient comme les femmes du pays, prenaient leur accent, essayaient d'apprendre leur langue pour pouvoir s'adresser aux domestiques.

Quand Miriam sortait dans la rue, si elle ne se couvrait pas les cheveux, on se moquait d'elle. Elle se faisait siffler, pincer même. En représailles, elle prenait des fruits sur les étalages et les jetait sur ceux qui la harcelaient. Je craignais qu'elle ne déclenche une bagarre, ou pire encore. Si, moi, je m'efforçais d'être discret, Miriam, elle, était une femme moderne, prête à en découdre. Elle les emmerdait tous. Notre grand-mère, la princesse, était déjà allée la voir. Elle lui avait posé la main sur le front en disant : « Je vais réciter une courte prière qui chassera le diable et les esprits malins qui te possèdent. Arrière, Satan ! Donne-nous la victoire sur ceux qui ne croient pas ! » Le lendemain matin, elle fit égorger deux moutons. La viande fut distribuée aux pauvres. On leur demanda de prier pour que Miriam guérisse au plus vite.

Mais un matin, chez papa, ce fut la catastrophe. J'entendis un vacarme terrible dans le salon. Le ton montait. Ensuite, quelque chose de lourd tomba par terre. Je me dis que c'était peut-être papa. Je me précipitai en bas, suivi de près par le domestique. Miriam était assise sur lui, comme elle le faisait souvent avec moi, et elle hurlait. Il se protégeait le visage tout en essayant de la frapper. Elle avait de la force et nous eûmes du mal à l'entraîner à l'écart. Elle voulait me parler.

« Il m'a insultée », vociféra-t-elle, alors qu'on essayait de lui maintenir les bras dans le dos. Papa remettait ses vêtements en ordre. Je vis qu'elle lui avait craché dessus. La bave lui coulait sur le visage. Il sortit son mouchoir pour s'essuyer.

« Il dit que j'embrasse le cul des Blancs ! Il dit que je suis "pourrie jusqu'à la moelle" comme fille, que je suis une vraie salope, incapable de se tenir ! Qui nous a laissés à Londres ? Qui nous a abandonnés ? Que pouvait il nous arriver de pire ?

— Fiche-moi le camp d'ici ! » gronda papa d'une voix étouffée. Il quitta la pièce et ferma la porte derrière lui.

C'est la dernière fois que nous l'avons vu.

Vraisemblablement, papa a prévenu Yasir. Quand nous sommes rentrés chez lui, on nous a dit que nous partions le jour même, vers une heure du matin. Nous n'avons pas eu le choix. Les domestiques faisaient déjà nos bagages. Personne n'est venu nous saluer ou nous accompagner sur le pas de la porte. On ne nous laissa pas non plus dire au revoir aux filles.

Le plus drôle, c'est qu'à l'aéroport, nous avons aperçu l'amant de Miriam, le pilote, alors qu'il empruntait la file réservée au personnel. Plus tard, pendant le vol, il est venu la chercher. Apparemment, c'était elle qui « dirigeait l'avion ». Un 747 bondé. Avec Miriam aux commandes, assise sur les genoux du pilote – la main dans son pantalon, sans aucun doute.

Maman avait souhaité qu'on voie notre père « dans son environnement ». Elle pensait que ce serait instructif. Ce fut très instructif. Impossible de l'idéaliser, désormais. Globalement, il s'en sortait bien plus mal que nous. Il ne pouvait rien pour nous, et réciproquement. Il ne pouvait être ce père dont nous rêvions. Si je voulais un père, il fallait que je m'en trouve un autre, meilleur que lui.

Quand nous arrivâmes à Londres, Miriam et moi ne nous parlions plus. Je la détestais, je n'avais aucune envie de la revoir. Je ne voulais plus être le petit frère. D'une manière générale, j'ai une personnalité plutôt passive, voire fuyante. Je suis le cours des choses, j'observe, je ne cherche pas à mettre de l'huile sur le feu. Mais, quand nous avons quitté le Pakistan, j'ai dit à Miriam qu'elle avait gâché tout le voyage.

« Pas étonnant que papa pense que tu es une andouille, une salope. Tu ne sais pas te tenir. Ces gens-là ont l'habitude de vivre d'une certaine manière et toi, tu viens leur rire au nez. Plus égoïste que toi, il ne doit pas y en avoir beaucoup sur terre. »

Elle avait un air tellement abattu, tellement flippé (elle était traumatisée, j'imagine) qu'elle n'a même pas songé à me gifler. J'ai pensé qu'elle devait être très mal, ou qu'elle s'était remise à l'héroïne.

Nous prîmes le métro pour rentrer chez nous. Les petites maisons alignées dans le froid avaient un air digne, net et coquet avec leur jardin impeccable. Nous n'échangeâmes pas un mot. Tout nous exaspérait. Nous avions tous les deux des mines furieuses. Nous étions de retour au pays : c'était là que nous devions vivre. La seule chose à faire, c'était de reprendre le cours de notre existence, ou de choisir une autre option. Nous nous séparâmes à Victoria Station sans même nous dire au revoir. Je retrouvai maman à la maison et Miriam alla s'installer chez quelqu'un qui avait un petit appartement dans le quartier de North Kensington.

Je savais que, quoi qu'il arrive, il fallait que je cherche du travail. Heureusement, un ami de la fac me dit qu'il pouvait me trouver une place à la British Library où il travaillait.

S'il y avait quelqu'un que je ne m'attendais pas à revoir un jour, c'était Najma, mais elle réapparut un an plus tard en Grande-Bretagne et téléphona à maman en demandant à me parler. L'espace d'un instant, du fait de la confusion qui régnait dans mon esprit et du manque de précision de ma mère (« Il y a une fille indienne qui a appelé »), je crus que c'était Ajita. J'en pleurai de soulagement. Elle ne m'avait pas oublié, elle revenait.

Najma s'était mariée à un Pakistanais qui venait là pour faire des études en ingénierie. Ils vivaient à Watford avec leurs jumeaux. Je suis allé plusieurs fois les voir.

L'un des enfants avait de la fièvre et l'autre était peut être légèrement attardé. Ils avaient subi de nombreuses agressions racistes, ne connaissaient personne et le mari n'était jamais là dans la journée. Najma me préparait de bons petits plats. Elle savait que j'adorais sa cuisine et nous restions assis côte à côte, chastement, pendant qu'elle me parlait de ce qui lui manquait « du pays ». Même en exil, elle continuait de maudire l'Occident pour son immoralité, tout en déplorant que ce même Occident ne les fasse pas profiter de ses richesses aussi rapidement qu'elle l'avait imaginé.

J'emmenai le mari boire un verre quelque part et je l'écoutai se plaindre des prix exorbitants pratiqués par les prostituées anglaises.

Tout ce que je pus lui dire, c'est qu'en Grande-Bretagne, la vie pouvait se révéler plus coûteuse encore.

17

Henry s'était mis dans un drôle de pétrin, les ennuis commençaient à se répandre autour de lui et à nous toucher tous.

Sur mon répondeur, j'avais un message de sa fille, Lisa. Elle m'en laissa un deuxième. Ce n'est pas tant qu'elle souhaitait me voir : elle devait absolument me voir. Elle était aussi exigeante et tenace que tout le reste de sa famille. De la même manière, elle s'attendait à ce que les autres s'inclinent. J'étais occupé avec des patients, avec Rafi, mais ma stupide curiosité fut plus forte et je l'invitai à prendre le thé.

J'avais toujours aimé les récits qu'Henry faisait des aventures de sa fille. Au fil des années, je l'avais croisée à quelques reprises, avec son frère la plupart du temps. Étant enfant, elle vivait au milieu d'artistes, d'hommes politiques. Elle avait tenu un piquet de grève en 1986 devant les bâtiments du *Sunday Times* à Wapping et elle passait ses week-ends à Greeham Common. Elle avait fait sa scolarité dans des établissements très coûteux, puis elle avait entamé des études de sociologie à l'université du Sussex.

Avec un tel pedigree, elle n'avait eu d'autre choix que de tout plaquer avant les examens de fin d'année pour aller s'installer dans un arbre qui se trouvait sur le trajet d'une autoroute. Henry pouvait difficilement la critiquer. N'était-ce pas lui qui l'avait emmenée manifester contre les armes nucléaires avec E. P. Thompson et Bruce Kent ? Quand elle décida de quitter son arbre, Henry crut bel et bien qu'elle reprendrait le cours « ordinaire » de sa vie. Lui ou Valerie téléphonerait à l'un de leurs amis et sa carrière serait lancée.

Mais elle décida de devenir assistante sociale de choc. Elle prenait son vélo pour aller voir des vieilles et des vieux, alcooliques et fous. Elle refusait d'« interner » les gens pour éviter de les mettre de force en soins psychiatriques. Elle quitta la maison de ses parents afin d'aller vivre dans une résidence pour mères célibataires toxicomanes. Son appartement, qui se trouvait tout en haut de l'immeuble, avec une vue impressionnante sur Richmond Park, était toujours plein de Palestiniens et autres réfugiés. Parfois, elle allait balancer de la peinture sur un McDo ou elle faisait une descente dans des magasins qui avaient des rayons porno, qu'elle vidait intégralement dans des sacs-poubelle. « J'espère que c'est pour les chômeurs », me souffla Henry.

Les jeunes hippies de l'époque ne trouvaient pas que son comportement était si extraordinaire. À leurs yeux, le non-conformisme était une nécessité. Henry se disait qu'elle était un prolongement réussi de lui-même. Mais il se faisait du souci. « Ma fille est typiquement le genre de personne qui cherche à jouer les boucliers humains. Comment se fait-il qu'elle ait décidé de porter la misère du monde à elle toute seule ? D'où vient ce masochisme, cette culpabilité ? Tant qu'elle dirige sa colère contre elle-même, tout va bien. Mais le jour où elle va la retourner contre les autres, on aura intérêt à faire gaffe. »

Elle venait chez moi à vélo, juste après le travail. Elle

avait les cheveux qui lui arrivaient dans le dos. Ils formaient une tignasse épaisse, mal lavée bien sûr, signe qu'elle refoulait sa féminité. Je ne pensais pas qu'elle était lesbienne pour autant. On m'avait raconté qu'elle avait tenté l'expérience mais qu'elle avait échoué, comme beaucoup.

Elle trimballait toujours deux ou trois sacs à dos et ressemblait à un ver de terre en position debout. Elle avait les ongles sales, les bottes crottées et ses vêtements babacool tombaient en lambeaux. Elle ne se maquillait pas, ne s'apprêtait d'aucune manière. Sur son visage, elle avait des petites veines rougies par le froid qu'elle aimait affronter. Elle avait l'air fatigué, comme si elle faisait du terrassement depuis des semaines.

J'avais l'impression que ça ne faisait pas si longtemps qu'elle, moi et Henry avions participé à la manifestation de février 2003, où deux millions de personnes avaient marché sur Hyde Park pour s'opposer à la guerre en Iraq. Mais, deux ans plus tard, nous étions enlisés dans un conflit interminable, ce qui n'avait pas arrangé son caractère, ni celui de quiconque, d'ailleurs. Tandis que je lui préparais une infusion d'orties, nous arrivâmes à la conclusion que nous habitions un pays gouverné par un névrosé enchaîné à un impérialiste fou doublé d'un évangéliste. Elle devait être la dernière marxiste vivante en Occident mais j'aimais sa nature passionnée. Pourtant, ce fut notre dernier point d'accord.

« L'autre jour, je suis allée voir Henry. Il était bientôt midi. Sam était dans un état indescriptible à cause de son déménagement. Tu connais l'histoire ? »

J'étais penché en avant. « On m'a raconté.

— Henry a refusé de lui rendre ses affaires, ce qui était vraiment gamin de sa part. Sam pouvait se débrouiller sans vêtements mais il a tout son travail sur son ordinateur. Je lui ai dit que j'irais le récupérer à sa place : advienne que pourra. Je voulais voir Henry. »

Un autre locataire, terrifié par les femmes comme Lisa, l'avait laissé entrer dans l'appartement de son père. En général, il ne fermait pas sa porte à clé, comme avait pu le constater la « femme aux mules ». Lisa n'eut qu'à suivre l'odeur fétide qu'il dégageait pour le trouver.

« Il était à moitié dans les vapes. Il avait vomi. Il y en avait plein le lavabo. Il aurait pu mourir. Par terre, il y avait des vêtements fétichistes, d'autres objets encore. Un masque en cuir. Je lui ai dit : "Qu'est-ce que c'est que ça ?"

— Et alors ?

— Il m'a répondu : "Au cours des derniers siècles, on a utilisé ces masques pour des danses rituelles." »

Je dus me mordre la main pour ne pas rire.

Elle poursuivit :

« Oui, encore une de ses blagues, mais je déteste les blagues maintenant. Il était sorti en boîte. Quand je lui ai demandé ce qu'il avait pris, il m'a répondu de l'ecstasy et du Viagra, les deux ensemble ! »

Henry n'était pas en état de se lever. Il lui dit que Bushy amènerait Miriam un peu plus tard. Elle l'aiderait.

« De le voir étalé là, gémissant, je me disais que j'aurais moins de mal à sortir le *Titanic* de l'eau qu'à le mettre debout, lui. » Elle me lança un regard plein de reproche. « Je me suis assise à côté de mon épave de père.

— Dans quel état était-il vraiment ? »

Apparemment, Karen avait alpagué Valerie en lui expliquant que si Henry ne finissait pas son documentaire, le projet tomberait à l'eau. Enfin, Karen elle-même, qui avait un certain nombre de problèmes financiers, serait comptable de cette affaire sur ses deniers personnels. D'après Valerie, Henry avait refusé d'autres propositions de travail,

pas uniquement dans l'enseignement, prétextant qu'il était
« en retraite » et qu'il n'avait « plus rien à dire ».

« Je lui ai demandé s'il voulait voir un médecin, reprit
Lisa.

— Il était si mal en point ?

— Quand il a pu aligner quelques mots, il était plutôt
de bonne humeur. C'était peut-être ce qu'il avait pris. Je
ne saurais pas dire : je n'ai jamais voulu me polluer avec
cette merde. Et toi ? »

Je gardai le silence.

« Mais, tu sais qu'il a eu un accident cardiaque. Il a failli
mourir. Comment ta sœur peut-elle le laisser prendre des
amphétamines ? Elle veut le tuer ?

— Je ne crois pas. Henry est têtu, tu le connais. Il fixe
ses propres règles. C'est ce qu'on aime chez lui.

— Il me semble que j'ai déjà croisé ta sœur à un
moment ou à un autre. Je n'ai rien contre elle. Mais je
voulais te demander : qu'est-ce qu'ils font ensemble ?

— C'est sûr, Miriam est une mère célibataire et musulmane. Elle a un lourd passé de maltraitance. Elle n'a pas
vraiment de tabous et va droit au but. Ton père est un
homme libre, célibataire, et c'est ce qu'il aime chez elle. »

Lisa était assise sur le bord du divan. Elle attendait que
j'en aie fini avec mes banalités pour repartir dans ce rap
qu'elle avait répété avant de venir.

« Nous savons mieux que personne comment prendre
soin de lui, alors que ta famille est plutôt négligente. » Elle
semblait hésiter, mais je savais qu'elle avait à peine commencé. « Mais pourquoi tu t'intéresserais à nos petits problèmes ? Je sais que tu passes beaucoup de temps à réfléchir aux dilemmes terribles des stars de cinéma et des gens
célèbres. Est-ce qu'ils n'ont pas dit, dans les journaux, que
tu étais le thérapeute des stars ?

— Tu sais bien que ça n'a rien à voir. Même si je reconnais que j'utilise mon métier pour fréquenter les gens qui m'intéressent. Ce matin, justement, je me demandais si Kate Moss accepterait de me rencontrer. Comment ne pourrait-on pas m'envier ça ? Sinon, je n'ai pas lu cet article dont tu parles. Et toi ?

— Bien sûr que non. »

Les années passant, plusieurs sportifs m'avaient contacté. Comme ils s'étaient donné la peine de maîtriser le fonctionnement de leur corps, ils se disaient qu'ils pourraient aussi inculquer l'obéissance à leur esprit. Quand ça ne marchait pas – quand, d'une certaine manière, ils commençaient à s'intéresser à la relation esprit / corps , ils venaient chercher de l'aide.

L'incident auquel Lisa faisait référence avait impliqué un footballeur que j'avais vu plusieurs fois. Des paparazzi l'avaient suivi alors qu'il se rendait à mon cabinet. La presse avait publié des photos où on le voyait devant chez moi, avec un bout de la tête de Maria alors qu'elle ouvrait la porte. Partout, on s'était moqué de sa détresse. On disait qu'il était fou.

« Ça doit être l'enfer, les soucis des gens célèbres. De fait, mon père a arrêté de voir ses vieux amis. Apparemment, ils l'ont ennuyé pendant des années. Ces gens-là sont connus, bien en vue dans leur domaine. Mais ils ne sont pas particulièrement intéressants. Il a démissionné des deux conseils où il siégeait. Quant à ces endroits où il se rend avec Miriam...

— Quels endroits ?

— Des clubs de fétichistes. C'est sordide, et les gens qui les fréquentent ont des tas de maladies. Tu penses que les femmes y vont de leur plein gré ? C'est du viol. Leur mari les force à avoir des relations sexuelles avec des dizaines de types. »

Laquelle des filles du roi Lear était-elle ? Je me demandais combien de temps j'allais résister au plaisir de la souffleter d'une petite phrase bien sentie.

« Tu t'inquiètes pour ton père. C'est sûr, il a un peu changé. Mais tout va rentrer dans l'ordre.

— Arrête ton char avec tes conneries de charlatan ! »

Elle avait clairement hérité de la verdeur du langage de sa mère.

« Charlatan ? »

Elle regardait la carte postale de Freud posée sur mon bureau. Un patient enthousiaste me l'avait envoyée. « Freud est complètement discrédité. L'envie du patient... » Elle s'interrompit. « Je veux dire, l'envie du pénis. Bordel ! » Elle ne put s'empêcher de rire.

« Tu veux dire : tout ça pour un truc qui ne tient pas ses promesses ? » Je ris avec elle.

« Jamal, mon père t'aime beaucoup. Il t'écoute. Valerie aussi. Mais il file un mauvais coton et tu dois assumer tes responsabilités. »

Ce mot. Responsabilités. Quand je regardais les séances de « torture » télévisuelles de Miriam, c'était le mot qui revenait le plus souvent, si on mettait « je » de côté. Assumer ses actes. Se voir comme un acteur plus que comme une victime. Je suis à fond pour la responsabilité. Qui ne le serait pas ? Nous sommes tous responsables de nous-mêmes. Mais ça recoupe quoi exactement ces « nous-mêmes » ? Où commencent-ils et où s'arrêtent-ils ?

« Oui. Il est responsable de ce qu'il fait. Pas moi. Certainement pas toi. Lui. Juste lui. Toi et moi, nous sommes hors jeu, ajoutai-je en me dirigeant vers la porte. On doit se réjouir pour eux deux, pour le bonheur qu'ils s'apportent l'un à l'autre. Espérons qu'ils se marient ou, au moins, qu'ils vivent ensemble.

— Qu'ils se marient ? Qu'ils vivent ensemble ? Tu es

dingue ? Ces deux-là ? Où es-tu allé chercher une idée pareille ? C'est réaliste, ça ? »

Je faisais le malin. Elle m'agaçait : je ne pouvais que la provoquer.

« J'aime bien que les autres soient heureux », insistai-je.

Elle rassemblait déjà ses affaires. Elle me demanda si ça me dérangeait qu'elle emporte quelque chose chez elle. Elle parlait du sachet d'infusion que j'avais utilisé. Elle voulait le récupérer pour le mettre dans son compost. Elle l'essora avant de le mettre dans une des poches de son sac à dos.

Arrivée à la porte, elle me dit :

« Je ne laisserai personne détruire mon père. »

Ses bottes avaient laissé des traces de terre sur le sol. Elle « oublia » également un de ses sacs. Mes patients oubliaient souvent des parapluies, des manteaux aussi bien que des pièces de monnaie, des briquets, des préservatifs, des tampons hygiéniques et d'autres objets qui tombaient de leurs poches et que je retrouvais sur le divan. C'était autant une sorte de paiement qu'une forme de lien. Je savais que Lisa reviendrait.

Je la revis deux jours après.

« Merci de me supporter », me dit-elle, comme si j'avais le choix. Elle s'assit sur le divan, relevant sa jupe au-dessus de ses bottes. Encore un tissu coloré – ethnique, comme moi. Elle m'observait tandis que je regardais ses jambes. Elle sourit. « Tu savais que Valerie avait un dessin d'Ingres sur le mur de sa chambre ? Il est un peu caché au milieu de tout un tas de bazar, des objets de valeur, des photos de famille, j'en passe, mais il est bien là. J'imagine que, pour toi, c'est une preuve d'insouciance. Mais as-tu une idée de son prix ? »

Elle me regardait mais je ne dis rien.

« Valerie dit que tu es un sphinx qui n'a pas de secret.

Normalement, tu n'es pas celui qui est "censé savoir" ? »
Elle se tut un instant. « Ah, tu acquiesces. Mais dis-moi,
comment fais-tu pour rester de marbre, Jamal ? Cette
façon que tu as d'être là. On t'a appris à faire ça ?

— Non, je ne crois pas.

— Tu ne t'agites pas, tes mains ne bougent pas, tes
yeux non plus. Ton regard reste doux et inflexible. Et ce
petit sourire de Joconde, qui semble dire que tu sais tout
au fur et à mesure qu'on te dit tout... Rien de tel pour persuader une fille que tu entends les murmures de son âme.
Je parie que tes patients rêvent de te ressembler. » Elle me
souriait. « Je pourrais rester une éternité avec toi ici, au
milieu des livres, des CD, de ces belles photos.

— Ce sont toutes des photos prises par des amis.

— Et les esquisses ?

— C'est mon épouse Josephine.

— Je vois aussi les dessins de ton fils. Et le nombre de
photos de lui ! Contrairement aux amis de ma mère, tu
n'exhibes pas tes richesses, ni ton pouvoir. »

Il y eut un moment de silence.

« Tu n'es pas censé donner de conseils, reprit-elle. Vous
autres, shamans, vous n'aimez guère reconnaître que vous
soignez les gens, quand vous en êtes capables.

— La différence entre la thérapie et l'analyse, c'est que
dans une thérapie, le thérapeute pense qu'il sait ce qui est
bon pour toi. Dans une analyse, tu découvres ça par toi-
même.

— Qu'est-ce que tu dirais si tu avais un patient en
train de se détruire ?

— Je le mettrais en garde.

— Jamal, s'il te plaît, tu veux bien me voir ? En tant
que patiente, je précise. »

Je lui répondis que je pouvais lui recommander plusieurs bons analystes mais que je ne pouvais la prendre en

consultation. Je l'appellerais pour lui proposer des noms. Mais si elle était pressée, je pouvais lui trouver deux ou trois numéros de téléphone tout de suite.

« Pourquoi tu refuses de m'aider ? J'ai pris les deux livres que tu as écrits. Ils étaient chez maman. Je les ai lus. J'ai regardé de près les essais que tu as mis en ligne. Comme tous les bons artistes, tu me donnes l'impression que tu n'écris que pour moi. Tu pourrais répondre à une question ? Qu'est-ce qui se passe quand tu as le sentiment que toutes tes discussions sont de mauvaises discussions et que tu n'as pas les bons interlocuteurs ? »

Pendant que je feuilletais mon carnet d'adresses tout en attrapant un papier et un crayon, elle s'était allongée sur le divan.

« Lisa.

— Il faut que je te raconte ce qui s'est passé.

— Ce qui s'est passé quand ?

— Quand j'ai appelé Henry, et que nous avons décidé de dîner tous les deux, pas très loin des studios de Riverside. Lorsque je suis arrivée, elle était là.

— Qui ?

— Ta chère sœur. Elle n'est pas invitée, mais peu importe. Et la voilà qui commence à parler. Capricorne ascendant, ou est-ce que c'était descendant ? Les sorciers qu'elle a connus. Les cours de danse du ventre. Comment se procurer du Botox pas cher. L'émission de télé-réalité *Big Brother*. Je te passe les détails. Un programme de télé-réalité à elle toute seule. Et lui qui n'en perd pas une miette. Je me dis : "Comment connaît-il *Big Brother* ?" Elle l'enregistre pour lui. C'est trop mignon ! Et alors, tu sais ce qu'il fait ?

— Quoi donc ?

— Il me montre les places qu'il a achetées pour le concert des Stones.

— Il t'a dit s'il m'en avait pris une ?

— Qu'est-ce qu'il fabrique, mon père ? Il a un retour d'adolescence ? Elle nous l'a volé. Il a raté mon enfance parce qu'il avait des gens plus intéressants à fréquenter. Mais depuis deux ans, on déjeunait ensemble une fois par semaine. Maintenant, je ne le vois plus, il n'a plus besoin de mes conseils. Et quand j'arrive à déjeuner avec lui, elle se pointe. Il s'excuse, me dit qu'il me comprend. Il veut bien qu'on se voie. Mais il me parle d'elle sans cesse – l'arthrose qu'elle a aux mains, ses souffrances. Il me fait cette terrible déclaration : "Myriam m'a libéré de mon insupportable éducation bourgeoise. Tout ce en quoi j'ai cru, tout était stupide, faux, stérile !"

— Il n'y a plus de place pour toi ?

— Je lui dis : "Si tu ne fais rien pour te reprendre en main, c'est moi qui vais le faire." »

Elle commençait à ranger ses affaires et s'apprêtait à partir.

« Tiens. Prends ce numéro, lui dis-je. Ce thérapeute est un ami. Et il écrit bien. »

Elle jeta un œil sur le papier, le plia et le rangea dans sa poche. « Tu as une foi extraordinaire en ces gens.

— Les premiers analystes se sont vraiment posé la question de la structuration mentale de l'être humain – ce que signifie être un enfant, avoir une sexualité, vivre avec les autres, être partie prenante d'une société ou d'une civi-lisation, être un animal sexué, mâle ou femelle, et devoir mourir. Ils savaient que chaque heure du temps passé (« perdu », comme dirait Proust) est inscrite dans notre corps et le constitue. Il n'y a rien qui soit plus important ou plus prenant, tu ne crois pas ? »

Ayant mis la main sur les biographies de Melanie Klein et d'Anna Freud, je les lui donnai.

« Ce sont des femmes fascinantes. Des pionnières. Des intellectuelles radicales.

— Merci. Ça fait longtemps qu'on ne m'a pas orientée dans un sens ou dans un autre. Mes parents attendaient juste que je réussisse. »

Elle poursuivit :

« Avant que nos "clients" ne viennent me voir, ils passent chez leur médecin. Il leur prescrit des médicaments qu'ils peuvent prendre pendant des années.

— Quelqu'un rompt avec sa petite amie et on lui donne un traitement, comme si la douleur n'était pas naturelle.

— Les médecins n'ont pas le temps d'écouter leurs patients. Ils consacrent dix minutes à chacun. Et donc, moi, j'écoute, j'y passe la matinée. Ensuite, j'ai des ennuis parce qu'on me reproche d'être lente.

— Si Freud était un révolutionnaire, c'est parce qu'il ne droguait pas les gens, il ne les hypnotisait pas, il ne leur donnait aucun conseil. Il ne voulait pas les infantiliser. Il écoutait. Il consignait leurs histoires par écrit. »

Quand je vis Henry la fois suivante, je lui racontai que Lisa était venue me voir.

« Tu ne crois pas que, moi aussi, j'aime voir Lisa ? me dit-il avec inquiétude. Et voilà qu'elle me traite d'enfoiré, m'accuse d'être victime de mes illusions. Je suis vraiment bête de souhaiter qu'ils s'entendent bien, tous. Je sais, je ne tiens pas compte de la nature humaine de base. »

Nous avions tous les deux d'autres choses à nous dire et nous avons changé de sujet, néanmoins l'histoire ne s'arrête pas là. Je ne croyais pas un instant que Lisa irait voir le thérapeute que je lui avais recommandé, mais je n'avais pas cerné la gravité de son état.

Le lendemain, avec Rafi, nous rendîmes visite à Miriam.

Tandis qu'il téléchargeait des sonneries de téléphone avec les autres gamins, je regardai ma sœur, assise à sa table. Je m'aperçus que ses mains tremblaient.

« Qu'est-ce qui ne va pas, ma frangine préférée ?

— Lisa est venue à la maison. C'est une sacrée chipie, celle-là. Comme c'est la fille d'Henry, j'essaie d'y aller mollo.

— Comment ça, mollo ? » lui demandai-je, un peu mal à l'aise.

Je voulais passer à table, me détendre, mais Miriam m'envoyait de mauvais signaux. Elle me servit quand même à boire.

« Où est Lisa en ce moment ?

— Aux urgences. Je me doute que ses parents ont dû se précipiter à son chevet.

— Aux urgences ? Comment est-elle arrivée là-bas ?

— Tu n'as pas une petite idée ? »

Je me levai, prêt à partir.

Elle m'attrapa par la manche. « Je t'en prie, reste, frangin. Tu sais que j'ai besoin de toi ce soir. »

Après sa deuxième visite chez moi, Lisa avait sonné chez Miriam en disant qu'elle voulait la voir. Miriam se demandait si c'était une bonne idée, si elle ne ferait pas mieux d'en parler avec Henry d'abord, mais Lisa était entrée. Elle avait dû passer dans la rue par hasard.

Elle se dirigea tout droit vers la cuisine et s'installa. « Juste là, sous mon nez ! » Lisa jeta un regard en direction de Bushy, lui montra la porte en précisant qu'elle et Miriam avaient à parler toutes les deux. Bushy sortit en traînant les pieds et décida d'aller s'occuper de la voiture, ce qui lui permettait de rester à proximité. Il devait avoir un mauvais pressentiment.

Lisa commença à dire qu'elle s'excusait de s'imposer comme ça, etc. Mais, l'instant d'après, elle demandait à

Miriam de laisser son père tranquille. Elle supplia. Elle pleura. Elle invoqua son accident cardiaque. Puis elle commit sa première grosse erreur en proposant de l'argent à Miriam. Elle lui offrit 2 000 livres, en échange de quoi elle devait accepter de ne plus le voir.

Miriam demanda à Lisa ce qui lui faisait penser qu'elle avait besoin d'argent.

Lisa, qui voyait tous les jours des familles pauvres et démunies, regarda la maison décrépie, grouillante d'animaux et d'enfants, avec un mépris certain, comme sa mère aurait pu le faire. Je voyais très bien ce à quoi Miriam faisait allusion. Moi aussi, je sentis mon corps trembler sous l'insulte. J'avais un goût de bile dans la gorge.

À partir de là, Lisa mit la patience de ma sœur à rude épreuve, ce qui est rarement une bonne idée. Au dire de Miriam, la jeune femme transpirait abondamment. Elle était hirsute et ne se lavait probablement jamais entre les doigts de pied. « J'aurais dû lui demander de désherber le jardin. »

C'est sûr, Lisa se trompait si elle pensait que Miriam allait craquer. Elle surenchérit, disant que la seule chose qui attirait Miriam, c'était la réputation et l'argent de son père. Si Henry avait été un homme quelconque, elle ne se serait jamais intéressée à lui. Elle insinuait que Miriam était une vieille groupie, une prostituée même.

Miriam sentait la moutarde lui monter au nez. Mais elle aimait Henry, elle n'avait jamais autant adoré un homme. Elle ne voulait pas que les choses dégénèrent. Après tout, Lisa était la chair de sa chair. Cet affrontement le crucifierait. « Il faut que je mette cette garce dehors, se dit-elle, c'est tout ce qu'il me reste à faire. »

Elle ordonna à Lisa de quitter la maison. Elle dit ça en haussant le ton, lui laissant une minute pour déguerpir. Elle ajouta qu'elle allait lâcher les chiens. Ils aboyaient déjà dehors. Malgré tout, Lisa s'efforçait de prolonger la conversation. Mais Miriam n'est pas de ces bavardes prétentieuses de la classe moyenne, qui vous soûlent de paroles. Dans sa tête, tout commençait à se bousculer. Elle avait atteint sa limite.

Ses doigts rampaient en direction d'un de ses nombreux téléphones portables et, avant même de comprendre ce qu'elle faisait, elle l'avait transformé en projectile. Lisa le reçut en pleine tête. Ce fut un coup bien ajusté, qui vint lui fracasser la pommette. Puis Miriam lança diverses autres choses, des flacons de médicaments, des vidéos, des livres d'astrologie, qui atterrirent à d'autres endroits sur la tête de Lisa.

Celle-ci fit demi-tour et se rua sur ma sœur. Lisa est quelqu'un de costaud : elle fait de l'aviron et de la boxe féminine. Les gosses hurlaient. Miriam était complètement dépassée. Telle une folle furieuse, Lisa se mit en position de combat, les poings levés. Bushy réussit à s'interposer, coupant court au crêpage de chignon avant que les couteaux ne soient de sortie.

Il poussa Lisa dehors afin d'éviter un dérapage fatal. Il la poussa jusque dans la rue, où elle retrouva son vélo. Mais, dans ce quartier mal famé, celui-ci n'avait plus ni roues ni selle : ce n'était plus qu'un squelette de vélo. Bushy brandit alors un morceau de bois, pour défendre l'entrée de la maison. Miriam l'avait suivi, un couteau à la main. Elle menaçait de taillader le visage arrogant de cette fille de classe moyenne, lui promettant un remodelage qui lui donnerait meilleure mine !

Je me tortillais d'angoisse à l'écoute de ce récit, quand mon téléphone portable sonna. C'était Henry : je n'avais pas eu le temps de prendre ses appels ce jour-là. J'arrivais à peine à comprendre ce qu'il disait. Il était complètement stressé, abruti par le shit et les Tranxène. Pour couronner le tout, il avait égaré les billets pour le concert des Stones. Il avait retourné l'appartement de fond en comble et ne savait plus quoi faire. Lisa l'avait appelé, hurlant qu'elle était à l'hôpital et qu'elle irait porter plainte au commissariat. Elle ferait tout pour qu'on arrête Miriam pour injures, coups et blessures, tentative d'homicide. Henry, lui, ferait tout pour qu'elle arrête son cirque.

Je finis par comprendre que Lisa lui avait dit :

« Tu me tues !

— Moi, je te tue ?

— Oui ! »

Et elle avait même ajouté :

« Tu verras l'effet que ça te fera le jour où tu me retrouveras pendue ! »

Au cours de cette journée, Miriam avait dit à Henry que c'était trop lourd pour elle. Elle aimait Henry mais elle refusait de le voir tant qu'il n'aurait pas mis les choses au clair avec sa fille. Elle était désolée qu'Henry se retrouve tiraillé entre deux femmes mais, dans l'immédiat, elle voulait prendre un peu de recul. Elle ne pouvait pas courir le risque de voir cette folle débarquer chez elle pour menacer ses enfants et ses animaux.

Elle savait aussi qu'elle était affreuse, bête, qu'elle ne sentait pas bon, qu'elle ne valait rien et qu'aucun homme n'avait envie d'approcher son visage du sien. Malgré tout, elle ne pouvait supporter qu'on la rejette, ni que Lisa revienne l'insulter. Maintenant qu'elle savait ce qu'être aimée signifiait, elle ne se sentait pas assez forte pour affronter la haine de Lisa.

À l'autre bout du fil, Henry n'avait pas la moindre idée de l'endroit où il était, mais il savait ce qu'il voulait : que personne ne blesse Miriam et qu'ils puissent vivre la vie qu'ils avaient commencé à mener tous les deux. Il se mit à pleurer, à supplier, mais je ne comprenais rien à ce qu'il disait. La ligne fut coupée.

Un peu plus tard, je regardais la Ligue des champions à la télé, tout en digérant tant bien que mal les récents événements. Rafi cherchait ses chaussures et se recoiffait. Henry surgit dans la pièce, l'air hagard, comme s'il sortait d'une tempête.

Il se précipita dans les bras de Miriam. Bientôt, tous les deux sanglotaient, s'excusaient, se pelotaient les fesses.

Henry disait entre ses larmes :

« Mais je ne te rejetterai jamais, moi. Jamais ! Tu le sais bien ! Tu es mon amour, mon âme, ma petite saucisse adorée ! Pour toi, je suis prêt à rejeter toute ma famille ! Comment peux-tu penser que je vais te laisser tomber alors que j'ai envie qu'on se marie ?

— Tu dis ça pour me remonter le moral...

— Non, non... »

Rafi, qui venait d'arriver, n'en croyait pas ses yeux.

Peu de temps après, ils passaient des coups de fil à droite, à gauche, essayant de trouver où ils pourraient bien aller ce soir-là pour « jouer ».

J'allais partir quand Henry me dit, en se tapotant les poches :

« Au fait, j'ai retrouvé les places pour les Stones. Ça roule : on y va ! »

18

En dépit de toute la sympathie que j'éprouvais pour Henry et ses souffrances, il me fallait bien lui dire : « Qu'y a-t-il de plus gratifiant pour un homme que de voir deux femmes se battre pour lui ? Ce serait tellement plus pénible si elles s'entendaient ! »

Il était sous le choc. « Pas de plaisir sans un prix à payer ? Je déteste reconnaître que tu as raison mais peut-être que là, tu vois juste, admit-il avec un certain soulagement. Et à mon âge ! Tous les don Juan déclenchent le chaos. Ils ne nous facilitent jamais la tâche ! C'est ça, les coups de boutoir du désir. Tant que les femmes ne vont pas trop loin, pourquoi me plaindrais-je ? La plupart des gens sont si bien élevés, ajouta-t-il sur le ton de la confidence. Tout en s'acheminant vers la tombe, ils se demandent s'ils n'auraient pas dû être plus méchants. Ils savent que la réponse est dans la question. Jamal, merci d'être là ! Je suis désolé d'avoir semé une telle pagaille dans la vie de ta sœur. »

Même si elle avait accepté de le revoir, Henry avait été effondré de constater que Miriam avait pu le renvoyer de cette manière. Il était décidé à se l'attacher encore plus étroitement. C'était pourquoi il voulait que le concert des Stones soit une réussite. Subjugué par la décadence du groupe, avec juste un quart de siècle de retard, Henry était dans un état d'excitation que je ne lui avais pas connu depuis longtemps. Il m'appelait tous les jours. Si j'étais en consultation, il discutait avec Maria, qui ne comprenait pas un traître mot de ce qu'il racontait. Elle aimait Puccini.

Henry avait obtenu les billets par l'entremise d'un ami costumier qui travaillait à présent pour le groupe. Il était prévu qu'ils jouent à l'Astoria, à Tottenham Court Road. J'avais déjà vu les Stones avec Ajita et Mustaq mais pour Henry, c'était une première (même s'il disait qu'il était « tout près » de Hyde Park lors du concert où Jagger portait une robe d'Ossie Clark, juste après la mort de Brian Jones).

Marianne Faithfull avait joué dans un des spectacles sur lesquels il avait travaillé comme assistant, à la fin des années 1960. Ils étaient restés amis, malgré son tempérament de diva. Mais, pour ce qui était du rock'n roll, Henry avait toujours été un peu snob. Il était incapable de trancher entre mouvance frelatée et courant révolutionnaire. Il détestait danser et avait horreur de cette musique tonitruante. Il avait toujours été ambivalent vis-à-vis des joies « vulgaires », mais là, il se disait que ça allait impressionner Miriam. Et elle fut impressionnée.

Henry avait égaré les billets, les avait retrouvés, puis il les avait perdus pour finalement les retrouver. Enfin, ce fut le grand jour. Miriam et Henry passèrent l'après-midi à acheter des vêtements noirs au marché de Camden. On avait tous mis nos tenues les plus excentriques, ainsi que des chaussures confortables. Bushy nous déposa tous les trois à Soho Square. Il y avait toujours du monde à Soho ces derniers temps mais, ce soir-là, c'était vraiment bondé.

« Au risque de passer pour l'une des vos vieilles tantes, j'ai envie de dire : "Faut-il impérativement faire la queue ?" demanda Henry alors que nous approchions de la file d'attente. Est-ce qu'on a les bons billets ? Il n'y a pas d'entrée spéciale ?

— Eh bien, si : c'est là, l'entrée spéciale. »

De nombreux spectateurs attendaient déjà devant le bâtiment. Des revendeurs achetaient et vendaient des places. L'atmosphère était chaude, tendue. Les gens étaient au bord de l'émeute, scène inimaginable au théâtre ou à l'opéra. Henry remarqua : « Ça ne se passe jamais comme ça quand je fais un spectacle ! »

Même après toutes ces années, le public était dingue des Stones, ce groupe qui faisait partie intégrante de la légende londonienne et qui venait jouer à domicile dans une petite salle. Des grappes de photographes se contorsionnaient derrière les barrières pour prendre le cliché de telle ou telle star de la télé qui arrivait, couverte de quincaillerie étincelante. Miriam devait les signaler à Henry, qui ne les connaissait pas. C'est elle aussi qui repérait les enfants des rockeurs que nous avions adorés dans les années 1960. Ils incarnaient la dynastie montante, dont le capital social n'était pas sans évoquer les grandes familles nobles de l'*Ancien Régime**.

À l'intérieur, alors que je me dirigeais vers le bar, je me retrouvai nez à nez avec la « femme aux mules ». Elle était accompagnée d'un beau garçon, portait des lunettes cerclées de noir. On aurait dit un mannequin qui aurait décidé de devenir bibliothécaire. On se fit la bise. Elle me demanda des nouvelles d'Henry.

« Toujours égal à lui-même. Ça vous dirait de dîner avec nous deux un soir de la semaine prochaine ? »

Elle accepta. Mais, avant que nous ayons arrêté quoi que ce soit, une clameur retentit : le groupe était sur le point d'entrer en scène. Les gens se précipitèrent.

Depuis trente ans, les Stones réussissaient à ne pas laisser transparaître leur ennui quand ils jouaient Ils savaient comment s'y prendre pour faire un bon spectacle, Keef tout particulièrement. Le ravissement de Miriam suffisait au bonheur d'Henry, qui était aussi fasciné par l'excitation du public que par le groupe lui-même. Au théâtre, il aimait bien s'asseoir au fond, ce qui lui laissait le loisir d'observer les spectateurs. Il disait que pendant qu'elles regardaient une pièce, les femmes se caressaient les bras, les jambes, le visage. (« Comme elles sont douces avec elles-mêmes, disait-il. Je me demande si c'est comme ça que leur mère les caressait quand elles étaient bébés. ») Au concert des Stones, il avait pu s'installer juste au bord du balcon et il avait adoré. Malgré l'état de ses genoux, Miriam semblait momentanément revenue à la vie. Elle se mit à danser sur *Street Fighting Man*.

Alors que nous quittions la salle pour rejoindre Bushy qui nous attendait derrière Centre Point, l'ami d'Henry nous rattrapa pour nous proposer d'aller au Claridge où Mick organisait une petite soirée privée. Tom Stoppard, qu'Henry connaissait un peu, avait laissé entendre que ce dernier apprécierait sans doute de rencontrer la star. Bushy nous y conduisit.

Au fur et à mesure que nous approchions, Miriam avait l'air de moins en moins enthousiaste. Elle disait qu'elle avait l'impression de « perdre pied ». Elle ne s'était jamais trouvée dans la même pièce qu'un « chevalier du royaume » (fallait-il l'appeler « Sir » ?). Elle essaya de convaincre Bushy de la ramener à la maison.

« Allez, ce sont des bêtises, Miriam, lui dit Henry. Je ne veux pas t'entendre dire ça. Une fois là-bas, tu verras, Mick est un mec cool, précisa-t-il comme s'il le connaissait. C'est une vraie personne, comme nous. Il n'est pas comme...

— Comme qui ?

— Ozzie Osbourne. »

Henry et moi n'y serions pas allés sans elle : nous lui avons promis que nous ferions la conversation. Des filles chargées des relations publiques, des pique-assiettes déambulaient nonchalamment dans le somptueux hall d'entrée. Bushy avait mis une casquette à visière toute cabossée qui traînait dans le coffre de la voiture et il avait tenu à monter avec nous. Dans l'ascenseur, il y avait un grand miroir : il se composa une attitude empreinte de déférence, puis lança un clin d'œil complice aux agents de la sécurité, tout en se tapotant le nez, comme s'il cherchait à attirer l'attention sur un secret qu'il y aurait dissimulé. Bushy espérait qu'on le prendrait pour quelqu'un qui travaillait là et qu'il pourrait ainsi approcher Mick. En tant que joueur de blues, il le vénérait comme un dieu.

Jagger était là, décontracté, en pleine forme. Il donnait l'impression d'avoir tout vu, d'avoir tout compris, ou presque. Au début, il accueillait ses invités avec sa belle grande compagne. Puis, alors que chacun se servait à boire, Jagger mangeait, relevait ses messages électroniques, lisait la presse, bavardait avec ses amis, sa fille Jade. Henry commençait à avoir faim. Il était sidéré de constater que le chanteur mangeait quasiment sous son nez sans lui offrir de partager un morceau. Finalement, Jagger, plein d'enthousiasme, demanda qu'on apporte des sandwiches à Henry. Celui-ci fut ravi de décliner son offre.

Mick fut séduit par les tatouages de Miriam. Elle dit qu'elle avait été influencée par *Tattoo You*. Puis elle se retrouva sur le balcon qui donnait sur la ville, à deviser avec une fille très snob qui était scientologue. Même si riches et pauvres partagent cet attrait pour la superstition, Miriam n'en était pas au point de vénérer le dénommé Ron.

Nous formions un petit cercle où l'on discutait de Blair, de Bush, de Clinton, sur lequel Henry avait beaucoup à dire. Jagger était plus discret. J'annonçai qu'il commençait à se faire tard pour moi, et Jagger répondit qu'il se couchait rarement avant quatre heures du matin mais qu'il faisait toujours ses huit heures de sommeil. Avec Henry, ils se lancèrent dans une discussion sur les somnifères, le chanteur lui disant qu'il s'en méfiait à cause de la « dépendance ». Les gens continuaient à aller et venir comme si, pour le Tout-Londres, c'était la chose la plus naturelle à faire à une heure du matin.

Comme on pouvait s'y attendre quand on est avec un dieu du rock, j'eus une discussion très instructive avec Jagger sur les meilleures écoles privées de l'ouest londonien. Au moment où je décidai de partir, il me présenta un homme qui était arrivé à la fin de la soirée et que je n'avais pas reconnu.

« Il veut te parler », me dit Mick. Il m'expliqua qu'ils étaient potes de cricket, qu'ils faisaient des tournois ensemble dans le monde entier. George était incollable sur le cricket indien.

Je connaissais suffisamment le monde contemporain pour savoir que son ami, George Cage, était auteur-compositeur. Je trouvais qu'il avait un côté un peu trop clinquant. Il arborait cet éclat de bonne santé, de réussite et de vacuité qui vient avec l'aisance matérielle et la flagornerie. Miriam nous avait rejoints. Elle aussi savait qui était George.

« Ma fille vous aime beaucoup, s'exclama-t-elle, tout excitée.

— Vous m'en voyez ravi. D'habitude, je plais plutôt aux mères. »

Je leur dis qu'il fallait que j'y aille. Je trouverais un taxi pour rentrer. Je remarquai que George me regardait fréquemment. Au moment où je récupérai mon manteau, il vint vers moi et me demanda de lui montrer mon bras.

« Ça peut vous paraître bizarre, mais il y a quelque chose qui m'intrigue. Puis-je jeter un œil ? »

Il voulait voir ma montre.

Je relevai ma manche. C'était une vieille montre, assez lourde, avec un bracelet en argent, de grosses aiguilles sous un verre épais un peu rayé. Une montre avec des chiffres faciles à lire, la date du jour, tout ce qu'il fallait à un homme qui avait besoin de s'orienter.

Il se pencha pour la regarder de plus près. Il me demanda si je pouvais l'enlever afin qu'il en examine l'envers. Je ne voyais pas pourquoi j'aurais refusé.

Il mit ses lunettes et l'observa avec attention. Puis il la retourna en me disant :

« Puis-je vous demander comment vous vous l'êtes procurée ?

— Ça fait longtemps que je l'ai. Pourquoi me demandez-vous ça ?

— Mon père avait la même.

— Ce ne sont pas des montres très chères. Que faisait votre père dans la vie ?

— Il avait une usine. À Londres. C'était un homme d'affaires. »

Je le regardai bien dans les yeux : « Mustaq ? »

Il hocha la tête.

« Ta sœur, c'est Ajita ?

— Exactement.

— C'est incroyable... Elle va bien ?

— Oui, oui. Tu pensais qu'elle irait mal ? Elle vit à New York avec ses deux enfants. Ou l'un des deux au moins. L'autre est à l'université. » Il sortit son portable. « Non, je l'appellerai plus tard. Tu veux que je lui dise que je t'ai vu ?

— S'il te plaît, oui.

— Ça fait un choc, n'est-ce pas ?

— C'est sûr.

— Je vais en boîte. Rien d'extraordinaire. C'est plein de paumés, en fait. Ça te dirait de venir avec moi ? On pourrait discuter. Mon chauffeur te ramènera. »

Je lui dis qu'avec mon travail, je commençais tôt le matin.

« Mustaq, comment t'es-tu retrouvé dans la musique ? Je me souviens que tu m'avais chanté quelques airs.

— Je suis désolé de t'avoir imposé ça. À la mort de mon père, quand nous étions chez mon oncle, en Inde, avec ma sœur, je ne suis pas sorti pendant deux ans. J'ai appris à jouer de la batterie, du tabla, de la guitare, du piano. Tout ce qui faisait du bruit. Tout ce que papa aurait détesté. Et je suis devenu l'un des premiers à mélanger jazz, rock, musique de films Bollywood et musique classique indienne. Tu sais que j'avais toujours rêvé de devenir un jeune Américain et, à New York, j'ai rencontré d'autres gars avec qui jouer. J'adorais être sur scène, je n'avais jamais peur. Mais tu dois être fatigué. C'est un peu tard pour une discussion. »

Tout en l'écoutant, je me rendais compte qu'il n'avait pas changé. Ses gestes étaient légèrement plus outranciers, comme chez un acteur maniéré qui se prendrait trop au sérieux.

Sortant son Blackberry, il me demanda :

« On peut se revoir ? Ça t'embêterait de me donner ton numéro ?

— Pas de problème. »

Il était resté relativement formel et courtois jusque-là, mais au moment de nous séparer, il me saisit le bras une fois encore, sans brusquerie, comme s'il voulait me caresser. Il approcha son visage de ma montre, en me jetant un regard interrogateur. J'aurais pu trouver ça amusant si je ne m'étais souvenu de sa force, dont j'avais fait les frais du temps où il m'avait initié à la lutte.

Dans la voiture, sur le chemin du retour, je dis :

« C'était vraiment bizarre de revoir Mustaq... euh, George Cage comme il s'appelle maintenant.

— Il cherchait à te draguer, c'est sûr, répondit Henry. Il avait l'air particulièrement nerveux. Il y a eu quelque chose entre vous ?

— Je préférais sa sœur.

— Mais lui, c'est toi qu'il préférait, murmura Miriam.

— Encore aujourd'hui », ajouta Henry en gloussant.

Je demandai à Miriam ce qu'elle savait de George Cage. J'en avais entendu parler mais il avait commencé à émerger au moment où je passais du rock à la période faste, chaotique et électrique de Miles Davis.

« Lui et son copain, on les voit tout le temps dans la presse à scandale. D'où tu le connais ? s'étonna-t-elle.

— Miriam... Sa famille habitait tout près de chez nous, de l'autre côté du parc, à Bickley. Tu as oublié que je suis sorti avec sa sœur Ajita ?

— Ah, c'est ça... Je savais que je l'avais déjà vu quelque part.

— Non, je ne crois pas. »

Disant cela, je repensais à mon extrême ambivalence sur le sujet à l'époque.

« Si, si, je m'en souviens, mais de manière subliminale, précisa-t-elle. Pour ce qui est de l'intuition, tu peux me faire confiance.

— Tu étais sincèrement content de le revoir ? me demanda Henry. Vu de l'extérieur, on avait l'impression que le ciel vous était tombé sur la tête.

— Je le reverrai volontiers, s'il me le propose. Tu viendras avec moi ? »

Miriam se tourna vers moi et m'enfonça son doigt dans la joue :

« Est-ce que je ne t'avais pas conseillé de retrouver cette fille indienne, frangin ?

— Mais je ne t'ai pas écoutée.

— Quelque part, elle savait. Elle t'a entendu. Méfie-toi : tu vas te prendre un retour de flamme.

— Elle pourrait bien avoir raison », ajouta Henry.

Pendant que tous deux se bécotaient à l'arrière et que Miriam s'extasiait sur cette superbe soirée, je songeai à Mustaq et à la drôle de coïncidence de l'avoir retrouvé chez Jagger, surtout dans la peau de ce nouveau personnage.

Je me demandais ce qu'il attendait de moi, où je mettais les pieds. Néanmoins, je savais que j'allais là où je devais aller.

19

Cependant, je n'étais pas sûr d'avoir de si tôt des nouvelles de George Cage. Je me disais que, comme beaucoup de gens connus, il devait s'efforcer de tenir les autres à distance. En attendant, je me posais tout un tas de questions. Ajita avait-elle envie de me revoir ? Est-ce que j'avais envie de la revoir ?

George Cage me fit appeler par sa secrétaire une semaine plus tard. Il m'invitait à un cocktail. Même s'il ne s'agissait pas d'un tête-à-tête, je compris qu'il souhaitait me parler du passé. J'aurais pu décliner l'invitation de Mustaq – pour moi il s'appelait toujours ainsi – mais, depuis quelque temps, je pensais souvent à son père. Son visage m'était apparu plusieurs fois en rêve ces dernières semaines. Un mort ne se contente pas de révéler le nom de son meurtrier. Il le souffle à voix basse, pour l'éternité, espérant que quelqu'un l'entende.

Ajita non plus n'avait pas disparu de ma vie, contrairement à ce que j'avais pu croire. Elle était bien vivante, quelque part sur cette planète, indépendamment de mes souvenirs. Franchement, c'était avec elle que j'avais envie de reprendre contact. Une fois encore, il semblait y avoir urgence. J'avais besoin que son frère m'aide, d'une manière ou d'une autre. Peut-être que nous arriverions à clarifier la situation.

J'acceptai l'invitation et demandai si je pouvais venir accompagné. Quand je vais quelque part pour la première fois, je me sens toujours mieux avec Henry.

George Cage habitait une grande maison étroite à Soho, dans une ruelle qui donnait dans Wardour Street, coincée entre un studio de montage et une maison de passe de plain-pied où travaillaient des Russes, des Orientales et des Noires. Henry me fit remarquer : « Même les bordels sont multiculturels maintenant. »

Malgré tout, la maison de George baignait dans une sorte de silence ouaté, comme si elle était insonorisée. Tout était blanc à l'intérieur. Des serviteurs orientaux nous proposaient sushis et rafraîchissements disposés sur de grands plateaux. Des chiens qui devaient coûter horriblement cher venaient renifler l'entrejambe des invités. Il y avait quelques belles gravures accrochées ici et là. Des « folles » de l'East End aux doigts couverts de bagues se mêlaient à de jeunes aristos aux costumes hors de prix. Il y avait des vedettes du moment, des peintres, des éminences grises du parti travailliste et, j'en fus tout surpris, plusieurs footballeurs noirs qui jouaient en première division (dont l'un était vêtu d'un manteau de fourrure blanc). Ils suscitaient d'ailleurs plus d'intérêt que les vedettes traditionnelles.

George Cage nous présenta, Henry et moi, à Alan, la « future mariée », mais aussi son petit ami depuis cinq ans. Il avait l'intention de l'« épouser » dès que les unions civiles seraient légalisées en Grande-Bretagne. Alan avait une bonne quarantaine d'années, il portait un tee-shirt sans manches, un short, des chaussettes blanches et des sandales. Il tenait constamment un verre de vin et un petit joint ensemble, d'une main. Il était musclé et faisait tout pour qu'on le remarque. Beau gosse, il émanait de lui un charme décadent trahissant qu'il y avait peu d'expériences auxquelles il n'ait pas succombé.

J'appris dans la foulée qu'il avait été fasciste, conducteur de métro, alcoolique et junkie (les deux en même temps), revendeur de drogue. Il était aussi passé par la « case prison ». Du coup, insinuait-il, il se méfiait des « escrocs » dans notre genre, qui donnaient l'impression de survivre dans un monde de faux-semblants et de bla-bla dont on niait la violence. Il me raconta d'où il était originaire et je fus content de lui dire que j'avais vécu à quelques kilomètres de là. Plus jeunes, avec Miriam, nous prenions le bus pour aller à la piscine de Ladywell Baths où nous passions la journée.

« Vous faites quoi exactement ? Vous êtes dans la politique, vous aussi ?

— Je suis thérapeute.

— J'ai un thérapeute. Un aromathérapeute. Vous utilisez des huiles essentielles ?

— Absolument pas.

— Même pas des bougies parfumées à la vanille ? »

Tandis que je me demandais si Freud aurait eu une position théorique bien arrêtée sur les bougies à la vanille, je vis qu'Alan me regardait d'un air sceptique comme si, après avoir songé à me recommander auprès de quelques-unes de ses connaissances, il préférait se raviser.

Lui et Mustaq s'étaient rencontrés dans un bar. Il leur arrivait encore d'aller se coucher à vingt-deux heures pour se lever à deux heures du matin et écumer les bars gay jusqu'au petit jour. Une fois, ils étaient arrivés dans un club à quatre heures, pour s'entendre dire qu'il était « trop tôt ». Alan s'était toujours senti à l'aise dans ce genre d'endroit, environné des gens de son « peuple », comme il disait – ceux qui n'ont pas de but dans la vie, qui sont perdus, frustrés, « pervertis ». Mustaq y avait trouvé sa place, lui aussi.

Il n'y avait aucune raison pour qu'Alan se sente décalé dans le monde de son compagnon. Pourtant, au fur et à mesure que les amis de Mustaq arrivaient, il prenait un accent snob, pincé, ridicule, supérieur – telle une Lady Bracknell complètement défoncée. Mustaq ne semblait pas surpris et personne n'y prêtait attention, comme si chacun savait qu'il y avait toujours un risque quand on traînait avec des homos tout droit sortis des bas-fonds.

Mustaq me dit qu'il avait très envie de me présenter à quelqu'un « de chez nous ». Je n'étais pas certain de voir de qui il s'agissait. Je découvris un homme rondouillard en costume Prada, qui souriait de tout. C'était Omar Ali, propriétaire bien connu de lavomatiques divers. Il avait vendu son affaire florissante au milieu des années 1990 pour se lancer dans les médias.

Désormais, en plus d'être un pilier de l'industrie de l'antiracisme, Omar Ali faisait de la télévision pour les minorités, avec les minorités et sur les minorités. On avait toujours décrit les Pakis comme des gens maladroits en société, incapables de s'habiller correctement, pratiquant une drôle de religion, menant des vies de frustrés. Mais, grâce à son expérience d'homo, Omar savait pertinemment qu'à condition d'avoir la bonne technique de marketing, on pouvait transformer les minorités – et n'importe quels marginaux – en icônes branchées au fur et à mesure que chacun s'élevait dans l'échelle sociale.

Quand Blair avait été élu en 1997, Omar avait été promu au rang de Lord Ali de Lewisham, du nom de ce quartier difficile où il avait vécu étant enfant. Son père était un journaliste d'opposition pakistanais qui avait critiqué les tractations de Bhutto avec les mollahs (je finis par apprendre qu'il avait rencontré mon père quand il était étudiant en Inde). Il était mort alcoolique dans une chambre minable de ce quartier de Londres. Comme souvent dans les familles, c'était son oncle qui avait sauvé Omar alors que Thatcher régnait sur la Grande-Bretagne. Il lui avait confié un de ses lavomatiques et il était allé à contre-courant de l'intégrité qui serait fatale à son père, lui conseillant de quitter le ghetto et de se lancer à la conquête de l'argent, qui n'était d'aucune couleur ni d'aucune nationalité.

L'attirance qu'Omar avait toujours ressentie pour les skinheads, des amis d'enfance qui l'avaient régulièrement martyrisé, lui avait causé moins d'ennuis que s'il avait vécu quelques années plus tôt. Il y avait une certaine ironie à constater l'aisance avec laquelle Omar se fondait dans l'époque. Son antiracisme de bon aloi en avait fait un candidat idéal pour toutes sortes de commissions. Désormais, en tant que millionnaire homosexuel d'origine « asiatique », il pouvait facilement se retrouver à la tête de tel ou tel groupe. Les musulmans ne l'aimaient pas : ils lui reprochaient son soutien à un gouvernement trop prompt à les bombarder. La gauche et la droite le détestaient, pour de bonnes raisons, mais je les oubliais toujours. Toutefois, il bénéficiait de la protection d'un cercle d'hommes politiques très soudés. Il était indéboulonnable, si ce n'est par lui-même.

Si Lord Ali avait ce comportement hautain, c'est parce qu'il avait toujours eu du flair. Il n'avait jamais éprouvé aucun scrupule quand il fallait combiner ruses en affaires et socialisme du parti travailliste. Désormais, c'est sûr, on voyait d'anciens gauchistes se réorienter, ou essayer de s'orienter, vers le monde des affaires, vers cette culture d'entreprise impulsée sous Thatcher qu'ils avaient tant méprisée. Il était maintenant admis que l'on puisse vouloir plus d'argent que l'on n'en dépenserait jamais, que l'on puisse laisser libre cours à sa voracité. Voyant l'âge de la retraite approcher, les ex-gauchistes avaient compris qu'il ne leur restait que quelques années pour se consacrer à l'argent. Nombre de leurs amis s'y étaient déjà employés, essentiellement par le biais du cinéma, de la télévision et, parfois, du théâtre.

« Toujours à soutenir la guerre en Iraq ? » lui demanda Henry, qui avait descendu plusieurs coupes de champagne d'affilée, comme toujours quand il se retrouvait dans ce genre de soirée. En général, c'était au moment de partir qu'il se sentait prêt pour une longue tirade : « Vous êtes probablement le dernier à y être favorable, à cette guerre. »

Ce n'était pas la première fois qu'Omar subissait de telles attaques.

« Oui, vous avez tout à fait raison. C'est une bonne chose de se débarrasser des dictateurs. Vous ne trouvez pas ? » Il me regarda. « Je sais qui vous êtes. Je trouve vos livres difficiles.

— Excellent.

— Nous sommes tous les deux de culture musulmane : est-ce que nous pouvons tomber d'accord pour dire que nos frères et nos sœurs doivent rallier le monde moderne, sinon ils resteront plongés dans les ténèbres des temps anciens ? N'avons-nous pas rendu un fier service aux Iraquiens ?

Je voyais qu'Henry était de plus en plus agacé. Omar le remarqua aussi. Il avait un air impertinent et trouvait tellement plaisant d'asticoter Henry. Il poursuivit :

« En tant que musulman gay, je crois profondément que les autres musulmans doivent pouvoir saisir cette chance et profiter du libéralisme au même titre que nous. Je ne veux pas faire l'hypocrite... »

Henry l'interrompit :

« Donc, vous avez incité Blair à faire chier un maximum d'Iraquiens innocents ?

— Attendez un peu : ces Iraquiens, ils n'ont aucune science, aucune littérature, aucune institution digne de ce nom. Ils n'ont qu'un seul livre. Est-ce que vous imaginez faire confiance à un livre seulement ?... Nous devons leur apporter tout le reste, même s'il faut en tuer beaucoup pour ça. Rien de grand ne s'est jamais accompli sans quelques morts. Vous le savez. J'ai dit à Tony : "Une fois que vous aurez Bagdad, vous n'aurez qu'à recommencer la même chose ailleurs. À Bradford, par exemple." » Omar esquissa un geste très maniéré et ajouta : « Je ne sais pas pourquoi je tiens de tels propos. Je suis un modéré, je l'ai toujours été. »

Alan, qui n'était pas très loin, précisa :

« Seulement pour ce qui est de la politique.

— Mon seul but a toujours été d'améliorer les conditions de vie de la classe ouvrière.

— Ouais, ouais, c'est vraiment ça dont on a besoin : de quelqu'un qui s'en est sorti tout seul malgré les obstacles... Le problème avec Blair, c'est cette faculté qu'il a de s'illusionner lui-même. Et il n'est franchement pas aidé, avec son entourage ! Des gens comme vous qui lui répètent sans cesse qu'il est un mec vraiment bien.

— Vous, les vieux cocos, vous ne lâchez jamais, n'est-ce pas ? »

Plus tard, je rappelai à Henry qu'il n'avait pas toujours été aussi hostile à Blair, contrairement à ce que lui et bon nombre de nos amis aimaient à dire. De fait, au début du trimestre, Henry et Valerie avaient été invités à Chequers, la résidence secondaire du Premier ministre. Sur l'invitation, il était indiqué « informel » et Henry avait mis un costume et une chemise sans cravate. Les autres invités comptaient un ex-footballeur, connu mais ennuyeux, une présentatrice du journal télévisé et un coureur sportif, ou un rameur (Henry ne savait plus très bien). Blair raconta à

Henry qu'il avait un temps songé à devenir acteur, confidence qui le surprit beaucoup. Il portait un pantalon Lee Cooper très ajusté, c'est le moins qu'on puisse dire, une chemise mauve à manchettes dont il avait laissé le col ouvert et des chaussures noires bien cirées. Henry s'attendait à écouter un tribun de la classe ouvrière, pas un tribut en hommage à Brian May.

Alors qu'Omar Ali et Henry étaient pris dans une intense discussion, je remarquai que Mustaq, en hôte bien rodé, passait des uns aux autres, faisait les présentations, veillait à ce que tout se déroule au mieux. Il ne m'avait pas oublié pour autant. Je compris peu à peu qu'un de mes objectifs en venant là était de m'assurer que je serais présent au moment où Mustaq raconterait à Alan que nous avions grandi dans le même quartier, que j'avais connu son père et sa sœur, même si je suppose qu'il savait déjà tout cela.

Alan ne donnait pas le sentiment d'être particulièrement transporté ni sous le charme. Mais, tout en m'entraînant dans un très joli salon dont il ferma la porte derrière lui, Mustaq me confia qu'il ne voulait pas le quitter. Il déboucha une nouvelle bouteille de champagne et je lui demandai :

« Ajita vient parfois à Londres ?

— Ça te ferait plaisir de la voir ?

— Oui, j'aimerais bien.

— Je crois qu'avec son mari, ils ont prévu de passer un peu plus tard dans l'année. C'est quoi ce drôle d'air : tu es sceptique ?

— Ça veut dire que j'ouvre une porte que j'ai essayé de refermer il y a un bon moment.

— Pourquoi l'avoir fermée ?

— J'étais amoureux de ta sœur mais, un beau jour, elle est partie et elle n'est jamais revenue.

— Je ne comprends pas pourquoi tu devrais oblitérer ça. En fait, ça ne fait pas longtemps que je peux me pencher sur le passé. Avec mon nom "pop" et ma peau claire, on ne m'a pas pris pour un Paki depuis des années. Un peu comme Freddie Mercury. Lui aussi s'est intégré grâce au succès. Je n'ai jamais parlé de l'usine, de la grève, même quand les journalistes y faisaient allusion. Je n'ai jamais rien dissimulé, mais je n'en ai jamais rien dit explicitement. Je me contentais de prétendre que c'était une "mauvaise passe" et que, de toute façon, j'étais jeune à l'époque. Est-ce que tous les chanteurs de rock, prends Bowie par exemple, n'ont pas essayé un jour de se réinventer indépendamment de leur passé ?

— Et aujourd'hui, tu as envie d'y retourner ?

— Tu avais vu l'usine pendant la grève ?

— Je me souviens qu'Ajita y est allée. Elle était à l'arrière de la voiture de ton père.

— Oui, moi aussi, il m'a emmené à plusieurs reprises. Je chialais et je faisais dans mon froc chaque fois. C'était terrifiant, les hurlements quand on arrivait, les briques, les morceaux de bois qu'on nous jetait.

— Pourquoi faisait-il ça, ton père ?

— On était censés reprendre l'usine quand ce serait le bon moment et donc, il voulait qu'on sache à quoi ressemble la vraie vie. J'ai très envie d'en parler plus longuement avec toi mais il faut que j'aille retrouver mes invités », dit-il en se levant.

Je crus qu'il voulait me serrer la main mais non, il voulait regarder ce que j'avais au poignet.

« Tu as enlevé ta montre ?

— Je ne la mets pas tout le temps.

— Je ne vais pas en rester là.

— Oui, de toute évidence, c'est important pour toi.

— Je pense beaucoup à mon père. Je me suis efforcé

d'être celui qui n'avait pas d'enfance. Mais il y a quelque chose que je dois élucider. Après tout, il a été assassiné et personne n'a été puni pour ça. Tu n'avais pas suivi l'enquête ?

— J'ai essayé, mais je ne me souviens pas de ce qui a été dit au final.

— Rien n'a été résolu. C'était juste un Paki parmi d'autres et la grève causait pas mal de problèmes aux politiques.

— Il me semble que plusieurs hommes ont été arrêtés.

— Et ce n'étaient pas eux, bien sûr. Les vrais meurtriers courent toujours. Mais plus pour longtemps. »

Il me raccompagna à la porte. Henry m'attendait pour que je goûte un curry avec lui.

« Ceux qu'on a arrêtés n'étaient jamais venus dans notre quartier. Alors, c'était qui ? Pourquoi ont-ils fait ça ? Pour quelle raison ? J'ai une maison dans le Wiltshire. Ce n'est pas un manoir anglais, mais c'est confortable et bien chauffé. Ça te dirait de venir ? On aurait du temps pour discuter. Vous pourriez venir tous les deux ? dit-il en regardant Henry.

— Pas de problème, répondit Henry, on viendra.

— Mustaq, tu pourras donner mon numéro à Ajita ?

— Bien sûr. Mais elle sera aussi stressée que toi à l'idée de te revoir. S'il te plaît, vas-y doucement avec elle... »

Deuxième partie

20

« Oh, Jamal, mon chéri, ça fait si longtemps. Embrasse-moi, embrasse-moi encore.

— Tu ferais mieux de tenir le volant à deux mains, Karen.

— Mais je peux très bien conduire d'une seule main. Tu sais que je peux faire beaucoup de choses d'une seule main.

— J'ignorais que tu étais chez George ce week-end.

— Ah bon ? Mais ça fait tellement longtemps que je ne suis pas sortie de chez moi.

— Tu te cachais ?

— Je ne vais pas fort en ce moment. Ils n'arrêtent pas de m'empoisonner l'existence, au boulot. Ils sont toujours sur mon dos. On ne peut pas s'arrêter boire un verre ?

— Non.

— Juste dans un petit pub de campagne ?

— Je crains qu'on ne vive plus dans le même monde qu'avant.

— Ne serions-nous pas devenus trop raisonnables ?

— Les autres, oui. Mais je suis sûr que ce n'est pas ton cas. C'est génial de te voir, Karen.

— C'est vrai ? Tu le penses vraiment, Jamal ? »

Karen m'emmenait chez Mustaq.

Miriam était décidée à vivre sa vie, même si elle se sentait encore un peu coupable de laisser les enfants et de quitter la maison. Mais elle et Henry cherchaient des occasions de s'éclipser tous les deux. Ce vendredi-là, il y avait une soirée dans un club qu'ils ne voulaient pas rater. Ils nous rejoindraient le dimanche après le déjeuner. J'aurais pu partir avec eux ou prendre le train.

Je ne m'attendais pas à ce que ma vieille copine Karen Pearl, la « garce de la télé », propose de m'emmener en voiture. Je ne savais même pas qu'elle connaissait Mustaq, mais elle m'expliqua qu'il était venu plusieurs fois sur le plateau de son émission au cours des dernières années. Elle allait de temps en temps dans sa maison de campagne pour décompresser.

Elle vint me chercher chez moi dans une minuscule voiture rouge, qui rugissait à la moindre accélération. Elle avait demandé à son mari qu'il la lui achète en dédommagement quand il l'avait quittée et celui-ci avait trouvé l'arrangement commode. Si la perspective de retrouver Mustaq et de devoir répondre à ses inévitables questions m'inquiétait déjà, la proximité de Karen dans ce petit habitacle, ainsi que la vitesse à laquelle elle roulait sur l'autoroute ne manquèrent pas d'affoler les battements de mon cœur.

« Je suis tellement contente, vraiment, de cette escapade, dit-elle. Pas toi ? »

J'avais l'impression d'être trop près de la route. Karen avait mis la musique à fond, Abba surtout et, pour me faire plaisir, Gladys Knight et les Supremes. Elle fumait cigarette sur cigarette, comme à l'époque où nous étions ensemble. À deux reprises, elle actionna le toit ouvrant pour me montrer comment il fonctionnait.

« Cool, le toit.

— Tu trouves, toi aussi ? On est si vieux maintenant,

Jamal. Mes deux filles grandissent. À longueur de journée, j'ai droit aux portes qui claquent, aux histoires de téléphones portables égarés. Mais il y a des moments super aussi. C'est comme si je me retrouvais à l'internat. Sinon, contrairement à l'image de dépravée que tu as de moi, je ne rigole pas tellement en ce moment. Tom (son ex-mari) a emmené les filles à Disneyland Paris avec sa copine limite ado. Ils se sont bien amusés. Pas étonnant : ils ont tous le même âge mental.

— Tu as quelqu'un en ce moment ?

— Je suis une vraie intouchable. Tiens, j'en ai une bonne à te raconter : je sais que c'est typiquement le genre d'histoire qui va te plaire.

— Vas-y.

— Eh bien, il y a quelques semaines de ça, je me dis que je vais m'offrir une petite gâterie. Je me lance avec un type qui semblait pouvoir faire un bon gigolo. On m'a raconté que toutes celles qui se sentent vieillir font ça. Je réussis à convaincre ce beau mec, jeune et ténébreux, de prendre une chambre dans un hôtel absolument ruineux. Il y a du champagne, de la drogue et mon gros cul, comme tu disais à l'époque, gainé de soie rouge, prêt à l'emploi. Et le garçon, tout à fait correct, tendre...

— Il est connu ?

— Il le sera bientôt. Pour l'instant, il fait de la figuration dans un feuilleton. Mais c'est un figurant qui a du texte à dire. Bon, c'est sûr, juste quelques mots, pas vraiment des phrases. Ravalant le peu de dignité qui me reste, je commence à me déshabiller, je lui dévoile les dessous en question, je prends une pose suggestive.

— Eh bien, dis donc !

— Il est assis sur le bord du lit, il me tient la main et je me dis qu'il doit se rendre compte qu'elle n'est plus toute

jeune. Ou alors, il est hypnotisé par mon vernis à ongles !
Une demi-heure plus tard, il était dans le métro qui le
ramenait chez lui. Je suis restée là, à pleurer un moment...

— Oh, Karen...

— Prête pour mon overdose, monsieur DeMille. Moi
aussi, je suis rentrée et je me suis mise au lit avec les filles.
Oh, Jamal, quand je pense à toutes ces nuits gâchées, à ne
pas faire l'amour.

— Il y en a eu beaucoup. Mais chaque nuit passée avec
toi était un vrai plaisir.

— Tu deviens plus tendre avec l'âge, Jamal. Ça fait du
bien de te revoir. Pourquoi tu ne m'appelles plus maintenant ? Non, laisse tomber. J'ai envie d'être positive aujour-
d'hui. C'est ce que vous, les psys, vous conseillez en général ?

— Non.

— Qu'est-ce que vous nous dites de faire alors ? »

Elle se tut un instant, puis demanda :

« Henry vient aussi, il me semble ? Tu pourras lui parler
de moi ?

— Tu t'intéresses à Henry, maintenant ? Vous ne pouvez pas être cinq minutes ensemble sans commencer à
vous disputer.

— Chéri, tu sais ce que c'est qu'être désespéré ? Henry,
c'est un homme, oui ou non ? Au moins pour ce qu'il a
sous la ceinture. Et il est libre.

— Il vient de se trouver une occupation, justement.

— Qui a bien pu mettre la main sur le vieux renard ?

— Ma sœur.

— Il ne chercherait pas à la faire participer au documentaire ?

— C'est ça.

— Ces artistes ! Tous des enfoirés avec leurs idées de
dernière minute. Je les déteste. Quand on le verra, tu me

feras penser que je dois m'expliquer avec lui. Ta sœur sera
là ce week-end ?

— Dimanche.

— Ils sont amoureux ?

— Oui.

— J'étais sûre qu'il ne ferait pas de vieux os sur le marché. J'avais bien raison. Et toi, toujours célibataire ?

— Rien pour le moment. Le calme plat. »

Elle se tourna vers moi en jetant un œil vers ma braguette :

« Je vois.

— J'ai l'impression d'être à mille lieues de ce genre
d'envie. Avec Josephine, ça n'a pas été une partie de plaisir.
Parfois, je me dis que ça me manque de ne pas être amoureux, ou de ne pas être aimé. Un peu de passion de temps
en temps me réveillerait.

— Mais tu es trop objectif sur l'amour. Tu vois tout de
suite ce qu'il y a derrière. Je me disais... C'est toi qui m'en
as parlé une fois. Tu détestais tomber amoureux parce que
tu avais le sentiment d'être aspiré dans un trou de vidange,
tu perdais pied, c'était la folie.

— Je t'ai dit ça, moi ?

— C'est ce que tu ressentais avec Josephine ?

— L'impression d'être submergé par un besoin primal,
d'idéaliser complètement l'autre, de baigner dans l'illusion
la plus totale pour finir par se réveiller et se demander
comment on a fait pour en arriver là ? Oui, effectivement... Mais... »

Je ne voulais pas le lui avouer de peur d'être trop déstabilisé, mais j'avais aimé vivre en famille, avoir Rafi et Josephine autour de moi, entendre leurs voix résonner dans la
maison, voir leurs chaussures éparpillées dans l'entrée.

J'avais rencontré Josephine à l'occasion d'une conférence où j'intervenais sur « Comment oublier ». Elle était

étudiante en psycho mais elle en avait assez de travailler sur des « souris droguées ». Nous étions ensemble depuis quelques mois seulement quand elle s'était retrouvée enceinte. Mon père était mort dix-huit mois plus tôt et j'avais hâte de le remplacer par un autre père – moi. J'habitais l'appartement où je recevais mes patients et je commençais à gagner correctement ma vie.

Josephine avait son propre appartement, hérité de sa mère, et nous avons acheté une petite maison pas très loin de l'endroit qui allait devenir mon cabinet. Nous n'avons pas vécu longtemps ensemble et je l'ai perdue presque aussitôt au profit d'un autre homme : mon fils. Ou, plutôt, nous nous sommes perdus pour lui et ni l'un ni l'autre n'a eu à cœur de faire le chemin dans l'autre sens. C'est sûr, dans de nombreuses relations, pour que ça fonctionne, on a besoin d'un « troisième objet » : que ce soit un enfant, une maison, un chat, il faut qu'il y ait un projet commun. C'est le rôle qu'il a joué, mais il est bientôt devenu le fossé qui nous a séparés. Josephine savait quoi faire pour être une bonne mère, mais être une femme, c'était plus compliqué. Elle a mis du temps avant de comprendre ce que cela pouvait bien signifier.

Quand Rafi était petit, je n'arrêtais pas de l'embrasser, je lui léchais le ventre, je mettais ma langue dans son oreille, je le chatouillais, je l'étreignais jusqu'à ce qu'il s'étrangle presque. On riait de voir la bave qui lui faisait une barbe au menton, avec son bavoir qui ressemblait à une fraise élisabéthaine. J'adorais cette intimité : la bouche dégoulinante du gamin, l'odeur de ses cheveux. Tout comme j'avais pu aimé ça chez un certain nombre de femmes. « Joujoux », disait-il en voyant les seins de sa mère. « C'est quoi, penser ? » nous demandait-il. « Pourquoi les gens, ils ont un nez ? »

Quand il avait six ans, Rafi avait tendance à se lever de

bonne heure, comme moi, alors que Josephine continuait à dormir. Je m'installais à la table en bas et je prenais des notes sur mes patients, ou je préparais un article, une conférence. Il m'apportait ses meilleurs stylos afin que je l'aide à écrire « plus soigné », comme il disait. Il s'asseyait avec moi (sur moi, la plupart du temps, ou sur la table) et il écoutait de la musique sur mon lecteur de CD, avec un casque plus gros que ses joues. C'était un fan d'Haendel et quand il commençait à s'exciter tout seul, il me disait : « Papa, c'est comme si des gens dansaient dans mon ventre. »

Nous achetions les mêmes blousons verts de chez Gap, avec des capuches bordées de fourrure, que nous portions avec des lunettes de soleil et des tennis. Je nous appelais Le Grand Moi et Le Petit Toi et je trouvais qu'on avait fière allure. Quand il était plus petit, je le mettais dans la poussette et je faisais des kilomètres de marche à travers Londres. Quand il fallait le changer ou lui donner à manger, je m'arrêtais dans un salon de thé. C'est facile d'engager la conversation avec une femme quand on a un bébé avec soi. C'est comme si on était le compagnon de quelqu'un de célèbre. Des inconnus lui faisaient des coucous, les gens lui offraient ou lui achetaient tout le temps quelque chose. Les femmes lui donnaient à manger, lui parlaient. Il disparaissait soudain comme un ballon de rugby dans une mêlée et il en ressortait parfumé des différents effluves de ces dames, les cheveux en bataille, l'œil fixe et le visage couvert de miettes de gâteau.

J'aimais bien jouer au Monopoly, et avoir de la peinture, des jouets, des vidéos, des ballons de foot éparpillés partout ; j'aimais manger des sandwiches avec des croquettes de poisson pané, ou voir le gamin venir se glisser dans notre lit la nuit parce qu'il n'avait « personne à qui parler » et qu'il buvait son biberon de chocolat chaud, s'interrompant de temps à autre pour nous dire : « Je veux te faire plein plein de bisous. » J'aimais bien quand il me tenait l'oreille pour s'endormir. J'aimais même quand le chat venait me marcher sur le visage pendant ma sieste. J'aimais lui lire des histoires au moment du bain, tandis qu'il discutait avec ses bonshommes en plastique accrochés par des épingles à la corde à linge.

Rafi était une machine désirante et ce qu'il adorait par-dessus tout, c'était faire les magasins. À l'école, quand on lui demandait quel était son livre préféré, il disait que c'était le catalogue Argos, qu'il pouvait feuilleter à loisir et où il faisait des croix sur tout ce qui le tentait. Heureusement, j'étais fan de Spiderman, de l'Incroyable Hulk, des Power Rangers et du Roi Lion. J'aimais jouer au foot avec lui dans la rue, j'aimais l'entendre jouer la *Neuvième Symphonie* de Beethoven à l'harmonica. J'aimais jouer au bras de fer, lui courir après, me bagarrer avec lui, le tenir par les chevilles la tête en bas, au-dessus de la cuvette des toilettes parfois. Nous aimions, entre autres choses, les blagues, les jurons et les claques sur les fesses des femmes.

Nous passions des week-ends entiers à traîner : on mangeait une pizza, on allait nager à la piscine d'Acton, on jouait au ballon, on regardait *La Guerre des étoiles* ou *Indiana Jones*. À la fin de la journée, si nous avions dû nous demander ce que nous avions fait de particulier (je tenais un journal de ces week-ends à une époque), la seule réponse aurait été : « Ma foi, rien. » Nous profitions l'un de l'autre et personne ne pouvait nous dire : « Ça rime à quoi, ce que vous faites ? »

Quand mon histoire avec Josephine s'est terminée et que j'ai dû partir – je ne sais toujours pas si j'ai pris la bonne décision –, j'ai eu l'impression d'une perte incommensurable. Tout ce que je pouvais faire, c'était de continuer à vivre, du mieux que je pouvais, à le voir chaque jour, à m'interroger sur ce que j'avais raté de ses progrès. Il

me demandait : « Est-ce que tu es le papa d'un autre garçon maintenant ? »

« Je ne vais pas pleurer sur ton sort, me dit Karen, alors
que nous roulions à vive allure. Aussi tentant que cela
puisse être. Ce qui va vraisemblablement se produire, c'est
que toi, comme tu as bien réussi dans ton boulot et que tu
as des relations, tu vas retrouver quelqu'un, quelqu'un de
jeune en plus. Mais moi pas. Peut-être qu'on devrait se
remettre ensemble, juste pour un temps ? »

Je ne pus m'empêcher de rire.

« Je suis sûre que tu ne dis pas à tes patients que tu as
vendu des films porno. Je connais tes petits secrets et je
t'aime encore un peu, tu sais. Quand nous étions
ensemble, j'ai tout le temps su que tu étais trop ravagé par
ton histoire avec Ajita pour vraiment faire attention à moi.

— Je suis toujours ravagé à cause de quelqu'un.

— Mais tu tenais un peu à moi, non ? Même si j'étais
immonde et bête ? »

Elle se pencha vers moi et m'embrassa, effleurant ma
braguette au passage avec le dos de sa main.

« Mais, oui, bien sûr, répondis-je non sans une certaine
émotion dans la voix. Je t'ai toujours aimée plus qu'un
petit peu, Karen.

— J'ai toujours eu l'impression que tu ne faisais que
passer le temps avec moi. En fait, tu as peur de te laisser
approcher. Tu as envie des gens et, ensuite, tu disparais. »

Elle se mit à pleurer, ce qui lui arrivait souvent. Elle
avait enlevé ses escarpins et conduisait pieds nus, la jupe
remontée sur ses cuisses. À vingt ans, c'était une fille sexy
mais, à l'époque déjà, elle faisait du yoyo avec son poids, si
bien qu'elle-même s'était surnommée « la patate ». Cependant, avec ou sans ses kilos en trop, elle savait que je la
trouvais toujours désirable. Il y avait une forme de familia-
rité entre nous, mais pas seulement.

« Il n'est pas trop tard, Jamal. On ne pourrait pas faire ça correctement ? »

Je l'embrassai à nouveau, en allant chercher sa langue avec la mienne. Par-dessus l'odeur d'alcool, de cigarette, de parfum, je sentais l'odeur de quelqu'un que je connaissais et que j'appréciais particulièrement.

21

C'était l'époque où je vivais avec les extrêmes gauchistes de Baron's Court Road, là où les lignes de métro Piccadilly et District longeaient le mur de ma chambre et faisaient vibrer ma fenêtre à chaque passage de train. La première fois que j'ai vu Karen, c'était dans la pièce commune, à l'étage, où j'avais l'habitude de m'installer quand je rentrais de la bibliothèque ou quand, au petit déjeuner, je me plongeais dans quelque livre costaud, du genre *Le Moi et le Ça* ou les *Écrits* de Lacan, que je lisais en le faisant tenir debout sur la table devant moi.

C'était une cuisine de végétariens, pleine de vibrations, de pâtes sans gluten, où l'on sentait l'odeur des pois chiches qui cuisaient sur la plaque et l'odeur de levure du pain complet qui gonflait sous un torchon. Vous imaginez un peu le niveau de militantisme. Et puis, un dimanche matin, brusquement, surgit une jeune femme qui n'avait rien d'autre sur elle que du rouge à lèvres, des talons hauts et une cigarette, et qui cherchait désespérément un vêtement quelconque à enfiler. Elle se rabattit sur un pardessus qui traînait là. C'était comme de repérer une vedette de cinéma sortant d'un taxi au beau milieu de Bromley High Street. Certes, elle n'était pas la seule à se promener nue dans la maison mais pour les autres, hommes et femmes confondus, ce n'était qu'une façon d'afficher leur engagement.

Une des locataires avait été à la fac avec Karen et l'avait invitée à dormir dans sa chambre après une fête. Quand une avocate pleine de rancœur l'avait surnommée la « garce de la télé » – c'était une espèce en voie de développement, même si je l'ignorais à ce moment-là, mais l'une de ces intelligentes salopes avait eu l'intuition que Karen incarnait une nouvelle tendance –, je m'étais fait la réflexion que nous avions peut-être quelque chose en commun.

Elle est restée jusqu'à la fin du week-end et personne depuis Ajita ne m'avait fait rire comme elle. Cela me réconfortait de voir que, dans la maison, par principe, tout le monde la détestait. Quand elle ne faisait pas les cent pas avec un téléphone vissé à l'oreille, Karen regardait des feuilletons télévisés en se mettant du vernis à ongles, une pile de *Cosmopolitan* posée devant elle. Après toutes les épreuves que j'avais traversées, son impertinence, sa vulgarité et sa force me donnèrent un vrai coup de fouet. Ce qu'elle voyait en moi, je n'en ai aucune idée : il faudrait le lui demander. Ça ne pouvait que mal se terminer.

Il fut un temps où les filles voulaient devenir actrices mais, dans les années 1980, elles avaient envie d'être présentatrices de télévision. À l'époque, Karen était journaliste pour une chaîne locale installée à l'extérieur de Londres. Je dus m'acheter un téléviseur, le rapporter à la maison et, quand l'antenne était bien orientée, je pouvais la regarder parler de questions de politique parfaitement insignifiantes, de cambriolages et même du temps qu'il faisait.

Elle ne gagnait pas grand-chose mais elle savait que ça viendrait. Elle avait compris qu'elle travaillait dans un secteur à fort potentiel de croissance. Si la Grande-Bretagne connaissait une récession industrielle, si le pays ne fabriquait plus de voitures, de bateaux, de vêtements, qu'est-ce que les gens allaient faire pour gagner leur vie ? Ils seraient serveurs, ou bien ils assembleraient des ordinateurs, ou ils travailleraient dans le tourisme ? Karen devait se rendre compte que, dans les années à venir, le public serait capable de tolérer énormément de choses issues de la télévision. Nous avions quatre chaînes. Nous allions bientôt en avoir des centaines.

Elle n'éprouvait aucune sympathie pour les chômeurs. Suivant les conseils de sa famille, elle avait investi une partie de son salaire dans un appartement situé du côté de Canary Wharf qu'elle avait mis en location. Parallèlement, comme quand elle était étudiante, elle avait une chambre à Chelsea où j'allais de temps à autre. Toutes sortes de filles qu'elle avait connues au lycée ou à la fac passaient la voir. Souvent elles venaient à plusieurs. Toutes avaient un prénom qui se terminait en « a » – Lavinia, Davina, Delia, Nigella, Bella, Sabrina, Hannah. Elles s'asseyaient sur le tapis, les jambes écartées, et discutaient de ce qu'elles allaient faire : le monde accueillait à bras ouverts les femmes comme elles. Allaient-elles gagner des fortunes à la City ? Seraient-elle artistes, avant de devenir mères de famille ?

Pratiquement tous les soirs, Karen me faisait découvrir le Londres branché qu'elle fréquentait depuis ses études. Nous allions dans les nouvelles boîtes, le Groucho en particulier, où l'on trouvait des adultes décadents dans toutes les pièces, à tous les étages. C'était le dernier lieu à la mode. On y croisait de nombreux écrivains, des éditeurs à succès, des attachés de presse, les producteurs de *The Late Show* ainsi que de jeunes acteurs travaillant pour Channel 4, qui venait tout juste de se lancer dans les films à petit budget. Souvent, on allait chez Derek Jarman, qui habitait un petit appartement dans un vieux bâtiment le long de Charing Cross Road. Il aimait lire des passages de journaux qu'il recopiait à la main et je rêvais d'être comme lui, complètement absorbé dans une tâche, tandis que les gens allaient et venaient autour.

Il y avait, bien sûr, cette « nouvelle » façon de faire ses courses. Là où ma mère préparait une liste et revenait à la maison avec ce qu'elle avait prévu d'acheter, Karen, elle, passait tous ses dimanches à courir les boutiques tant elle aimait les « ambiances » des magasins. Elle rentrait les bras chargés de nombreux objets savamment emballés, dont elle ignorait jusque-là qu'elle pouvait en avoir besoin. Les gens commençaient à acheter des noms, des marques, plutôt que telle ou telle chose.

Le soir, nous nous rendions à d'autres fêtes, dans de nouveaux restaurants aux noms évocateurs. Karen buvait jusqu'à ne plus tenir debout. Elle appréciait que je sois là pour l'aider à franchir la porte, monter dans le taxi et se mettre au lit. Je m'asseyais à côté d'elle avec une bassine et j'attendais le moment où elle finirait par vomir et s'endormir.

« Tendre est la nuit », gémissait-elle. Elle ne citait ni Keats ni Fitzgerald, mais une chanson dont c'était le titre. Elle pouvait passer la soirée à boire et rentrer à deux heures du matin, ce qui ne l'empêchait pas de se lever tôt pour aller travailler le lendemain. Elle arrivait à huit heures à son bureau, qu'elle ne quittait pas avant vingt heures. Il fallait que les femmes « fassent leurs preuves » à l'époque.

Elle n'avait pas de petit copain. Toutefois, je pense qu'elle avait beaucoup de relations tordues avec des hommes plus vieux – ses patrons –, avec des cameramen ou d'autres types de l'équipe. De fait, elle était souvent en déplacement et elle passait environ trois jours par semaine ailleurs qu'à Londres. Je l'imagine bien aujourd'hui, ouvrant négligemment les jambes tout en regardant ailleurs, par la fenêtre ou à l'autre bout de la pièce, se rongeant les ongles, pensant à ce qu'elle mettrait le jour suivant. Quand elle n'était pas là, elle craignait de me manquer, elle avait peur que je me sente seul. Si nous allions à une fête, elle repérait pour moi les filles sexy, celles que je pouvais espérer séduire, et il lui arrivait de jouer les rabatteuses.

Même si Karen et moi formions une sorte de couple, cette relation devint vite une forme de célibat à deux. Comme beaucoup de gens, elle n'aimait pas particulièrement le sexe mais elle s'y pliait volontiers si elle imaginait que l'autre en avait terriblement envie. Aujourd'hui, je trouve ça bizarre mais, à ce moment-là, je croyais vraiment – sans y avoir réellement réfléchi, je le reconnais – que l'idéal du couple exclusif était le seul envisageable et que ce modèle imposé convenait à tous. Quand je trompais Karen, il me semblait normal d'éprouver la culpabilité qui convenait à ce genre de situation.

Mais si notre relation était dénuée de passion, c'est peut-être parce que, après Ajita, je ne souhaitais pas repasser par les affres de la jalousie sexuelle. Je ne réclamais pas d'avoir le moindre pouvoir sur Karen ; sa vie et son corps lui appartenaient. J'avais envie d'être avec une femme dont je n'avais pas envie. Si l'amour est la seule expérience forte sur le marché, alors quelle sorte d'amour était-ce là ?

Nous avons passé de nombreuses nuits ensemble. Au lit, il y avait elle, moi et un cendrier ; la télé était toujours allumée et elle mangeait de la glace directement dans le pot. On lisait les mêmes magazines, on s'intéressait tous les deux à un seul et même sujet : les femmes, leur évolution. Nous parlions tous les deux en même temps parce qu'elle aimait bien la coke. Avec Karen, il n'était pas question de faire un vulgaire partage avec une carte bancaire ou de sniffer la poudre aux toilettes à l'aide d'un billet de cinq livres. La camelote qu'elle achetait était présentée dans de mignonnes petites bouteilles avec une minuscule cuillère au fond. Ça coûtait cher mais elle et ses amies avaient vécu dans un monde totalement étranger au mien, ou même à celui de Miriam. C'était un monde où il y avait toujours eu de l'argent et où il y en aurait toujours.

C'est vrai qu'on ne se touchait pas, qu'on ne s'embrassait pas. Peut-être essayait-on d'oublier tout ce qui avait à voir avec le sexe, omniprésent dans notre environnement. En plus de me plonger dans la psychologie, la philosophie et la psychanalyse, je développais un goût prononcé pour la pornographie.

J'avais quitté maman pour la remplacer par des livres. Au moins, grâce à mon travail, j'avais découvert ce que j'aimais. Quoi que j'aie pu faire dans ma vie, je m'ennuyais la plupart du temps. J'avais toujours le sentiment de ne pas m'investir, de ne pas me donner suffisamment. Mais, à cette époque, j'aimais étudier, j'adorais lire et je profitais pleinement de ma formation, même si elle me coûtait cher.

Je voyais toujours Tahir, de même que j'assistais à des conférences sur les rêves, le complexe d'Œdipe, l'inconscient. Je lisais les premiers disciples de Freud (Ferenczi, Adler, Jung, Theodor Reik), ainsi que ceux de la génération suivante (Klein, Winnicott, Lacan). Ce n'était pas une tradition très ancienne – elle avait à peu près une centaine d'années –, mais il y en avait des tonnes et des tonnes, et pratiquement tout était écrit dans un style abominable. Ce discours, qui ne parlait que de plaisir, n'en procurait guère. Si la meilleure chose qu'on puisse dire de la lecture, c'est qu'on peut la pratiquer allongé, alors effectivement, Karen s'allongeait à côté de moi et passait son temps à dévorer des vidéos et des livres de poche aux couleurs criardes où il n'était question que de gens qui faisaient du shopping. Elle attendait le moment où son visage apparaîtrait sur le petit écran.

Et puis je me suis lancé : je commençai à voir mes premiers patients et je compris très vite qu'écouter était une des choses les plus difficiles qui soit. Tahir m'avait expliqué que la vérité n'est pas cachée derrière une porte fermée à clé dans une oubliette appelée « inconscient ». Elle était là, juste sous les yeux du patient et de l'analyste, à attendre qu'on veuille bien l'écouter. L'objet perdu était la clé d'accès au langage. Freud disait que l'on devait s'intéresser à l'inconscient avec « une attention flottante et une neutralité bienveillante ». Le plus utile à ce moment-là, c'était l'inconscient de l'analyste, le libre jeu de ses associations et fantasmes. L'interprétation, quand elle surgissait, devait être aussi précise qu'un geste de chirurgien – au bon endroit au bon moment.

Écouter quelqu'un, ce n'est pas simplement une forme d'amour, c'est de l'amour tout court. Mais, pendant mes premières consultations, alors que j'essayais de faire face à cette angoisse d'écouter un patient que je ne connaissais pas, dont je ne comprenais pas les rêves ni les divagations, je ressentais le même désarroi que la première fois que j'avais lu *La Terre vaine*. Il m'arrivait aussi de détester ma maladresse et mes patients, alors qu'ils m'attiraient dans le maelström de leurs passions et dans le magma éruptif, écumant de leur inconscient. J'avais envie de me sauver et je me demandais qui avait le plus peur – l'analyste ou l'analysant ? Il me fallait accepter, d'un côté comme de l'autre, que cette peur faisait partie intégrante de l'angoisse de la découverte. C'était un travail de longue haleine : apprendre la patience, développer mon instinct d'analyste, savoir créer l'espace et le temps qui permettent à l'analy-

sant de s'écouter, de se rencontrer. C'est dans cette perspective, finalement, que j'orientai ma pratique.

J'allais voir Tahir pour lui en parler et, même si à cette
époque, il buvait et était souvent d'humeur belliqueuse (il
était parfois excédé par les théories des autres analystes,
celles de Lacan en particulier, l'héritier le plus important
de Freud), il avait des choses cruciales et urgentes à transmettre. Sans l'avoir cherché, à l'occasion d'une séance où
je devais être fatigué, je me suis retrouvé plongé dans un
état de déconnexion plus profond que d'habitude. Je fus
surpris du profit que j'en tirai. Tahir me dit que j'avais
touché du doigt un point fondamental : mon inconscient
était plus réceptif à celui d'un autre si je ne cherchais pas à
tout prix à comprendre. J'avais tendance, me dit-il, à faire
trop de théorie et à trancher trop vite.

Il me fit également prendre conscience que j'apparte-
nais à une tradition de l'écoute. De même que Schoenberg
était allé voir Mahler afin qu'il lui donne des conseils, de
même que T. S. Eliot s'était tourné vers Ezra Pound, les
analystes transmettaient leur enseignement et leur proto-
cole. Tahir avait été formé par le grand analyste pour
enfants Winnicott, qui avait suivi une analyse avec James
Strachey et Joan Riviere, tous deux ayant fait leur analyse
avec Freud. Étant donné le peu d'informations que je
détenais sur la branche indienne de mes ancêtres (les liens
avaient été rompus à la mort de mon père), je n'avais quasiment aucune idée de ce qui me rattachait au passé. Le
fait de devenir analyste me permit de rallier une autre
lignée, une autre famille qui me « soutiendrait » au travers
des incertitudes de cette période d'apprentissage.

Alors que ma carrière prenait tournure, celle de Karen
se délita. Ce ne fut pas drôle pour elle de se rendre compte
que sa nervosité l'empêcherait de réussir à la télévision.
Avec ses grands yeux, elle ressemblait à une meurtrière.

Même si elle n'avait pas pris de cocaïne, elle se comportait tout comme : vous aviez le sentiment qu'elle allait jaillir de l'écran pour vous sauter à la gorge. Elle était suffisamment maligne pour comprendre que, dans les médias, le pouvoir était aux mains des producteurs, pas des présentateurs, si bien qu'elle commença à travailler en tant que producteur associé d'une émission pour les jeunes. Je suis allé plusieurs fois sur le plateau. Mais dans quel monde vivait-on ? On ne voyait plus que des jeunes présentateurs quasiment nus, des groupes d'ados, des blagues puériles, des gamineries, des entretiens avec des débiles.

« Tu n'aimes pas ? me demanda-t-elle. Peut-être que tu n'étais pas assez défoncé pour apprécier. »

J'avais pris du LSD quand j'étais adolescent mais je trouvais que les effets de cet acide infernal se prolongeaient trop. C'était comme un film d'horreur dont on ne peut pas sortir. J'avais eu ma dose d'aventures diverses. Mais, en travaillant sur ses émissions, Karen avait entendu parler d'une nouvelle drogue, moins solitaire, qui circulait dans les boîtes de New York et qu'on appelait ecstasy, ou E. Nous avons mis du temps à en trouver, il n'y en avait pas beaucoup à Londres à ce moment-là. Nos premières soirées ecstasy, nous les avons organisées chez elle, d'autant qu'elle avait une grande baignoire circulaire. Elle aimait les nouveaux artistes : Sade, Tina Turner, Police, Frankie Goes to Hollywood, Eurythmics. Des années plus tard, j'eus à nouveau envie d'écouter un disque dès le matin au réveil quand Massive Attack sortit *Blue Lines* (« *You're the book I have open* »), au moment de la première guerre du Golfe.

Des nuits et des nuits sous E, où nos disciples se laissaient emporter par ce qui me semblait être un hédonisme total, où j'étais taraudé par l'angoisse et la culpabilité, que je compensais par des journées entières de travail frénétique. Ces nuits me permirent de réfléchir aux usages et aux difficultés liés au plaisir, à toute cette question de la *jouissance** qui parcourt nos vies. L'ecstasy me mettait en contact avec les autres. Elle me donnait envie de parler, alors que je disparaissais dans la voix caverneuse du plaisir ultime, mais elle n'était qu'un billet bon marché pour rejoindre ce lieu que mystiques et psychotiques ont toujours cherché à atteindre.

La musique battait son plein, la parole circulait librement. Mais il n'y avait pas que ça. Pour décupler nos sensations, nous prenions de la cocaïne, ce qui nous plongeait dans un état extraordinaire. De nouvelles boîtes ouvraient leurs portes, avec des sonos énormes. Elles appartenaient à des garçons de bonne famille qui, en un rien de temps, avaient converti les milieux interlopes au marché de Thatcher. Bientôt, je m'aperçus que Karen était plus tolérante que moi vis-à-vis de ces lieux. Contrairement à la plupart des gosses qui venaient là, elle ne cherchait pas spécialement à ouvrir son moi intérieur ni à le dissoudre. Elle était là pour travailler : elle observait les façons de s'habiller, les attitudes, elle se cachait dans les toilettes pour noter les expressions qu'elle avait saisies au vol. Tout était recyclé pour la télévision.

Nous sommes allés à New York « rencontrer des gens ». Je montai sur le toit de l'hôtel et contemplai cette ville scintillante pour la première fois de ma vie. Nous avons commencé une tournée ininterrompue de boîtes, de bars, sans oublier la célèbre Knitting Factory. Alors que j'avais surtout envie d'aller dans les librairies d'occasion du Upper West Side, espérant y dénicher d'obscurs ouvrages de psychanalyse, elle nous achetait de la coke et faisait des pieds et des mains pour obtenir des invitations à des « soirées à atmosphère », disait-elle. Les Londoniens, plus cyniques et moins naïfs à l'époque, étaient à l'inverse plus crédules dès qu'il était question de célébrité. Je commençais à la détester. Elle me traînait partout comme un gamin récalcitrant. À notre retour à Londres, je lui dis très clairement que je ne voulais plus vivre avec elle.

Karen était de plus en plus dure. Personne n'avait plus envie de travailler pour elle. Elle se faisait une spécialité de renvoyer les gens. « Il fallait bien que quelqu'un le fasse », disait-elle en regardant un énième loser prendre la porte. D'après elle, si on souffrait, on n'avait qu'à s'en prendre à soi-même. Même si vous étiez un Noir sud-africain persécuté et dépouillé de ses droits constitutionnels, d'une manière ou d'une autre, c'est vous qui aviez attiré le malheur sur votre tête. Au bout d'un moment, je décidai de ne plus m'en soucier, surtout quand je compris qu'elle trouvait insupportable qu'on puisse se faire souffrir les uns les autres. Et comme elle trouvait cela insupportable, elle avait décrété que ça ne pouvait pas exister, ce qui la dispensait d'y regarder de plus près.

Dans la journée, notre moment préféré, c'était le petit déjeuner, que nous prenions dans un café de Soho. Nous allions souvent à la *Pâtisserie Valérie** de Old Compton Street, après avoir acheté quelques exemplaires de la presse à scandale. L'immonde *Sun* connaissait son heure de gloire, la famille royale étant impuissante à faire quoi que ce soit, et tous les autres journaux suivirent. On en lisait des passages à voix haute : leur prose nous faisait hurler de rire. Ça, c'était avant que les gens ne comprennent que celui qui aurait bientôt le plus de pouvoir au monde s'appelait Rupert Murdoch, découvreur du culte de la célébrité, et suffisamment intelligent pour ne pas s'y laisser prendre.

Les journaux furent les premiers à se convertir aux paillettes et pacotilles, sans vergogne aucune. La télévision n'avait pas encore été contaminée, exception faite de ces émissions pour les jeunes, où Karen et ses acolytes encourageaient le premier venu à manger des asticots (« Des lourdauds gobant des asticots : quoi de plus drôle ? »), à prendre des bains d'anguilles ou, pourquoi pas, de déjections humaines et animales. Le lendemain, ces toutes nouvelles stars faisaient leur apparition dans la presse après une nuit passée en compagnie d'une vedette de série télévisée. Désormais, nous ne regardions plus la télévision : c'est elle qui nous regardait.

Les journaux consacraient les nouvelles stars pour mieux les détrôner. Je n'avais jamais aimé les punks mais, parfois, j'étais séduit par leur amoralité républicaine et anarchiste. J'imagine que ce qui me plaisait chez eux, c'était ce manque de respect pour l'autorité et son potentiel destructeur. Bizarrement, ils cadraient parfaitement avec l'esprit libéral ambiant. Comment ne pas trouver drôle que le capitalisme sauvage promu par les conservateurs sous Thatcher s'attaque justement aux valeurs sociales que le parti défendait ?

Tandis que nous savourions nos croissants et un *caffe latte*, boisson toute nouvelle à Londres, Karen remplissait des pages entières d'idées complètement farfelues qui alimentaient les derniers jeux télévisés de la tranche du matin et du midi. À l'époque, les plages télé de la journée étaient un immense désert et ça n'allait pas s'améliorer. On commençait à faire des émissions à la va-vite et avec peu de moyens. Les caméras étaient de plus en plus petites, les bandes d'enregistrement étaient de meilleure qualité. Le contenu dépendait aussi de marges financières très étroites : on n'embauchait ni des acteurs de cinéma ni même des acteurs de télé, mais des « véritables » gens, dénichés par des spécialistes, qui pouvaient être propulsés sur le devant de la scène suite à une simple apparition sur le petit écran. Pour moi, tout cela ressemblait à du music-hall : ça n'était rien d'autre que la version télévisée des spectacles délirants où mes grands-parents nous emmenaient avec Miriam pendant nos vacances en bord de mer. Dans les foires installées en bout de jetée, nous avons vu des jongleurs, des lanceurs de couteaux, de gros acteurs qui racontaient des blagues salaces. Ensuite, nous dégustions des « sandwiches chauds imbibés de sauce ».

Pour moi, tout cela n'était que divertissement mais, pour Karen, c'était une vocation, une occasion à saisir dont peu de gens avaient conscience. Je crois que j'ai pris la mesure de son terrorisme culturel le jour où j'ai suggéré qu'on aille voir un film sous-titré. « Ah non, jamais de la vie ! s'exclama-t-elle. Pas un film étranger où il faut lire en plus ! Les passe-t-on au ralenti ? Tu n'as pas le sentiment d'avoir des envies de vieux ? »

Quand je proposais une pièce de théâtre ou une exposition, elle ne refusait pas d'y aller, n'invoquait pas l'excuse d'un éventuel mal de pieds – ce qui ne m'aurait pas surpris car, la plupart du temps, elle portait des talons aiguilles ; même ses pantoufles la mettaient à plusieurs centimètres au-dessus du sol. Mais elle disait que l'art, c'était surtout un moyen facile d'épater la galerie et une insulte au public. Quant à l'art subventionné, c'était un bel exemple du gâchis des deniers de l'État. « *Crime et Châtiment* de Tchaïkovski, *La Dernière Symphonie* de Tchekhov – beurk, dégueu, gerbeux ! »

En bonne disciple de Thatcher, Karen voulait se débarrasser de l'art. Bientôt, « en cette fin de l'Histoire », les dirigeants de la télévision, ceux qui sortaient d'Oxford et de Cambridge confits en déliquescence et shootés au sentimentalisme, mais aussi la monarchie et l'Église, tous seraient remplacés par le « peuple », expression qu'elle utilisait, semblait-il, pour parler de ceux qui sont d'une ignorance et d'une grossièreté crasses. Je n'étais pas le seul à tuer le père. Dans les années 1960 et 1970, alors que le patriarcat et le phallus étaient violemment mis en cause, le meurtre avait été érigé en véritable culte. Et, au bout de cette décennie iconoclaste, où cela nous avait-il menés ? À Margaret Thatcher. Le coup aurait été moins terrible si elle avait été un homme.

Aujourd'hui, c'est sûr, nous sommes au cœur de la psyché thatchérienne, pour ne pas dire au cœur de son fondement. Nous vivons dans le monde qu'elle a façonné : monde de compétition, de consommation, de célébrité, mais aussi de charité, fille bâtarde de la culpabilité, entre surconsommation et endettement. Mais, tout de même, cette façon de concevoir le monde était assez nouvelle.

L'avantage avec Karen, c'est qu'elle m'apprit à ne plus faire de hiérarchie entre culture noble et culture populaire. Je pense que jusque-là, j'avais été assez snob. Je me demandais régulièrement s'il était très normal d'être ému par Roy Orbison et Dusty Springfield. Mais, sans le savoir, Karen me montra qu'il était dérisoire d'opposer les deux champs.

Pour ma part, j'avais peu de chances d'intéresser Karen à ce que je faisais. Même si elle me laissait me consacrer à mes études, elle ne trouvait pas que la psychanalyse débouchait sur un métier « très convaincant », un peu comme si j'avais choisi de devenir astrologue new age ou devin. Je l'avais constaté à différentes reprises, quand elle avait du mal à expliquer aux gens ce que je faisais et qu'elle manifestait une réticence extrême, voire un réel embarras dans ses explications. Mais aussi quand elle décida, sans m'en parler, que je gagnerais plus d'argent si je devenais présentateur de télévision.

On voyait peu de visages noirs ou café au lait sur le petit écran. Je devais donc remédier à ce déséquilibre. Je lui expliquai que c'était peine perdue mais elle insista : il fallait que je passe deux auditions pour animer une émission intitulée *Télévision / Télévision* sur une nouvelle chaîne.

J'étais face à la caméra, je portais une veste Armani qu'on m'avait prêtée et je devais m'asseoir à un bureau (j'avais un coussin sous les fesses, d'ailleurs, sinon j'étais trop petit), ou sur le bureau lui-même. Puis on me demanda de déambuler autour en déclamant sans fin : « Salut à tous, bienvenue à *Télévision / Télévision*. Nous espérons que vous allez passer une excellente soirée en notre compagnie. Aujourd'hui, nous vous proposons un entretien exclusif avec Sviatoslav Jarmusch, qui a récemment déclaré que le numérique est l'avenir de la télévision. Pour en parler avec nous ce soir, nous accueillons sur le plateau... »

J'imagine que j'aurais pu y arriver et qu'aujourd'hui, je serais sorti de l'anonymat du monde de l'audiovisuel, mais j'ai raté ma prestation dans les grandes largeurs. Je fus lamentable, comme si j'avais pris la parole pour la première fois de ma vie.

Néanmoins, cela ne sonna pas le glas de ma carrière médiatique. Karen et moi avions envisagé de faire des films porno qui nous permettraient de gagner beaucoup d'argent : elle à la production, moi à la direction, sachant que ni l'un ni l'autre ne jouerait dans aucun film. Mais elle connaissait suffisamment bien ce type d'univers pour savoir qu'une telle activité serait extrêmement prenante et qu'on ne pouvait s'y engager à temps partiel. S'agissant de l'écriture des scénarios, c'était moins problématique. J'avais acheté une machine à écrire électrique très rapide, avec une « balle de golf » qui parcourait la page en tous sens, tel un oiseau pris au piège dans une cheminée, et j'aimais écrire. Depuis que j'avais tué un homme, y avait-il quoi que ce soit que je ne puisse entreprendre ?

Dans un premier temps, j'ai envoyé des histoires à des

magazines bas de gamme. Quand elles ont été publiées, les rédacteurs en chef ont commencé à m'en demander d'autres. Au début, je m'amusais bien. Je m'appliquais à organiser l'histoire autour d'une dynamique qui suivait le rythme du coït. J'appris à les écrire sans perdre trop de temps.

Il n'y a rien de plus conventionnel que la prophylaxie sournoise de la pornographie, où la fin est connue d'avance. Anna Freud, vierge éternelle, disait que dans un fantasme, on peut se faire cuire un œuf comme on l'entend, mais cet œuf, on ne peut pas le manger. Pour ceux qui ont envie de voir et revoir sans cesse la même chose, ils ne sont pas déçus. En fait, ce sont les mêmes mots qui reviennent inlassablement. Je m'étais constitué une liste des ingrédients de base du glossaire porno, bien relevés, particulièrement sonores – plus fort, plus fort, allez jouis, jouis ! – et je savais que je pouvais en saupoudrer mes récits comme bon me semblait.

Toutefois, ces magazines me laissèrent aussi travailler sur des textes semi-pornographiques. Je leur envoyai des articles sur Sade, Beardsley, Hugh Hefner, l'histoire des images pornographiques, pour lesquels je faisais des recherches qui me passionnaient.

Une fois, j'ai dû rencontrer un mec louche dans un hôtel peu reluisant. Il voulait que j'écrive de courts romans avec des titres tels que *La Poigne de fer*. C'était un sacré boulot – je découvrais que c'était le cas de presque tous les boulots –, mais j'arrivai à trouver le bon filon. Je réussissais à pondre un livre porno en un week-end. Je ne tins pas longtemps la cadence. On dit que la pornographie est la malbouffe de l'amour : bientôt, je ne pouvais plus avaler un seul morceau de cette infâme nourriture. Étant encore jeune, j'étais tenté d'ajouter des éléments, de digresser, d'insérer des passages plus personnels. Que font les couples une fois le coït terminé ? Trouvent-ils la situation pénible, embarrassante, ennuyeuse ? Que font-ils quand ils sont chez eux ? Que racontent-ils à leurs parents ? Il y avait des serveuses, des hommes d'affaires, des femmes de chambre qui travaillaient dans des hôtels, des gens qui se retrouvaient sans aucun complexe, dans un seul et unique but ; mais celui-ci ne me suffisait plus. Notre carrière pornographique s'effondra le jour où j'écrivis un roman dont les deux personnages principaux, mariés par ailleurs, ne se voyaient que pour parler.

L'homme de l'hôtel piqua une crise. Il feuilleta le manuscrit d'un air désespéré et l'envoya voler à travers la pièce : « Parler ! N'importe qui peut parler ! Où est la baise là-dedans, bordel de merde ? C'est quoi ce truc – du Platon ? Je préférerais *Plato's Retreat*[1] ! »

La frontière qui séparait la littérature de la pornographie était infranchissable. Rompre le charme pornographique, c'est un peu comme lorsque, au cours d'une soirée, quelqu'un allume les lumières : on ne voit autour de soi que des épaves et des visages ravagés. Aujourd'hui, la pornographie donne dans le sentimental alors que les films normaux ont tendance à montrer plus de scènes de sexe.

C'était une situation étrange que d'être célibataire tout en vivant une relation de couple où l'on ne pensait qu'à « ça ». Je parlais de mes romans à Karen et elle me suggérait telle ou telle idée, issue de sa propre expérience le plus souvent. C'était sur ce terrain que nous vivions une rela-

---

1. *Plato's Retreat* était le nom d'un club hétérosexuel de New York, très connu à la fin des années 1970 et dans les années 1980. L'expression combine plusieurs sens : la retraite, le retrait, la mise en déroute de Platon et de la « sagesse » qu'il est censé incarner. (*N.d.T.*)

tion sexuelle, à travers nos discussions, à travers mon travail.

De mon point de vue, tout « allait au mieux » entre Karen et moi jusqu'au jour où elle est tombée enceinte. Cela peut paraître improbable quand on est un couple de célibataires mais, comme j'ai pu m'en rendre compte, ce n'est pas impossible. L'amour platonique est un revolver dont on ignore qu'il est chargé. Souvent nous étions soûls quand nous allions nous coucher et nous finissions par copuler même en dormant. J'en ai suffisamment de souvenirs pour savoir comment ça se passait. Nous étions tous les deux d'accord pour dire qu'elle avorterait. Ils la connaissaient bien, à la clinique, et je blaguais en disant qu'elle y avait ouvert un compte. Un matin, elle est partie en emportant des affaires pour une nuit.

Karen était aussi déterminée que n'importe quel artiste qui sait ce qu'il a en tête. Parfois, elle devait se blinder devant le mépris affiché des artistes et des gens talentueux, mais cela ne l'empêchait pas de penser que leur travail n'avait aucune valeur. Pourtant, l'avortement, que la plupart de ses amies utilisaient comme moyen de contraception, parut l'anéantir.

Je l'attendais à l'appartement quand elle est rentrée, blême, incapable de tenir sur ses jambes. Elle est restée deux jours allongée sur le canapé, enveloppée dans une robe de chambre. Je savais qu'elle n'était vraiment pas bien : elle ne fumait pas, ne buvait pas non plus. Elle me dit que c'était moi le responsable. Malgré tout, je restai à ses côtés pour veiller sur elle. Je me contentais de jeter un coup d'œil à la fenêtre de temps en temps. Puis, un jour, elle s'est levée et s'est mise à hurler que je n'avais pas compris ce que tout cela signifiait pour elle.

« C'était ma seule chance d'avoir un enfant ! Imagine que je ne trouve plus personne d'autre ! Imagine que je sois obligée de me débrouiller toute seule ! Est-ce que tu te rends compte que je vais devoir vivre avec le meurtre de cet enfant sur la conscience jusqu'à la fin de mes jours ? »

Je n'étais pas assez mûr pour comprendre ce qu'elle me disait. De mon point de vue, elle avait une vingtaine d'années et tout le temps devant elle pour procréer. J'avais pris pour acquis que, dans son cas, les relations sexuelles n'étaient qu'une forme de transaction professionnelle, ou une façon de passer du temps avec ses supérieurs hiérarchiques. Je n'avais pas songé aux enfants. De mon côté, je me remettais tout juste de la période de mon enfance et je pensais que les adultes n'étaient que des enfants convalescents.

« L'autre jour, poursuivit-elle, je me disais : "Il ne m'aime que parce que je suis stupide. À ses yeux, je ne suis qu'une simple distraction." Comment un homme peut-il demander ça à une femme ? Pourquoi es-tu resté avec moi ?

— Je n'ai jamais pensé que je pouvais vivre autrement. On a toujours eu des bons moments ensemble.

— Mais tu ne m'as jamais aimée. C'est Ajita que tu aimes depuis tout ce temps. Tu n'acceptes pas qu'elle soit partie. Tu ne vois pas ce qui est simple ? Moi, la femme de cette histoire, j'ai envie qu'on ait envie de moi – de moi plus que des autres femmes. S'il n'y a pas cette envie, il n'y a rien du tout. Tu penses qu'on est seulement amis ?

— Ce n'est pas le cas ?

— Je suis amoureuse de toi depuis le début. »

Je lui dis que j'étais désolé et commençai à l'écouter. Au moins, ça, je savais le faire. Mais je la dégoûtais et j'étais tellement agité qu'elle finit par me mettre à la porte. Rien de tout cela ne pouvait me réjouir. Elle avait voulu que je lui fasse un enfant mais elle n'avait pas pensé une seconde à ce que je voulais, moi. De fait, j'avais tellement peu manifesté mon désir auprès d'elle que c'est tout juste si j'avais un rôle à jouer dans son scénario.

Je n'allais pas fort. Deux histoires d'amour, deux meurtres. Encore un peu et je devenais tueur en série. Avec Karen, j'avais essayé de soigner les blessures infligées par Ajita, qui avait déclenché chez moi une phobie de l'attachement amoureux. Mais je découvrais qu'on peut ne pas aimer une femme, et qu'elle vous fasse souffrir malgré tout – surtout si vous, vous l'avez fait souffrir. Pourtant, je perdais aussi quelque chose, et toute perte, même compensée par un gain, laisse des traces, vous rappelle d'autres pertes, dont il faut faire le deuil. Mais ça n'est jamais un deuil total.

Après notre séparation, j'avais voulu que nous restions amis mais, pendant longtemps, nous nous sommes à peine vus. Elle a engagé une autre relation avec un producteur, avec qui elle s'est mariée et qui était jaloux de moi, mais nous ne coupâmes jamais complètement les ponts.

« Ohé, réveille-toi, me dit Karen. On y est presque. »

Pendant des kilomètres, nous avions roulé sur de petites routes. Nous abordions un chemin de terre.

« J'ai l'impression, continua-t-elle, que l'un de nous va s'envoyer en l'air ce week-end.

— Chouette ! Espérons que ce sera toi. »

22

Nous parvînmes devant un haut mur d'enceinte surmonté de barbelés que nous longeâmes jusqu'à un grand portail. Karen abaissa sa vitre, dit quelques mots dans l'interphone. Les grilles s'ouvrirent lentement, nous dévoilant la maison de campagne.

Dans la cour principale, Alan, le petit ami de Mustaq avait un peu de mal à tenir debout mais il tenait fermement son joint et son verre de vin. Il gloussait tout seul tandis qu'il observait une grande toile d'araignée en fer noir, avec une araignée métallique peinte en rouge trônant au milieu. « C'est moi qui l'ai faite, cette sculpture ! hurla-t-il. Ça, c'est de l'art : il n'y a pas à dire ! Ah, salut à vous ! Bienvenue ! Faites comme chez vous ! »

Quelques secondes plus tard, Karen était dans ses bras. Puis, une fois dans le salon, Alan entreprit d'ouvrir une bouteille, avant de demander à l'un des employés que j'avais déjà aperçu à Londres de me conduire à ma chambre, dans la grange aménagée, là où logeaient les invités. Bien sûr, « grange » ne laissait rien deviner du luxe que Mustaq pouvait s'offrir et qu'il aimait offrir à ses amis.

Karen et moi étions arrivés de bonne heure ; nous avions tous les deux eu envie de quitter Londres au plus vite. Comme je l'avais espéré, j'eus largement le temps d'aller me promener dans les champs alentour. En nous accueillant, Mustaq avait dit : « Tout ce que vous voyez m'appartient. Le reste, c'est à Madonna. Je loue mes champs à des cultivateurs écolos du coin mais, je vous en prie, n'hésitez pas à vous y balader si vous en avez envie. »

Au bout de deux heures, je rentrai et fis le tour de leur magnifique jardin. C'était le domaine d'Alan. Il faisait tout lui-même – fleurs, plantes aromatiques, pelouses, petits bassins – et ensuite, il disposait ses sculptures, qui se dressaient çà et là tels des trombones géants. C'était un artiste reconnu à présent. Il exposait dans une grande galerie londonienne qui attirait du beau monde, même Ron Wood des Rolling Stones.

Mustaq m'avait laissé entendre qu'après ma promenade, je pourrais profiter de la piscine si je le souhaitais. J'avais déjà repéré l'endroit, protégé par une verrière qui jouxtait l'habitation principale. En m'approchant, j'aperçus, au travers des baies vitrées, quelque chose qui me pétrifia.

J'avais vu une tête qui se déplaçait sur l'eau. Elle était coiffée d'un bonnet de bain noir. Je regardai cette femme qui sortait de la piscine, enfilait son peignoir et ses sandales en plastique. Elle aussi regarda dans ma direction. Soit elle était myope, soit elle ne me reconnaissait pas – tellement j'avais vieilli ou changé –, mais elle me fixa longuement et je fis de même. Ni l'un ni l'autre n'avait esquissé le moindre geste.

Je ne voulais pas qu'elle pense que je m'en allais (si elle m'avait effectivement reconnu, ce dont je doutais) et je restai là, à regarder sa silhouette floue à travers les épaisses vitres couvertes de buée. Finalement, elle se dirigea vers l'escalier qui conduisait aux douches installées sous la maison. Ainsi s'en allait ce corps que j'avais aimé et désiré plus que tout autre.

J'avais bien compris que Mustaq espérait avoir l'occasion d'une ou deux discussions intenses et animées avec moi. J'avais également besoin de lui parler. Mais je n'avais pas imaginé qu'Ajita serait là. Le moment tant attendu se profilait à l'horizon. Bientôt, nous pourrions nous dire tout ce que nous avions sur le cœur depuis si longtemps. Mais par où commencer ? Où cette discussion allait-elle nous entraîner ?

Rien, désormais, ne serait aussi simple qu'avant – quand je ne me disais qu'une seule chose : « Elle me manque. »

Je retournai dans ma chambre et m'assis près de la fenêtre. Dans la cour, l'un des domestiques nettoyait les pneus de la voiture de sport de Mustaq. Au loin, les champs étaient ceinturés par une autoroute et, au-delà, on apercevait la ville. Les vêtements que j'avais jetés par terre en arrivant, comme je le fais toujours chez moi, avaient été pliés et posés sur une chaise. Le reste de mon sac avait été rangé dans les placards et on avait nettoyé mes vieilles tennis tout usées.

J'essayai de me calmer, d'arrêter de tourner comme un lion en cage. Je décidai de m'allonger un peu. Je fus réveillé par une voix métallique. Ce n'était pas de la paranoïa : Mustaq avait fait installer des haut-parleurs dans les chambres et m'invitait à passer à table.

Je pris une douche, me changeai. Je repensais au regard d'Ajita posé sur moi. Face au miroir, j'observai les rides et les défauts auxquels je ne prêtais plus attention. Maintenant, quand je me regardais, je ne voyais rien qui vaille la peine – et je me demandais ce qu'elle verrait.

Comme je sortais de la grange pour rejoindre la maison avec Karen (elle s'était offert une sieste, dans la chambre juste à côté), je vis que la cour ressemblait désormais à un stand d'exposition pour automobiles. En passant à côté de la sculpture d'Alan, j'expliquai à Karen que l'un des disciples de Freud, Karl Abraham, avait écrit un essai sur l'araignée comme symbole des organes génitaux féminins : elle représentait la femme pourvue d'un pénis et, donc, la menace de la castration. Karen, bien évidemment, ne manifesta pas un grand intérêt pour ce que je racontais.

À l'inverse, son regard fut attiré par le portail en fer qui venait de se refermer. Dans la cour, deux vedettes descendaient de voiture et se donnaient en spectacle, jetant un coup d'œil alentour, comme si elles cherchaient à comprendre où elles étaient et comment elles étaient arrivées là. Karen se prit le visage entre les mains, ouvrit la bouche comme pour crier – à la manière d'une fan des Beatles !

« Qui est-ce ? » murmurai-je.

Elle m'expliqua que l'un d'eux était l'acteur indien Karim Amir, qui sortait tout juste d'un centre de désintoxication des environs de Richmond.

« Et ce n'est pas Stephen Hero qui sort de la voiture à l'instant ?

— Non, pas Stephen Hero, tu déconnes, dit Karen en m'envoyant une bourrade. Qui c'est, nom de nom ? Ah oui, Charlie Hero. Charlie. Il s'appelle Charlie, souviens-t'en pour ce soir, et pour la suite ! »

J'étais ravi de voir que Karen avait su garder intact son enthousiasme pour les gens connus. Quand je l'avais rencontrée, la moindre personne célèbre la fascinait – en fait, toute personne qui connaissait quelqu'un de célèbre. Je constatai que les célébrités ne l'avaient pas encore déçue.

Karen me conduisit jusqu'à la cuisine pour y prendre un verre de champagne et une cigarette.

« Qu'est-ce qui ne va pas ? Tu es nerveux ? dit-elle en me passant la main dans le dos.

— Je suis terrifié. Je ne sais pas pourquoi. C'est toi qui es à l'aise habituellement dans ce genre de circonstances. »

Elle gloussa. « Est-ce que mes seins sont bien au balcon ?

— C'est comme si tu ne portais rien en haut... ni en bas non plus, lui fis-je remarquer après un rapide coup d'œil. Tes talons sont super. Moi, je n'aurais qu'un conseil : profites-en.

— C'est bien ce que je pensais. Je suis contente que ça te plaise, Jamal. Il y a pas mal d'hommes ici qui vont avoir la vue basse ce soir. »

Elle brandit une bouteille. « Ne laissons pas perdre cette divine bouteille : il y a plus qu'il n'en faut là-dedans.

— Verse-moi un autre verre.

— Cul sec. »

Elle jeta un regard autour d'elle. « Il n'y a pas à dire, les riches ne sont pas comme nous. Il n'y a pas de bazar chez eux. Ils ont des gens qui jettent tout ce qui traîne à leur place, sans hésiter. J'ai toujours pensé qu'un jour, je serais riche. J'en étais persuadée quand on était jeunes. Pas toi ?

— J'étais trop bête pour comprendre le réel plaisir que procure l'argent. Tout de même, tu ne t'es pas mal débrouillée.

— Mais pas encore assez. Toi et moi, on s'est laissé aller, Jamal. »

Nous regardions les employés de Mustaq aller et venir, monter et descendre les escaliers en silence et avec célérité. Ils portaient des uniformes à la fois élégants et pratiques. Non seulement ils ne regardaient pas les invités, mais ils inclinaient la tête chaque fois que nous passions à côté d'eux.

Un quart d'heure plus tard, Karen et moi fîmes notre entrée dans la salle à manger. Un piano à queue était installé à l'autre bout de la pièce ; il y avait des disques d'or, des photos, des guitares accrochés au mur. Karen repéra immédiatement Charlie et Karim et s'empressa de les rejoindre.

Je demeurai un peu en retrait, attendant d'être absolument sûr. J'en eus bientôt la confirmation : Ajita était là pour le dîner.

Elle était vêtue d'une robe noire ; ses bras étaient nus, un bracelet en argent tout simple ornait un de ses poignets. Je cherchai à voir son alliance, mais elle était trop loin. Elle avait toujours mis des vêtements très chers qu'elle portait avec un brin d'ostentation. Elle ne semblait guère avoir changé. Elle était ce genre de femme sur qui on se retourne quand on la croise dans un grand restaurant milanais. Ses cheveux étaient d'un beau noir brillant ; elle n'avait pas changé de coiffure non plus. Je ne voyais pas complètement son visage, qui était tourné vers quelqu'un tandis qu'elle riait.

Karen me faisait signe de venir m'asseoir. Mais, en proie au trouble qui me saisissait, je ne bougeai pas, je voulais que ce moment dure encore, j'attendais qu'Ajita regarde vers moi, sachant pertinemment qu'à partir de là, ce serait vraisemblablement le début des ennuis. Quel genre d'ennuis, je n'en avais pas la moindre idée, mais comment le monde pourrait-il continuer à marcher droit après cet échange de regards ?

Elle leva les yeux et je la vis sursauter quand elle me reconnut. Ses lèvres s'entrouvrirent, ses yeux s'écarquillèrent légèrement. Elle me regarda la regarder. Je sentais le réajustement de perspective qui s'opérait entre nous, alors que rêve et réalité s'entrechoquaient et commençaient à s'adapter l'un à l'autre. Nous n'étions plus de jeunes étudiants, désormais. Nous avions tous les deux largement atteint l'âge mûr.

Elle esquissa un sourire, je fis de même. Elle se leva. Il fallait que l'un de nous prenne une initiative. Nous nous retrouvâmes dans les bras l'un de l'autre, à nous embrasser, à virevolter, jusqu'à ce qu'une forme de gêne s'installe.

À la fin, son frère, qui n'était pas le seul à nous observer, mais qui était le plus attentif, arriva derrière nous et nous prit chacun par l'épaule tandis que nous nous essuyions les yeux.

« Mes chéris, mes amours adorés, pardon ! Je ne vous avais pas dit que vous seriez là tous les deux ce soir. Je craignais que l'un d'entre vous ne décline mon invitation. Est-ce que j'ai eu tort ?

— Je ne sais pas, lui répondis-je. Mais je pense que ça va aller.

— Oui, oui », confirma Ajita. Elle se tourna vers moi, un sourire déterminé sur les lèvres. « Alors, que deviens-tu ? Qu'as-tu fait de beau ?

— Pas mal de choses, en fait. Ça fait tellement longtemps.

— Oui, pour moi aussi. Très longtemps. »

Nous trinquâmes délicatement. Elle rit. « Tu disais toujours "en fait". Je suis tellement contente que tu n'aies pas changé.

— Et toi, tu as changé ?

— J'imagine que tu t'en rendras vite compte », me répondit-elle en me déposant un baiser sur la joue.

23

C'était une très grande table. Je suppose que trente personnes pouvaient aisément tenir autour. Nous étions à peu près la moitié, mais d'autres invités arrivaient encore de Londres. Ils venaient là pour la soirée ou pour le week-end, et aussi pour se mettre les pieds sous la table.

Karen était assise en face d'Ajita. Elle n'arrêtait pas de parler, comme toujours quand elle était nerveuse. Ce qui ne l'empêchait pas de dévisager Ajita à tout moment.

Omar Ali s'était installé à côté de moi. Charlie et Karim s'étaient retrouvés en bout de table, avec des gens que je ne connaissais pas. On discutait anoblissement (cette prothèse pour quinquagénaires) : était-ce une bonne chose de l'accepter ou pas ? Puis on changea de sujet, pour se demander si Karim aurait intérêt à participer à *Je suis une célébrité... Sortez-moi de là !*

Charlie n'y était pas favorable, arguant du fait que Johnny Rotten n'avait pas seulement mis en danger son charisme, avec cette émission. Mais Karim avait déjà joué dans des feuilletons britanniques, puis, au cours de ses années en Amérique, on lui avait confié des rôles de tortionnaire ou de victime dans de mauvais films, si bien qu'il n'avait guère de charisme à mettre en danger. Charlie, évidemment, avait déjà dit non mais il n'était pas sûr de ne pas le regretter.

De temps à autre, je me tournais vers Ajita. Des années plus tôt, quand elle s'apprêtait à me masturber (c'était un de nos passe-temps préférés), elle passait sa langue sur la paume de sa main pour faciliter la suite des opérations. Je trouvais ça terriblement excitant. Ensuite, quand nous étions en cours, on s'amusait à refaire ce geste et on riait. Ce soir-là, quand elle m'a regardé, je me suis léché la paume. L'espace d'un instant, elle n'a pas réagi, puis elle a éclaté de rire avant de me faire la démonstration de ce coup de langue que nous n'avions pas pratiqué depuis bien longtemps.

Après dîner, tandis que la plupart des gens prenaient un café ou attaquaient le cognac, Mustaq s'approcha de moi :

« Viens, me dit-il. On peut parler un peu ? »

Nous montâmes dans une grande pièce avec une immense baie vitrée qui donnait sur les terrains alentour. Tandis que Mustaq indiquait deux ou trois choses aux serveurs, mon regard fut attiré par de nombreuses photos disposées sur une petite table. En m'approchant, je m'aperçus que ce n'était pas du tout ce à quoi je m'attendais : George avec Elton John, George avec Bill Clinton et Dolce et Gabbana – le genre de clichés que tout le monde a chez soi. Non, c'étaient des photos de famille, des morceaux de temps figé qui, l'espace d'un moment étrangement inquiétant, me glacèrent. J'en pris une, tout en remarquant bien que Mustaq m'observait attentivement. Il se dirigea vers moi.

« C'est maman. Tu l'avais rencontrée ?

— Elle était en Inde quand je sortais avec Ajita. J'aurais bien aimé la connaître.

— Elle vit toujours. C'est encore une belle femme,

même si elle a conservé son fichu caractère. Elle est venue ici plusieurs fois. »

Moins d'un an après le meurtre de son premier époux, leur mère s'était remariée en Inde, avec cet homme riche qui travaillait dans la haute administration et avec qui elle avait une liaison à l'époque. Elle venait souvent à Londres, où ils possédaient un appartement à Kightsbridge. C'était une de ces étrangères qui passaient de Harrods à Harvey Nichols pour en rapporter des produits et autres denrées introuvables dans le tiers-monde. Était-elle retournée voir la maison du Kent ? Non. Dès le début, elle ne l'avait pas aimée. Elle n'éprouvait aucune espèce de nostalgie pour cette période.

Une autre photo, que je n'aurais jamais imaginé revoir. On me voyait, dans la chambre de Mustaq au milieu des années 1970, juste avant notre session de lutte, je pense. J'arborais un drôle de sourire un peu embarrassé mais, au moins, j'avais encore tous mes cheveux bruns. Je me fis la réflexion que Mustaq avait mis cette photo là uniquement à mon intention.

« Eh oui, c'est toi. Belle bête, n'est-ce pas ?

— Je regrette seulement de n'avoir pas mieux profité de ces atouts. »

Il prit une autre photo.

« C'est lui... Je ne veux pas que tu la regardes. »

C'était Ajita que j'avais d'abord repérée sur la photo. Elle était un peu plus jeune qu'à notre première rencontre. Elle et son père se tenaient enlacés. Ce père que j'avais tué, quand une montée d'adrénaline lui avait paralysé le cœur.

Je sentais que Mustaq me regardait tandis que je repensais à cette soirée dans le garage. J'essayais de me rappeler à quoi ressemblait le visage de son père et de le comparer à celui de la photo. Je n'avais pas de photo d'Ajita, ni de Wolf, ni de Valentin. La seule qui me restait était une coupure de presse où l'on voyait, justement, leur père. Je ne l'avais pas regardée depuis des années. Je l'avais vraisemblablement jetée quand maman avait déménagé.

« Il te manque ? » lui demandai-je.

Mustaq reposa la photo.

« Il aurait détesté tout ce que je suis aujourd'hui. Je ne l'imagine pas acceptant de dîner avec Alan. Mais peut-être aurait-il été content de me voir réussir et gagner beaucoup d'argent.

— C'est ce qui rapproche les gens, généralement.

— Tu es heureux de revoir ma sœur ?

— Oui, merci, Mustaq ! Je suis enchanté, même si on ne s'est pas encore beaucoup parlé.

— Mais vous vous êtes vus, c'est déjà ça.

— Oui, effectivement. Est-ce que son mari et ses enfants sont avec elle ?

— Je les ai tous invités à dîner à New York. Quand je lui ai dit que je t'avais croisé à Londres, et que tu venais à la campagne passer le week-end, ça a déclenché quelque chose. Elle n'a pas arrêté de me téléphoner. Puis elle s'est très vite organisée. Bien qu'elle déteste quitter sa maison et sa famille, elle est venue seule. Je soupçonne qu'elle est prête pour des retrouvailles. Jamal, sacré veinard ! Tu es tout ce qu'elle attendait.

— J'espère bien ne pas la décevoir. »

Mustaq prit mon poignet et le regarda, tout en caressant mon bras d'un air ironique.

« Tu as enlevé ta montre... Ce que je veux maintenant, ce sont des réponses précises. Je sais que ça remonte à loin mais, allez, dis-le-moi : comment te l'es-tu procurée ? »

Je plongeai la main dans ma poche pour en ressortir la montre en question. Je ne pouvais la regarder sans me dire que j'aurais tellement voulu remonter le temps avec elle, revenir juste avant la seconde où je l'avais acceptée. Mes efforts pour bien agir m'avaient causé plus de problèmes que je ne pouvais en résoudre. Le père de Mustaq était un fantôme qui ne voulait toujours pas desserrer l'étau de ses mains autour de ma gorge. Il ne me laisserait jamais en paix, j'en avais peur. La seule chose qu'on ne puisse pas tuer, c'est un nom. J'avais envie de hurler : *Les morts ne nous laisseront donc jamais tranquilles ?*

Je lui tendis la montre en soupirant.

« Tu peux la prendre.

— Elle n'est pas à moi.

— Pas plus qu'à moi, je suppose. S'il te plaît. »

Il enleva sa montre pour la remplacer par celle de son père. Il tapota dessus.

« Merci. Mais il y a quelque chose que je dois te demander. Pourquoi as-tu nié quand je t'ai dit que c'était celle de mon père ?

— Je ne me sentais pas capable de t'expliquer comment je l'avais obtenue.

— Pourquoi donc ?

— C'est vraiment douloureux comme sujet, Mustaq. Et ça fait si longtemps.

— Douloureux pour toi ou pour moi ?

— Je te raconterai. Tu ne verras plus ton père de la même façon après.

— Mais tu ne sais pas quelle image j'en ai. Moi-même, je n'en sais rien. Et je suis presque adulte.

— D'accord. Je te raconte ça maintenant, donc ?

— Oui, si tu veux bien. Imagine toutes les années que j'ai passées à attendre. »

Les autres montaient à l'étage et venaient prendre les verres de champagne disposés sur des plateaux. Je traversai la pièce pour rejoindre un endroit plus calme où nous pourrions nous installer. Mustaq me suivit. En l'espace de quelques secondes, j'avais imaginé toute une histoire.

« C'était peu de temps avant sa mort. J'étais chez vous avec ta sœur. Ton père est rentré. Comme je ne pouvais pas le laisser croire que j'étais son petit copain, je lui ai dit que je t'attendais. Il a ri en ajoutant que je perdais mon temps.

— Il disait souvent ça.

— Il voulait que je l'aide à porter un carton plein de papiers. Une fois dans ta chambre, là-haut, dans le petit vestiaire qui débordait de valises, il a enlevé sa montre. Il m'a dit qu'elle avait de la valeur, que c'était un cadeau, qu'il me la donnait. Je lui ai répondu que je n'en voulais pas mais il a insisté, me l'a mise de force dans la poche. Puis j'ai remarqué que sa braguette était ouverte. Il était en train de se tripoter. Il m'a empoigné le bras et m'a forcé à le caresser. Ensuite nous avons descendu le carton. Voilà. Je suis désolé d'avoir eu à te dire ça. »

Il buvait tranquillement et je lui demandai : « Mustaq, est-ce qu'il t'a touché ?

— Moi ? Non, jamais ! Pourquoi tu dis ça ? Ce n'était pas du tout son genre. Il détestait les homos ! »

Il se leva brutalement et se planta devant la fenêtre. « Bordel de merde, pourquoi m'as-tu raconté cette histoire ! Il va falloir que je vive avec maintenant ! »

Il me regardait sans sourciller. Il prit une voix ridiculement affable. « Je dois te présenter des excuses, j'imagine. Au nom de toute ma famille, je suis désolé pour ce que mon père t'a fait subir.

— Tu vas en parler à Ajita ?

— Elle est fragile. Elle a souvent des moments de déprime, elle fait régulièrement des crises de tétanie. Je m'inquiète pour elle. Est-ce que tu sais s'il l'a fait à quelqu'un d'autre ? »

Je ne dis rien.

« Jamal, avec ton expérience de psy, tu peux me dire si les gens qui ont fait ça une fois le refont à d'autres ?

— Ma réponse ne t'aiderait pas. Tout dépend de l'histoire de chacun. Souvent, les gens font ça à un moment bien précis de leur vie, après une séparation ou parce qu'ils sont déprimés, et puis après, c'est fini. Je pense que, dans ce cas, il s'agit plus d'une forme d'inceste que de pédophilie. Ce n'est pas la même chose. »

Il ne m'écoutait pas. « Ah, le salaud ! Avec ses petits secrets pourris... C'est dégueulasse ! Tu le détestes ?

— Moi ? Non. C'est vrai, j'ai été perturbé, complètement retourné. J'imagine que ça m'a peut-être aidé à réaliser ce à quoi je me destinais déjà – une analyse. Ça m'a gâché la semaine mais pas la vie.

— J'étouffe, ici ! »

Je remarquai qu'il avait agrippé son cou, comme s'il cherchait à s'étrangler.

« Il faut que je sorte. Il faut que je marche un moment tout seul. »

Il quitta précipitamment la pièce. Alan voulut sortir avec lui mais Mustaq lui fit signe de le laisser tranquille. Alan me regarda en haussant les épaules. Je pris un autre verre de champagne. Je me demandais où était Ajita.

Elle n'était pas dehors. Depuis la fenêtre, je voyais Mustaq marcher de long en large sur la terrasse éclairée. Il agitait les bras en tous sens. Au bout d'un moment, j'eus l'impression qu'il prenait une décision. Il disparut quelque part dans une autre partie de la maison.

Quand il réapparut, il me montra son bras.

« Regarde !

— Qu'est-ce que tu as ?

— Je suis déjà en train de faire une allergie à la montre. Mon poignet est rouge, un peu gonflé. Je sens comme un élancement... »

Je regardai attentivement mais ne vis rien. Il ôta la montre et la mit dans sa poche.

« Je suis allé voir Ajita dans sa chambre et je lui ai tout dit. Je n'ai pas pu m'en empêcher. Je lui ai dit tout ce que tu m'as raconté sur notre père. Je voulais qu'elle sache. Je lui ai demandé ce qu'elle en pensait. Je peux te dire que tu as de la chance.

— En quel sens ?

— Elle a dit qu'elle te croyait, que tu avais toujours été quelqu'un de fiable, que tu n'avais aucune raison d'inventer une histoire pareille. Le plus étrange, c'est que je pensais que ça allait la bouleverser d'apprendre que papa était comme ça. Je l'ai bien regardée : elle ne semblait pas choquée, ni même surprise.

— Tu sais pourquoi ?

— Pardon ?

— Il était quoi comme genre d'homme, ton père ?

— Il était strict. Non, je dirais plutôt austère. On avait toujours une bonne raison d'avoir peur de lui. Mais il n'était pas croyant, il ne priait jamais. Il aurait largement méprisé tous ces fous de mollahs et tous ces fascistes partisans d'un islam radical. Quand papa était encore vivant, les gens intelligents pensaient que la superstition était en voie d'extinction. Bien sûr qu'il détestait les Blancs, surtout après le documentaire. Il disait que les Blancs n'étaient pas francs, qu'ils étaient viscéralement racistes. Mais il y avait une barrière entre nous. Je n'avais pas encore onze ans et je pensais déjà que j'étais gay.

— C'est vrai ?

— Les autres garçons disaient que j'étais un gros nul de Paki. Je me dis maintenant que c'était on ne peut plus clair. Un de mes cousins avait raconté à papa que je voulais devenir danseur ou coiffeur. Papa avait déjà remarqué que j'avais une poignée de main plutôt molle. Et sa réaction (« On devrait tous les tuer, ces tantouses ») disait assez qu'à ses yeux, c'était un comportement inacceptable et criminel.

» Je pense que tu le sais, mais j'étais amoureux de toi. J'attendais toujours tes visites avec impatience. Je me demandais ce que tu voulais que je mette, ce que tu voulais que je sois. Je lisais tous tes livres en pensant que tu me poserais peut-être des questions. En même temps, chaque fois que j'étais tout seul avec papa, c'est-à-dire uniquement quand on regardait le cricket ou la boxe, je lui demandais des conseils sur les femmes. "Comment tu fais pour qu'une fille soit gentille avec toi ? Est-ce que je devrais l'embrasser dès le premier rendez-vous ? Et le mariage, quand faut-il en parler ?" Je savais qu'il aimait discuter de ça. Toutes ces manœuvres à la con auxquelles il faut se plier quand on est hétéro. C'est grotesque, le mot que tout le monde utilise : "séduction"... Au moins, ça donnait le sentiment à mon père d'être un homme, un vrai.

— Mais ça n'était pas suffisant ?

— Comment est-ce que ça aurait pu l'être ? À l'époque, il n'avait qu'une idée en tête : faire tourner l'usine. Il disait qu'en dehors du travail, sa seule ambition était de traverser l'Afrique à pied. Mais la grève l'a traumatisé. Il a commencé à avoir des attitudes bizarres.

— Quel genre d'attitudes ?

— La nuit, je l'entendais qui marchait dans la maison. Les portes claquaient, j'entendais des grognements, des cris même...

— Tu sais pourquoi ?

— Il buvait. Il était complètement soûl. Il titubait. Il s'envoyait une demi-bouteille de Jack Daniels quand il rentrait du travail et il la finissait pendant la nuit. Le matin, j'ouvrais la porte de ma chambre : il était allongé par terre. J'avais la trouille de sortir. Avec Ajita, on devait lui retirer sa robe de chambre, son pyjama et le traîner jusqu'à la douche. C'était dur pour elle, il fallait qu'elle fasse tout. » Il s'essuya les yeux. « Elle t'en avait parlé ?

— Un peu.

— Je balançais la bouteille avant de partir à l'école. Pas étonnant que tout ce que je savais faire, c'était me masturber. C'était pire pour Ajita.

— Pourquoi tu dis ça ?

— Ajita adorait notre père, Jamal. Je n'ai jamais vu deux personnes plus proches. Quand elle était petite, elle l'attendait à la porte. Le soir, pendant que maman faisait la cuisine, elle mettait de l'huile sur ses cheveux, elle le peignait, marchait sur son dos, le lavait quand il prenait son bain. Il lui racontait des histoires sur l'Inde, sur l'Afrique. Je te le dis aujourd'hui : je ne l'intéressais pas. Quand il est mort, je n'ai jamais vu quelqu'un d'aussi effondré. Elle n'a pratiquement pas dit un mot pendant trois mois.

— Et votre mère était déjà partie

— Oui.

— Elle avait quitté votre père ?

— Personne n'en parlait. Mais comment pouvait-elle rester avec lui ? Elle disait que c'était un raté. Il pensait que s'il gagnait beaucoup d'argent, elle reviendrait. D'après lui, un jour, on n'aurait plus de soucis parce qu'on serait riches. Mais à cause de ça, il n'avait de temps pour rien d'autre, que ce soit le sport, la culture, la nature, l'amour même. Il ne savait pas ce qu'on faisait à l'école. » Il se pencha vers moi. « J'avais une poupée vaudoue à l'effigie de papa. Je plantais des petits clous dedans. J'étais persuadé que c'était moi qui l'avais tué !

— Tu voulais en avoir tout le mérite.

— S'il était en vie aujourd'hui, il critiquerait tout ce que j'ai pu faire. Je dois me réjouir de sa mort : ce n'est pas facile...

— Tu te souviens quand tu m'as demandé de partir avec toi ?

— Ah, Jamal, je me sens tellement bête ! »

« Pourquoi est-ce qu'on ne se tire pas tous les deux ? » me demanda Mustaq un jour.

La fois précédente, il m'avait initié à la lutte. Ce jour-là, il me dit qu'il devait me montrer quelque chose dans sa chambre.

« Qu'est-ce que c'est ?

— Ma coupe de cheveux.

— David Jones serait fier de toi. »

Il était tout près de moi, à me toucher, à me caresser le bras, comme souvent.

« Je sais où mon père cache son argent. Il a de grosses liasses de billets dans une enveloppe dissimulée sous ses chaussettes.

— Qu'est-ce qu'il compte en faire ?

— Il dit souvent que, peut-être, on devra partir d'ici en vitesse. Les racistes pourraient nous débusquer.

— C'est toi qui as envie de te tirer vite fait. Mais pourquoi ?

— Ce n'est pas génial ici, non ? »

Il avait dit ça avec une telle tristesse que je l'aurais volontiers embrassé si je n'avais craint les conséquences d'un tel geste. Je poursuivis :

« Pourquoi avec moi ?

— Tu es la personne la plus excitante que je connaisse.

— Attends, lui dis-je, un peu surpris. J'ai quelque chose pour toi... » J'allai chercher mon sac. En plus des livres de philo, j'avais aussi des magazines de musique, quelques romans et une anthologie des poètes de la Beat Generation. Je

lui donnai tout. « *Il faut te nourrir le cerveau, mec. Je sais que tu as déjà ce qu'il faut question musique mais je te filerai d'autres bouquins et d'autres revues demain. Tu sais ce que tu veux faire plus tard ?*

— *Créateur de mode. Mais tu ne le dis à personne.*

— *À qui je pourrais le dire ? À ta sœur ?*

— *Elle le sait déjà.*

— *À ton père, alors ? Oui, je pense que je vais lui dire.* »

Je fis mine de partir. Il m'agrippa par le bras.

« *Ne fais pas ça. Ne dis rien, s'il te plaît ! Je ferai tout ce que tu voudras...*

— *Je blaguais... De quoi est-ce que tu as tellement peur ? Il te frappe ?* »

Au cours des semaines qui avaient suivi cette conversation, j'avais apporté pas mal de choses à lire à Mustaq. Il m'en était tellement reconnaissant et il lisait tellement vite que je retournai ma chambre de fond en comble pour y retrouver des livres achetés à Londres. J'avais ainsi un prétexte pour aller voir Ajita, pour être avec elle. Mais Mustaq était tellement ravi de ce que je lui apportais que je commençais à comprendre qu'aider les autres pouvait être un vrai plaisir.

« Jamal, reprit-il en revenant au moment présent, je suis absolument furieux contre papa. Ce qu'il a fait est inexcusable et, en plus, il a essayé de te soudoyer avec une montre ! Mais j'ai ma part de responsabilité dans cette affaire. Moi aussi, j'ai fauté. J'y penserai quand j'aurai envie de lui casser la gueule.

— Qu'est-ce que tu as fait ? »

Mustaq atteignait des sommets dans son numéro de diva. Il était partagé entre l'amusement et l'auto-apitoiement. Il se frottait les yeux et le front de manière compulsive. Il parlait d'une voix basse et tendue.

« La nuit où papa a été tué, je me suis fait dépuceler. Une de mes cousines, qui dormait dans la chambre d'à côté, s'est chargée de faire mon initiation. J'avais honte que ça m'arrive si tard. Elle pensait qu'il était temps que je voie une chatte. J'étais effectivement curieux de voir ça. Mais je n'ai rien ressenti. J'ai eu l'impression que j'essayais de faire rentrer une limace dans la fente d'une machine à sous. Bien sûr, je me suis senti coupable. De toutes les nuits possibles et imaginables... Pourquoi est-ce qu'il fallait que ça tombe sur celle-là ? Avec Ajita, on s'était demandé si on rentrerait à la maison ce soir-là. Mais elle était trop fatiguée pour faire la route. Si on était rentrés, peut-être aurait-on surpris les meurtriers en plein boulot. On aurait pu sauver papa. On aurait pu se faire tuer.

— Oui.

— J'avais enfin perdu ma virginité, mais pas complètement. Personne, à part toi, ne n'avait encore jamais vraiment emballé. C'est arrivé plus tard, quand on est allés en Inde et que j'ai provoqué un véritable scandale.

— Que s'est-il passé ?

— Je suis tombé amoureux d'un compositeur. Il écrivait des chansons, il était plus vieux que moi, vingt-cinq ans à peu près, il était bien sapé, beau gosse, élégant. Note bien ça, Jamal : il savait comment être lui-même. Il faisait des musiques pour des films, des soirées en discothèque, des défilés de mode. C'était vraiment un génie. Il avait bien plus de talent que moi. Il composait aussi facilement que d'autres parlent. Comme c'est le cas de certains hétérosexuels, il aimait l'idée qu'un homo le vénérait. J'étais sa groupie. Il était ravi des questions que je lui posais, de mon admiration. Mais c'est allé trop loin... Je l'aimais tellement que j'ai épousé sa sœur.

— Super idée.

— C'était un mariage indien franchement étonnant.

Mon oncle avait tout payé. Mais la cérémonie dura plus longtemps que notre union elle-même. Cette nuit-là, quand j'ai essayé de faire l'amour à cette femme étendue sur le lit, brûlante de désir – les femmes ont vraiment des désirs violents, tu ne trouves pas ? –, il a fallu que je pense à son frère pour bander. Tous les deux se ressemblaient tellement : elle est devenue une sorte d'aide-mémoire. » Il frissonna. « Naturellement, elle voulait avoir des relations sexuelles avec moi, avoir des enfants. Après tout, j'étais son mari. Quand je lui ai raconté la vérité, elle était effondrée. Elle a fait une dépression, puis s'est pendue.

— Qu'est-ce que tu cherchais à faire ?

— Je pensais me guérir de mon homosexualité. Je ne voulais pas être différent, je voulais être comme tout le monde. C'était un secret. »

Se rendant compte qu'il avait momentanément oublié où il était, Mustaq s'interrompit. Il regarda ses amis autour de lui, vérifiant qu'ils étaient bien là, qui discutait avec qui. Comme ils nous avaient vus en pleine discussion, ils s'étaient tenus à l'écart. Puis il me toucha l'épaule et me caressa légèrement. Je compris qu'il allait reprendre ses distances. Il s'était souvenu du rôle qu'il avait à jouer.

Je le regardai, ce garçon rondouillard, maladroit, avide, qui s'était totalement métamorphosé pour devenir un homme séduisant, attirant. C'est sûr, le seul fait d'être une vedette lui donnait en permanence un côté branché. Il comptait aux yeux des autres, il excitait la convoitise – enfin. Il faisait partie de ces gens qui savent qu'ils sont constamment sous les feux de la rampe. Quant à dire si ça lui plaisait tant que ça maintenant, j'en étais incapable.

« Jamal, j'espère que tu passes un bon week-end. Je suis ravi qu'on soit de nouveau amis. S'il te plaît, je peux te demander encore une chose ? Sinon, je vais croire que je suis fou.

— Vas-y.

— Est-ce que c'est toi qui venais devant chez nous la nuit ? Ma chambre était en façade, elle donnait sur la route et je me couchais tard, je dansais sur la musique de Thin White Duke. C'est toi que j'ai vu, plusieurs fois, debout, observant la maison ?

— Oui, c'était moi.

— Qu'est-ce que tu faisais là ? Je me demandais : "Lequel de nous deux aime-t-il ? Est-ce que ça pourrait être moi ?"

— Je savais très bien de qui j'avais envie.

— Pourquoi tu venais la nuit, alors ?

— J'étais stupide et amoureux.

— Moi aussi. Tu savais que j'ai écrit *On a tous le cœur brisé, un jour ou l'autre* quand j'habitais encore là-bas ? Des années plus tard, sans que j'aie quasiment rien changé aux paroles, cette chanson était numéro un dans les classements mondiaux. Je peux te dire maintenant d'où j'ai tiré mon inspiration. Personne n'a été assez malin pour le deviner.

— Il faut du talent pour trouver le bon filon.

— C'était une chanson qui parlait de toi, Jamal. »

Il était assis tout près de moi. De temps en temps, il me prenait la main, ou je prenais la sienne, comme si nous avions besoin de nous réconforter au fur et à mesure que le passé refaisait surface.

« La seule fenêtre qui donnait sur le jardin se trouvait dans la chambre de ma sœur, ajouta-t-il. Quand j'étais à la maison, je me mettais derrière le rideau et je m'appuyais sur le rebord pour regarder dehors. Tu fumais tout le temps des cigarettes roulées et tu t'habillais toujours en noir. Tu étais vraiment trop classe, avec tes costumes et tes chaussures de base-ball.

» Mais je trouvais quand même que tu étais plus à ton

avantage quand tu ne portais rien du tout, si ce n'est ta belle bite en bandoulière. Tu étais beau, bronzé, mince à l'époque. Et le nombre de fois où vous faisiez l'amour ! Vous aviez une de ces formes ! Parfois, on s'asseyait tous les deux dans la cuisine pendant qu'Ajita se changeait ou passait un coup de fil. J'adorais quand on discutait.

» Mais je ne pouvais pas espérer que tu sois mon mentor. Je devais être médecin. C'est ce que mon père voulait. »

Il me regardait en souriant. J'essayais de saisir toutes les implications de ce qui se passait. Puis il se leva, me jeta un long regard, comme si lui aussi était surpris de cette conversation étrange. Il s'excusa puis alla retrouver les autres, qui étaient pratiquement tous montés.

J'observai Ajita, qui était avec un ami de Mustaq. Elle riait comme avant, en mettant la main devant la bouche comme si elle venait de dire quelque chose d'absolument scandaleux. Elle s'agrégeait à tel groupe pour discuter, faisait de son mieux pour aider son frère et Alan, afin que le week-end se passe bien.

Au moment où je rejoignis le groupe, Alan se livrait à une très bonne imitation d'Omar, qui était parti faire un tour en ville « voir qui était dans les parages ». Il avait ajouté : « Vous voyez, je n'ai pas perdu la main. »

Au final, Omar téléphona pour dire qu'il était « coincé » là-bas et qu'il avait besoin qu'on vienne à la rescousse. Il était incapable de revenir par ses propres moyens. Alan demanda s'il y avait des volontaires pour l'« opération de sauvetage ». Apparemment, la ville voisine, véritable réussite de la politique socialiste d'après-guerre, était un coupe-gorge peuplé de monstres tatoués et de féroces zombies, où des fleuves de sang et de vomissure se déversaient dans les égouts. J'étais impatient de voir ça.

Il y avait un pub où Omar aimait aller quand il venait

le week-end. Les jeunes paumés du coin, des drogués pour la plupart, y écoutaient de la musique qu'on entendait jusque dehors. Il y en aurait bien un de baisable dans le lot.

Omar était trop soûl pour revenir chez Mustaq, mais il ne voulait pas laisser sa voiture sur place. De tous les délits qu'il commettait par ailleurs, la conduite en état d'ivresse était probablement la seule infraction pour laquelle il aurait été assez facile de le mettre à l'amende. Il fallait aussi qu'il se lève tôt le lendemain matin afin de s'acquitter d'une de ses importantes missions – qui consistait à prendre place dans une grosse voiture noire escortée par des motards pour aller accueillir quelque dignitaire étranger à Heathrow au nom de la reine et du gouvernement, puis à accompagner cette espèce bien particulière de meurtriers et de tortionnaires jusqu'à leur hôtel tout en faisant la conversation.

« Il faut que je fasse très attention, dit Omar : "dignitaire", "dictateur", je mélange toujours les deux termes. »

De toute évidence, il était rarement en pleine forme quand il faisait « l'accueil et la réception » de ses hôtes.

Alan demanda si l'un d'entre nous pouvait se charger de la voiture d'Omar. J'avais envie de changer d'air et je montai avec Karen. Elle décida de suivre Alan, puisqu'il connaissait les lieux. Au moment de partir, je demandai à Mustaq : « Pourquoi tu ne viendrais pas avec nous ? » Il déclina la proposition d'un signe de tête et sourit. Dans la voiture, Karen me dit que c'était ça la contrepartie de la richesse de Mustaq : il ne pouvait pas se promener dans la rue, faire ses courses ou aller au pub sans susciter un attroupement, sans que quelqu'un l'aborde ou le prenne en photo.

Nous longeâmes un bâtiment épouvantable qui s'appelait le Hollywood Bowl. C'était un multiplex où l'on trouvait un McDonald's, des vigiles et des gamins à capuche qui erraient sur des espaces en béton balayés par le vent.

« Pourquoi tu roules si vite, Karen ? On ne va pas se perdre. Tu es soûle ?

— Ouais. Tu veux descendre ? J'aurais mieux fait de te tuer tout à l'heure.

— Qu'est-ce qui t'a retenue ?

— Alors, c'est elle, Ajita. Celle que tu as aimée à la folie, à qui tu étais fidèle. Celle dont tu as attendu tout ce temps qu'elle revienne. Tu restais là, allongé, mon chéri, "plongé dans tes pensées", un livre ouvert posé sur ta poitrine, et tu souriais tout seul. Je savais que tu pensais à elle dans ces moments-là. Je te détestais, je te haïssais quand je te voyais comme ça.

— Et aujourd'hui, tu es contente d'être déçue ?

— C'est une femme ordinaire, d'un certain âge. L'âge du désespoir. Mais, si je mets mes lunettes et que je regarde attentivement, je peux voir ce qu'elle avait de particulier à l'époque. Super mignonne, une voix enjôleuse, le désir de plaire. Malheureusement, j'étais censée être désolée pour elle tout ce temps. Quelle tristesse tu dégageais en permanence. Et je devais te supporter ! Même moi, je pensais qu'elle avait une aura extraordinaire. Et son satané père, ce n'est pas lui qui a été assassiné au cours d'une grève ?

— Quelque chose comme ça, oui.

— Et c'est uniquement pour ça que je me suis mariée avec la mauvaise personne. Tu m'as fait croire que j'étais un deuxième choix pendant si longtemps que je me suis retrouvée avec le premier homme qui a bien voulu s'intéresser à moi.

— Et, forcément, c'est de ma faute.

— Il n'y avait rien qui te faisait plaisir, même quand tu allais voir ce fichu psy. Quand tu sortais d'une séance, tu passais des heures à prendre des notes. Tu ne voyais pas que l'analyse, ça ne rend pas les gens plus aimables, plus drôles ou plus intelligents ? Non, ça les rend plus nombrilistes. Ils se mettent à utiliser tous ces mots absolument affreux – "transfert", "cathartique". Est-ce que j'avais envie d'entendre parler de tes rêves, de ta mère et de ta sœur, alors que nous étions en plein désastre ? Tu ne te poses jamais la question ?

— C'était ça, ma vocation, et ça m'intéressait plus que tout.

— Je n'aime pas devoir te le dire, Jamal : tu es intelligent, mais ton intelligence, tu ne t'en es servi que pour apprendre tous ces mots complètement inutiles.

— Merde alors, tu es vraiment de mauvaise humeur.

— Oui, je le suis maintenant.

— C'est sûr, je ne vais pas te baiser ce soir.

— Salaud, c'est la fille indienne qui va y avoir droit, c'est ça ? Pourquoi es-tu si cruel, Jamal ? Ça n'a aucune importance pour toi ? Espèce d'allumeur ! »

Nous avions retrouvé Lord Ali. Dans l'arrière-salle du pub, il avait retiré sa veste et ses chaussures, sa chemise était à moitié ouverte, il était étalé sur plusieurs chaises et il « faisait salon ». Cette scène quasi royale ne tenait pas seulement au magnétisme personnel d'Omar, ou à la curiosité des pauvres qui se demandaient comment ce seigneur allait pouvoir améliorer leur condition de prolétaires : elle devait beaucoup au fait qu'il payait des tournées à tous ceux qui étaient là.

« Oh, bordel de merde ! » s'exclama Alan en découvrant le spectacle.

Les yeux du seigneur, d'après Alan, ressemblaient à « deux mares de sperme grisâtres ».

Nous entrâmes au moment où Omar racontait à l'assemblée des buveurs (beaucoup d'entre eux étaient complètement partis) qu'il avait rencontré la reine à trois reprises et qu'il était monté une fois dans son carrosse. La semaine précédente, il s'était retrouvé en tête à tête avec elle. Elle se demandait avec inquiétude si les travaillistes n'allaient pas interdire le tir au fusil ainsi que la chasse. « On a tiré quelques beaux coups l'autre jour », dit-il sur un ton salace. Il répéta cette phrase plusieurs fois, de plus en plus fort, si bien que d'une blague égrillarde, il fit un délit d'outrage.

Alan se tenait prêt à l'extraire de cet endroit avant qu'il n'ait dit quoi que ce soit qui puisse paraître dans *News of the World,* ou qu'il ne fasse la moindre révélation sur le week-end. Mais Omar, lui, n'était pas prêt à partir. Il n'était pas parvenu à satisfaire un certain besoin de contact physique. Alan alla discuter avec l'un des jeunes qui étaient là et, moyennant une bonne quantité de shit, ils réussirent à s'entendre. Tandis que le bon seigneur qui ne pensait plus qu'à sa bite trouvait quelque exutoire dans les toilettes, Alan et Karen firent une partie de billard.

Assis au bar, je buvais vodka sur vodka. Le barman savait que nous étions des amis de George et il me dit que nous étions vraiment des salopards de privilégiés, des gâtés-pourris « là-haut au manoir », comparativement aux gens du coin. « Ce qu'il nous faudrait, ajouta-t-il, comme si personne n'en avait jamais eu l'idée avant, c'est une bonne révolution. Regardez-moi ça, s'exclama-t-il en désignant Lord Ali qui sortait des toilettes avec le gamin au teint terreux, ses genoux de pantalon trempés, tout en chantonnant : *"Such, such were the boys..."* »

Il poursuivit :

« Certains de ceux qui sont ici travaillent là-haut. On sait comment entrer. Un de ces quatre, on va tous monter en force. On cassera tout et on vous cramera tous !

— Ce n'est pas une mauvaise idée. Mais, malheureusement, vous êtes tellement défoncés en permanence que vous n'en serez même pas capables.

— Tire-toi d'ici, toi ! Tu te crois où ? Défoncés ? Qui ça, d'abord ? Ne t'avise plus jamais de remettre les pieds ici ! »

Je dis aux autres de venir et je dus enjamber quelqu'un par terre pour atteindre la sortie. Karen et Alan s'efforçaient d'entraîner Omar qui chantait *Hope and Glory* et hurlait à tue-tête : « Merci, merci à vous, mes chers sujets, pour ce merveilleux coup ! Un bon coup, c'est tout ce dont on a envie ! »

Le patron du pub écumait de rage et menaçait d'appeler la police.

Karen réussit à faire entrer Alan et le seigneur dans sa voiture. Je conduisis celle de Lord Ali, non sans saccager quelques allées.

Chez Mustaq, les gens discutaient au salon, mais la plupart s'étaient retrouvés autour de ce qu'Alan appelait la piscine « Brian Jones ». Dans leur milieu, c'était très tendance d'acheter des œuvres d'art et des photos. Le couloir qui menait du vestiaire jusqu'à la piscine était tapissé de photographies convenables, dont une où l'on voyait une femme qui faisait pipi debout contre un pont.

Autour de la piscine, certains fumaient, d'autres dansaient ou nageaient nus. Il avait fallu des fortunes pour préserver ces corps immondes refaits pour être exhibés. Charlie Hero était en pleine forme. Ses cicatrices luisaient et le mince anneau qui ornait sa verge faisait ressortir les veines bleutées qui couraient sous sa peau.

D'autres amis d'Alan et de Mustaq étaient arrivés entre-temps : danseurs, coiffeurs, maquilleurs, jeunes Noirs efféminés, garçons au visage d'ange. Certains portaient des vêtements brillants ou extrêmement moulants, d'autres cherchaient à ce qu'on remarque les piercings de leurs tétons. Quelques-uns donnaient l'impression de ne pas avoir vu la lumière du jour depuis un moment. Je me fis la réflexion que rares seraient les femmes à se faire sauter cette nuit-là. C'était peut-être l'occasion pour moi de voir si j'étais toujours aussi peu intéressé par le sexe ou si j'avais juste traversé une phase affligeante.

Charlie avait branché son iPod sur la chaîne de la piscine et, soudain, une chanson a surgi de ma jeunesse : *Do You Believe in Magic ?* des Lovin' Spoonful. C'était tellement débordant d'optimisme et de soleil que Karim et moi nous mîmes à rire, à échanger des coups d'œil et à rire encore. Comme lui, j'étais un peu trop jeune pour être complètement autonome et actif à l'époque mais c'est bien au milieu des années 1960 que j'avais fait mon éducation. Quelle signification donner aujourd'hui à ce débordement d'amour, étant donné la période que nous traversions ?

Tout en nageant, je cherchais Ajita du regard. Je ne la trouvai pas. J'étais en train de me sécher quand Karim, qui me fixait de cet intense regard rehaussé par une longue frange, me proposa un peu de coke. J'en aurais bien pris mais je voulais pouvoir dormir cette nuit-là. Je fumai un joint, bus un café serré accompagné d'un morceau de chocolat. Je pris un tranquillisant avant d'aller me coucher. Il n'était pas tard mais j'avais de quoi réfléchir.

J'étais allongé sur mon lit. Je me demandais ce que j'allais sélectionner sur mon iPod – les mots peuvent aller si loin, puis c'est à la musique de jouer –, quand quelqu'un frappa à ma porte.

« Oui !

— Je peux entrer ? »

Ajita avait revêtu une robe de chambre de satin. Elle vint s'asseoir au bord du lit. Je lui pris la main.

« Alors, tu m'as trouvé.

— Finalement, oui. Juste toi et moi. Maintenant, on a un peu de temps devant nous. Toute la nuit, j'espère. Tu ne vas pas t'endormir ? Est-ce que tu es prêt à m'écouter ?

— Sans problème. Je t'attendais justement. »

24

Elle me prit la main.

« Tout à l'heure, dit-elle, j'étais au bord de la piscine et il m'a semblé que je t'avais aperçu. Puis je me suis dit : "Non, c'est un fantôme, tu deviens folle." À New York, Mustaq m'a demandé si j'avais envie de te revoir mais il m'a dit qu'il n'était pas sûr que tu viendrais. Mais si, tu es venu. Est-ce que c'était pour me voir ? Je ne devrais peut-être pas te poser la question ?

— J'adore ton accent américain.

— Ah, ne m'en parle pas ! J'ai essayé de m'en débarrasser, de retrouver un accent plus indien. Surtout depuis que les Indiens sont tellement à la mode.

— Oui, ils se sont tous mis à écrire des romans.

— Et c'est très gênant d'être américain quand les gens se méfient en permanence de ceux qui sont de la même couleur de peau que moi. Prendre l'avion est devenu un cauchemar, même pour Mustaq. On a tous l'impression qu'on pourrait nous envoyer à Gantánamo pour la moindre broutille. Mais l'orange ne me va pas très bien.

— C'est le cas de beaucoup de gens.

— C'est tellement insupportable que je songe à m'installer à Londres quelque temps. J'adorais Londres, quand tu m'y emmenais. Je n'y suis pas retournée depuis. J'aurai du mal à revoir tout ça. » Elle avait mis sa main sur mon épaule. « Non, ne te lève pas, Jamal. Ne bouge pas. On n'a pas besoin de plus de lumière. Je vais tirer les rideaux. Je sais que tu es là et c'est tout ce dont j'ai besoin. Mustaq m'a raconté ce que tu lui avais dit et j'ai lu tes livres.

— Et toi, tu lui as raconté ton histoire ?

— Mon histoire ? Qu'est-ce que tu veux dire ? »

Je ne répondis pas.

« Jamal, tu es la seule personne qui me connaisse vraiment. Tu es le seul que j'aie jamais aimé. Même mon mari le savait en m'épousant. Il me disait : "Il y a quelqu'un entre nous qui nous empêche d'être vraiment ensemble." »

Elle se pencha vers moi, m'embrassa sur les joues, sur la bouche, tout en passant ses mains dans mes cheveux.

« Tu n'as presque pas changé. Tes cheveux sont gris mais ils sont toujours bien vigoureux. Ils me font penser au duvet tout ébouriffé des poussins. Tu as quelques rides. Tu n'es plus aussi efflanqué qu'avant. Mais tu as un air distingué. On voit que tu as vécu une vie riche et dense.

— Oh non, ne dis pas ça !

— Je te regardais à table. Tu es encore plus attirant que dans mon souvenir. Je me disais : "C'est un bel homme, très séduisant. Un homme qui a été aimé, désiré."

— C'est gentil de me dire ça. Si c'est vrai, ça veut dire beaucoup de choses. J'essaierai de me montrer plus reconnaissant.

— Je pense que tu l'es déjà. Qui était cette femme assise en face de moi ? On nous a présentées mais je n'ai pas retenu son nom. Elle ne te lâchait pas une seconde, quand elle ne me jetait pas des regards furibards. Tu l'as épousée, elle aussi ?

— J'ai été marié, oui, mais une seule fois, bizarrement.

Pas avec elle, pourtant. Je suis toujours marié. Ou plutôt, je ne suis pas encore divorcé. Mais je suis effectivement sorti avec cette femme, Karen, après ton départ.

— Et ça a été une belle histoire ?

— Pas de son point de vue. Je n'arrivais pas à me guérir de toi, j'imagine. J'ai mis du temps. Probablement parce que je pensais que tu ne tarderais pas à revenir. »

Elle ne répondit pas, puis souffla :

« Jamal ?

— Oui ?

— Je t'en prie, ne me dis pas qu'il est trop tard. Nous ne sommes pas trop vieux. À moins que tu ne trouves que je suis trop défraîchie ? Regarde. » Elle se mit debout et ouvrit sa robe de chambre avant de la laisser glisser sur le sol. « C'est moi. Voilà où j'en suis. »

Je la regardai. Elle m'était à la fois familière et inconnue.

« Qu'est-ce que ton mari dirait de ça ? » demandai-je, tout en regrettant aussitôt de lui avoir posé cette question.

Elle remit sa robe de chambre et s'allongea sur le lit. Je me levai et commençai à me déshabiller.

Tandis qu'elle me regardait, je lui dis :

« Je ne sais pas ce dont j'ai envie pour nous deux. Ça fait longtemps maintenant. Tout ce que nous pouvons faire, c'est nous garder un peu d'espace.

— Nous avons encore le temps, vraiment. Je t'attendrai, tout comme tu m'as attendue. » Elle tira les draps sur elle. « J'ai tellement besoin de dormir avec quelqu'un. Pendant des années, j'ai bataillé pour que ma fille dorme dans son lit, et aujourd'hui, c'est elle qui ne veut plus dormir avec moi. Nous faisons chambre à part, avec mon mari. En fait, nous vivons chacun dans notre pays maintenant. Alors, passer la nuit avec un homme... ça me bouleverse. »

Nous restâmes allongés dans le noir, sans nous toucher. Il est certain que les gens de notre âge, à moins d'être extrêmement narcissiques, n'ont guère envie de se montrer nus. J'avais vu Ajita au bord de la piscine, bien sûr. Elle n'avait pas si mal vieilli, mais elle semblait avoir rétréci, comme si elle voulait paraître plus petite, telle une jeune actrice jouant le rôle d'une femme plus âgée.

« Oui, je sais que je suis une vieille femme aujourd'hui. Je l'ai vu dans tes yeux. Ma sensualité, ma beauté – tout a disparu.

— C'est pareil pour moi. Je me souviens qu'on adorait se mettre au soleil quand on était dans le jardin à côté de chez toi. Tu étais presque noire. Maintenant, plus personne ne fait ça. Tu te rappelles que je devais faire semblant d'être le meilleur ami de Mustaq ?

— Ce dont j'aurais envie, c'est que tous les quatre – toi, moi, Wolf et Valentin –, on se retrouve. Tu pourrais organiser ça ?

— Je les ai perdus de vue peu de temps après ton départ. Ils voulaient tenter leur chance en France.

— Comment ont-ils fait ?

— Ils ne m'ont pas tenu au courant.

— C'est dommage... À New York, j'achète des meubles, des habits. Je donne mon argent à des organismes caritatifs tous les jours, et j'achète quelque chose de neuf tous les jours. C'est très simple comme fonctionnement – ça entre, ça sort. Je vais me promener au parc, je vois des amis et, quand mon frère est en tournée ou qu'il fait une émission de télé, c'est moi qui crée ses costumes. C'est beaucoup de travail. Un vrai métier. Je fais du yoga, j'étudie la Kabbale – tout ce qui n'implique pas un contact physique. Si, au bout de quelques semaines, je n'ai pas la pêche, j'essaie autre chose. Tous les suicides font des morts, j'en suis bien consciente, et je n'ai donc pas d'issue de secours. Au bout d'un moment, mon médecin m'a donné quelque chose...

— Un antidépresseur ?

— Je ne sais plus. Ça évite de se sentir submergé par l'angoisse. J'ai envie d'être normale.

— C'est plus normal d'être angoissé que de se sentir vide.

— Ce que je ressens la plupart du temps, c'est une forme de crainte. Comme si quelque chose de terrible allait m'arriver.

— Alors que ça s'est déjà produit. Tu te souviens de ce que tu m'avais dit à propos de ton père et toi ?

— Pourquoi je ne m'en souviendrais pas ? Je ne le hais pas. Il traversait une période épouvantable. Et puis ce n'est pas ta famille.

— Une fois, à la fac, tu m'avais dit combien tu l'aimais. Tu disais : "Il est tellement tendre."

— Est-ce que c'était si étrange ? Il m'embrassait tout le temps, il n'arrêtait pas de me caresser. Parfois, il se mettait en colère et disait qu'on était vraiment bêtes. Il n'a jamais été un père indifférent. » Elle s'adossa contre l'oreiller. « Tu avais envie que je sois une féministe et tu m'avais prêté ces livres. C'était tout nouveau à l'époque. Tu te souviens de cette femme, Fiona ? Elle était dans le groupe de militants hostiles à mon père. Elle était absolument énorme, avec ses seins qui se baladaient dans tous les sens. Elle portait des salopettes et des grosses boucles d'oreilles.

— Je l'ai vue à la télé hier soir, elle présentait un projet de loi sur le prolongement des gardes à vue.

— Est-ce qu'elle est mince aujourd'hui ? Jamal, tu aurais voulu que je sois un autre type de femme ?

— Nous étions une génération de la contestation. Les individus comme ton père – on les appelait des capitalistes à l'époque –, on les détestait par principe. Dans d'autres villes d'Europe, des gens comme nous ont kidnappé et tué des capitalistes.

— Tu n'aurais jamais fait ça. Tu ne pourrais pas tuer quelqu'un.

— J'étais toujours en colère contre mes parents, surtout contre mon père. Ça me paraissait bizarre qu'on puisse aimer ses parents sans jamais les haïr. »

Nous nous tûmes. Je crus qu'elle s'était endormie.

« Jamal, tout à l'heure, Mustaq m'a raconté ce que mon père t'a fait. Pourquoi tu ne m'as jamais rien dit ? Je te disais tout mais tu ne me disais pas grand-chose en échange.

— Comment est-ce que j'aurais pu alourdir ton fardeau ? Quand tu étais en Inde, j'ai cru devenir fou tellement tu me manquais. Le matin, au réveil, ma première pensée était : "Est-ce qu'elle va m'appeler aujourd'hui ?" C'était horrible, cette séparation. Pendant un temps, j'ai été anéanti. »

Elle se passa la main sur le visage et dans les cheveux. « Non, non, Jamal ! Tu es train de me dire que je ne pensais pas à toi ? Je t'ai même écrit des lettres – tu te souviens de ces enveloppes bleues toutes fines pour envoyer du courrier par avion ? – mais je ne les ai jamais postées. J'aimais Londres, mais comment pouvais-je y retourner après l'épisode de la grève ? Dans mes cauchemars, je ne voyais pas mon père me violer nuit après nuit. Je voyais cette foule hurlante devant l'usine, des étudiants comme nous qui jetaient des morceaux de bois, des briques. Ils ont poussé mon père au désespoir. C'était un homme qui travaillait dur. Il avait été expulsé d'Afrique et faisait le maximum pour sa famille. Je suis allée en Afrique avec Mustaq, pour repartir du bon pied. J'ai travaillé dans la mode, j'ai créé des vêtements. C'était ma contribution à la tradition familiale. »

Nous sommes restés allongés sans dire un mot pendant un bon moment. De temps à autre, des rires et des bruits de voix nous parvenaient de la cour. Sinon, c'était le silence.

« Je savais, Jamal, que tu ne souhaitais pas m'épouser. Tu commençais tout juste à découvrir le monde. Tu étais plein d'assurance, plein d'énergie, tu avais très envie de progresser. En Inde, je devenais folle, je ne peux pas te dire à quel point. Ce dont j'avais besoin, c'était de stabilité, d'un mari. Je ne pouvais pas faire ça sans toi.

— Tu t'es trouvé un mari ?

— J'ai rencontré un homme bien, trop bien probablement. Il m'était impossible de le trahir sans lui faire du mal. Mais Mustaq l'aimait beacoup et il a payé pour tout. C'est lui qui l'a lancé dans les affaires. »

Elle a continué à évoquer ses enfants, son travail, sa vie de tous les jours. Je suis resté éveillé aussi longtemps que je le pouvais. Je l'écoutais parler, respirer, tout en pensant à Wolf, à Valentin, à la vie qu'on avait menée ensemble, à ce qu'Ajita et moi pourrions attendre l'un de l'autre le lendemain. Je pensais aussi à son père, présence invisible entre nous.

25

La matinée était déjà bien avancée quand je suis descendu. Ajita avait quitté la chambre depuis longtemps.

Mustaq était en survêtement. Il avait installé son ordinateur sur la table et mangeait des fraises et du melon avec les doigts. Deux ou trois autres personnes étaient assises à l'opposé. Elles ne parlaient pas et donnaient l'impression d'avoir échappé de justesse à une explosion.

Mustaq me servit un verre de jus de fruits.

« Je ne vais pas parler trop fort, me dit-il. Pour moi aussi, la nuit a été bonne. Je ne me suis pas couché du tout. J'ai appelé mon entraîneur à quatre heures du matin et j'ai réussi à le convaincre de venir ici pour une séance matinale. Puis j'ai demandé à mon manager de préparer mon studio. Ça fait des années que je n'ai pas pris mon pied en faisant de la musique. Tu sais, papa détestait quand je jouais du piano. Un jour, alors que j'étais en classe, il avait envoyé tous mes claviers à la décharge. Tu crois que ça aurait pu m'inhiber par la suite ?

— C'est très probable.

— Notre conversation d'hier m'a ouvert des perspectives, Jamal. J'ai un nutritionniste, j'ai un coach. Maintenant, j'ai une muse : toi.

— Sans blague ?

— Les nouveaux groupes qui marchent bien sont britanniques, ils chantent en anglais. Aide-moi à retrouver l'envie d'écrire, mon ami – sur mon enfance, sur mon père. Il n'y a pas tant de rock stars dont le père a été assassiné. Par où est-ce que je devrais commencer ?

— Par ce qui te passe par la tête.

— D'accord, merci. »

Il se mit à taper sur son clavier tout en disant à voix haute : « Ça commence avec toi. Un jour, tu arrives chez nous, tu regardes ma sœur avec un plaisir évident, tu me lances un sourire à moi, le garçon timide, comme si tu savais tout sur moi, comme si tout ce que j'allais entreprendre était OK. »

J'avalai une tasse de café mais fus incapable de manger quoi que ce soit. Je laissai Mustaq à ses chansons et gesticulations et je partis marcher à travers champs pendant une heure. Puis j'attendis le moment de passer à table.

On nous servit du champagne. À force de lever le coude pour porter un verre à mes lèvres, j'avais peut-être épuisé mes dernières forces. Mais il y avait de nombreux endroits où s'allonger. L'après-midi, j'étais un peu dans le brouillard, mes paupières papillotaient. J'étais chez Mustaq, allongé sur une chaise longue, tandis que les autres parlaient, buvaient, jouaient aux cartes tout en écoutant de la musique. Des domestiques adorables déambulaient en permanence avec un plateau de ceci, un plateau de cela. C'était la vie rêvée !

« Pourquoi je n'y ai pas songé plus tôt ? C'est à ça que sert l'argent », dis-je. J'ouvris les yeux et je vis Henry qui me regardait, un grand sourire aux lèvres. « C'est ce qui nous fait râler depuis des années, mon ami. Le capitalisme décomplexé. Il est là, nous y sommes. C'est ça, la vraie vie ! »

Il se baissa pour m'embrasser. « Relax ! Il n'y a rien de meilleur au monde !

— Ne dis pas ça !

— Est-ce que George n'aurait pas pu s'offrir quelque chose de moins cher ? »

C'était Miriam que j'entendais arriver au-dessus de moi, avec toute sa quincaillerie, son rire et son bavardage. Elle resta un moment allongée à mes côtés, son visage tout contre le mien, à me murmurer à l'oreille : « Oh merci, merci, frangin, pour m'avoir amenée ici. Grâce à toi, ma vie a complètement changé cette année, et pour toujours. Tu as été bien meilleur avec moi que papa. Il fallait que je te le dise. Voilà, c'est fait. »

Elle m'embrassa et se leva pour rejoindre Ajita qui venait juste de se réveiller. Je regardai ma sœur alors qu'elle traversait la pièce : elle portait un tee-shirt à manches longues, un jean moulant avec des incrustations, des talons hauts. Je constatai qu'elle avait perdu beaucoup de poids, pas loin de vingt kilos. Son visage était presque émacié. Il était profondément ridé mais il n'était plus encombré de clous ni d'anneaux, si bien que ses yeux donnaient l'impression d'être plus grands. Elle rayonnait de plaisir et semblait décidée à poser ses valises de mère de famille pour devenir la femme d'un homme, sa « partenaire ». Empruntant à Valerie son style grandiose, elle commençait volontiers ses phrases par des expressions telles que : « En tant que petite amie d'un éminent producteur de théâtre... »

Henry vint s'asseoir avec moi. « Tu ne m'avais pas dit qu'Ajita était si belle.

— Est-ce que c'est la plus belle de toutes les filles avec qui je suis sorti ?

— Ça se pourrait bien, mais tu as encore de beaux jours devant toi. Et si on allait se balader ?

— Je suis bien installé, moi.

— Il y a quelque chose qu'il faut que je te dise. Ce n'est pas un secret que j'ai envie de garder pour moi. » Il mit un bras autour de mes épaules. « Tu sais où on pourrait être un peu tranquilles ici ? »

Je me levai. Arrivés à la porte de la cuisine, nous enfilâmes des bottes en caoutchouc. Une fois dehors, je ris en le voyant jeter un œil étonné aux sculptures. Avant qu'il ne dise quoi que ce soit, je précisai : « La production artistique d'Alan ! »

Je remarquai un bâtiment en verre et bois juste à côté d'une autre grange. Les portes étaient ouvertes. Il y avait deux planches à dessin à l'intérieur. Sur le sol, on avait étalé des morceaux de métal brut et de métal découpé, certains étaient peints. C'était l'atelier d'Alan.

« Ça a l'air pas mal, dis-je. Peut-être devrais-je recommander l'architecte à maman et Billie. Elles cherchent à faire construire un atelier dans leur jardin. Elles t'en ont parlé ?

— Oui, je suis au courant. »

Miriam l'avait emmené déjeuner avec Billie et maman peu de temps auparavant et en une autre occasion, Henry, qui avait reçu des billets gratuits, avait invité les deux vieilles femmes à l'opéra. Loin de jouer le rôle traditionnel du grain de sable entre parents et enfants, Henry, le nouvel amant, laissa tomber Miriam dans les grandes largeurs, ce qui l'irrita singulièrement. Non seulement il appréciait maman et Billie et partageait leur intérêt pour les arts visuels, mais il ne prenait pas les récriminations de Miriam au sérieux. « Elle est cent fois mieux que la plupart des mères, lui disait-il. Tu peux parler de n'importe quoi avec elle. Si tu avais connu la mienne : elle aurait pu ravager toute l'Europe avec son hystérie et sa dépression ! »

Henry reprit :

« J'ai vu une femme la nuit dernière, au Kama Sutra, un club où on est allés pour la première fois. Il faisait sombre. J'ai eu envie d'elle, je dois bien le reconnaître. Mais j'avais l'impression de la connaître. Elle portait des talons hauts, un masque. Pratiquement rien d'autre. Dans mon souvenir, elle était plus mince, mais c'était sa façon de se tenir et ses cheveux qui m'ont fait penser à Josephine. »

Je soupirai :

« Ma Josephine ?

— Jamal, je n'avais aucune idée de ce qu'elle faisait là, si c'était sa première fois ou si elle venait régulièrement. »

Josephine avait toujours eu une démarche nonchalante : elle rêvassait, les bras ballants. Je m'étais toujours demandé comment quelqu'un pouvait marcher si lentement et avancer malgré tout. Quand nous étions invités quelque part, nous y allions chacun de notre côté, chacun à son propre rythme.

« Elle a bien changé, Josephine, si elle va dans ce genre d'endroit. La plupart de ses amis sont des gens qui lui font pitié et son copain l'a laissé tomber. Du moins, c'est ce que j'ai cru comprendre. Ils ont été ensemble un moment puis il a plus ou moins disparu. J'ai demandé à Rafi. Il m'a dit qu'elle le trouvait ennuyeux.

— J'ai un peu paniqué. Miriam était occupée. Mon excitation est retombée. Je me disais que ce serait une sacrée nouvelle pour toi, pour n'importe qui en fait. Je l'ai suivie de pièce en pièce. Elle semblait complètement ailleurs.

— Tu lui as parlé ? »

Il me fit signe que non.

« Est-ce qu'elle vous a reconnus, toi ou Miriam ?

— Non, bien sûr ! Je ne l'ai raconté à personne. Je dis tout à Miriam et elle aussi, j'espère. Mais là, c'était personnel. »

Comme la plupart des gens qui étaient là ce week-end,

j'avais commencé à boire avant l'heure du repas. Il y avait eu de la coke aussi. On nous en avait proposé, qui nous avait été servie en même temps que les boissons, ce qui me requinqua un moment et me permit de continuer à boire. Le fond de l'air était frais et le ciel dégagé. Je commençais à me faire à la campagne. J'avais un joint dans la poche, je le partageai avec Henry alors que nous marchions à travers champs. Quand Henry l'eut terminé, j'étais passablement fait et je me sentais aussi triste et vide que le jour où Ajita, Valentin et Wolf m'avaient abandonné.

« J'imagine qu'il n'y a pas moyen de revenir en arrière maintenant, si jamais tu y as déjà songé. Oui, je pense que ça t'a déjà traversé l'esprit, dit Henry.

— Effectivement. Ma femme me fascine encore.

— Jamal, je me fais du souci pour toi !

— Tu es un bon ami, mais il ne faut pas que ça te gâche la journée. J'imagine que je devrais m'occuper d'elle. C'est ce dont elle a toujours eu envie, mais elle a fait en sorte que je n'y arrive pas, chaque fois.

— Tu lui en toucheras deux mots ?

— Je ne pense pas. Tout ce que je sais, c'est qu'elle s'était inscrite à des sessions de speed-dating. »

Il éclata de rire. « Heureusement, tu n'as jamais reçu de couple pour une thérapie.

— Il paraît que ça rapporte bien. Il y a beaucoup de demandes.

— Attends, qu'est-ce que je raconte ? Si tu passes en revue les premiers analystes et leurs collègues, tu t'apercevras que c'était une bande de pervers, de suicidaires, de fous, Freud mis à part. Ils étaient vraiment humains, quoi. Mais ils savaient au moins une chose.

— C'est-à-dire ?

— Ou tu tombes amoureux, ou tu tombes malade. »

Ce soir-là, la plupart d'entre nous avions pris trop de

coke pour avoir très envie de manger, mais Miriam et Henry avaient faim et je m'installai à table avec eux et Ajita. Henry se rendit à peine compte que nous étions servis par du personnel en uniforme. Miriam, elle, insista pour participer à la vaisselle.

Ce dimanche soir, une scène avait été érigée dans l'une des deux granges. On apporta des éclairages, ainsi que de nombreux instruments. Des caisses de vin et de bière, mais aussi des bouteilles de vodka et de tequila, furent déposées au pied de la scène. Les gens s'installèrent sur des chaises et ceux qui, comme moi, trouvaient pénible de devoir se tenir assis, s'allongèrent sur des coussins disposés par terre.

Même si je n'avais plus une conscience bien nette de l'environnement, je ne voulais pas rater Charlie Hero jouant une version acoustique de *Kill for Dada*, enregistrée pour la première fois avec les Condemned dans les années 1970.

Alan poussa Mustaq sur le devant de la scène. Tonnerre d'applaudissements et grosse excitation dans la salle. Mustaq ne voulait pas jouer mais il obéissait volontiers à Alan. Donc, Mustaq, qui se glissait maintenant dans la peau de George, s'assit au piano. Pendant quelques secondes, il ne bougea pas. Puis il commença à chantonner doucement, laissant venir l'inspiration. Quand les notes prirent vraiment forme, il nous offrit une interprétation tout à fait convenable et personnelle du *Helpless* de Neil Young, aussi inspirée que ma version préférée de cette chanson par K.D. Lang. Je commençais à comprendre pourquoi Mushy la Moustache était devenu un chanteur vedette.

Ajita avait passé une jupe en jean. Tout en riant et en se dandinant, elle vint le rejoindre pour chanter le refrain au tambourin. Quand elle me fit monter sur scène, je ne pus résister. Ma façon de danser n'avait guère évolué depuis les années 1970. La différence majeure, c'était le fantôme de son père qui se dressait entre nous.

Un peu plus tard, Ajita et moi avons dansé un slow langoureux (« "Un slow langoureux", chérie, ça fait une éternité que je n'ai pas employé cette expression »), puis Karim et Charlie ont repris *Let's Dance*. Karim avait une manière très groove de jouer de la guitare basse. Karen lui lança son string et ses Manolo. Je crois que, par la suite, je l'ai vue avec un des serviteurs, alors qu'elle essayait de récupérer un des escarpins coincé dans un paquet de fils électriques.

Ajita a dansé avec Henry et Miriam. Pour nous remettre, nous nous sommes installés sur la pelouse où nous avons partagé une bouteille de champagne et fumé une cigarette. Puis nous sommes retournés écouter Mustaq qui chantait *On a tous le cœur brisé, un jour ou l'autre*, qu'il me dédia, à moi qui l'avais inspiré.

Ne me demandez pas quand mais, à un moment donné, la soirée s'est transformée en véritable session rock. Tout ceux qui se débrouillaient avec tel ou tel instrument se sont retrouvés à improviser sur scène, tandis que Mustaq se déchainait sur son piano, à la manière de Jerry Lee Lewis. Henry était plus qu'impatient de se mettre à poil. Quand il dansait, on avait l'impression qu'il cherchait à écraser des frelons, comme s'il était passé à côté des années 1960 et qu'il éprouvait le besoin de se rattraper. Miriam dansait juste à côté des haut-parleurs, en soutien-gorge et culotte : elle voulait que tout le monde voie ses tatouages. Elle les avait montrés à Ajita, lui expliquant leur provenance et leur signification. Ajita, à la fois horrifiée et fascinée, finit par se dire que sa vie changerait du tout au tout si elle se faisait faire un « tatou ».

Je me souviens d'avoir observé Mustaq au moment où il aidait sa sœur à remonter dans sa chambre : j'aperçus sur son visage une expression de hantise et d'épuisement que je ne lui avais jamais vue auparavant. Je ne saurais plus dire à quelle heure on m'a porté jusqu'à ma chambre. Apparemment, le personnel a eu fort à faire toute la nuit. Je sais seulement que je ne pouvais même plus allumer mon briquet pour le brandir au-dessus de ma tête.

« C'était le chaos absolu », me dit Mustaq en riant le lendemain.

Je me rappelle très bien m'être levé pour aller pisser environ une heure après avoir perdu connaissance. Au moment où je passais devant la chambre de Karen, je l'ai vue en train de baiser avec Karim Amir. Enfin, il m'a semblé que c'était Karen, et peut-être que c'était Karim. Quelqu'un d'autre dormait au pied du lit. Ou peut-être ce quelqu'un n'était-il pas endormi car j'entendais des gémissements qui provenaient d'un autre endroit dans la chambre.

Je suis resté là un moment, puis j'ai pris une douche, je me suis lavé les dents, j'ai nettoyé le sang séché dans mes narines et je suis allé les rejoindre dans la chambre où je me suis affalé sur un tas de corps. Je me vois nu, adossé contre un mur, en train de fumer et de discuter avec Karim du sud de Londres et du Three Tuns de Beckenham High Street qui, apparemment, possédait une plaque en l'honneur de Bowie, mais aucune au nom de Charlie Hero.

D'ailleurs, Charlie était en train d'entreprendre quelqu'un, peut-être une des serveuses qui habitait la ville voisine. Je me souviens même, avec gratitude, qu'il me caressa le dos quand ce fut mon tour. Malgré tout, j'aurais préféré qu'il évite d'ajouter : « Vas-y, mon vieux, lâche la purée », car je savais qu'il avait un registre bien plus distingué que moi ou Karim.

Le lendemain, quand je suis reparti pour Londres avec Karen, Ajita était dans la cour à nous faire signe. Elle restait quelques jours de plus à la campagne avant de s'installer dans la maison de Mustaq à Londres.

Tandis que Karen montait en voiture, Ajita et moi nous sommes embrassés en nous promettant de nous appeler plus tard. Puis elle m'embrassa sur la bouche. Je sentais sa langue qui cherchait la mienne. Elle me pinça, me chatouilla, comme avant.

« Qu'est-ce qui te fait rire ? lui demandai-je.

— Toi. Ce n'est pas seulement une gueule de bois que tu as. On dirait que tu as vu un fantôme. Oui, en fait, j'imagine que c'est ça. »

Karen faisait vrombir le moteur et ses mains tapotaient le volant.

Dès que je fus dans la voiture, elle me dit :

« Au moins, tu as la décence de rentrer avec moi.

— Quoi ?

— Je sais que tu peux être sacrément rusé. Je dors la porte ouverte et j'ai vu cette femme qui sortait subrepticement de ta chambre la première nuit. Tu as fait vite. Week-end chargé, n'est-ce pas ?

— Mais, Karen, tu es folle.

— Tu l'as attendue tout ce temps et maintenant tu ne l'aimes plus ?

— On ne peut pas revenir en arrière.

— Et tu ne peux pas aller de l'avant ?

— J'aimerais bien ne pas avoir à quitter cette maison.

— Tu t'es reposé ?

— Est-ce que je me suis reposé ? Je suis prêt pour une cure de désintoxication.

— Parfait. »

Je lui demandai de ne pas me faire le récit de la nuit précédente. Je voulais oublier. Elle me répondit qu'elle resterait bouche cousue, ce qui n'était pas dans ses habitudes, mais elle gloussa un peu. « Impuissant, c'est ça ? »

Ce qui l'inquiétait surtout, c'était de savoir si Karim reprendrait contact. S'il participait à *Je suis une célébrité...*, il serait sollicité par d'autres femmes. Elle voulait en profiter au maximum avant.

Vous avez beau détester la campagne, quand vous rentrez à Londres à la fin d'un week-end, vous vous sentez le cœur lourd : la saleté, la dureté, la promiscuité – au point que vous seriez prêt à croire que ça vous plaît de quitter la capitale.

26

Chaque dimanche matin, l'essentiel de la population britannique, les ados mis à part, se retrouve dans les parcs, à flâner, à faire du jogging, à promener le chien. Le dimanche, Rafi et moi, nous jouions au foot avec d'autres pères (acteurs, metteurs en scène, romanciers) et leurs fils (de cinq à douze ans). Femmes et petites amies étaient assises sur des bancs derrière la ligne de touche, à boire des *latte*, à occuper leurs fillettes et à aider leurs garçons à mettre chaussures et lacets.

Les pères ne voulaient pas avoir l'air ridicule en donnant l'impression de s'être mis en frais. Les garçons, eux, revêtaient la panoplie complète pour le match, même si les poteaux de but n'étaient constitués que de deux arbres d'un côté et de sacs et de maillots posés en tas de l'autre. Le terrain était boueux et défoncé. Il y avait une immense mare à une extrémité, où de nombreux enfants venaient plonger, patauger ou tomber la plupart du temps.

Rafi courait en petites foulées, harnaché de la tenue de l'équipe de Manchester qu'il avait eue à Noël. Sans oublier les bracelets éponge à chaque poignet, le brassard de capitaine, les protège-tibias, les Nike à crampons, argentées et immaculées. De temps en temps, il mettait le maillot de la Juve ou celui du Barça que je lui avais rapportés quand j'étais allé en Europe pour des conférences. À part l'incident d'Arsenal, il ne portait les couleurs d'aucun autre club britannique. Il s'était mis du gel dans les cheveux pour se coiffer en brosse. Du coup, il ne faisait pas de têtes de peur d'abîmer sa coiffure. Quand il marquait un but, ce qui arrivait souvent car il était rapide, persévérant et étonnamment fort, nous rejouions l'action plusieurs fois au retour, dans la cuisine.

Chacun sait qu'il faut y aller prudemment avant de déclarer que vous êtes supporteur des Red Devils de Manchester. Si vous n'avez pas de raison valable, on risque de vous dire que vous vous contentez de soutenir un club à la mode déjà auréolé de succès. J'avais des arguments imparables, délicieusement obscurs. Étant enfant, j'aimais le football et j'y jouais presque tous les jours, mais je m'en suis détourné quand, à l'adolescence, je me suis rendu compte que les filles préféraient la musique.

Je m'y suis de nouveau intéressé lorsqu'un Français, Éric Cantona, qui jouait pour Leeds à l'époque, a rejoint Manchester United en 1992 et a « modifié la donne », comme on dit dans les pages sportives. Le club a recommencé à gagner. À ma connaissance, Cantona était le seul footballeur à avoir fait une psychanalyse, avec un lacanien, qui plus est. Quand il jouait à Marseille et qu'il avait signé pour Leeds, il était très angoissé à l'idée de se séparer de son analyste. Il avait déclaré : « Si je fais une analyse, c'est comme après une vidange, je suis au mieux de ma forme. C'est là que je joue le mieux. Oui, il faut que j'en refasse une. Ce n'est plus de la curiosité, c'est une nécessité. En fait, tout le monde devrait avoir le courage d'en suivre une. Tout le monde devrait au minimum lire Freud et Groddeck. »

Avoir un milieu de terrain qui avait envoyé un coup de pied de karatéka à un supporteur du Crystal Palace, qui lisait Groddeck le dingue (cet analyste « barge » que Freud admirait et qui fut l'un des premiers à travailler sur le psychosomatique), c'était trop tentant. Je me consacrai à Manchester United pour la vie. Mon fiston n'avait donc pas le choix.

Je m'étais demandé si je n'aurais pas pu proposer à Ajita de se joindre à nous. Nous bavardions au téléphone tous les jours, ce qui était une façon de réapprendre à nous connaître. Elle nous avait invités, Rafi et moi, à la campagne où elle était retournée « se ressourcer » après son bref séjour à Londres. J'avais pensé la rejoindre, mais je craignais que ça n'aille trop vite. J'avais beaucoup de choses à lui dire. Mais Rafi avait refusé l'invitation. Il ne voulait pas passer le week-end avec « rien que des adultes », même si l'un d'entre eux était une rock star.

Tous les pères étaient enthousiasmés par la partie de foot du dimanche matin et souvent animés par un vif esprit de compétition. Les autres familles se voyaient par ailleurs, les enfants allaient les uns chez les autres. Rafi et moi nous tenions plus à l'écart mais, chaque fois que je rencontrais un de ces pères, ça me faisait toujours plaisir. Il est difficile de ne pas apprécier quelqu'un avec qui vous jouez au football même si, au début, les jeunes joueurs sont toujours effondrés et se sentent rejetés dès qu'on ne leur fait pas une passe. Comme moi, Rafi était mauvais perdant. Quand il était gamin, il était du genre à récupérer son ballon et à partir avec lorsque son équipe prenait un but.

Après le match, j'avais hâte de retrouver la maison, où je pouvais souffler et m'affaler, tel un chien épuisé. Le foot était la seule activité physique que je pratiquais ou que j'avais envie de pratiquer. Quand je rentrais, j'avais l'impression d'avoir dévalé une colline dans une barrique. Pourtant, le but que j'avais mis avec la tête sur un corner de Rafi était le deuxième plus grand moment de mon existence (le premier étant sa naissance, bien sûr). Je m'étais avancé d'un pas lourd dans la « surface » et j'avais pris la balle en plein front. L'espace de quelques instants, je ne vis plus rien. Puis la lumière revint, sous les hourras : la balle avait filé entre les deux arbres. Des joueurs m'empoignaient les cheveux. Rafi avait grimpé sur mon dos.

Après le match, adultes et enfants, assis sur les bancs à l'extérieur du salon de thé, mangeaient des chips et buvaient du chocolat chaud. En allant aux toilettes, je tombai sur trois Polonais à moitié nus qui se lavaient au lavabo. L'un se tenait sur une jambe pendant qu'un autre lui savonnait le pied. Ils avaient étalé sacs et vêtements par terre. Beaucoup de Polonais vivaient à la dure dans le coin. S'ils survivaient à ce régime au moins trois ans de suite, ils avaient droit à la Sécurité sociale. Au moment où je sortais, trois policiers se précipitèrent à l'intérieur.

Dehors, quatre jolies filles, dont deux étaient au collège avec Rafi, venaient d'arriver et s'étaient attroupées autour de lui. Elles portaient bottes, minijupes et accessoires de pacotille rutilants, se serraient les unes contre les autres, parlaient téléphones portables. C'était une tenue un peu extravagante pour une promenade au parc. En fait, l'une d'elles avait appelé Josephine un peu plus tôt pour savoir où était Rafi. Au collège, c'était le chouchou des filles. Elles étaient venues le voir jouer au foot.

« Vous avez vu mon but ? » Il ne les regardait pas mais, à en juger par ce sourire amusé qui me rappelait mon père, il savait qu'elles le regardaient. Tandis qu'elles commentaient son exploit, il secouait la tête, comme pour minimiser ce qu'elles pouvaient en dire.

Il avait une attitude cool. Sa coiffure savamment décoiffée lui allait bien. Il choisissait toujours avec soin ses habits et bijoux chez H&M. Le week-end précédent, on avait fait les soldes. Je cherchais des vêtements pour moi et nous étions revenus avec des sacs remplis d'affaires pour Rafi. Il me battait sur tous les plans : plus stylé, plus tendance, plus beau aussi. C'était dans l'ordre des choses. Je ne pouvais néanmoins m'empêcher d'éprouver un petit pincement au cœur d'amertume et de regret. Parfois, ce dont vous avez envie, c'est juste de plaire. Pourquoi avais-je toujours eu l'air de manquer de confiance en moi, d'être plus angoissé qu'il ne semblait l'être ? Je n'arrivais pas à ne pas lui envier les années de plaisir qui l'attendaient avec les femmes.

Les filles voulaient partir. Elles se sentaient nerveuses. Elles étaient persuadées qu'un homme les épiait derrière les arbres. Elles convinrent d'un rendez-vous avec Rafi au centre commercial, leur lieu de prédilection, pour l'aider à choisir de nouvelles tennis.

« Je sais ce qu'il faut faire pour être cool, me dit-il sur le chemin du retour. Et, à part ma ceinture D&G, je ne porte aucune marque, sauf si j'en ai vraiment envie. »

Je sonnai chez Josephine, cette maison où j'avais vécu mais que je n'avais jamais vraiment aimée. Elle avait trois niveaux, deux chambres par étage et un jardin de taille raisonnable. À l'arrière se trouvait l'appentis où Rafi jouait de la batterie et de la guitare et où il accueillait parfois des amis pour la nuit. En regardant la maison, je repensai à l'une de mes blagues préférées : « Pourquoi se marier ? Pourquoi ne pas trouver une femme que vous détestez et lui donner tout de suite votre maison ? »

« Pourquoi tu ris, vieil obèse asthmatique ? me demanda Rafi.

— Je ne peux pas te le dire. Je n'ai pas bien joué aujourd'hui ?

— Tu devrais jouer dans une équipe de handicapés.

— Merci.

— Tu perds tes cheveux, aussi. Quand tu te penches, je vois ton crâne. C'est pas joli, joli de mettre la honte à sa famille comme ça. »

Ce jour-là, en quittant le parc, il m'avait demandé si je pensais jouer encore longtemps dans la même équipe que lui. La question m'avait surpris : cette intuition de l'avenir, de l'impermanence des choses était inhabituelle chez un jeune de son âge.

« Tu comprends, j'ai treize ans, il faut que je commence à jouer plus sérieusement. Je veux jouer dans une vraie équipe. Tu peux m'y conduire, mais tu ne pourras que regarder. »

Il prit un accent américain :

« Petite racaille, tu regrettes ce que tu as fait ? Es-tu prêt à passer toute ta vie rongé par la culpabilité ? »

Tandis qu'il restait sur le seuil en chaussettes, à taper ses crampons boueux contre le mur, impatient de raconter à sa mère la reprise de volée et le boulet qu'il avait envoyé au fond des filets, je décidai d'entrer, à condition qu'elle ne m'en empêche pas, pour voir si je repérais quelque chose de bizarre.

De temps à autre, je me demandais si je pourrais retomber amoureux d'elle, mais ce n'était pas une perspective qui m'exaltait. Je me disais aussi que si Rafi n'avait pas été là, nous ne serions pas obligés de nous voir. Évidemment, je m'en voulais terriblement d'avoir de telles pensées : je ne savais pas ce que je serais devenu sans mon fils.

Josephine ouvrit la porte. J'entrai, la suivis dans l'escalier qui menait au sous-sol. Elle se retourna pour me regarder mais ne dit rien.

Nous nous étions disputés au téléphone à propos des études de Rafi et je devais reconnaître que je me faisais du souci. Il avait raté deux examens d'entrée. Mais, comme le faisait justement remarquer Josephine, les élèves de ces écoles prestigieuses avaient tous le visage hagard, stressé. Je ne pouvais qu'être d'accord pour dire que c'étaient des usines à fric où l'on transformait des petits Blancs malins en clones serviles. Pour autant, je lui en avais voulu, au gamin. Josephine me rappela que, moi-même, je n'avais pas fréquenté ce genre d'école et que je refusais encore d'y mettre les pieds. Elle me reprochait d'ailleurs de jouer au snob. Je connaissais beaucoup de parents dont les enfants étaient inscrits dans ces établissements et je ne comprenais pas que mon fils n'ait pas réussi à franchir ce cap aussi aisément. Apparemment, quand il retournait chez elle, il était insupportable : je mettais trop de pression sur lui. Il lui avait déjà tiré les cheveux. Ils se disputaient pour un rien.

Josephine avait raison de souligner qu'il s'agissait de son avenir plus que de mon amour-propre. Elle ajoutait que je devenais comme mon père. Il ne vivait pas avec nous mais entendait bien que nous soyons brillants et que nous réussissions. De mon côté, j'avais décidé d'arrêter les reproches le jour où j'avais interpellé Rafi sur un mode assez agressif : « Alors, dans quel domaine tu es le meilleur en classe ? » Il avait réfléchi un petit moment avant de répondre : « C'est dans les yeux des filles que je suis le meilleur. »

Quand il était petit, il aimait que les aliments soient séparés les uns des autres dans son assiette. Les haricots ne devaient pas toucher les pommes de terre, les pommes de terre ne devaient pas toucher les bâtonnets de poisson. Maintenant, je remarquais qu'il était content de me voir dans la même pièce que sa mère. Il nous observait de près, impatient de suivre ce qui allait se passer. Il menait une véritable enquête sur ce mariage.

Je me suis installé à la table de la salle à manger. Josephine m'a apporté un thé. Au moment où elle allait s'asseoir, je remarquai que Rafi avait rapproché sa chaise, de sorte que nous nous touchions presque. Il faisait des bruits, des gestes enfantins, comme s'il redevenait petit garçon, pour notre bien, pour nous rappeler que nous formions une famille.

Josephine était une femme qui parlait peu. Elle n'avait ni grande conversation, ni petite conversation. Le silence ne me gênait pas. Nous aurions tout aussi bien pu être des statues.

Son père était un sacré malade : ivre, dingue, renversé par une voiture alors qu'il traversait une autoroute. Il y a maintenant, dans ce pays, un pauvre type hanté par la vision de ce fou surgi de nulle part. Et sa fille, pétrifiée à vie, rongée par l'angoisse, comme si une voiture fonçait sur elle pour l'éternité.

Restée seule avec son exhibitionniste de mère, ce que Josephine aimait – et détestait, en son for intérieur – c'était l'anonymat et le silence. Elle semblait n'avoir jamais réussi à dépasser l'idée que ceux qui se comportent bien sont toujours récompensés. Beaucoup de mes amis oubliaient son nom. Ses deux thérapeutes aussi l'oubliaient. Ça l'avait mise en colère et elle avait tout abandonné alors qu'elle venait à peine de commencer. Il était inévitable que Miriam (« le nombril du monde », comme disait Josephine) lui pose un certain nombre de problèmes. Comme je me plaisais à le remarquer, c'était sa façon d'admettre la nécessité des rapports de force : si vous vous rendez plus désirable, si vous êtes plus tapageur que les autres, vous suscitez forcément la curiosité.

Je la regardais. Le silence parlait pour nous. Ses doigts, eux, n'étaient pas silencieux. Comme toujours, ils pianotaient sur la table, presque frénétiquement, comme si elle essayait de faire danser quelque chose au plus profond d'elle-même.

Pendant ce temps, une foule de voix babillaient dans ma tête. Peut-être chacun avait-il espéré une explication, un moment où nous passerions au peigne fin les nœuds de tous nos malentendus, pour les démêler, mèche après mèche.

« Vous ne vous tenez pas la main ? demanda Rafi avec un large sourire.

— Je ne voudrais pas faire tomber ma tasse », répondis-je.

Cela nous angoissait tous les deux de le voir grandir. Moi, parce que je regrettais de ne pas avoir plus d'enfants et de ne pouvoir vivre avec eux (j'aimais bien qu'il invite ses copains chez moi). Elle, parce qu'elle redoutait la montée en puissance de son indépendance et de sa sexualité. Elle l'encourageait, malgré cela, tout en sachant qu'elle mettait en route le programme départ de son fils.

« Tu sors ? Tu vois quelqu'un ? » demandai-je à Josephine.

Si elle ne me répondait pas tout de suite, je savais qu'elle avait pris un tranquillisant. Généralement, elle en prenait le soir avec un verre de vin. Elle lisait le mode d'emploi à voix haute : « Les conducteurs de véhicules et les utilisateurs de machines doivent être avertis des risques inhérents à ce traitement (somnolence). » « Tenir hors de portée des enfants. » Je disais souvent : « C'est un conseil censé. » Elle aimait tout ce qui se terminait en -pam (Temazepam, Lorazepam ou Diazepam). Je l'appelais « Polyéthylène Pam ». Mais comme elle avait horreur de la dépendance, elle avait commencé à se rationner.

« Pas vraiment, me dit-elle finalement. Je m'occupe de Rafi, tu vois ? Vous êtes allés chez le frère d'Ajita. Rafi m'a montré l'autographe de George.

— Oui, avec Henry et Miriam.

— Ils sont ensemble, non ? C'est sympa de ta part de les aider.

— Si tu as besoin d'un baby-sitter le soir, je peux toujours venir ici pour travailler. Ce serait un plaisir de voir Rafi, et de te voir, même brièvement.

— Ah bon ? Merci, c'est gentil. »

Je ne tardai pas à me lever.

« Laisse-moi te préparer une autre tasse de thé, proposa Rafi.

— Ce serait une grande première, lui dis-je en l'embrassant sur la tête. Mais il faut que j'y aille. »

Juste au moment où je partais, il me glissa un CD dans la main : « Pour toi, papa. » C'était lui qui l'avait gravé – une sélection de ses chanteurs préférés du moment : Sean Paul, Nelly, Lil John. Ce que naguère j'avais fait pour lui, il le faisait maintenant pour moi.

La porte claqua comme un coup de feu derrière moi. L'insouciance du dimanche après-midi était l'un des rares plaisirs de la cinquantaine. Quand j'avais commencé à recevoir mes premiers patients, j'avais appris à dormir entre les rendez-vous. Je m'allongeais sur le sol et je m'endormais aussitôt. Je dormais vingt minutes, parfois dix minutes seulement.

Mais ce jour-là, après avoir quitté Rafi et Josephine, je me sentais profondément bouleversé et désespéré – lui qui me faisait des signes à la fenêtre, après m'avoir serré contre lui et dit : « Papa, ne meurs pas aujourd'hui. Si tu vivais avec nous, tu serais en sécurité. » Une fois rentré, je me douchai et passai un coup de téléphone.

27

Aucun autre pays ne possède rien qui ressemble à un entre-sol londonien. Vous quittez brusquement la rue, vous descendez précautionneusement les marches d'un escalier étroit et glissant qui mène à une chambre d'écho, vous poussez la porte et vous vous retrouvez coupé de la clameur, sous la ville, là où tout est plus tranquille. C'est comme si vous franchissiez une frontière entre un maelström et un pays de cocagne.

J'étais dans un hall sombre, étroit, qui donnait sur plusieurs portes. Je dis à Madame Jenny, qui m'avait fait entrer :

« J'avais l'impression que la Déesse pourrait avoir besoin d'aide pour faire ses devoirs.

— Oui, elle en a grand besoin, vraiment grand besoin. » Elle prit mon manteau. « Comment allez-vous, docteur ? Cela fait un moment qu'on ne vous avait vu. On vous a même écrit une carte de Noël. Vous la voulez ?

— Ça me ferait très plaisir. »

Le tournant mouvementé du XIXe au XXe siècle donnait du fil à retordre à la Déesse. De mon point de vue, elle passait trop de temps sur ses dissertations et, finalement, cela lui embrouillait les idées, la tracassait inutilement. Madame Jenny était fière de toutes ses filles. Elle était aux anges quand je disais qu'elles étaient des « intellectuelles ».

« Oui, ailleurs, les filles ne sont pas aussi brillantes que les nôtres.

— Ni aussi sexy.

— Entrez donc. Elle vous attend. »

J'avais téléphoné avant, bien sûr. Comme moi, ces femmes ne travaillaient que sur rendez-vous, « sinon c'est plus un bordel, mais c'est le bordel ».

« La voici, cher monsieur », dit Madame Jenny en me laissant entrer.

Une lumière tamisée éclairait les murs marron. Tout en étreignant longuement la Déesse, j'embrassai ses boucles blondes et lui caressai le visage.

Je la payai et dis :

« J'avais hâte de te revoir, Déesse.

— Où étais-tu tout ce temps ? J'espère que tu n'es pas allé voir une de ces putains.

— Même pas en rêve.

— Tu as envie de moi comment ? » me demanda-t-elle en se déhanchant et en agitant le bout de sa langue.

Je contemplai le mur couvert de costumes rangés sur des cintres. Sur le mur d'en face, il y avait des fouets. Je lui demandai de s'habiller en hôtesse de l'air. Mon père, bien sûr, avait passé beaucoup de temps dans les avions. Quand j'étais enfant, je trouvais ça très exotique. Un jour, il m'avait donné un sac de la British Overseas Airways Corporation.

« Quelle compagnie ?

— British Airways.

— Toujours aussi patriote. »

Elle sortit en emportant le costume. Le sexe, c'est un marché divisé en une multitude de niches. Mais ici, au moins, on n'affichait pas les prix sur les murs, contrairement à certains établissements qui annonçaient sur des bouts de papier aux couleurs criardes les tarifs pour une prestation « manuelle », « orale », « missionnaire », « 69 » et, ma préférée, « la totale ». Il me revint en mémoire qu'à une époque, les bordels proposaient les services d'une uni-jambiste. J'avais bien eu, il y a peu, un patient qui se mas-turbait sur la prothèse de jambe de sa mère. Mais je n'étais pas là pour penser boulot.

J'enlevai mes Converse, mon pantalon et mon caleçon. Il faisait un peu froid pour que je retire ma chemise. Tan-dis que je l'attendais, tout en espérant que le Viagra et les calmants feraient bientôt effet, je faillis m'endormir. Je me sentais bien, en ces lieux où personne ne pouvait m'atteindre. Je ne voyais pas de meilleure manière de gas-piller mon temps et mon argent.

Elle revint, m'expliquant que pour sa maîtrise, elle « fai-sait » décadence et apocalypse – préoccupation constante de chaque changement de siècle, assortie des tradition-nelles invocations au « retour à la famille ». Malheureuse-ment, pour ce millénaire-ci, nos peurs étaient devenues bien réelles. C'était même pire que ce que nous avions imaginé.

Je ne saisissais pas tout ce qu'elle m'expliquait. Il faut dire qu'à ce moment-là, elle m'étranglait les couilles avec un bas, spécialité de la maison (« plus serré, plus fort »), tandis qu'avec l'autre bas, elle fixait un vibromasseur à ma bite. Personne ne pouvait dire qu'elle n'était pas une pro dans son domaine. Elle savait qu'à mon âge, j'avais besoin de toutes les stimulations possibles. Puis elle m'a attaché au lit avec les menottes. Dans un coin de la pièce, il y avait une croix où l'on pouvait se faire ligoter, mais je pré-férais le lit. J'étais prêt à faire beaucoup d'expériences, à condition de pouvoir rester assis. Elle vint sur moi en me fouettant le visage de ses cheveux. Elle me montra ses seins. Elle en était très fière. Ils étaient *au naturel**, selon son expression, ce qui était rare dans ce genre d'endroit. Et même dans la vie de tous les jours, on avait l'impression que c'était un don du ciel. « Profite : ils sont à toi. » Elle était debout sur le lit. Elle se pencha en avant, offrant à mon regard le spectacle de ses jambes et de ses fesses. Une de mes visions préférées, je devais bien le reconnaître, avec la vue sur la Tamise depuis le pont d'Hammersmith.

Tandis qu'elle me détachait, elle m'ordonna de lui embrasser et de lui lécher le con et le fion. Je n'avais pas besoin de tant d'encouragements : j'adorais ça. Je me sentais à l'aise, pour ainsi dire chez moi, quand je plongeais mon visage dans le cul d'une putain – « une fenêtre sur le monde ». Je me suis demandé combien ils avaient été ce jour-là à faire la même chose avec elle. Le seul intérêt de mon âge était peut-être que je mettais plus de temps à bien bander, et qu'ensuite, il me fallait un certain temps pour jouir.

Mais cela m'importait peu en réalité. Je la baisais jusqu'à n'en plus pouvoir. J'embrassais son cou, son oreille, sa joue, tandis qu'elle m'embrassait la commissure des lèvres. Nous nous ajustions facilement au rythme l'un de l'autre. Par égard pour moi, elle préférait s'abstenir de toute démonstration excessive et se contentait des petits bruits légèrement surpris de la copulation normale. Quand je finis par jouir – ce ne fut pas sans peine –, j'eus l'impression d'avoir remorqué un énorme train à travers un long tunnel. Elle me griffa le dos avec ses ongles.

Nous restâmes étendus tous les deux. La Déesse m'embrassait la nuque, les joues, les lèvres à pleine bouche. Je la caressai, je l'embrassai moi aussi. Elle me dit que j'étais un gentleman. Elle s'allongea sur moi. J'aimais sentir le poids de son corps. Ce qui m'étonnait toujours n'était pas tant l'anonymat ou la déshumanisation dont parlait Lisa, mais cette tendresse abstraite que je trouvais bien plus perturbante. Ce qui est surprenant quand on

baise avec un inconnu, ce n'est pas le sentiment d'aliéna-
tion, bien des adultes le savent, mais, au contraire, l'intimité et la force des sentiments. Je me souviens de papa
lisant *N'aimez jamais un inconnu* d'Harold Robbin. Je
dirais plutôt : « N'aimez que des inconnus. » J'avais au
moins compris, il y a quelques années de cela, que j'étais
quelqu'un qui recherchait spontanément une intimité
sexuelle avec autrui. Je m'en étais rendu compte assez tard,
mais pas trop tard. Puis quelque chose que Paul Goodman
avait écrit me revint en mémoire : « Il n'y a pas de sexe
sans amour, ni sans refus de l'amour. »

Je repensai à Josephine, déambulant dans le Kama Sutra
Club, telle une silhouette dans le purgatoire de Dante. Un
appétit de loup, insatiable, peut-être perplexe, mais à la
recherche de quelque chose : le désir de s'incarner, de se
manifester. *Même dans ce genre d'endroit, elle ne se presse
pas. J'aime toujours sa grâce.* Je pensais à ma sœur et à mon
meilleur ami qui jouaient avec les corps d'autres ano-
nymes. Je me sentais plus étonné que jamais devant la
multiplicité et la centralité du désir humain, la destruction
et l'épanouissement qu'il pouvait apporter. Et, dans bien
des cas, l'aptitude à la destruction permettait l'accomplis-
sement.

La présence de Josephine au Kama Sutra m'avait surpris. Elle était plutôt une angoissée, qui se sentait persé-
cutée par des pensées récurrentes et évitait les situations à
risques. La sécurité, la stabilité lui convenaient mieux. Elle
était aussi obsédée par l'hygiène. C'est avec un narcissisme
typiquement félin qu'elle scrutait son corps, y appliquait
des onguents, comme quelqu'un qui aurait poli la carrosserie d'une voiture dépourvue de moteur. J'en étais venu à
redouter nos rapports sexuels, qui me traumatisaient
chaque fois. Ses ordres (« plus vite, plus lentement, plus
fort, plus doucement, plus, moins, entre les deux, en haut,

en bas ») entravaient tout abandon. Le besoin d'amour ou son refus ultime : éternel dilemme. De toute façon, je lui en voulais, car notre relation m'avait privé de plus de temps que je ne souhaitais en perdre. Une fois, je lui avais dit : « Tu es sûre que l'amour, c'est censé être aussi compliqué ? » Elle n'avait pas compris, et peut-être ne le comprendrait-elle jamais, à quel point le sexe peut être joyeux. Ajita et moi, on riait tout le temps.

Pourtant, Josephine avait changé, semblait-il. J'étais curieux de savoir en quoi. Il était sans doute trop tard pour que je le découvre. J'avais toujours pensé qu'elle évoluerait, d'une manière ou d'une autre, mais pas avec moi.

« Tu ne dors pas ? demanda la Déesse.

— Pas tout à fait. »

Je songeai qu'avec une putain, on paie pour avoir le droit de ne rien dire – ne pas avoir à donner à une femme ce que l'on a de plus précieux, nos mots.

« Tu es un bon coup, pour un Anglais.

— Merci, murmurai-je, essentiellement à mon intention. Tu veux que je te raconte une blague ?

— Oh, oui ! »

Son visage lumineux était tout près du mien. Elle écoutait. Tout ce que je voulais, c'était la faire rire. Je me dis soudain que je voulais voir ma femme en putain alors que je me comportais avec ma putain comme si elle était ma compagne.

« Une prostituée et un psy passent l'après-midi ensemble. À la fin, ils se tournent l'un vers l'autre et disent en chœur : "Ce sera 300 livres, s'il vous plaît." »

Elle esquissa un sourire. Avec la Déesse, ce qui était presque aussi émouvant que le rapport sexuel lui-même, c'était la façon qu'elle avait, à la fin, d'enlever votre préservatif et de vous nettoyer la bite avec un kleenex – le soin qu'elle y mettait. La plupart des prostituées ne s'embarrassent pas de tant de précautions. Une fois que vous avez joui, elles n'ont qu'une envie, vous mettre dehors. C'était un dimanche paresseux et pourtant, c'était un jour tranquille pour les putes. N'importe laquelle de ces filles vous le dira : le lundi est leur jour le plus chargé. Après un week-end en famille, on ne compte pas les hommes impatients de rejoindre leur salope tarifée.

Je l'embrassai au moment de la quitter et donnai un pourboire à Madame Jenny. Comme toutes les « Madames » du monde ce soir-là, elle regardait un feuilleton à la télé tout en faisant ses mots croisés. « Voici pour vous », me dit-elle, en me tendant la carte de Noël.

Je sortis en plastronnant comme un cow-boy. Je reniflai mes doigts, qui sentaient la chatte. J'étais partagé entre le rire et la honte.

J'avais également la peur au ventre, mais je ne savais pas pourquoi.

Troisième partie

28

Alors qu'il me raccompagnait chez moi après le déjeuner, Bushy me dit :

« Toubib, j'espère que tu ne vas pas m'en vouloir de te dire ça maintenant, mais il y a quelque chose qui me gêne.

— Est-ce que ça joue sur ta manière de conduire ?

— Non, ça te concerne.

— Moi ?

— Il faut que je te dise, quelqu'un t'a dans le collimateur. On te mate sérieusement ces derniers temps. Tu vois ce que je veux dire ?

— On me mate, tu dis. Qui donc ?

— Un homme.

— Un homme ? Quel genre d'homme ? De quoi tu parles ?

— J'ai cette sensation – cette fraîcheur, ce picotement – là, dans mon nez, qui ne trompe pas.

— Explique-toi. »

Il allait commencer, mais je l'ai interrompu :

« Attends, Bushy, tu es vraiment sûr que je dois savoir tout ça ? »

Bushy s'examinait le nez dans le rétroviseur. Il le frottait avec un index jauni par la nicotine. « Y'a rien qui cloche

chez moi, patron, aujourd'hui ? » Il se tourna vers moi.
« Tu ne remarques rien sur mon visage, sur mon nez ? »

J'inspectai un paysage banal où se côtoyaient points noirs, boutons blancs, rouges, couperose et autres cratères.

« Tout est en ordre.

— OK, d'accord. Comme je disais, ce type qui te mate, je crois bien qu'il est dangereux.

— Dangereux comment ?

— Assez dangereux », dit-il avec une certaine délectation.

Jusque-là, le trajet m'avait plu. Bushy connaissait mon itinéraire préféré. Il savait que j'aimais voir les nouvelles installations des vitrines de Harvey Nichols. Puis on serrait à gauche après le croisement de Knightsbridge, on passait devant chez Harrods, avant d'apercevoir le Victoria & Albert Museum où je regardais les affiches de la dernière exposition. J'allais parfois me détendre dans ce musée. Me retrouver dans ce bâtiment – peut-être, d'ailleurs, dans tout beau bâtiment qui ne soit pas un magasin – où l'on pouvait flâner en regardant des œuvres d'art constituait une expérience tout à fait agréable, même en compagnie de Josephine. À une époque, nous aimions bien y aller ensemble.

Après le musée, il n'y avait plus grand-chose d'intéressant jusqu'à Gloucester Road. Si j'avais du temps, je demandais à Bushy de me déposer devant la librairie d'occasion qui se trouvait juste à la sortie du métro. Je passais aisément une demi-heure dans l'entresol avant d'aller au Coffee Republic tout proche pour lire. Mon excitation et mon appétit pour les livres et les idées qu'ils contenaient n'avaient pas changé avec les années. Mon sac de sport était toujours chargé des nombreux volumes que j'étais impatient de dévorer.

Comme bien des chauffeurs de taxi, Bushy considérait

qu'une course était une occasion rêvée de s'adresser à un « public captif », mais nous avions assez roulé ensemble pour qu'il sache que je ne l'écouterais pas et que je ne répondrais pas davantage.

« Tu es sur un coup, je sais. Mais je pense qu'il faut que tu saches un truc. Un homme averti en vaut deux.

— Ah bon ? »

Je mis du temps avant de comprendre ce qu'il me disait, si tant est qu'il y ait eu quelque chose à comprendre. Je pensais toujours à ce que Karen avait dit à table.

Elle m'avait appelé à l'aube, ou peu s'en faut, pour m'inviter à déjeuner à l'Ivy. Il circulait une nouvelle bizarre dont elle voulait me parler. Si vous avez la réputation de savoir écouter les autres, cela peut détruire votre vie. Vous commencez par vous prendre pour la putain du village, ou, pire, pour un prêtre. Mais j'aurais détesté refuser une invitation à l'Ivy.

Généralement, déjeuner là vous prenait une bonne partie de la journée, car il fallait trente-cinq minutes pour s'y rendre en voiture ou en métro. Toutefois, le lundi, j'avais un patient qui entrait dans mon cabinet, me donnait un chèque puis s'en retournait, tête baissée. Il achetait mon temps mais pas ma présence. Cela me laissait une heure de temps libre. Il se trouve que Bushy pouvait me conduire jusque Charing Cross Road. Il reviendrait me chercher plus tard.

J'étais à l'heure et, comme j'attendais qu'on vienne me placer, j'observai consciencieusement les lieux. L'un des atouts de l'Ivy était que la salle de restaurant était parfaite. Tout le monde pouvait voir tout le monde sans avoir l'air de s'immiscer. Ce jour-là, il y avait un mélange idoine de stars de rock, d'acteurs, de grands patrons de médias, de comédiens de télévision et de deux ou trois écrivains.

Karen avait bu la quasi-totalité d'une bouteille de vin quand j'arrivai. Je commandai un cappuccino et commençai à l'écouter me parler de son mari Rob, de leurs filles, de Ruby, la petite amie de Rob, qui étaient tous allés à Disneyland pendant que nous étions chez Mustaq.

« Il me semble te l'avoir déjà dit, Jamal, mais tu ne t'en souviens pas.

— Tu crois ?

— Tu étais pas mal parti le week-end dernier chez George. Je ne t'avais pas vu dans cet état depuis des années.

— Oh là là, j'espère que je n'étais pas trop ridicule. Je n'aime plus tellement ça, être soûl, maintenant.

— Malgré tout, Jamal, tu as effectivement tendance à te souvenir de nombreux détails. Ils s'accrochent au plafond de ta tête poisseuse. Donc, cette fille, Ruby, elle est à la London School of Economics où elle étudie les sciences politiques. Elle joue dans une équipe de football féminine et fait des documentaires sur les demandeurs d'asile à ses heures perdues. Elle veut devenir réalisatrice. Elle y arrivera peut-être. Elle n'a aucune inhibition en matière de sexualité et elle est tout ce qu'il y a de plus au top dans le domaine. Un jour, je demande à mon mari : "Qu'est-ce qu'elle fait que je ne fais pas ?" C'est une question idiote, tu ne trouves pas ? Eh bien, elle ramène ses copines dans leur lit – ça m'a beaucoup troublée, cette histoire.

— Tu voudrais être une des copines en question ?

— Comment est-ce que je peux rivaliser avec cette Ruby ?

— Et quoi d'autre ?

— Ma benjamine m'a fait remarquer que Ruby prenait du poids. "Je suis ravie de l'apprendre", lui ai-je répondu. Puis c'est l'aînée qui a dit : "Ce n'est pas du gras qu'elle a, c'est une grosse bosse sur le ventre." » Karen a dû fermer ou écarquiller les yeux très vite. « "Une bosse ? lui ai-je demandé. Une bosse ? C'est bien ce que tu viens de dire ? On est foutues, les filles. C'est fini. Il ne reviendra jamais, maintenant." Excuse-moi : il faut que je prenne deux gélules. Sers-moi à boire, Jamal chéri. »

Je vidai la bouteille dans son verre. Elle se pencha vers moi :

« Il recommence, le salaud. Peut-être que la première fois ne lui a pas plu. Mais maintenant, il va être heureux. Les filles et moi, la vie de famille ensemble, ça ne représente rien pour lui. Je suis obligée de reconnaître que, pendant des années, on s'était imaginé qu'un jour il reviendrait.

— Vos filles grandissent. Tu vas devoir te trouver de nouvelles occupations. »

Elle parcourut la salle d'un regard désespéré. « Il n'y a pas d'hommes disponibles, tu le sais bien. Je ne me rabattrai pas sur un connard qui fonctionne au Viagra et qui sent la pisse. Et les filles, elles sont en pleine crise d'adolescence, elles ont leur premier petit copain, elles passent plus de temps au téléphone que moi. Elles n'ont aucune envie de me voir avec un connard qui me demanderait de lui servir son thé sur un plateau. »

N'ayant pas eu le temps de regarder le menu, je commandai une coupe de champagne ainsi que mes plats préférés : la terrine de crevettes, suivie d'un pain de poisson avec des frites. Je n'ai pas prêté attention à ce que Karen mangeait, mais elle ne semblait pas manger grand-chose.

Je lui parlai d'Henrietta, une connaissance commune, qui ne faisait pas mystère de son goût prononcé pour les hommes et pour la sexualité. « Pense au plaisir qui est le sien. Elle en a bien plus que nous deux réunis. Toute la nuit, les hommes entrent et sortent de chez elle, et elle a trois filles.

— Henrietta ? Elle a une grande maison. Il y a toujours des hommes qui errent, perdus, incapables de retrouver la porte d'entrée. Enfin bref, l'autre jour, elle dormait avec un enfoiré d'homme politique. Elle s'est réveillée, elle est descendue et a regardé le portable du type. Il avait des messages de huit femmes différentes. Et, bien sûr, il n'avait rien d'un Adonis.

— Elle a toujours été attentive à ce qu'il lui fallait.

— Tu sais ce qu'elle m'a dit l'autre jour ? Qu'elle donnerait tout en échange d'un homme qui se contente de vivre avec elle, tout simplement. Jamal, qu'est-ce qui cloche avec une dominante dans mon genre, à part que je suis vieille, grosse et alcoolique ? Qui va s'occuper de moi, m'écouter, me faire l'amour ?

— Ma pauvre, tu te sens complètement humiliée. »

Elle sanglotait. « Je n'ai jamais ressemblé à cette Ruby. Je n'ai jamais été aussi brillante. Il y a toujours eu à Londres des femmes plus intelligentes et plus douées que moi. »

Karen avait à peine touché son assiette, mais nous avons partagé un dessert. Je commandai un double espresso.

« Et Karim ?

— Jusqu'ici, aucune nouvelle. Je l'ai appelé deux ou trois fois, il m'a expliqué qu'il était très pris par son émission de télé.

— Tu as pensé à aller voir un psy ?

— Putain, ne me dis pas des trucs comme ça ! me dit-elle brutalement, comme si nous étions encore ensemble. Si on allait à l'hôtel cet après-midi ? Je ferai tout ce que tu voudras. »

Je me levai et l'embrassai. « Il faut que je retourne travailler.

— Pour toi, tout baigne. Tu as retrouvé ta petite amie, Ajita, dit-elle lentement, avec une pointe de mépris dans la voix. Tu re-sors avec elle ? George me dit qu'elle s'est installée chez lui. Elle était venue pour quelques jours, mais maintenant, elle refuse de rentrer aux États-Unis. Il ne sait plus quoi en faire. Elle le rend dingue.

— À ce point ?

— C'est toi qui lui as mis ces idées dans la tête ? » Sa main était crispée sur la mienne. « Jamal, il ne t'arrive jamais de repenser à notre fils ?

— Pardon ?

— Celui dont tu as voulu que je me débarrasse. »

Elle ne me lâchait plus la main.

« Karen, je t'en prie.

— Quel âge aurait-il aujourd'hui ? Il serait si grand, si fort, si beau...

— Je ne sais pas. Je n'en ai aucune idée.

— Il pourrait être en train de déjeuner avec nous ! Les parents d'un enfant assassiné sont toujours ses parents. Je suis absolument certaine que tu aurais voulu plus d'enfants ! »

Il était déjà tard. Quand je réussis à m'éclipser, elle cherchait des yeux une autre table où s'incruster. Bushy était à l'extérieur avec les autres chauffeurs. Nous sommes partis. Il avait mis du désodorisant dans la voiture.

Après toutes ces émotions et le champagne, j'avais envie de faire une petite sieste, mais, préoccupé par les allusions de Bushy, je lui dis :

« OK. Finissons-en. C'est quoi, le problème avec ce mateur ?

— Eh bien, tu vois, hier, je me gare en haut de la rue. J'attends Miriam, qui vient de déjeuner chez toi, quand je repère ce type, qui te zieute depuis sa voiture. Un gars assez vieux, avec un look bizarre, plutôt balaise. Dans ton quartier, c'est plein de dingues, mais quand je suis revenu, il était toujours là. Il nous a suivis. Je le sais, j'ai pris un itinéraire compliqué, exprès. Il te regardait avec insistance. Ce n'est pas le genre de type avec qui on a envie de déconner.

— C'était peut-être un de mes patients ? Ou l'époux d'une patiente. Quand les gens commencent une thérapie, il arrive qu'ils se séparent de leur conjoint et c'est au thérapeute qu'on en veut. Il y en a qui ont déjà lancé des briques à travers la fenêtre de mon cabinet. »

Je n'ai pas parlé du fait que, pendant toute une période, Josephine restait à l'extérieur de l'appartement où je recevais mes patientes, convaincue que j'avais des aventures avec elles. Je l'entendais hurler : « Tu n'as pas le droit de les toucher, tu le sais ! Tu seras dénoncé, ça va te retomber dessus, tu seras peut-être même radié. » Il y avait aussi un psychothérapeute psychotique, un collègue, pas un patient, quelqu'un avec qui j'ai assisté à des conférences et qui, après la publication de mon premier livre, distribuait devant chez moi des tracts expliquant que j'étais un charlatan.

« Peut-être bien qu'un homme qui n'aurait jamais été suivi par un timbré, ça n'existe pas. Mais celui-là, il pourrait bien être comme celui de la chanson... Tu vois laquelle.

— De quelle chanson tu parles ? Qu'est-ce que tu racontes ?

— *Psychokiller.* »

Il se mit à la fredonner.

« OK, OK. Et quel est le rapport ?

— Eh bien, ce n'est pas un rapport immédiat. On devrait se renseigner sur lui, sans traîner.

— Et comment je fais pour me renseigner ? »

Bushy m'expliqua ce que je devais faire, et conclut :

« Ce serait pour ton bien.

— Bushy, j'ai une patiente maintenant.

— Psy-mon-ami, j'insiste. Tu ferais mieux de faire ce que Bushy te conseille. »

Je fis comme il avait dit. Il me déposa au coin de la rue, je rentrai chez moi à pied tandis qu'il me suivait en voiture. Ma patiente m'attendait dehors.

Lorsqu'elle fut partie, je téléphonai à Bushy :

« Alors ?

— Quand tu es rentré à pied, comme ton humble serviteur te l'avait conseillé, notre gugusse s'est caché. Il s'est laissé glisser le long de son siège. Je pense qu'il a loué une voiture. Je me renseigne et je te dis ce qu'il en est.

— Tu te donnes bien du mal, Bushy.

— Je suis inquiet. Miriam m'a demandé de veiller sur toi.

— Je ne veux pas qu'elle sache quoi que ce soit. Elle va se faire du souci et commencer à jeter des sorts dans tous les sens. »

Je me suis réveillé à quatre heures du matin. Je ne savais pas qui était là, dehors, à me surveiller. Je me demandais si Mustaq avait engagé quelqu'un pour garder un œil sur moi. C'était le seul qui en aurait eu les moyens et qui aurait eu quelque raison de le faire. Mais qu'espérait-il apprendre ? De temps en temps, j'allais à la fenêtre pour regarder, mais je ne voyais personne.

Mon premier patient de la journée devait arriver à sept heures : un ancien d'Eton, la cinquantaine, qui avait toujours été malheureux dans ses relations avec les femmes. Poursuivi par l'idée qu'il trouverait un jour celle qui le comblerait, rejetant donc toutes les autres comme inadéquates. Le mythe fondateur de l'hétérosexualité : la complétude, la plénitude absolue.

Mon deuxième patient était à huit heures : une femme qui avait la phobie de l'eau et refusait d'en boire depuis que son père lui avait raconté l'histoire d'un oiseau mort retrouvé dans une citerne. Ayant atteint un stade où elle était incapable de boire quoi que ce soit qui, pensait-elle, aurait contenu de l'eau « contaminée », sa vie se rétrécissait à tel point qu'il lui était devenu impossible d'avoir des relations normales avec les autres.

À neuf heures, je me préparai des toasts et une nouvelle tasse de café. J'appelai Bushy :

« Comment se porte mon timbré ?

— Patron, comme je le soupçonnais, c'est une voiture de location. Je l'ai suivi partout jusque dans le Kent. J'ai cru qu'on allait se retrouver à Douvres. Il a dormi dans une rue déserte près d'un parc.

— Où ça exactement ? »

Il me donna le nom d'une rue. Ça me disait quelque chose. Le Kent était un repaire de truands. Dans cette région proche de la capitale et de la côte à la fois, on trouvait une concentration impressionnante de maisons très prisées des vedettes et des cambrioleurs. La rue qu'il m'avait indiquée se trouvait dans la ville où j'avais grandi, ce qui m'étonna. Pourquoi irait-il là-bas ? Puis il me revint que cette rue était plus près de l'ancienne maison d'Ajita que de la mienne. Si c'était un des hommes de Mustaq, pourquoi dormait-il là-bas dans une voiture ?

« À ton avis, que fait-on ?

— Je ne peux pas te l'amener et l'interroger moi-même. Il va falloir que je demande à des gars. Ça va te coûter un max.

— Je ne veux pas de ce genre de plan. Je ne peux pas me le permettre, je ne peux pas me laisser entraîner dans une histoire de dingues. »

Il rit de ma naïveté. « Tu y es peut-être déjà jusqu'au cou, Jamal. Je pense qu'il va bouger dans les vingt-quatre heures. Il ne peut pas continuer à traîner dans les environs bien longtemps. Il a vu ce qu'il voulait voir. »

Il y eut un court silence, que je brisai :

« On dirait qu'il va falloir que je prenne ça au sérieux. Il nous faudrait une photo.

— Ça, je peux le faire. »

Bushy prit mon Polaroid. Plus tard cet après-midi-là, il repassa avec la photo qu'il avait prise. Il était difficile de reconnaître qui que ce soit car Bushy n'était pas Richard Avedon. Quelqu'un dormait dans une voiture. On voyait une épaule et une oreille, mais je ne savais absolument pas à qui elles pouvaient bien appartenir.

Au téléphone, je lui dis :

« J'en ai assez d'attendre. Je vais aller le voir, ce type. Si je le connais et s'il ne me fait pas peur, je l'amène à l'appartement pour essayer de lui parler. Si j'ouvre le volet, tu rappliques.

— Oh là là, non, je ne te conseille pas de faire ça.

— Ne t'en fais pas.

— Une fois sur deux, tu ne sais même pas ce qui t'arrive.

— Ah bon ?

— Tu crois que tu peux passer tout le monde aux rayons X avec tes yeux, mais ça ne marche pas à chaque fois. Quand je te vois dans la rue, je me dis toujours : "C'est l'étudiant qui débarque."

— L'étudiant ?

— Avec ta veste usée, ton corps tout raide, toujours un bouquin sous le bras, le menton dans la poitrine, comme si tu ne voulais parler à personne... »

Je raccrochai. Cette histoire commençait à me tracasser. Je sortis et me dirigeai vers la voiture.

Le mateur en question dormait, ou du moins avait-il les yeux fermés. J'allais toquer à la vitre quand il ouvrit les yeux. Il parut revenir à la vie et baissa sa vitre.

« Ah, Jamal, enfin ! Tu savais que c'était moi ?

— Salut, Wolf. J'ai les yeux ouverts, moi, lui répondis-je, tout en regardant à l'autre bout de la rue, là où Bushy était garé.

— Je peux entrer ?

— Allons dans un café.

— On a tellement de choses à se raconter !

— Pourquoi traînes-tu dans le quartier ?

— J'avais peur, j'étais nerveux. Ça fait tellement long-temps. Tu te souviens vraiment de moi ? »

Il était sorti de la voiture. Il me serrait dans ses bras, il m'embrassait, il me scrutait, comme s'il voulait voir ce qui restait de moi après tant d'années.

« Je pensais que ce moment n'arriverait jamais, s'exclama-t-il. Bonjour et re-bonjour, mon cher ami, mon ami qui m'a tant manqué. C'est un sacré moment – pour tous les deux. Le moment que j'attends depuis des années ! »

Je le dévisageai aussi et dis :

« Peut-être que, comme moi, tu es resté le même, les cheveux mis à part. Mon fils dit que j'ai de plus en plus de poils partout, sauf sur le caillou, là où ça compte.

— Tu as un fils ? Je suis vraiment content pour toi ! Il est là ?

— J'espère bien qu'il est à l'école en ce moment.

— Il faut que tu me racontes tout sur lui. Tu me diras tout ? Tu ne me fais pas entrer ?

— Si, viens. Entre.

— Merci. C'est gentil. C'est un beau moment. » Il regardait mon immeuble. « Londres, c'est tellement bien. J'ai l'impression d'être de nouveau chez moi, avec toi, mon ami très cher. Je sens que ça va être comme au bon vieux temps ! »

29

Wolf ne voulait pas de bière. Tandis que j'attendais que la bouilloire ait fini de chauffer, il examinait le moindre détail de la pièce « à la manière d'un huissier », aurais-je été tenté de dire.

« Tu t'en es bien sorti », me dit-il. D'un seul coup, il était redevenu sérieux. « Depuis cette fameuse nuit.

— De quelle nuit tu parles, Wolf ?

— Tu as oublié ? Je n'y crois pas une seconde. Mais on peut occulter ce genre de souvenir si on est très occupé. »

Je le regardai fixement.

Il poursuivit :

« La banlieue. On était dans le garage de l'Indien avec Val.

— Effectivement.

— C'était le père d'une fille. » Il fit claquer son poing dans sa paume. « *Paf !* Comment on l'a allumé ! Il a accusé le coup – tu t'en souviens, hein ? – puis il s'est effondré en nous suppliant, en pleurant.

— Oui, oui.

— Tu y penses encore ?

— Plus beaucoup maintenant, non.

— Mais, à l'époque, tu y pensais.

— Oui. Très souvent.

— Tu en as tiré quoi comme conclusion ?

— Que ça ne servirait pas à grand-chose que je me prenne la tête.

— C'est tout ? C'est tout ce que ça t'inspire ?

— Je n'avais pas d'autre solution. Maintenant, les questions inutiles, je les laisse tomber. À une époque, c'était comme un vice : elles m'ont coûté beaucoup de temps et beaucoup d'argent.

— Quand tu étais jeune, tu étais intelligent, sûr de toi. Aujourd'hui, tu es médecin.

— Seulement médecin de la parole, malheureusement.

— J'aimerais assez profiter de tes talents.

— Pourquoi dis-tu ça ? »

Il baissa la tête, tel un enfant pris en faute. « Jamal, il y a une raison pour laquelle je suis venu te voir. Ce n'est pas seulement la force de notre amitié qui me pousse. Les choses n'ont pas très bien tourné pour moi.

— Je suis vraiment désolé.

— C'était mon premier meurtre. Ça a déclenché quelque chose. J'en ai tué d'autres depuis.

— Ça t'avait plu à ce point-là ? »

Il me regarda et secoua la tête. Son père était un policier allemand, sa mère était anglaise. Élevé à Munich, il vivait à Londres depuis cinq ans quand je l'avais rencontré. Il parlait anglais sans accent.

Aujourd'hui, il était presque à bout, il avait le visage d'un homme respectable de la classe moyenne mais j'y reconnaissais l'expression amère, désespérée, intense de certains délinquants juvéniles que j'avais pu voir en consultation – ceux qui cherchaient à prendre ce que personne ne leur donnerait. Il avait les yeux enfoncés de l'assassin type, le regard trouble et fixe du psychotique : je me demandai s'il ne pourrait pas devenir violent. Mais Wolf avait un côté servile qui me laissait penser qu'il chercherait à obtenir quelque chose de moi plus qu'à me blesser.

Maria, qui revenait des courses, jeta un coup d'œil dans la pièce.

« Maria, je vous présente un vieil ami, du temps où j'étais à la fac. »

Elle le salua d'un signe de tête. Elle savait que si ça avait été un patient, j'aurais fermé la porte.

« Qui est-ce ? me demanda-t-il. Que fait-elle ici ?

— Elle prend soin de moi et de mes patients. Elle fait les courses, le ménage aussi.

— Ça fait très professionnel. Elle est partie maintenant ?

— Je ne sais pas. Mais, je t'en prie, ne t'interromps pas.

— Elle m'a rendu nerveux. Elle nous regarde ? D'où elle peut bien tenir des yeux comme ça ?

— De sa mère. »

Je m'assis en face de lui. Il mit un peu de temps avant de poursuivre.

« D'accord », finit-il par dire.

Il me raconta qu'il avait vécu avec une veuve très riche pendant des années, une femme plus âgée que lui qui était devenue sénile. Un mois plus tôt, les proches de cette femme l'avaient délogé de force quand il avait essayé de faire apparaître son nom sur les biens qu'elle possédait, y compris les petits hôtels dont il s'était occupé, voire qu'il avait retapés. La famille considérait que c'était un parasite, bien qu'il se soit mieux occupé d'elle qu'ils ne l'avaient fait, prenant tout en charge à sa place. Depuis, il vivait dans une chambre à Berlin. Il se retrouvait dans une drôle de passe.

« Tu dois être furieux.

— Je suis un homme à qui on a tout volé et à qui on n'a rien laissé.

— Comment ça a pu se faire ? Tu as toujours été plein d'intelligence, plein de ressource. J'aimais tes initiatives. »

Il n'y avait aucun doute là-dessus : cela faisait long-temps que j'étais fasciné par certains types de psycho-tiques. J'aimais leur concentration et leur assurance, leur absence de symptômes, la manière dont ils balayaient d'un revers de main les peurs et erreurs névrotiques qui nous rendaient la vie si pénible. Les psychotiques me donnent l'impression de ne pas avoir d'inquiétudes. Ils peuvent encaisser de nombreuses critiques et ils font de bons hommes politiques, mais aussi de bons chefs et de bons généraux. Malheureusement, ils ont une faiblesse, la para-noïa, qui peut prendre des proportions extrêmes.

Avec quelqu'un comme Wolf, on pouvait discuter. Il y avait même une intelligence aiguë au rendez-vous. Mais, assez vite, au bout d'une demi-heure, vous commenciez à vous sentir un peu nerveux, irritable quand vous vous ren-diez compte qu'en face, l'autre ne se souciait pas véritable-ment de vous, de ce que vous pouviez ressentir. Mais pas seulement à cause de ça : les psychotiques sont du genre à faire peser sur autrui des exigences impossibles à satisfaire. Vous commencez à avoir le sentiment d'être agressé, d'étouffer. Vous pouvez même avoir très envie de vous enfuir.

Wolf m'expliqua qu'après l'« incident du garage », lui et Valentin avaient travaillé sur des bateaux dans le sud de la France. Val avait également travaillé dans des casinos. Ils avaient compris que, là-bas, tout le monde était riche, ou souhaitait le devenir : la vie était extrêmement chère. La région était peuplée de criminels qui ne manquaient pas d'idées.

« Il fallait qu'on se trouve un gros coup. Alors, on a mis tout notre argent en commun. Je suis parti en Syrie. C'est moi qui conduisais. La voiture était pleine de hasch, de la vraie bonne camelote que j'allais écouler en Europe dans des boîtes d'ananas en conserve. Je connaissais la marche à suivre. Mais je me suis fait arrêter. Quand ils m'ont dit qu'ils savaient que j'étais un espion israélien, j'ai compris que je l'avais dans le cul.

— Pourquoi ont-ils pensé que tu étais un espion ?

— J'étais en possession d'appareils photo et la voiture avait une CB. Jamal, je t'assure, après trois ans dans une prison syrienne, tu ne te sens pas particulièrement séduisant quand tu sors. »

Parfois, ils le mettaient dans un trou creusé dans le sol, ou ils l'enfermaient dans un caisson étroit. Il était battu, torturé à l'électricité. Il commença à croire en Dieu. Il rêvait d'herbe verte et d'oiseaux. Il eut une attaque cardiaque. Il tua un Syrien au cours d'une bagarre pour une gamelle de nourriture (en fait, je compris plus tard que c'était son seul autre meurtre). Enfin, suite à des pressions exercées par le gouvernement allemand, il fut relâché.

Il rentra anéanti en Allemagne. Pendant sa période de réadaptation, il avait vécu avec plusieurs femmes. Il disait que la seule chose qui lui restait, c'était cette histoire et la compassion qu'elle suscitait. Il en avait profité au maximum.

Cela faisait une heure et demie que nous parlions.

Je lui dis en tapotant ma montre :

« Wolf, il faut que j'aille retrouver mon fils.

— Londres est la ville la plus chère du monde.

— Parles-en à nos ministres. »

Il ne manifestait aucune envie de partir. Il était nerveux. Il voulait rester. Il me dit qu'il dormirait par terre, une couverture lui suffisait. Il faisait froid dans la voiture et il n'avait nulle part où aller. Je lui répondis que ce n'était pas possible. Je ne voulais pas passer la nuit avec lui dans l'appartement, sans être certain qu'il partirait le lendemain.

Il me regardait. Je ne pouvais m'empêcher de songer : « Malgré nous, le présent nous ramène vers le passé, là où les ennuis ont commencé. Ce passé revient avec sa créance de dette et il attend qu'on le rembourse. Mais qui doit quoi à qui ? »

« D'accord, mon pote, si c'est comme ça que tu le sens, dit-il en se levant finalement. C'était sympa de te revoir. »

Il s'apprêtait à franchir le seuil quand il m'a posé la main sur le bras et m'a demandé 50 000 livres. Je ne pus retenir un renâclement bruyant et lui répondis :

« J'aimerais bien avoir une telle somme pour moi. Pourquoi est-ce que tu as tellement envie d'argent ? » La question sembla le dérouter. « Non pas que je cherche à te dissuader. »

Soudain il s'est fâché. Il m'a saisi le bras, ce qui fut plus douloureux que je ne l'avais imaginé. Il me dit que, si je ne réussissais pas à lui faire un versement correct – environ 10 000 livres seraient « la moindre des politesses » –, il veillerait à ce que les « bonnes personnes » soient mises au courant de mon histoire.

Il me fit remarquer qu'il n'avait pas proposé ce montant au hasard. Il avait l'intention d'acheter une vieille bicoque, de la remettre en état pour louer des chambres. Si je pouvais lui donner un « coup de pouce », il ne me réclamerait rien d'autre. Et même, en faisant cela, il me rendrait service. Wolf avait beau avoir un esprit un peu tordu, il savait pertinemment que c'était dans l'immobilier qu'il y avait de l'argent à gagner.

Je ne savais que faire ni que dire, sinon :

« C'est ridicule. Tu ne trouveras jamais une maison pour 50 000 livres. Si tu réussis à acheter ne serait-ce qu'une porte d'entrée, tu auras bien de la chance.

— Ce sera un acompte. Tu sais que le travail ne me fait pas peur. Je pourrais construire une maison avec rien, s'il le fallait. Tout ce que je demande, c'est un coup de main pour démarrer. »

Je le poussai vers la sortie. Je pensais qu'il allait revenir à la charge, mais il resta planté là à me regarder.

« Je n'ai plus le temps de discuter de ça maintenant, lui dis-je. Et tu ne me touches plus jamais.

— Il va falloir que tu rattrapes le temps perdu. C'est important. »

Une fois arrivé à la porte, il me demanda :

« Pourquoi tu ne m'as pas questionné sur Val ?

— Pourquoi ? Il est dehors, lui aussi ? Il attend son tour pour me réclamer de l'argent ?

— Tu veux vraiment le savoir ?

— Vas-y.

— Il s'est fichu en l'air.

— Non ?

— Quand il était en prison. Je l'ai appris par une de ses femmes.

Il était dépressif ?

— Depuis toujours. Le meurtre n'a rien arrangé. Il y pensait tout le temps. Il était plus sensible que nous. Il ne t'en voulait pas mais ça aurait peut-être mieux valu pour lui. Il a pris un virage ce jour-là, qui l'a conduit droit en enfer.

— Il me plaisait bien. Il y avait beaucoup de femmes à qui il plaisait.

— Elles n'ont pas pu le sauver, dit Wolf en me regardant. Toute cette histoire de meurtre... J'ai l'impression que mon âme est noire comme de l'encre depuis. Pas toi ? »

Je me rendis compte que je parlais en chuchotant, alors que personne ne pouvait nous entendre. « C'était un accident, Wolf. On voulait lui faire peur. On était peut-être des jeunes cons mais on était du côté des anges.

— Les Hell's Angels, alors ? dit-il avec un rire amer. Ça n'a pas d'importance. C'est en train de refaire surface. Personne ne m'avait prévenu. J'étais naïf mais on s'est bien servi de moi. Jamal, il faut que ça sorte, tu sais. Il vaut mieux que ce soit dehors que dedans.

— Pourquoi tu cherches encore à te punir ? Tu es déjà allé en prison. Tu veux y retourner ?

— Qu'est-ce qu'on dit ici ? "Tout crime mérite sa peine."

— À qui tu as parlé ? »

Mon téléphona sonna. C'était Rafi.

Wolf me regarda en souriant. « Tu as peur. J'ai dû te foutre une sacrée trouille. Tu trembles. »

J'entendais Rafi au bout du fil : « Papa, papa, tu arrives ? »

Je regardai Wolf tandis que je répondais à mon fils : « Oui, ne t'inquiète pas. Je suis sur le chemin.

— On s'est démenés toute la journée pour toi, papa. J'y ai pensé toute la nuit.

— Rafi, je ne raterai ça pour rien au monde. »

J'éteignis le téléphone en disant à Wolf :

« Ce dont on vient de parler, je préférerais que mon fils n'en sache rien. Ça ne l'aiderait pas de me voir sous un tel jour.

— Comme un meurtrier.

— Tu comprends ça, non ?

— Mais tu lui mens.

— Il n'est pas censé tout connaître de moi. Et je ne me vois pas comme un meurtrier.

— Au fond de toi, tu avais envie de tuer cet homme et tu m'as entraîné là-dedans. Tu le détestais et tu voulais le dégommer pour avoir la fille pour toi tout seul.

— À qui tu as raconté cette histoire ?

— À très peu de gens. Rassure-toi. À quelques femmes. Et toi ?

— Je n'ai aucune envie de me confesser.

— Même pas à la mère de ton fils ? C'est quoi son nom ?

— Josephine.

— Tu as vécu plus de dix ans avec elle.

— Je ne lui ai rien dit.

— Ça t'a paru difficile ?

— C'est toujours tentant d'être honnête. Mais non.

— Tu devais te dire que tu avais effacé toute trace de cette histoire. Et voilà que je débarque et que tout resurgit. » Il ajouta sur un ton impératif : « Elle est où, la fille, aujourd'hui ? Tu l'as revue ? L'Indienne ?

— Ajita ?

— Où elle habite ? Elle est toujours en vie ? Qu'est-ce qu'elle pense de tout ça ? »

Je secouai la tête. « Je ne l'ai pas revue depuis. Elle est partie en Inde. Je vous ai tous perdus. Ça a été vraiment dur pour moi. Pendant longtemps, je n'étais plus moi-même. »

Il me coupa la parole. « Si tu la revoyais, est-ce que tu lui dirais la vérité ? Est-ce que tu avouerais ?

— Non.

— Mais tu penses sans doute que tu devrais, que ça te libérerait ? On était un groupe soudé, une petite bande des quatre. Quand j'étais en prison, j'y pensais souvent. Ça m'aidait à tenir. Je repensais aux bons moments passés dans l'ouest de Londres, les repas, les fous rires, ce qu'on buvait, les jeux de cartes, le cinéma, et toute la vie devant nous. Jamal, je veux la revoir.

— Pourquoi ?

— À l'époque, j'ai essayé de la voir en tête à tête, sans toi. Elle est venue me rejoindre, deux fois. Ne t'inquiète pas, je n'ai pas couché avec elle. Tu étais trop jeune pour elle, trop immature. Tu ne voyais pas à quel point elle avait envie de toi. Tu lui donnais l'impression de te détourner. Mais elle a refusé mes avances. Elle t'aimait. »

Je l'avais raccompagné à la porte mais il était revenu dans la pièce et marchait de long en large, comme s'il cherchait quelqu'un d'autre à qui raconter son histoire. Je ramassai un jean qui traînait sur un tas par terre. Il y avait de l'argent dans une poche. Je le pris et retournai à la porte en sachant qu'il me suivrait.

Alors qu'il était sur le point de partir, je lui donnai le pantalon ainsi que 100 livres qu'un patient m'avait laissées un peu plus tôt. Je lui dis de se trouver un hôtel pas cher et lui demandai de m'appeler afin de fixer un moment où il pourrait revenir me voir.

Je le regardai s'éloigner en voiture. Je m'étais dit qu'il allait peut-être se calmer et qu'il serait plus facile à gérer si je me donnais un jour de plus. Mais je n'en étais plus si sûr. Comme l'avait si magistralement déclaré Éric Cantona : « Quand les mouettes suivent le chalutier, c'est parce qu'elles pensent que les sardines vont êtres jetées à la mer. »

Je téléphonai à Bushy et lui demandai s'il pouvait passer. Il me dit :

« On dirait que c'est la panique. Il t'a déjà torturé ?

— Il faut que je te parle, ce soir. »

Il me répondit qu'il ne pouvait pas venir jusque chez moi mais qu'il serait à son bureau, le pub du coin, le Cross Keys, à Acton, où il devait régler quelques affaires. À pied, c'était un peu loin de chez moi mais j'avais justement besoin de temps pour réfléchir.

Je glissai mon iPod dans la poche de ma chemise. Avec ma capuche sur la tête, les voleurs à la tire ne verraient pas le fil blanc, ni les écouteurs qui étaient faciles à repérer.

Mais d'abord, il fallait que j'aille voir Rafi. Mon fils m'avait dit que j'aurais droit à un festin.

30

Rafi avait décidé de me faire la cuisine. Quelques jours plus tôt, alors que nous jouions au foot, il m'avait détaillé de la tête aux pieds avant de déclarer : « Mec, tu n'as pas l'air en forme. Ça n'a rien à voir avec ta coiffure, et tes habits ne sont pas plus loufoques que d'habitude. Mais tu n'es vraiment pas épais et j'ai l'impression que tu es un peu seul ; c'est la première fois que je te dis ça. Qu'est-ce tu as, 'pa, tu ne vas pas mourir au moins ? »

Si sa générosité me surprenait, c'est parce que j'avais remarqué que, bientôt, il serait dans le camp des adolescents. Il aimait les miroirs, comme moi à une époque. Une ligne sombre ourlait sa lèvre supérieure, il n'allait pas tarder à se raser. Jusque-là, il avait toujours eu envie de parler, de bavarder sans fin même. Mais récemment, il était devenu plus maussade et plus avare de ses mots. Enfin, pas de tous ses mots. Il savait être cruel, insultant parfois, cherchant à me blesser, comme s'il essayait d'instaurer une distance entre nous. L'enfant qu'il avait été me manquait vraiment. J'avais la nostalgie de l'époque où je pouvais lui lire un livre, l'embrasser ; l'époque où il dormait entre nous et prenait presque toute la place ; où il avait davantage besoin de moi.

J'arrivai à la maison en début de soirée et je trouvai

mon fils prodigue en pleine effervescence, le visage rouge, l'air radieux. Je sentis une odeur de brûlé.

« Salut, 'pa. Toujours de ce monde ? » Il portait une chemise hawaiienne avec un tablier sur lequel on pouvait lire « La Mère ». « Tu savais que... ? Tu peux les sentir, mes cheveux, si tu en as envie !

— Merci.

— Ne me décoiffe pas. Je me les suis mis en pointes exprès. »

Je plongeai mon nez entre ses cheveux hérissés.

« C'est quoi, ce parfum ?

— Shampoing à la banane.

— Miam-miam...

— Mais c'est pas parce que j'aime la mode que je suis gay.

— Tu aimes le rose aussi.

— Plus comme avant. C'est un signe que je suis homo, ça aussi ?

— Oui.

— Ne déconne pas, papa. Tu sais que j'ai embrassé une fille.

— Quelle fille ?

— Je ne te le dirai jamais. »

Josephine avait aidé Rafi pour les courses et la mise en route, avant d'aller faire un footing au parc. Sur la toile cirée aux couleurs vives, la table était dressée pour une personne, avec les plus beaux couverts de la maison.

Je remarquai une feuille pliée en deux, sur laquelle le mot « menu » ressemblait à une vague : « *Omelette du jour**. Tomates et courgettes fraîches. Œufs fermiers et beurre (frais). Avocat frais et pommes de terre. Échalote (fraîche) et huiles de première qualité. » Sous le mot « dessert », il avait écrit « glace à la pistache » et sous « boissons » était indiqué « eau, cidre ». Il avait signé, ou plutôt, il avait mis un autographe au bas de la page.

Je m'étais promis d'avoir une discussion sérieuse avec lui et je me demandais si c'était le moment. Peu de temps auparavant, Josephine et moi nous étions retrouvés dans un salon de thé viennois, où les tables étaient couvertes de journaux. Il y avait là de nombreuses mères de famille qui arrivaient de l'école où elles avaient déposé leurs enfants. Dans la foulée de notre rendez-vous, Josephine avait un entretien pour un poste à la fac, au département de psychologie.

J'étais arrivé en avance pour lire les journaux, écouter les voix des femmes qui se retrouvaient là. Elle entra au moment où je levai le nez et je fus content de la voir. J'étais toujours séduit par sa beauté, sa vulnérabilité, l'amour que je voyais dans ses yeux.

Il faisait doux mais je remarquai qu'elle portait une de mes écharpes. Elle avait beau être plus petite et plus mince que moi, elle m'empruntait souvent des vêtements, les plus chers surtout. Elle aimait particulièrement mes imperméables.

Elle voulait me parler de Rafi, qui l'inquiétait : à plusieurs reprises, il l'avait traitée de « salope » et de « tepu ». Il avait eu des gestes agressifs à son égard. Il avait même menacé de l'« exploser » si elle l'obligeait encore à se coucher à heure fixe.

« Comme si l'Amérique n'avait pas déjà fait assez de dégâts partout dans le monde ! Il prend ces chansons de rappeurs très au sérieux. Je déteste toute leur gestuelle macho, leur façon d'aboyer quand ils parlent. C'est quoi cette fascination des garçons pour les gangsters ? Tu me diras qu'il faut qu'il s'éloigne de sa mère. Mais pourquoi sont-ils obligés de penser qu'être un homme, c'est être un enfoiré ?

— C'est factice tout ça. Le clinquant, les poses : il n'y a rien de plus vrai là-dedans que dans le personnage de la vieille dame des spectacles pour enfants.

— Mais tous les enfants ne font pas la différence. J'ai décidé de balancer ses CD. Désormais, ce genre de truc est interdit à la maison ! Je me fiche pas mal que tu sois contre la censure.

— C'est déjà trop tard. Mais je suis désolé qu'il t'ait parlé comme ça. Peut-être est-il inquiet de te voir reprendre le travail. Il pense que tu auras moins de temps pour lui.

— Eh bien voilà, oui, dit-elle en se levant et rassemblant ses affaires, c'est peut-être ça ! Je savais que tu t'arrangerais pour que je culpabilise encore plus. Comment j'ai pu gâcher dix ans de ma vie avec toi ? »

Pour l'heure, tandis que je feuilletais le journal du soir, Rafi n'arrêtait pas d'entrer et de sortir de la cuisine.

« Alors, mec, t'es impatient ?

— Carrément.

— Ça cuit tout doucement. Il y a plein de choses que je peux cuisiner maintenant. Certains de mes plats ont une sacrée cote.

— Tu as de la chance d'avoir une gentille mère qui t'a appris. Miriam et moi, on mangeait du pain et des trucs dégoulinants de graisse et, aussi, des hamburgers, des frites et des gâteaux.

— Tu trouves que c'est bête de l'avoir quittée ?

— Parfois.

— Alors, reviens à la maison. Tu ne l'aimes pas, maman ?

— Je l'aime beaucoup. Elle s'est merveilleusement occupée de toi.

— Mais c'est pas ça l'amour.

— Tu verras, quand tu seras plus vieux. Le mariage, la

séparation, les enfants ici et là, tout qui se casse la figure. Personne ne peut se marier à vingt-cinq ans et rester avec une seule et même personne jusqu'à soixante-dix, sauf à manquer d'imagination. Fasse le ciel que tu aies de nombreuses épouses, fiston. C'est tout le malheur que je te souhaite !

— Bonjour le modèle... »

Finalement, il a apporté l'omelette qu'il avait disposée sur une grande assiette. C'était comme s'il fendait la foule avec un gâteau d'anniversaire à bout de bras. Il a déplié la serviette, l'a posée sur mes genoux avant de me tendre couteau et fourchette. Puis il est resté debout juste à mes côtés.

« Mange tant que c'est chaud. » À chaque bouchée, j'avais droit à un conseil : « Tu peux prendre de la salade avec. » « Mélange mieux. Tiens, prends du pain. » « Tu n'aimes pas les concombres ? La salade, c'est bon pour la santé. »

L'omelette était pleine de fromage fondu et il y avait ajouté un mélange de tomates et de concombres en tranches. J'avalais ma dernière bouchée sous surveillance quand je le vis repartir dans la cuisine pour en ressortir avec une petite assiette de glace à la pistache. À ce stade du repas, je ne pouvais plus rien avaler.

« Puissant, hein ?

— Pas seulement puissant, lourd aussi.

— Tu as déjà mangé quelque chose d'aussi bon ?

— Comment est-ce que j'aurais pu ?

— La suite, tu vas adorer », me dit-il en me mettant la cuillère dans la main.

Il alla prendre une bouteille sur une étagère et me versa la moitié d'un verre de la vodka de sa mère. Il la renifla au passage. « Ça sent l'essence. Mais cette glace, c'est ta préférée. Maman et moi, on est sortis exprès pour en trouver. »

Tandis que je mangeais ma glace et finissais ma vodka, il s'attabla devant son omelette, qu'il recouvrit complètement de ketchup.

Après le repas, je m'allongeai par terre et m'endormis un bref instant. Rafi était assis en tailleur à côté de moi. Il était relié à la télé par des fils et il faisait cliqueter son jeu comme une veuve attachée à son tricot. Des silhouettes solitaires s'entretuaient dans ce qui ressemblait aux paysages urbains de De Chirico.

Je fus réveillé par sa mère qui me secouait doucement l'épaule. « Ça t'a plu ? »

Je me relevai lentement. « Je n'ai jamais rien mangé d'aussi bon. »

Nous éprouvions une certaine défiance l'un envers l'autre, comme des gosses après une bagarre, chacun se demandant qui allait relancer les hostilités. Mais notre colère était en train de refluer. Je n'avais pas envie de partir tout de suite.

J'avais toujours aimé la regarder évoluer dans la maison – quand elle passait d'un endroit à un autre, s'asseyait, se coiffait les cheveux, s'habillait, lisait. Sur une journée, elle n'était jamais la même. La variété de ses humeurs la transformait chaque fois et je suivais son rythme, me coulais dedans, comme un fils avec sa mère. Nous avions nos problèmes et nos disputes mais je pensais qu'au moins, elle avait envie de vivre avec moi, que j'étais toujours tout pour elle.

Je devins un connaisseur averti de son corps. Il me fascinait, m'obsédait même. Tel un enfant, j'avais besoin de sa compagnie, de son réconfort, de sa présence et, simultanément, j'avais besoin de m'échapper et d'aller découvrir le monde.

« Est-ce que je peux voir ce que tu as fait récemment ? lui demandai-je. Tu as des nouveaux dessins ? »

Elle alla chercher sa pochette, étala ses derniers dessins par terre. De nombreux amis voulaient lui en acheter, mais elle les vendait rarement, préférant les offrir. J'avais fait encadrer un de ses nus et je l'avais accroché dans mon cabinet. Il était juste à côté de la célèbre estampe de Charcot réalisée par André Brouillet dans l'amphithéâtre de la Salpêtrière à Paris – le Barnum de l'hystérie –, où le médecin présentait l'une de ses patientes les plus connues, Blanche Wittman, une somnambule. Freud en a toujours eu une reproduction dans son bureau. C'est dans ce même hôpital que, des années plus tard, mourut la princesse Diana, dernier modèle en date de grande hystérique.

Je passai en revue les dessins de Josephine et la complimentai sur ses progrès. Elle me parla de ce cours qui lui prenait la journée entière. Son prof d'art, cela ne surprendra pas, l'encourageait à poser nue mais aussi à dessiner. De fait, ce qu'elle aimait, c'était dessiner. Elle admirait l'imagination féroce, étrange et tendre de Paula Rego, ses gravures tout particulièrement.

L'art était la seule chose à laquelle Josephine avait envie de se consacrer, mais elle se sentait coupable de ne pas réussir à trouver son regard à elle. Elle se sentait coupable de ne pas avoir de carrière professionnelle et de gagner si peu d'argent.

Elle avait le sentiment d'être une ratée comparée aux autres femmes « actives », avec leurs tailleurs impeccables, leur ordinateur, leur voiture de sport. Je lui disais qu'aucun homme ne pensait qu'une femme qui réussissait sa vie professionnelle était plus femme pour autant (malheureusement pour celles qui s'engageaient dans cette voie). Pour une raison ou pour une autre, seuls les hommes sortaient renforcés de ce genre de choix.

Je faisais donc l'éloge de ses dessins, de sa façon d'élever notre fils. Je regardais ses yeux où j'apercevrais peut-être une lueur naissante, immédiatement suivie d'un éclat de dégoût.

« Mais, je suis paresseuse aussi, je ne travaille pas assez, je ne gagne pas assez. Ça m'arrive encore de rester au lit pendant des jours, cramponnée à mon oreiller... »

Elle s'interrompit pour me demander si j'étais en train d'écrire quelque chose. Je lui parlai d'une idée encore floue. Henry n'avait jamais beaucoup lu ce que j'écrivais. Il trouvait que tout ce que je lui disais lui donnait amplement l'occasion de réfléchir. Josephine ne lisait pas beaucoup, mais elle avait toujours des remarques pertinentes.

Je lui dis que j'avais envie de libérer l'analyse du jargon technique et du « scientisme » dominants (typiques des analystes qui écrivent pour leurs pairs et pour les étudiants) afin d'en faire profiter un public plus large. Je voulais réorienter l'analyse vers des sujets qui intéressent tout le monde, comme ce fut le cas avec les écrits de Freud, qui étaient d'une extrême lucidité : l'enfance, la sexualité, la mort, la question du plaisir. Sinon, bientôt, les seuls livres proposés aux lecteurs ne seraient plus que des guides de développement personnel, estampillés « thèse de M. Untel », ce qui nous assurait immédiatement de l'inanité des ouvrages en question.

« Ça te réussit bien, ces récits de cas. Ne change pas de registre. Reste un peu étrange, excentrique. C'est ça qui fait que tes livres sont uniques, qu'ils sortent de l'ordinaire. Personne d'autre n'y parvient comme toi. »

Elle me dévisageait et me demanda :

« Il y a quelque chose qui te tracasse ? Tu as ton drôle d'air triste, douloureux.

— Ah bon ?

— Tu ne veux pas me dire pourquoi ? Tu as des ennuis ? C'est un patient ?

— Tu voudras bien lire ce que j'ai écrit ? Tu sais, quelquefois, j'écoute ce que tu me dis. »

Elle éclata de rire. « Je pensais à ça la dernière fois : il ne faut pas perdre de vue que la plupart des gens lisent quand ils sont aux toilettes.

— C'est vrai.

— Oh, Jammie, je t'en prie, je n'ai pas envie d'être mesquine. Donne-moi ce que tu as écrit et je te dirai ce que j'en pense. On pourrait essayer de se refaire un déjeuner tous les deux.

— Oui, d'accord. J'aime bien sortir avec toi, quand tu n'es pas d'humeur chicaneuse. »

Elle tendit la main pour me pincer doucement le nez. « Et toi, quand tu n'es pas d'humeur désagréable...

— Et toi, quand tu ne joues pas la victime... »

Nous nous sommes regardés et nous avons éclaté de rire. Rafi nous observait sans dire un mot, comme s'il retenait son souffle. Il avait juste lancé, à un moment donné : « Oui, c'est sûr, Platon est un grand penseur », en imitant ma voix de basse et mon accent pompeux d'homme des classes moyennes.

J'étais sur le point de partir quand il me demanda : « Alors, c'était vraiment puissant ? Tu te sens mieux ? Est-ce que tu reviendras ? » Il me glissa le menu dans la main et renifla ma manche de chemise. « Picole, clope, pisse. C'est ça que tu sens.

— Tu t'en souviendras toute ta vie.

— Je me sens proche de toi, papa. On est presque comme une famille.

— Très drôle. Tu embrasseras ta jolie maman pour moi, très fort.

— Tu ne peux rien faire par toi-même ? »

En chemin, je m'arrêtai pour relire le menu. Je ne l'ai jamais jeté.

31

Si vous aviez l'infortune de passer devant le Cross Keys sans connaître les lieux, vous vous diriez sans doute que c'est une ruine. Les fenêtres étaient barricadées par des planches couvertes de graffitis. Le bâtiment en lui-même était ceinturé par un échafaudage rouillé et des fils barbelés mais il n'y avait aucun autre signe de travaux en cours. Je me demandai si ce n'était pas l'échafaudage qui tenait le tout. Si on ne le démolissait pas bientôt, c'est sûr, le pub allait s'écrouler tout seul. Il n'y avait pas d'enseigne mais l'endroit était toujours ouvert et grouillait de monde la plupart du temps.

Le Cross Keys faisait l'angle d'une rue déserte bordée de petits bâtiments industriels désaffectés. Dans un autre type de quartier, on les aurait très vite convertis en lofts ou en galeries d'art. Là, pour accéder aux portes, on marchait sur des seringues et autres déchets.

Au coin de la rue, je passai au large d'un groupe d'immenses Africains qui appâtaient le chaland pour les taxis au noir. Je me faufilai à l'intérieur du pub en passant par la porte défoncée. Je vis que rien n'avait changé. Tout de suite en entrant, il y avait un petit bar et, au fond, une salle plus grande aux fenêtres condamnées et une petite scène. On pouvait y voir des strip-teases en boucle, un à chaque disque.

Il y avait de jolies filles, de jolies salopes, des jeunes, des vieilles, des Blacks, des Indiennes, des Chinoises. Cela faisait des mois que je n'avais pas mis les pieds au Keys. J'avais au moins la quasi-certitude que je n'y rencontrerais pas de patient ni aucune autre connaissance, exception faite de Bushy. Là, un homme pouvait tranquillement lire le journal, boire une bière et, à quelques mètres à peine, mater l'entrejambe d'une femme en hauts talons.

Il y avait parfois de la bagarre. Généralement, les deux salles étaient pleines d'hommes frustes et bruyants – ou d'hommes respectables avec attachés-cases et parapluies qui se transformaient rapidement en hommes frustes et bruyants – tandis que des filles en tenue légère circulaient entre les tables, servaient les verres de bière et ramassaient la monnaie. Les spectateurs s'entassaient devant la minuscule scène et, au fur et à mesure de la soirée, certains venaient s'y effondrer, ce qui n'était pas sans danger, car une Salomé un peu vive pouvait être tentée de vous donner un coup de pied en pleine tête.

Au Cross Keys, il n'y avait ni videur, ni remix, ni vidéos. Immanquablement, vous trouviez du verre cassé dans les toilettes et, quand vous alliez pisser, des gouttes d'eau froide de la chasse vous tombaient sur le crâne. Posée sur le bar, une pancarte manuscrite disait : « Prière de ne pas enlever sa chemise. »

Ce bouge était tenu par une harpie haute en couleur, avec qui personne ne se risquait à faire le malin, sauf Bushy. « Tu laisses mes putain de danseuses tranquilles », hurlait-elle si quelqu'un s'avisait d'en toucher une. Étonnamment, la jeune barmaid tchèque était un ange, d'une beauté bien supérieure à celle des strip-teaseuses. Elle observait les filles à poil sans la moindre émotion. Il y avait une certaine ironie à constater qu'elle était la seule que chacun ait envie de voir nue.

Pendant un temps, Bushy était « sorti » avec la Harpie. Ils utilisaient une pièce à l'étage pour leurs rendez-vous galants. À présent, elle essayait de le persuader de venir habiter chez elle, dans son cabanon, à Whitstable. « Allez, Bushy chéri, tirons-nous loin d'ici, j'ai une maison au bord de la mer. » Il essayait de lui faire comprendre qu'il était moins épris qu'elle n'avait pu le croire au début de leur relation.

J'avais emmené Henry au Cross Keys deux ou trois fois mais il n'avait pas aimé. « Même Christopher Marlowe n'aurait pas recommandé cette boîte de strip-tease, se plaignait-il. Merde, je crois bien que j'ai des crachats et du sperme jusque sur les chevilles ! La puanteur ne te gêne pas ? La seule chose qu'il a pour lui, ce pub, c'est qu'on y découvre les dernières tendances en matière de poils pubiens − qui, par exemple, a, ou n'a pas, "passé la tondeuse à gazon". On ne crache pas sur ce genre d'occasion, si je puis dire. »

Le Cross Keys était un marché où Bushy effectuait de nombreuses transactions : il vendait des vestes, de la drogue, des cigarettes, des téléphones. Je l'avais aussi vu acheter un certain nombre de choses. Plusieurs individus un peu louches (certains coréens, ou chinois) venaient le voir avec des valises pleines ou des DVD pirates qu'ils cachaient sous leur manteau.

« Wolf est venu à l'appartement, je lui ai parlé.

— Qu'est-ce qu'il t'a dit ? Tu as une sale tête, mon gars. Ça fait un moment que tu ne t'es pas rasé. Et j'ai le nez fin. Tu es toujours à la vodka ?

— C'est mon fils qui m'a incité.

— Sacrebleu, avec un gamin comme ça, en plus ! »

J'ai surpris mon regard dans l'un des miroirs et me suis adressé un signe de tête. Je n'avais pas l'air pire que les autres.

« Je connais Wolf depuis des lustres, du temps où j'étais étudiant. Il est revenu pour me faire chanter. »

J'ai hésité avant d'ajouter :

« Il sait quelque chose sur moi.

— Quel genre de chose ?

— Je ne peux pas te le dire.

— Un de ces trucs où on fait pas de détail. Merde, alors, ça pourrait vraiment craindre. » Je l'avais enfin impressionné. « Je n'ai pas besoin que tu me dises si tu as descendu quelqu'un ou pas. Tu es un homme bien, digne. Je me fous de savoir combien de personnes tu as dessoudées. Tu fais partie de la famille, Jamal. Voir un bon docteur comme toi dans l'embarras, je ne peux pas le supporter. Tu es un vrai gentleman, un érudit, mais, financièrement, ça te rapporte quoi aujourd'hui ? Ces livres t'ont laissé vivre dans un monde de rêves.

— Ah oui ? »

Je me demandais s'il n'avait pas raison quand il a ajouté :

« Tu sais que je peux dire un truc pareil sans le penser vraiment.

— Bushy, j'ai pas mal réfléchi à cette histoire et je ne sais pas quoi faire. Je ne peux pas aller voir les flics. Wolf a besoin d'argent et il a de quoi démolir ma réputation, quelle qu'elle soit. L'autre jour, on m'a proposé de prendre en charge l'éditorial d'un grand hebdomadaire. Malheureusement, contrairement à d'autres, j'ai besoin d'avoir bonne réputation, sinon j'ai très peu de patients et très peu de revenus. Ça compte pour moi et ça paie correctement. Alors, tu vois, j'aurais tendance à vouloir lui donner l'argent qu'il réclame. »

De l'autre côté du bar, une jeune Indienne s'est assise et a écarté les jambes. On avait l'impression que son sexe était fermé par un anneau en argent. Elle se retourna et montra l'œil flétri de son anus à trois vieillards – hommes des cavernes mal rasés et édentés qui occupaient presque tout le temps la même place. Ces messieurs se penchèrent en avant, les mains sur le bord de la scène, comme pour examiner un objet rare qu'ils n'avaient pas vu depuis longtemps.

Repensant à Wolf, je me suis souvenu de ces moments où, à l'école, la petite terreur qui était autrefois votre meilleur ami s'approche de vous après vous avoir suivi pendant toute la récréation de midi. Vous êtes dans les vestiaires, tout le monde est retourné en classe, l'école est plongée dans un calme momentané. Il s'avance vers vous à pas lent. Il arbore un grand sourire et que faites-vous ? Vous vous battez pour vous faire démolir ou vous vous roulez en boule en implorant sa grâce ? J'étais tenté de me « rouler en boule », de laisser Wolf parler, de laisser les choses se faire, au moins pour le plaisir de voir où les coups tomberaient.

En d'autres termes, j'étais tenté par le châtiment. Ne serais-je pas dans une position comparable à celle du père d'Ajita, dont la vie s'était écroulée juste avant sa mort : un homme qui allait tout perdre ? À la seule différence que, pour moi, ce serait une façon de jouer avec le suicide. Quel gain en espérer, si ce n'est un gain fantasmatique ? Si j'étais un de mes propres patients, je recommanderais une stratégie à plus long terme, de silence et de ruse. Mais où cela me mènerait-il au bout de compte ?

« Tu ne lui donnes rien. Moi je te dis que tu ne t'en sortiras jamais. Mais, ce truc que tu as pas fait et qui te cause tous ces tracas, il y a d'autres témoins ?

— Un seul et il est mort.

— Parfait. »

Cela ne m'avait pas réjoui d'apprendre que Valentin s'était suicidé.

« Le mec va revenir te voir ?

— C'est sûr.

— Bon, on verra comment il réagit. Si ça se corse, je serai juste à côté de chez toi. Il faut que tu comprennes bien dans quel état il est, sinon on ne peut pas le gérer. Je ne te dis pas que tu ne devras pas le descendre. Il y en a avec qui c'est le seul moyen de régler les problèmes. Note bien que je ne peux pas le faire moi-même. » Il frissonna. « Il y a des mecs ici qui pourraient s'en charger.

— Ça coûterait combien ?

— Je vais me renseigner. »

J'avais déjà menti à Mustaq. Maintenant, ce nouveau rebondissement me pesait vraiment. Il fallait que j'en parle à quelqu'un. Pour autant, je ne voulais pas inquiéter Miriam et, en l'état actuel de ma relation avec Josephine, c'était bien trop explosif. La seule autre personne disponible sur la liste, c'était Henry, une vraie commère : il ne pourrait pas s'empêcher d'en parler, à la moindre occasion. Il ne lui viendrait pas à l'esprit que j'étais vraiment en danger. Avec lui, mon secret n'irait pas plus loin que l'ouest de Londres, mais c'était déjà trop loin.

« Je peux peut-être essayer de l'embobiner. » Bushy haussa un de ses longs sourcils. « Ou lui offrir autre chose, ajoutai-je.

— Tu penses à quoi ?

— Je ne sais pas. Je te raconterai ce qu'il me dira. »

Je vidai mon verre. Au moment où j'allais dire à Bushy qu'il fallait que j'y aille, il posa sa main sur mon bras et me dit, jetant un coup d'œil circulaire :

« Patron, il y a un petit truc que je voulais te demander.

— Oui ? Si je peux faire quelque chose en échange...

— Je ne m'adresserais pas à toi pour rien. Tu es un professionnel avec des critères super exigeants. Mais il y a

ces rêves : ils n'arrêtent pas de revenir. Ils sont trilo-
giques.

— Pardon ?

— Ils vont par trois. Tu veux que je m'asseye ?

— Tu vas me raconter ton rêve là, maintenant ?

— Pourquoi pas ?

— OK. Il faut faire ça comme tu le sens. C'est les mots
qui comptent, pas l'endroit ni la position. »

Toutes les sociétés, comme toutes les vies, sont cousues
ensemble par le fil des échanges et cela m'amusait d'être
un négociant en rêves, d'interpréter des rêves en échange
d'un travail de détective, même si, dans ces conditions, il
fallait bien admettre que le travail de Bushy relevait probablement de critères plus exigeants encore que les miens. Je
n'avais jamais écouté de rêves – cette dose quotidienne de
folie – dans des circonstances aussi particulières. Même si
quelques bribes de son récit se sont évanouies dans le
tumulte d'une dispute à propos d'une pièce (vingt pence
ou une livre) tombée au fond du verre de bière d'une danseuse, je réussis à ne pas perdre le fil de ses associations et à
lui en proposer une interprétation.

« Tu penses que j'ai un problème ? » me demanda-t-il à
la fin.

Normalement, à ce stade, j'aurais poussé un « grogne-
ment d'analyste », mais je lui répondis :

« Je crois que tu as besoin de jouer de la guitare. Ça te
manque plus que tu ne le penses.

— Quand je suis sobre, je n'y arrive pas.

— Je parie que tu n'étais pas soûl quand tu as appris à
jouer.

— J'étais môme.

— Eh bien voilà. Miriam dit que les gens sont ravis
quand tu joues.

— Elle dit ça ? »

Il pensait à ce qu'elle avait dit et je le vis esquisser un petit sourire. Puis c'est justement Miriam qui l'a appelé sur son portable. Bushy devait partir. Miriam et Henry sortaient ce soir-là.

« Dernière chose, me dit-il avant qu'on se sépare, tu n'as rien remarqué de bizarre sur mon visage ? »

Il se tenait debout devant moi, comme à la parade. Je l'ai inspecté de haut en bas.

« Non.

— Tu es sûr ?

— Il y a quelque chose de bizarre que je suis censé voir ?

— Mon nez. Tu ne vois pas, il y a un sillon qui se creuse. » Il se passa le doigt sur le bout du nez. « C'est profond, non ?

— Ce n'est pas complètement inhabituel, si c'est ce que tu veux dire. Ça ne m'a pas sauté aux yeux. Tu es plutôt bel homme, Bushy.

— Mon nez ressemble de plus en plus à un derrière. C'est plutôt inhabituel d'avoir une paire de fesses vissée sur le visage ?

— Ça empire ?

— Je ne te dis pas, je vais bientôt chier par le nez. Qu'est-ce que je peux y faire ? Je ne peux pas avoir une opération ?

— Tu penses à la chirurgie esthétique ?

— Ouais, par exemple.

— À quel point ça te gêne ?

— À quel point ça te gênerait si tu avais de la merde qui te dégoulinait du nez ?

— Au plus haut point. »

Il devait se dire que, pour ne pas comprendre une telle évidence, soit j'étais très con, soit j'étais fou.

« Tu ne parles pas de mon pif à Henry. Lui et moi, on

s'aime bien, je ne voudrais pas qu'il pense que je suis timbré.

— Bushy, ça ne te plairait pas d'être trop normal. Tu t'ennuierais. Les normaux, ce sont les seuls qu'on ne peut pas guérir. Mon premier analyste disait : "Notre travail, c'est aussi de guérir ceux qui vont bien." »

La Harpie, qui ramassait les verres de l'autre côté du bar, se rapprocha soudain de Bushy en trottinant, lui pinça le gras du ventre et l'embrassa sur la joue. « Bonjour Bushy, mon petit couillu péteur. Tu viens pour un verre et un petit extra ? »

Il lui tourna presque le dos. « Quand je suis en plein milieu d'une réunion d'affaires ?

— Oh, excuse », dit-elle.

La Harpie était à la fois minuscule et volumineuse. On n'avait pas tant l'impression qu'elle se déplaçait – était-elle montée sur des roulettes ou sur des gambettes ? –, mais plutôt qu'elle s'agitait en tous sens. « Tu n'as pas toujours dit que tu étais trop occupé pour ta petite goulue.

— Cet homme que tu vois là est un médecin de haut vol, un des dix meilleurs de l'ouest de Londres.

— Et qu'est-ce qu'il vient faire ici ?

— Il vient boire ta vodka pleine de flotte.

— Ça fait toujours plaisir d'avoir un docteur dans cette maison. On ne sait jamais. » Elle fit la grimace. « Remarque, il y a quelques filles qui auraient bien besoin d'une petite visite.

— C'est un docteur de la tête ! » s'écria Bushy avec irritation. Il tapa son index contre sa tempe, enchaîna avec des petits mouvements de vrille. « Un psy-quatre.

— Encore mieux ! »

Elle repartit.

« Bon, on va voir comment ce nez évolue, lui dis-je. On reste en contact de toute façon.

— Tu y penseras ?

— Pardon ?

— À mon nez.

— Je n'y manquerai pas. Je n'y manquerai pas.

— Merci patron, tu me sauves la vie. »

Un fou, Bushy, s'occupe d'un autre fou, Wolf. Aucun des deux n'est un héros du désir, ni le genre d'aliénés idéalisés par R. D. Laing. Leur folie ne décuplait pas les plaisirs de la vie : elle intensifiait plutôt la consternation, le désespoir, l'isolement. J'avais l'impression d'avoir mis la langue sur le fragile papier à cigarette qui sépare le fou du sain d'esprit.

Avant que nous ne partions, Bushy me dit encore :

« Merci, patron, de m'avoir écouté. Si je fais encore d'autres rêves, tu voudras bien que je t'en parle ? Il n'y en aura pas des tonnes, vu que je ne dors pas beaucoup.

— Ça marche.

— Je t'aime bien, patron. Et Henry est un sacré gus. Il a une de ces tchatches ! Il a toujours été comme ça ?

— Oui.

— Il ne va pas la laisser tomber, hein ? Miriam, ça la détruirait. C'est toi qui les as mis en contact. Maintenant, c'est une autre personne, elle est vraiment heureuse. Et elle est super contente que tu t'occupes d'elle. Elle dit qu'avant, tu ne t'intéressais jamais à elle. Personne d'autre non plus. C'est pour ça qu'elle s'est bâti une famille si soudée. »

32

Comme je me dépêchais de rentrer chez moi – penché en avant, j'avais l'impression d'être un point d'interrogation qui fuyait –, un passage du *Purgatoire* de Dante me revint en mémoire :

Maudite sois-tu, antique louve,
qui a des proies plus que les autres bêtes
pour ta faim profonde et sans limite[1]

J'appelai Ajita et trouvai un moment dans mon emploi du temps pour la voir. C'était elle que j'avais envie de voir. Celle avec qui je m'angoissais le moins, pour le moment. Puis je songeai à quel point j'admirais la curiosité de Bushy pour son monde intérieur. Le fait aussi qu'il avait compris le bénéfice qu'il pouvait tirer de cette découverte de lui-même, tout en reconnaissant qu'il ne pourrait y parvenir seul.

Je pensais à Emerson et à son essai intitulé *Cercles*, dont voici l'ouverture : « L'œil est le premier cercle. » Les jours qui ont suivi, je ne pouvais voir une porte sans imaginer un œil à la serrure, un œil suivi par une tête, un corps, un homme. Un homme venu me traquer, m'arrêter, me

1. Chant XX, traduction de Jacqueline Risset, Flammarion, 1988, p. 185. (*N.d.T.*)

condamner. Pour quelle raison ? Parce que je suis un criminel, que j'ai commis le plus monstrueux des forfaits. Les choses ne sont rien d'autre que ce à quoi elles ressemblent.

Je soupçonnais Wolf de me surveiller, mais il ne vint pas à l'appartement. Peut-être n'était-il qu'un rêve. Un écho d'échos. Rien de bien certain.

Pourtant, si j'étais parano, ce n'était pas sans raison. Assassiner quelqu'un, cela ne le fait pas disparaître. Parlant d'expérience pour une fois, je dirais même que c'est le meilleur moyen pour que cette personne revienne inlassablement. J'espérais que Wolf se dirait qu'il était vain de me persécuter, et qu'il partirait. Mais je n'y croyais pas vraiment, je ne l'attendais pas vraiment non plus. Nos désirs ne sont pas des guides fiables dès qu'il est question de réalité. De ce que j'en comprenais, il était venu à Londres uniquement pour me retrouver et me rappeler mon crime, sans relâche.

À midi, le lendemain, la sonnette retentit et je sus que je n'avais pas réussi à éloigner le grand méchant Wolf.

Dès qu'il entra, je lui demandai :

« Au fait, comment tu m'as retrouvé ?

— On m'a mis à la porte de chez moi. Mes habits, ma collection d'épées anciennes, tout avait disparu. Un jour, je m'étais installé au chaud dans une bibliothèque et j'ai vu un de tes livres, en allemand. C'était un signe que tu cherchais à me voir. Ce n'était pas difficile d'obtenir une adresse. N'oublie pas que mon père était flic. Là, je suis sale.

— Pardon ?

— S'il te plaît, tu me laisses me laver ici ? » Il n'était pas rasé, il avait les cheveux en bataille. « Tu ne peux pas refuser un peu d'eau à un homme. »

Il voulait que je lui prépare des œufs brouillés pendant

qu'il prenait une douche et se « rafraîchissait ». Jusque-là, il ne demandait que des choses qu'il m'était difficile de lui refuser. Il essayait de revenir progressivement dans ma vie et je m'habituais de nouveau à lui.

Pourtant, quand il fut lavé et rassasié, je pris ma voix la plus ferme pour lui dire que, financièrement parlant, j'étais aux abois. Je l'avais toujours été : tous les mois, je creusais mon découvert. J'avais donné à Josephine ma part de la maison, mais elle me réclamait toujours davantage d'argent. De nos jours, les dédommagements que l'on doit pour avoir commis le crime de divorcer ne connaissaient plus de limites. L'argent était devenu le substitut absolu de l'amour. En outre, il fallait que je paie les frais de scolarité de Rafi pour les dix années à venir. Henry en voulait à Thatcher, moi j'en voulais à Blair d'être incapable d'offrir de bonnes écoles publiques aux enfants de onze ans et plus.

« Personne ne devient psychanalyste pour l'argent. Il y a des dizaines et des dizaines de thérapies et pas assez de malades, si tu veux mon avis. À Londres, on trouve des riches à tous les coins de rue, la plupart sans grand talent ni intelligence. Ça me rend fou de ne pas avoir réfléchi deux secondes à ma situation matérielle étant jeune. Au lieu de ça, je tournais en rond, je déprimais, je me battais contre moi-même.

— Ça me désole, ce que tu me racontes. On ne peut rien y faire ?

— C'est trop tard.

— Évidemment, pourquoi se prendre la tête quand on est installé ? Je ne suis pas installé, moi, et tu sais pourquoi. »

Tout ce qui lui était arrivé de mauvais depuis cette nuit dans le garage était ma faute. S'il n'avait pas proposé, par pure bonté d'âme, d'aider un copain dont la petite amie était maltraitée, il n'en serait pas là aujourd'hui – un homme dont la vie était irrémédiablement souillée par un meurtre où on l'avait entraîné malgré lui.

« J'ai pris un verre avec Ajita. Elle a une chouette maison.

— Tu es allé chez elle ? »

Il ne répondit pas.

« Comment tu l'as retrouvée ? » insistai-je.

Il s'amusait de voir que la question me tracassait.

« Je t'ai suivi », dit-il.

La veille, nous avions déjeuné dans un restaurant marocain de South Kensington que j'aimais bien. Ajita portait un tailleur-pantalon blanc et ce style moderne donnait l'impression qu'elle était sans âge. Après une séance de shopping, elle arrivait avec de nombreux sacs, mais aussi des livres sur la psychologie, sur Freud, achetés chez Blackwell. Elle était vraiment désireuse d'en savoir plus sur mon travail, elle voulait comprendre comment j'avais choisi ce métier. « Tout ce pan de ta vie, je ne le connais vraiment pas », m'avait-elle dit.

Ce dont elle voulait entendre parler, ce n'était pas du transfert, de l'inconscient ou du grand Autre, mais de celui qui aimait se chier dessus en public et qui voulait que ça ne s'arrête jamais, de la femme qui s'enfonçait des aiguilles dans les seins et les cuisses à s'en faire saigner et jouir, du type qui voulait me régler mon compte.

« Mais c'est que je suis normale, comparée à tout ça. Pourquoi suis-je si terne et ennuyeuse ? Ah, je me sens vraiment libre dans cette ville. Je veux rester ici. Aux États-Unis, c'est la guerre. C'est horrible pour les gens comme nous. J'avais oublié à quel point les Londoniens sont méchamment réalistes. »

Elle voulait qu'on passe l'après-midi ensemble, mais j'avais des patients à voir. Puis elle me demanda de partir avec elle pendant quelques jours. « On pourrait faire les magasins, dormir, parler, se balader. » Je m'étais demandé, dans l'hypothèse où elle était prête à recommencer une histoire d'amour, si c'était une bonne idée. Mais, à ce moment-là, je commençais à m'y faire. J'avais de bonnes raisons de vouloir fuir Londres, et peut-être qu'en partant à Venise, nous irions plus loin tous les deux. J'avais toujours été un type emprunté et nerveux. Il était peut-être temps de changer.

Ce que je ne savais pas, c'est que Wolf m'avait suivi, puisqu'il l'avait suivie jusque chez elle. Quel idiot de ne pas avoir été plus méfiant. Quand il fallait transgresser la loi, je ne dépassais pas le stade de l'amateurisme. Visiblement, ce n'était pas une vocation où tout le monde pouvait s'épanouir.

Je dis à Wolf :

« Elle n'a pas d'argent. Tout est à son frère. Il collectionne les maisons, il en a partout.

— Tiens donc. Où ça exactement ?

— Je n'en sais rien. Wolf, il est aussi dur que son père, en plus puissant et en plus brutal.

— Merci, je ferai attention. Ajita m'a amené dans un bar et a commandé du champagne. On a bu deux bouteilles et on a mangé des huîtres. Puis on a pris du saumon fumé et des toasts. Elle m'a donné un petit quelque chose pour que je puisse me prendre une chambre au chaud dans un petit hôtel, pas loin de chez elle. Je l'ai raccompagnée. Je ne suis pas entré, même si elle me l'a proposé : je ne suis pas du genre à m'imposer.

— C'est sûr.

— Qu'est-ce qui te fait penser que je m'intéresse à son argent ? C'est pire : elle me plaît.

— Tu lui as raconté ton histoire, la prison ?

— C'est tout ce que j'ai. Je peux te dire que cela fait un

moment qu'elle est malheureuse. Maintenant, elle est à la recherche de quelque chose. »

Il poursuivit :

« Oh, Jamal, elle a toujours un bon fond, elle est toujours belle et aimable. Je lui ai dit : "Tu es sans aucun doute de ces femmes qui embellissent avec les années, qui sont encore plus désirables, qui possèdent ce raffinement que les plus jeunes vous envient." »

Je me souvins qu'il nous avait présenté ce genre de baratin comme un puissant « Sésame, ouvre-toi » de l'entrecuisse, à utiliser avec toute femme de plus de quarante ans.

« Jamal, tu nous as fait éliminer son père, et elle, tu l'as laissé s'en aller. Pourquoi tu ne l'as pas épousée ?

— Elle est partie, comme toi, comme Valentin. La bande s'est dissoute. Je ne la voyais plus, jusqu'à récemment.

— Tu m'as menti à ce sujet aussi.

— C'était personnel.

— Peut-être bien, mais elle ne voulait plus de toi ?

— Oh que si. Elle m'a dit que je lui plaisais toujours.

— Et tu as refusé une fille pareille ?

— Je n'ai pas dit ça. On s'entend bien.

— C'est tout ?

— De mon point de vue, quand je t'ai rencontré, tu étais déjà un délinquant, Wolf. J'étais un môme que son père avait abandonné. Les durs dans ton genre m'impressionnaient.

— Tu me traites de délinquant ! cria-t-il. Je n'avais tué personne avant de te connaître. Laissons le juge décider lequel d'entre nous était le meneur, celui qui nous a réunis pour faire le sale boulot.

— Le juge ? Mais tu tomberas aussi, tu sais ? »

Il secoua la tête et se passa l'index sur la gorge. « Valentin et moi jouerons ensemble au grand casino des cieux. Je n'ai rien à perdre. Toi, tu as tout à perdre. Ta femme, ton fils, tes amis – personne ne sera épargné. La honte ne te lâchera plus. »

Puis il ajouta aussitôt :

« La vie vaut-elle la peine d'être vécue ? Est-ce que ça vaut toute cette peine, toute cette souffrance ?

— Je ne sais pas. Écoute, Wolfgang, nous étions de bons amis, nous pourrions l'être de nouveau, mais il faut que tu laisses tomber tes foutues menaces, OK ? »

Il sourit, j'enchaînai : « Il est crucial qu'Ajita n'apprenne pas ce qui est arrivé à son père. Moi, je serais aux quatre cents coups, peut-être même que j'aurais des ennuis. Mais elle, elle serait ravagée, surtout si ça vient de toi. Elle pourrait même être tentée de se faire du mal.

— Je ne peux pas prendre de précaution avec aucun de vous. Personne n'en prend avec moi.

— Pourquoi tu ne retournes pas à Berlin ?

— Parce qu'il n'y a rien pour moi là-bas.

— Tes genoux s'entrechoquent. Tu es en colère ?

— Ils étaient venus chercher Ulrike pour l'emmener dans une de leurs maisons, puis ils sont venus pour moi, à trois heures du matin. Quelques minutes plus tard, j'étais dehors, je n'ai rien pu récupérer. J'avais pensé me barricader pour leur tirer dessus. Ils avaient un coup d'avance dans tous les domaines. Alors, tu vois Jamal, mon ami, j'ai besoin d'un peu d'aide. Je veux rester à Londres. Je me fous de devoir dormir dans la rue. Je l'ai déjà fait.

— Je vais m'arranger pour que ça n'arrive plus.

— Comment tu vas t'y prendre ? »

Je lui ai répété que je ne pouvais pas lui donner d'argent et que, s'il arrêtait ses menaces, je serais dans de meilleures dispositions pour réfléchir. En attendant, alors même qu'il m'avait suivi, j'avais essayé de lui trouver du travail.

Bushy avait demandé à la Harpie si Wolf pouvait tenir

le bar au Cross Keys. Il pourrait dormir dans la pièce du haut, là où les strip-teaseuses se changeaient, celle que Bushy et la Harpie avaient utilisée pour leurs étreintes. Wolf dormirait sans doute dans de beaux draps tachés de foutre. La nuit, il n'y avait personne sur place et, comme les gars du coin essayaient régulièrement de cambrioler le pub, il pourrait le surveiller. Avec un peu de chance, il pourrait même bastonner quelqu'un en toute impunité, ce qui est toujours plus agréable.

« Tu en penses quoi, de ce boulot ? »

Je le laissai réfléchir. Il n'avait pas l'air ravi.

« Wolf, tu sais quand il faut saisir sa chance. Je dois partir quelques jours et je ne peux pas te laisser ici. Essaie, tu verras bien.

— Me retrouver à dormir dans un bar ? C'est tout ce que je vaux ?

— Ce n'est pas si mal. Il y a des filles très sympas et du bénef à se faire sur les trafics. Ce soir, tu seras en meilleure posture que la nuit dernière. Tu devrais laisser Ajita tranquille. »

Il a ricané sans joie. « Qui a dit que j'allais la revoir ? On s'est beaucoup parlé tous les deux. Elle avait besoin de se confier, elle n'arrêtait plus. Je pense que j'étais sa thérapie, mais il n'y a rien entre nous, rassure-toi. » Il m'a donné son numéro de portable. « Je commence quand ? »

Je fus content de voir que je l'avais surpris quand je lui répondis : « Tout de suite. » Je lui dessinai un plan, le menai gentiment vers la sortie et je poussai un soupir de soulagement en refermant la porte derrière lui.

Ce soir-là, je passai prendre un verre chez Miriam. Bushy était dehors, à nettoyer la voiture.

« Ça marche, me dit-il. Alors, tu te sens mieux ? »

Wolf était arrivé au Cross Keys sans encombre. La Harpie lui avait déjà pincé les fesses et tâté les muscles. Je lui confiai que je me demandais si ça n'était pas lamentable que Wolf travaille dans un endroit pareil. Est-ce qu'on n'était pas en train de l'humilier ? Allait-il se mettre en rage ? D'un autre côté, le Wolf dont je me souvenais s'intéressait toujours aux gens qu'il côtoyait. Les filles allaient lui plaire. Bientôt, il coucherait avec l'une d'elles et il aiderait les autres.

C'est Bushy qui avait eu l'idée. Il avait dû espérer que la Harpie, avec son goût bien connu pour les hommes, aurait le béguin pour Wolf et qu'elle le laisserait tranquille, lui. Ce qui lui permettrait de faire son petit business au Cross Keys sans qu'elle le harcèle. En même temps, Bushy aurait Wolf « à l'œil ». Il se rendrait vite compte si Wolf dérapait ou sombrait dans la déprime.

« Parfait, lui dis-je, laissons Wolf là-bas quelque temps et voyons ce qui se passe. Il va peut-être se poser. Merci, Bushy, d'avoir tout arrangé. J'apprécie vraiment. Et toi, tu as fait d'autres rêves ? C'est honnête, à mon avis, comme échange.

— Je n'en ai plus envie, répondit-il en regardant autour de lui pour s'assurer qu'on ne nous observait pas. Je veux autre chose maintenant.

— De quoi s'agit-il ?

— Il y a la guitare qui me démange. Je vais remonter sur scène. Il faut que je sois sobre, comme pour tout que ce que je fais maintenant, sinon Miriam va me virer. Elle a déjà menacé de le faire. J'avais un groupe, il y a quelques années de ça, mais on s'est battus en plein concert. Une nuit, ils se sont tirés et je me suis retrouvé tout seul. Depuis, je n'ai pas refait un concert. Moi, ce que je veux...

— Oui ?

— Tu accepterais de venir avec moi ? Je deviens nerveux. Je transpire à grosses gouttes, mon nez commence à couler. Et tu sais ce que ça veut dire si ça arrive.

— Quoi ?

— Avec la diarrhée qui me sort du pif, je devrai me tirer. J'aurai tellement honte que je pourrais me faire du mal. Mais si tu es là, toubib, dans la salle, je me sentirai en confiance. »

S'il avait été mon patient, j'aurais dit non, il fallait qu'il y arrive tout seul. Puisque ce n'était pas le cas, je pouvais aller le voir jouer de la guitare autour d'un verre avec Miriam et Henry.

« Ça marche.

— Maintenant que tu es d'accord, j'organise ça pour de bon, au Caramel Sootie.

— Le Kama Sutra ?

— Ils me connaissent là-bas, personnellement. Je n'ai jamais besoin de donner mon nom : je les ai aidés pour leur chauffage. Tu n'imagines pas ce qu'ils étaient reconnaissants.

— Ça ne peut pas être une salle plus ordinaire ? Pourquoi pas au Cross Keys ?

— C'est sombre, non, le Sootie ? Les gens y vont pour baiser. Ils ne feront pas attention à moi.

— Ou à ton nez.

— Exactement. Et c'est quoi la blague de Woody Allen qu'Henry m'a racontée ? Si l'amour à deux c'est génial, à cinq c'est encore meilleur.

— Mais quoi de pire que d'éprouver du désir et de le satisfaire immédiatement ? rétorquai-je.

— Psy-mon-ami, ne crains rien. On n'est pas obligé de baiser si on n'en a pas envie. Il y en a certains que je ne toucherais jamais, même avec des gants en amiante. Mais Henry et Miriam trouvent que c'est bien mieux que le sexe classique. Il y a ce gars de cent trente kilos qui vient s'étaler là-bas, des poulettes déguisées en collégiennes...

— Ils m'ont déjà parlé du Sootie, merci.

— Tu viendras quand même ?

— Il faut que je demande à Miriam et à Henry.

— Laisse-moi te prendre dans mes bras, mec. »

Il me serra contre lui, avant d'ajouter :

« Tu sais qu'il faudra que tu aies le bon costume et tout. Le seul autre moyen pour entrer, c'est d'être nu comme un ver et j'aime autant te dire qu'il y a des courants d'air à te couper le souffle là-bas. Henry et Miriam te donneront un coup de main. J'ai hâte. Ce sera mon *come back* et ton *coming out.*

— Effectivement. »

Il se tapota le nez. « Toi et moi, comme les doigts de la main. »

33

Heureusement, avant de subir cette humiliation, j'allais avoir droit à un répit. Ajita et moi avions finalement décidé de quitter un peu Londres.

Mustaq avait offert ces vacances à Ajita en cadeau d'anniversaire. Cela faisait longtemps qu'elle avait envie d'aller à Venise et elle me demanda si je voulais bien l'accompagner. Ma réponse l'inquiétait. Elle s'imaginait que je refuserais, que je lui en voulais encore de m'avoir quitté brutalement après la mort de son père. Ou pire, qu'elle m'avait déçu maintenant que je l'avais revue. Évidemment, il était plus que probable que c'était moi qui l'avais déçue.

Je ne pouvais pas m'éclipser plus de trois nuits, mais je lui dis que j'en serais ravi. Nous nous étions parlé régulièrement au téléphone, mais nous ne nous étions vus qu'une fois à Londres depuis nos retrouvailles. J'étais tendu. Pendant le week-end chez Mustaq, j'avais eu l'impression qu'elle me faisait passer un entretien d'embauche pour un poste d'amant, fonction que j'étais incapable d'assumer, avec elle ou qui que ce soit d'autre, puisque je pensais toujours à Josephine. Peut-être Mustaq avait-il envie de l'aider à trouver quelqu'un, dans leur intérêt à tous les deux ? Il donnait souvent l'impression d'être agacé quand elle était là.

La secrétaire de Mustaq avait réservé deux chambres au Danieli. Ajita vint me chercher à l'appartement avant d'aller à l'aéroport. Nous avions deux taxis, un pour nous, un pour ses bagages. Elle fit du café, le temps que je finisse mes valises.

« D'où vient cette odeur de pain grillé ? Il y a des travaux à faire dans cet appartement, il est en train de s'abîmer. Si tu n'y penses pas, il va perdre de sa valeur. Je vais te trouver quelqu'un. »

Elle me demanda la permission d'ouvrir les tiroirs, les placards, de regarder tel ou tel objet, m'interrogeant sur leur provenance. Elle voulait voir les dessins de Josephine, ainsi que des photos d'elle, de Rafi – elle les a regardées un long moment.

« Une famille heureuse. Vous êtes contents d'être ensemble. On croit se connaître, toi et moi, mais en fait, on est des étrangers. Qui êtes-vous vraiment, monsieur K ? »

Maintenant que s'estompait la surprise de nos retrouvailles, nous étions moins mal à l'aise. La femme mûre, rongée par les soucis, s'effaçait au profit de l'étudiante rieuse et enthousiaste, qui espérait le meilleur de la vie malgré tout. Quant à moi, peut-être étais-je moins sur la défensive.

Prendre le thé au Danieli est une expérience extrêmement plaisante : la vue est l'une des plus reposantes que je connaisse. Bras dessus, bras dessous, Ajita et moi, nous avons fait des promenades en gondole, lu des guides de Venise, visité le Lido, admiré des Tiepolo et des Tintoret dans des églises désertes. Il faisait froid, elle portait un manteau de fourrure, des bottes. Le soleil du matin était très lumineux. Je n'avais rien vécu d'aussi paisible depuis bien longtemps.

Ajita voulut à tout prix m'acheter des vêtements. Elle me rhabilla de pied en cap, me faisant défiler dans les boutiques de luxe, précisant que ma garde-robe avait « besoin d'un petit coup de main ». Nous avons trouvé des montres dont le fond de cadran était une photo de la rencontre de Nixon avec Elvis Presley en 1970 : Elvis dans sa période « col pelle à tarte » et « mégaceintures », très tape-à-l'œil. Ajita m'en a acheté une puisque j'avais « perdu la précédente », disait-elle. C'est vrai que je ne m'étais pas racheté de montre : j'avais l'heure sur mon téléphone portable et, au cabinet, il y avait une pendule posée sur l'étagère au-dessus du divan. Elle en a pris une pour Mustaq, et elle a ri bien plus que moi à l'idée que nous aurions la même.

L'après-midi, pendant qu'elle faisait la sieste, je m'installais dans sa chambre pour écrire. Je lisais Tanizaki pour la première fois, et j'étais frappé par sa conception de la force du désir, surtout chez les vieux, qui peut encore les saisir à la gorge, refusant de les laisser lui échapper.

Ajita avait apporté de l'herbe, ce qui n'était pas dans ses habitudes. Nous la fumions à la fenêtre des toilettes des cafés, comme des gosses.

« C'est cool, Ajita.

— Pour toi aussi ? Dès que j'ai décidé de mettre un terme à ma vie pantouflarde, je me suis sentie revivre. À la maison, quand je fume un joint, je danse comme une folle.

— À la maison ? Tu veux dire à Soho ?

— Oui. À Londres. C'est mon nouveau chez-moi pour le moment. C'est là que je me suis réfugiée, telle l'ado fugueuse que je suis presque devenue. »

On gloussait de satisfaction de se sentir si bien ensemble, imaginant que si nous n'avions pas été séparés, nous nous serions mariés, puis nous aurions divorcé et nous serions devenus amis, comme là. Je lui parlais de Josephine, de tout ce que nous avions encore en commun, lui avouant que nos disputes les plus féroces étaient celles que je préférais.

Quand je l'interrogeai à propos de Mark, son mari, elle me répondit que c'était un chic type, un Américain progressiste. Je compris que ses jours étaient comptés. « Nous nous sommes mariés à un moment où Mustaq se faisait du souci pour moi, quand sa carrière de chanteur a décollé. À la même époque, Mark travaillait d'arrache-pied pour monter sa boîte. Il avait une usine de vêtements au Moyen-Orient et il y passait beaucoup de temps. J'ai élevé les enfants dans un grand appartement du centre de Manhattan. Un beau jour, ils sont partis. Mon mari était à Los Angeles, où nous avons un autre appartement. Je savais qu'il fallait que je retrouve Londres, alors que j'avais évité d'y revenir depuis des années. Il y avait trop de souvenirs dans cette ville. C'était une blessure qui n'était pas cicatrisée. Mais il fallait que je remette ma vie en route. »

Le dernier matin, nous nous apprêtions à aller prendre un brunch au Harry's Bar. En descendant dans le hall de l'hôtel, Ajita a poussé un cri : tout avait disparu sous trente centimètres d'eau grasse. Ce n'était pas un tsunami, mais le niveau de la mer qui montait doucement. Cela arrivait trois fois par mois.

On nous a donné des bottes en caoutchouc et, cahin-caha, nous sommes partis nous promener. La place Saint-Marc était un lac frémissant. Dans la rue, on voyait des tables et des chaises à moitié submergées, qui formaient comme une installation où flottaient des pigeons morts. Les touristes prenaient garde à ne pas tomber quand ils se croisaient sur les planches, les commerçants s'efforçaient d'évacuer l'eau de leurs boutiques. Je regardai les vagues déferler vers le Lido, me demandant comment ce boiteux de Byron avait pu nager jusque-là. Même enfant, je n'aurais pas été capable de parcourir la moitié de cette distance.

On a pataugé jusqu'au Harry's. Nous avons bu beaucoup trop de Bellinis. J'étais sur le point de lui prendre la main. Je voulais lui dire que nous étions vraiment bien ensemble. Peut-être quelque chose pouvait-il se passer entre nous. Il nous restait une dernière nuit : si on essayait plus de baisers, plus de discussion, pour voir où ça nous menait ?

« Ajita...

— Excuse-moi de t'interrompre, mais il le faut ! Je voulais te le dire depuis un moment : j'ai rencontré quelqu'un. » Elle riait. « Je savais que cela m'arriverait en venant à Londres, ma ville porte-bonheur. Nous en sommes encore au tout début.

— Je vois.

— Il est très tendre. Je me sens belle avec lui. Je ne t'en dirai pas plus et ne te donnerai certainement pas son nom. C'est tout juste si j'ose me le dire. Alors, pour ce qui est de te le confier, à toi ou à mon mari d'ailleurs... Pourtant, c'est grâce à toi si j'ai retrouvé ma confiance. »

Le désappointement acheva de me laminer. Ajita était revenue, et je l'avais laissé partir. Au moins l'expérience m'avait-elle appris que la douleur ne durerait pas, que je serais même soulagé au bout du compte.

« C'est magnifique, ce qui t'arrive.

— Tu crois ? » Elle m'observait. « Nous verrons bien. Je ne peux pas t'en dire plus. Ça ne va peut-être pas marcher. Je vais peut-être me couvrir de ridicule. Ne crois pas que ce soit juste pour la bagatelle.

— Et pourquoi pas ?

— C'est la première fois que je parle de papa. Ça l'intéresse, cet homme, ce qui est arrivé à mon père.

— Tant mieux.

— Tu sais, Jamal, j'ai remarqué une chose étrange.

— À quel sujet ?

— À l'époque, les hommes de Mustaq avaient mené une enquête. Ils ont trouvé dans un journal une photo de papa le jour de son assassinat. Il est dans sa voiture. Ils ont étudié ce cliché à l'ordinateur. Ils sont quasiment sûrs qu'il porte la montre que tu as offerte à mon frère. C'est bizarre, non ? Qu'est-ce qui s'est passé ?

— J'aimerais bien m'en souvenir. J'étais bouleversé par cette histoire de viol. Je me souviens que ton père est passé une fois chez moi. Il voulait me dire qu'il pouvait me déposer chez vous si je voulais voir Mustaq.

— Il t'a touché à ce moment-là ?

— Je pensais qu'il m'aimait bien. Les gens se prenaient souvent d'affection pour moi. Je ne savais pas exactement ce que je devais en penser.

— Je sais que c'était il y a longtemps, mais Mustaq et moi, on ne veut pas renoncer à découvrir la vérité. » Elle me regardait avec insistance. « Ça va ?

— C'est toujours pénible de repenser à cette période. » J'avais laissé ma main sur la table. Elle l'embrassa.

« Tout est de ma faute ! Je t'ai rendu tellement malheureux, Jamal. Je t'ai trompé et je n'ai pas su le voir.

— Tu étais totalement désorientée.

— Tu me pardonnes ?

— Oui. »

Je hélai le serveur. « Buvons à ta santé, à ton retour, à ton bonheur.

— Merci, mon chéri.

— J'espère que ça ne le gêne pas, le nouvel homme de ta vie, de te laisser partir à Venise avec moi, lui fis-je remarquer sans sarcasme aucun – ou tout du moins, je l'espérais.

— Il sait que tu es un ami très précieux.

— J'ai hâte de le rencontrer. Est-ce qu'on peut se voir tous ensemble à notre retour ?

— Je ne suis pas sûre. On verra. Ne m'oblige pas à brûler les étapes. »

Nous avons beaucoup bu ce jour-là. J'espérais ardemment que si moi, l'éternel hésitant, je n'avais pas le courage de lui dire à quel point j'avais envie d'elle, peut-être aurait-elle moins de scrupules à m'inviter dans sa chambre. À ce moment-là, son téléphone a sonné : c'était son petit ami. J'ai vu son visage s'illuminer ; elle a ri et s'est dépêchée de sortir pour lui parler.

Je la laissai à sa conversation, troquant une fois de plus l'amour contre un roman. Je n'arrivais pas à me concentrer, si bien que j'appelai Rafi sur son portable. Il regardait *Les Simpson* et n'avait pas de temps à perdre en vains bavardages. « Rappelle dans un an », suggéra-t-il.

J'enfilai mon manteau et, pendant trois bonnes heures, je déambulai dans Venise, à travers son dédale de rues, de passages lugubres et sonores, de ponts et de voûtes.

34

« Alors ? » me demanda Miriam la nuit suivante, au moment où j'arrivais chez elle, juste avant d'aller retrouver Wolf. Des enfants, des voisins corpulents entraient et sortaient de la cuisine, des chats filaient dehors en sautant par la fenêtre et il y avait toujours un chien puant qui était là à baver et à péter justement sur la chaise où vous aviez envie de vous asseoir.

« Alors quoi ?

— Ne joue pas au con avec moi ! »

Soudain, elle a essayé de me flanquer par terre. Nous nous sommes battus. J'essayais de la repousser – en vain : j'en étais incapable. Les chiens aboyaient.

« Espèce de garce ! Un jour, ce sera moi le plus fort. »

Je me relevai. Je n'appréciais guère ce genre d'agression. Qui aurait d'ailleurs eu envie de se retrouver plaqué au sol par Miriam ?

Nous étions là, face à face, hors d'haleine. Elle, les cheveux en bataille et le sourire triomphant. J'étais persuadé qu'elle m'avait encore démis l'épaule. À une époque, mes altercations avec Miriam se soldaient régulièrement par un bras en écharpe. L'air désapprobateur, les gosses passaient au large tout en parlant d'eBay.

« Ajita et toi, c'est une affaire qui roule ? »

Je lui tendis le masque de carnaval noir et blanc acheté à Venise. Elle pourrait le porter « sur scène ».

Elle m'embrassa et poursuivit :

« Henry et moi, on n'a pas ménagé notre peine pour que ça marche entre vous deux. Il m'a dit que tu étais retombé amoureux.

— Qui vous a demandé de jouer les entremetteurs ? Tu sais bien que j'ai besoin de temps pour ce genre de chose.

— Tu as besoin de temps ? Quand tu l'as rencontrée, les Beatles n'étaient même pas encore séparés.

— Si, si, ils l'étaient. »

J'ai enlevé mon pull et mon tee-shirt. Elle est allée chercher une couverture propre qu'elle a mise sur le canapé. Je me suis allongé et elle m'a caressé, chatouillé et massé le dos. Elle savait que j'adorais ça. Je me suis retourné et elle m'a fait la même chose sur le ventre, ses ongles éraflant mon estomac protubérant. Il n'était pas encore aussi gonflé que le matelas d'eau d'Henry, mais il était bien parti pour.

Je commençais à m'endormir quand elle me demanda :

« Tu restes pour dîner ? Je fais un *dhal* et Henry vient ce soir. Je ne l'ai pas vu depuis un bon moment. Il y a une grosse crise chez lui en ce moment. Valerie veut tout le temps qu'il passe la voir.

— Et il obtempère ?

— Je suppose que tu n'es pas au courant, mais Lisa est allée chez sa mère un jour où il n'y avait personne et elle a piqué une main accrochée au mur de la chambre.

— Une quoi ?

— Je ne sais pas, moi ! Une main.

— Qu'est-ce qu'elle faisait sur le mur, cette main ?

— C'est un tableau, putain. Un dessin célèbre fait par un vieux mec. Elle l'a planqué et elle refuse de le rendre.

Bushy a essayé d'aider Henry à le retrouver, mais c'est une maligne. »

Je soupirai. « Qu'est-ce qu'elle compte faire avec ?

— Tu veux dire, à part faire tourner sa famille en bourrique ? Eh bien, aucune idée. Elle la garde en otage. »

Cette histoire de main volée me laissait perplexe, mais je ne voulais plus entendre parler de Lisa.

« Bushy veut que je l'accompagne au Sootie, dis-je.

— J'ai remarqué que vous êtes très proches tous les deux depuis quelque temps. Vous préférez même discuter sur le pas de la porte plutôt que dans ma cuisine. Je ne l'ai jamais vu aussi excité. C'est vrai que tu lui as redonné envie de monter sur scène ?

— Peut-être bien que j'ai servi de démarreur, mais c'est lui la fusée. Au fait, je lui ai promis de te demander : ça ne te gâche pas la soirée si ton frère vient au Sootie pour tenir la chandelle, comme on dit ? »

Je me levai et enfilai mon tee-shirt.

Elle riait. « Oh non, ne t'inquiète pas pour Henry et moi. On sait comment s'occuper. On dirait que tu vas devoir venir, frangin. »

Elle me pinça la joue et me donna une tape sur le ventre. « Je suis impatiente de voir comment tu vas t'habiller. Tu veux que je t'aide à trouver quelque chose d'absolument inconvenant ?

— Pas d'objection.

— Tu as déjà fait un truc dans ce goût-là ?

— Même pas quand je suis seul dans ma chambre. Tu ne t'en es sans doute jamais aperçue, mais les psychanalystes et les psychothérapeutes ont une drôle de manière de s'habiller. Les hommes ont toujours l'air embarrassé dans leur veste d'universitaire de province et les femmes sont toutes de velours vêtues et ont l'air de riches hippies avec leur écharpe au vent.

— J'ai hâte de voir comment tu seras au Sootie. Je sens que je vais rire à m'en faire exploser le soutien-gorge. Toi qui as toujours été du genre peureux, emprunté.

— Merci !

— En fait, tu t'améliores. Avant, tu étais timide, sage. Les gens te faisaient peur. Tu boudais dans ta chambre pendant des journées entières, sans parler à personne ; tu étais tout malheureux. À Karachi, ton surnom, c'était "Sinistre Sire". Mais tu as bien changé depuis que tu habites à Londres.

— C'est à ce moment-là, juste au retour du Pakistan, que j'ai trouvé mon premier analyste. Tu n'as peut-être pas très envie d'en parler, mais j'étais vraiment mal à l'époque.

— Moi aussi, merci. Papa et toi, vous m'aviez laissé tomber, tels des amants perdus de vue depuis longtemps. J'étais obligée de passer mes journées en compagnie de toutes ces Pakistanaises bien élevées. C'était comme si j'avais porté le purdah.

— Mais tu t'es bien gardée de te voiler. Et tu as eu raison.

— Je repensais cet après-midi aux derniers mots de papa : "Personne n'épousera jamais une pute dans ton genre."

— Il n'a pas dit que personne ne t'aimerait jamais. Mon analyste était pakistanais, tu sais. Il avait un bel accent, comme celui de papa. J'ai eu la chance de le rencontrer à ce moment-là, sinon j'aurais fichu ma vie en l'air avant même de l'avoir commencée.

— Moi aussi, j'aurais bien aimé que quelqu'un me sauve la vie. Pourquoi tu ne m'en as pas parlé ?

— C'était mon histoire à moi.

— Il t'a converti ?

— On peut dire ça. À une vie d'interrogations, peut-être.

— Josephine se demandait si tu n'étais pas homosexuel.

— C'est gentil de me le rappeler.

— Une fois, à Noël, elle m'isole dans un coin et me demande si ce ne serait pas plutôt ça, ton genre. Mon premier réflexe a été de lui mettre une claque, pour avoir manqué à ce point de sens de l'observation, et puis j'ai eu envie de lui dire : "C'est de mon frère que tu parles, alors qu'une bonne femme comme toi, avec tous les problèmes que tu trimballes, ça suffirait à faire de Casanova un pédé." Mais je l'ai bouclée, par égard pour toi.

— Merci, sœurette. Elle croyait que j'étais gay parce que j'aimais son cul.

— Même une handicapée sexuelle comme elle devait bien voir que tu ne t'envoyais pas des mecs.

— Eh bien, non. Je suis un homme marié, avec un cerveau d'homme marié. Un soir, nous sommes allés à une avant-première au cinéma. Elle avait belle allure dans sa robe noire, avec son étole rouge, ses hauts talons, ses jambes nues. Toute la soirée, j'ai eu envie de la baiser. Au moins, je ne me suis pas ennuyé cette fois-là.

— C'est une femme qu'on remarque. Surtout avec sa grande taille.

— Oui, je me disais qu'avec elle, on ne broute pas le minou, on broute la girafe.

— Ça t'arrive de bouder, d'avoir des sautes d'humeur, mais tu peux aussi être nerveux et très insaisissable, Jamal.

— Encore aujourd'hui ?

— Regarde tes ongles tout rongés. Regarde tes paupières qui tremblotent.

— Je n'avais pas remarqué.

— Mais, contrairement à moi, tu t'en es sorti sans

avoir à tout mettre en l'air. Tu savais que l'avenir avait un sens pour toi. » Elle me chatouillait. « Maintenant, vous les thérapeutes, vous parlez toujours de cul. Il faudrait que peut-être vous voyiez ce que c'est vraiment. Ça te fera du bien d'aller faire un tour au Sootie.

— Je n'ai jamais su si tu avais été contente que Josephine et moi, on se sépare ?

— Je l'aimais bien, surtout parce qu'elle t'aimait. Que dis-je, elle t'adorait. Elle n'a jamais cessé de t'adorer, Jamal, même si tu lui en as fait voir de drôles.

— N'en rajoute pas, Miriam. »

Je la pris dans mes bras et lui dis que je devais partir. C'est sans enthousiasme que je me dirigeai vers le Cross Keys pour retrouver Wolf, l'homme de ma double vie. À Venise, Bushy m'avait appelé pour me dire qu'il était passé le voir au pub plusieurs fois. Et voilà que je me demandais s'ils ne s'étaient pas un peu trop bien entendus.

Bushy était au bar, en train de fumer. Wolf était à la cave, il changeait les fûts. Après mon escapade italienne, l'endroit me parut plus sale encore que dans mon souvenir. Il était peut-être temps de songer à aller voir ailleurs.

Bushy fit un geste en direction de la Harpie. « Regarde-moi ce vieux sourire. Elle est heureuse comme tout avec lui.

— Comment tu expliques ça ? »

Wolf était physiquement impressionnant et c'était quelqu'un de dur à la tâche. Lorsque certains venaient s'effondrer sur la scène, ou essayaient de danser avec les filles, il les éjectait en deux temps, trois mouvements. Les filles l'aimaient bien. Il prenait leurs problèmes à cœur mais il n'était pas homme à les surveiller.

« Il ne les touche pas. Je pense qu'il y a quelqu'un dans sa vie.

— Une des filles du bar ?

— Non, il vise plus haut. Je le saurai bientôt. »

Wolf sortit de la cave et m'aperçut. Il portait un tee-shirt moulant blanc. Il avait l'air en forme, bien dans son corps, comme s'il revenait tout juste de l'entraînement. Malheureusement, son jean était trop large. Il tenait à peine malgré la ceinture.

Il avait la mine sombre et il ne me serra pas la main. Il n'avait pas l'air d'être malheureux. Après avoir demandé beaucoup, il avait obtenu une petite chose : un travail. C'était, selon le mot de Bushy, une « ouverture pleine de promesses » et Wolf s'y était engouffré.

Il me dit :

« Il faut qu'on parle, mais pas ici. C'est quoi le problème, avec ce jean ? Pourquoi il est si large ?

— C'est de la vente au noir. Plains-toi auprès de ma sœur. »

Il me conduisit dans la pièce où il dormait – à l'origine, un dressing pour les filles. Il y avait un miroir et une table couverte de strings et de soutiens-gorge à paillettes. L'unique matelas était posé sous une fenêtre cachée par un rideau sale qui tremblotait doucement. En regardant par un trou dans le rideau, je vis les grands Somaliens installés au coin de la rue, leurs Nissan Primera toutes cabossées garées devant la station de taxis.

Wolf me dit :

« Ces Africains travaillent toute la nuit dans le West End. Ils m'emmènent et me ramènent. Tu m'as envoyé dans un de ces trous.

— Tu as besoin d'aller en ville ? »

Il haussa les épaules. « Business. »

Pendant que nous parlions, une fille est venue se recoiffer. Elle était originaire d'Europe de l'Est. Avant de repartir, elle a changé de string. Elle était complètement nue et s'est penchée en avant pour écarter les fesses.

« Wolfie, toi vérifier que tout bien propre ? »

Après inspection, il lui embrassa le cul. « Toujours aussi craquante, Lucy. »

Elle m'a regardé. « Lui, client ?

— Je suis un ami de Wolf.

— Monsieur, spectacle plaire à vous ?

— La première fois que je l'ai vu, oui.

— Prochaine fois, je faire exprès truc sexy pour vous. »

Après son départ, Wolf me dit :

« Tu lui plais, tu as remarqué ? Tu es bien conservé pour ton âge. Mais ce n'est pas le genre de fille que tu recherches, c'est ça ? »

Je haussai les épaules. Il ajouta :

« Tu sais, quand je vais quelque part, j'ai toujours envie d'être avec les prostituées, les putes, les criminels. Pour moi, c'est ce qu'il y a de mieux. Toi et moi, on se ressemble de ce côté-là.

— Comment ça ?

— Tu dois avoir un truc comme ça au fond de toi, pour passer tes journées avec des malades mentaux.

— Les sains d'esprit sont pires. Dire de quelqu'un qu'il est sain d'esprit, ce n'est pas vraiment un compliment. Wolf, je veux que tu me racontes pour Val. »

Je m'assis et sortis le joint que Miriam m'avait donné.

Wolf me raconta qu'avec Valentin, ils avaient cherché un prétexte pour quitter Londres un moment. Ils avaient même songé m'emmener avec eux, mais ils s'étaient dit que je devais finir mes études. Je me demandai si j'aurais été tenté de les suivre. Oui, probablement.

Dans le sud de la France, Valentin travaillait dans des casinos. Il était bien payé et on le respectait suffisamment pour lui confier l'encadrement des nouvelles recrues. Il trouvait son travail nul et non avenu mais il continuait à entretenir son corps et faisait des kilomètres à vélo en montagne, sur des routes verglacées.

« Quand il rentrait dans sa minuscule chambre, il lisait ces énormes bouquins de philo, comme ces fous qui ont toujours une bible avec eux, à la recherche de la vérité. »

La nuit, quand il quittait le travail, des femmes, riches et pauvres, l'attendaient. Elles voulaient coucher avec lui. Ensuite, elles cherchaient à lui venir en aide.

« Elles voulaient l'envoyer chez le médecin, trouver un médicament qui lui fasse du bien. Mais il refusait. Lui souhaitait faire partie des âmes perdues. Il n'a jamais pu trouver sa place. On devrait avoir une pensée pour lui. »

Wolf inclina la tête. Je fis de même. Je revoyais Valentin qui me recommandait sincèrement d'adopter le même régime alimentaire que lui : deux soupes instantanées à la tomate, deux tartines à la margarine et une pomme, deux fois par jour. Parfois, il marchait jusqu'à dix kilomètres dans Londres. Il préférait ne pas prendre le métro – à l'époque, ça sentait encore plus mauvais qu'aujourd'hui – alors que beaucoup le prenaient gratuitement, se faufilant prestement sous le nez des contrôleurs assoupis. L'ambition de Valentin avait toujours été de réduire son désir à néant quasiment. De cette manière, il ne souffrirait d'aucun excès de plaisir. Mais où cette vie d'autoflagellation l'a-t-elle mené ?

J'ouvris les yeux. Wolf m'observait. Je me levai. Je n'étais plus très sûr de savoir où j'étais.

« Oh, mais, reste un peu encore. »

Il avait les poings serrés. Je me dirigeais vers la porte. Je ne savais plus où elle pouvait bien être. Dieu sait ce que Miriam avait mis dans son joint. Elle aimait bien mélanger du haschich, de l'herbe et du tabac mentholé

– mélange imprévisible, s'il en est. Non seulement je devenais parano, mais j'avais aussi l'impression de regarder Wolf du mauvais côté d'un télescope. Bien sûr, c'était un excellent moyen de le diminuer.

Il s'est levé, m'a saisi par les épaules et m'a poussé en arrière. J'ai cru qu'il allait me frapper. Il était sans conteste plus fort que moi, mais pas aussi énervé. Un moment, je me suis dit que je devais le laisser me casser la figure. Mais je savais que ça n'était pas une solution.

« J'en ai pas fini avec toi, me lança-t-il. Il y a une odeur qui me poursuit dans mes rêves, qui me ramène à cette nuit crasseuse. Qu'est-ce que ça sent un garage ? L'huile, l'essence, le bois, le caoutchouc. Je comprends pourquoi tu en voulais autant à ce père. Tu tremblais.

— J'avais peur.

— Tu n'en donnais pas l'air. On était là pour lui donner un avertissement, et toi, tu avais emporté un couteau. Je n'arrêtais pas de me répéter : *Qu'est-ce que tu vas faire avec ça ? Le deal prévu, c'est tout : on est bien d'accord.* On n'avait jamais parlé de couteau, ni moi, ni Val. D'où t'est venue cette idée ? Pourquoi tu ne nous as rien demandé ?

— J'étais un jeune con. Ah, mon ami ! Vous auriez dû vous occuper de moi, juste un peu. J'étais comme votre petit frère, et vous m'avez laissé m'enferrer dans ce plan.

— Tu ne vas pas te mettre à pleurer ? Non... Tu vas te mettre à genoux pour me demander pardon ? À cause de toi, j'ai vu, de mes yeux vu, un homme à l'agonie. Si on s'était fait prendre, j'en aurais pris pour un bail. Et maintenant, tu dis que tu regrettes, que si tu pouvais revenir en arrière, tu le ferais. Mais il y a un truc que tu n'as jamais dit, et je veux te l'entendre dire.

— Quoi ?

— Que tu t'es planté et que tu mérites d'être puni. Tu

pensais que c'était chevaleresque de sauver la demoiselle. Tu aurais dû aller voir la police. Tu aurais dû discuter plus avec la fille. Je ne sais pas ce que tu aurais dû faire encore. C'est toi qui es censé savoir ce qu'on fait dans ce genre de situation. » Il continuait à me fixer de ses yeux de fou. Je lui répondis :

« Je ne savais pas écouter. Je n'ai pas compris ce qu'Ajita me disait. J'ai agi trop vite, je l'ai privée de toute initiative. Mais qu'est-ce qu'on peut y faire maintenant ?

— Eh bien, justement : on pourrait s'excuser auprès de sa famille. Auprès d'elle. Comme ça, elle saurait ce qui s'est passé, pour qu'elle puisse – c'est quoi leur expression débile ? – faire son deuil. Penses-y.

— Je ne suis pas convaincu que des excuses fassent plus de bien que de mal.

— Eh bien moi, si ! Tu y réfléchis et tu reviens me voir. Sinon, j'ai décidé que je le ferai moi-même, en ton nom. » Il se tut un moment, puis demanda : « Tu as quelque chose à dire ?

— Oui. Contrairement à bien des velléitaires notoires que je connais, j'ai agi et j'ai tué cet homme. Toi, tu ne seras jamais qu'un truand de seconde zone. Quel dommage que tu n'aies jamais fait quoi que ce soit d'aussi courageux, d'aussi valeureux. N'importe quel connard peut prétendre à l'innocence. J'ai de l'avance sur toi, mec, et j'en aurai toujours.

— Tu es complètement dingue. » Je me suis levé. Il s'est levé. Je suis descendu. Il m'a suivi. Puis il est retourné de l'autre côté du bar tandis que je rejoignais Bushy, qui sortait des articles divers de son manteau, pour les montrer aux habitués. Wolf avait monté le son, je regardai les filles à poil qui ouvraient et fermaient les cuisses pour les fidèles. Derrière la scène, les lumières de couleurs différentes, installées par Wolf, clignotaient sur un rythme infernal. J'ai commandé une double vodka et je l'ai bue d'une traite. J'en ai commandé une autre.

Quand Bushy fut seul, je lui demandai :

« Des nouvelles de la Main ? »

Il fit une drôle de moue. « Lisa milite à l'extrême gauche et rend visite à des tas de gens. À mon avis, la Main est planquée chez l'un d'entre eux. Qu'est-ce que je dois faire, aller fouiller partout ?

— Et pourquoi tu ferais ça ?

— Parce qu'il me fait de la peine, Henry. Il est sympa, mais sa fille est une vraie folle.

— Et côté rêves ?

— Docteur psy, mon ami, j'ai repensé à ton conseil. Je suis presque prêt à sortir du bois. J'ai répété chez Miriam, devant les gosses. Une fois, ton fils Rafi a trouvé que j'étais d'enfer. Henry pense que je suis suffisamment bon pour jouer au Sootie. Miriam a dû te dire : c'est la semaine prochaine.

— Non, elle ne m'en a rien dit. Mais maintenant, je le sais.

— Tu as trouvé ce que tu vas mettre ? »

Je haussai les épaules. Un autre client s'approcha de Bushy, qui interrogea Wolf du regard. D'un hochement de tête, celui-ci donna son accord.

« Au bout du compte, il n'est pas si terrible, notre Wolfie. Il est comme nous, il nage en eau trouble. Il me laisse vendre ce que je veux, à condition que je lui abandonne un bon pourcentage.

— Il faut que j'y aille.

— On se voit au Sootie. Je t'y conduirai. Ne te fais pas de bile. »

Revenir à la maison à pied, c'était au-dessus de mes

forces. Je suis entré dans Bush Hall, la salle de concert juste à côté de la mosquée d'Uxbridge Road où Rafi avait participé à un spectacle de Noël. Je voulais assister à la fin du concert de M. Ward. C'était un auteur-interprète à la mine sombre que le fils d'Henry m'avait recommandé. Son interprétation mélancolique du *Let's Dance* de David Bowie ne manquait jamais de m'émouvoir. Ward était accompagné d'un bassiste, d'une fille à la batterie et d'un guitariste. L'endroit n'était qu'aux trois quarts plein. Cela faisait longtemps que je ne m'étais pas frayé un chemin aussi facilement dans un concert.

Je suis sorti ragaillardi, après avoir écouté une interprétation magnifique du *Spoonful* de Willie Dixon.

35

J'avais trop de choses en tête, j'étais anxieux, je dormais mal, mais j'avais dit que je passerais au Sootie avec Miriam, et ce serait difficile d'y couper – Myriam insisterait. Toutefois, pas question que je la laisse m'habiller. Je choisirais mon costume moi-même.

Au bout de la rue de Shepherd's Bush, quand on va vers l'Olympia, il y avait un magasin d'accessoires de cirque où j'emmenais Rafi acheter sa bimbeloterie. À côté, c'était un sex-shop. Les mannequins de la vitrine étaient habillés ; ils avaient une sorte de look punk des années 1970. Apparemment, c'est ce que les classes moyennes aimaient porter pour s'encanailler. La perversion devenait un style à part entière. J'entrai jeter un œil. Je n'avais aucune idée de ce qu'il fallait mettre pour regarder Bushy gratter son banjo pendant que d'autres copulaient.

Je ressortis très vite.

« Déesse, tu peux m'accompagner ? lui demandai-je d'un ton suppliant au téléphone.

— C'est une drôle de requête. » Elle était entre deux clients.

« On a déjà dû te faire des demandes encore plus bizarres. C'est juste que je me sens un peu gêné, un peu coincé.

— Mon pauvre. Il va falloir que je voie avec Madame. On ne peut rien faire dans son dos. »

Madame a eu l'air de penser que cela ne posait pas de problème, que j'étais « un bon client, convenable, respectable ». La Déesse, qui offrait son corps mais pas l'intimité de son nom, m'a retrouvé à la station de métro. Nous avons marché jusqu'à la boutique. J'ai supposé qu'elle avait revêtu sa tenue d'étudiante : jean, polo noir, bottes noires.

C'était une bonne idée de lui avoir demandé de m'accompagner. Elle s'est dirigée droit sur le Black qui s'occupait du magasin et il lui a montré un ensemble. Sachant que je ne souhaitais pas que l'on voie trop mon corps, que je ne mettrais rien d'autre que du noir, mais pas trop moulant, elle m'a fait essayer différentes choses.

« De la soie ? De la dentelle ?

— Sans façon, Déesse. Rappelle-toi que je suis un Anglais coincé. »

Je suis resté à moitié nu dans un coin de la boutique. Finalement, je me suis retrouvé couvert d'un genre de plastique qui collait à la peau. On ne voyait que mon visage et mes bras.

Nous sortions de la boutique, nos achats empaquetés dans des sacs discrets, quand la Déesse me prit par le bras. J'étais en train de dire que je regrettais qu'on ne puisse pas louer les habits en question parce qu'ils coûtaient cher et j'étais fauché. Elle riait, m'expliquait que « la scène » allait me plaire, que j'allais vouloir y retourner, « vu tes goûts ».

Soudain, elle me dit :

« Quelqu'un t'observe.

— Où ça ?

— Là-bas. »

J'ai supposé que c'était Wolf, le limier de l'enfer lancé à mes trousses, qui devait perdre les pédales. Il n'allait pas tarder à se faire arrêter par la police et nous serions tous les deux cuits.

« Regarde, c'est elle là-bas. »

C'était une de mes patientes. Elle s'éloigna rapidement. Elle était très parano et m'avait raconté plusieurs fois qu'elle m'avait déjà vu aux quatre coins du pays, dans des lieux où je n'étais jamais allé. Maintenant qu'elle m'avait vraiment vu, sortant d'un sex-shop qui plus est, qu'allait-elle penser ?

J'emmenai la Déesse boire un verre et elle me demanda ce que je faisais dans la vie. Je lui expliquai que nous échangions tous les deux notre temps contre de l'argent, et que nous occupions le créneau « intimité avec inconnus ». En fait, lui dis-je, je ne comptais pas le nombre de fois où mes patients m'avaient comparé à une prostituée.

« Peut-être qu'on est tous les deux des bennes à ordures. Les gens déversent en nous ce qu'ils ne veulent pas comprendre. C'est nous qui sommes censés charrier tout ça à leur place. »

Elle était à la fois fascinée et atterrée par les contraintes de mon métier.

« Qui peut avoir envie de savoir ce qui se passe en chacun de nous ? dit-elle en se tapotant la tempe avec l'index. Si on commence à fouiller, qui sait ce qu'on risque de trouver ?

— De toute façon, ça finit toujours par sortir. Par notre corps, dans nos actes, nos choix... de carrière. Comme dit mon ami Henry, ce qu'il nous faut, c'est plus de paroles et moins d'action. »

Elle semblait horrifiée. Mais au moment où nous allions nous quitter, elle me donna un sac en plastique.

« Ouvre », me dit-elle.

Il contenait un masque. Les yeux étaient dorés, le fond

turquoise décoré de plumes bleues et violettes, d'étoiles bleues argentées.

« Il est magnifique.

— Oui. Bonne chance. »

Elle m'embrassa sur le nez.

Muni de tout ce harnachement, je me rendis chez Henry le soir dit. Miriam se changerait chez elle, Bushy la conduirait ici en voiture et nous amènerait tous au Caramel Sootie.

Je mis dix minutes à me préparer, deux autres à me battre avec mes cheveux, tout en me demandant si tout ce qui nous procure du plaisir n'est pas foncièrement malsain, immoral ou interdit, et si la soirée serait à la hauteur de cette trilogie.

Henry avait passé un caleçon. Il s'était rasé intégralement le sexe. Il jetait tout ce qui n'allait pas par terre et titubait lourdement devant un miroir, au son de *Don Giovanni*.

J'étais là, heureux, assis sur sa chaise, à boire et à fumer un joint que Miriam lui avait préparé. Mais je commençai à me sentir fatigué et je passai aux toilettes prendre une petite boulette de speed pour avoir la pêche toute la soirée. En l'espace de quelques minutes, je ne pensais plus à ce que je portais mais, chaque fois qu'Henry me regardait, il gloussait.

« Si seulement tes patients te voyaient. C'est trop bien pour que tu aies choisi ça tout seul. Qui t'a aidé ?

— Quelqu'un. »

Il me regardait. « Comment se fait-il que, moi, je te dis tout et, toi, tu ne me dis rien ? »

La nuit risquait d'être longue, mais Henry et moi avions le temps pour une discussion avant que Bushy n'arrive. La manière dont Henry philosophait sur ses désirs me distrayait toujours.

« Cette idée de partouze..., lui dis-je.

— Oui, eh bien quoi ? Tu penses que je devrais mettre du rouge à lèvres ?

— Juste un peu. Ce ne serait pas comme un rêve de fusion, d'indifférenciation entre les êtres ? Aucun exclu. Sexuellement parlant, c'est une idée totalitaire. La partouze n'est-elle pas ce moment où les gens perdent leur individualité au lieu de la trouver ?

— Je vais te dire, tu te sens peut-être con dans ton costume, mais on s'en fout. C'est un moyen de liberté total et fondamental.

— Tu veux dire : en période de contrôles abusifs, voire de terreur, c'est un moyen de libération. C'est ça ?

— Je sais que ça t'amuse, mais toutes ces conneries de choc des civilisations, l'Islam et l'Occident, ça n'est qu'un avatar du conflit entre les puritains et les libéraux, entre ceux qui haïssent l'imagination et ceux qui l'adorent. C'est le plus vieux conflit du monde, celui de la liberté et de sa répression. »

Il se campa devant moi. « Comment tu me trouves ?

— Je ne sais pas par quoi commencer.

— Allez, mon ami, deux ou trois mots charitables ?

— Juste pour confirmer que le maquillage et les poils de barbe, ça ne va pas ensemble.

— Eh bien maintenant, si. Ça me plaît bien que Londres soit une grande ville musulmane. C'est le prix à payer pour le colonialisme, et c'est sa seule et unique vertu. En même temps, il y a des tas de gens qui ont la tête couverte à Londres : des jeunes comme ton fils, avec leur capuche, ou des femmes musulmanes, avec leur voile. Je dois dire que j'ai horreur de ça et que je regarde toujours ces femmes d'un air méchant. Ce qui ne doit faire qu'ajouter à leur sentiment de persécution.

— Cela prouve bien que nous sommes fascinés et perturbés par nos corps – voiler, dévoiler : tout est là. On n'est jamais au point, on n'en a jamais fini avec le corps. Les tatouages, les problèmes de poids, les vêtements...

— Tu veux savoir pourquoi j'écoute cet opéra ? J'essaie de trouver quelque chose de subversif et de lubrique, une œuvre qui parle de notre condition. Tiens, du Viagra : tu en veux ?

— Oui, vas-y. Merci. »

Il me donna une pilule bleue, que j'avalai avec une gorgée de vodka.

« Tu vas monter *Don Giovanni* ?

— C'est trop puritain pour moi. Il finit en enfer.

— Mais il refuse de se repentir, me semble-t-il ? Il a une éthique au moins. »

Je savais qu'Henry ne décrochait jamais vraiment de son travail et, de fait, à un moment donné, il tapota sa montre et déclara :

« Il est 19 h 15. Tous les jours à cette heure-ci, je me dis que, dans toute la ville, dans tout le pays en fait, il y a des acteurs qui se préparent pour le spectacle de ce soir. Ils sont dans leur loge, il se maquillent, s'échauffent la voix, font des vocalises. Ils sont terrifiés et exaltés. Les gens de la scène, avec qui j'ai passé ma vie. Ceux qui font des choses si difficiles devant d'autres gens qui se sont déplacés exprès pour les voir. »

Il y a quelques semaines, Miriam et Henry, accompagnés d'un de ses enfants à elle, avaient passé le week-end dans un festival de rock. Ils logeaient dans une caravane qu'ils avaient empruntée. Bushy les y avait emmenés. Henry avait insisté pour les accompagner, il ne voulait pas rester seul. Mais il a commencé à ne plus tenir, à détester la caravane et, au bout de deux ou trois heures, à détester la musique. Ça n'était « que de la musique de Blancs », bien moins « authentique » que le hip-hop dont il aimait parler avec Rafi. Miriam et les autres ont commencé à le traiter de « papy ».

Du coup, j'avais été surpris quand, peu de temps après, ils ont refait un autre voyage, cette fois-ci à Paris, où Henry avait été invité pour une conférence sur la culture. D'ordinaire, Henry détestait la culture « officielle », mais il s'était dit que ce serait l'occasion de voir ses amis, des directeurs de galerie, des producteurs, des écrivains, des acteurs.

Pendant qu'ils déjeunaient avec Marianne Faithfull à une bonne table, Bushy avait pris contact avec des Africains qui traînent gare du Nord. Il avait aussi noté quelques expressions hip-hop dans différentes langues africaines pour les rapporter à Rafi. Sur le chemin du retour, ils firent une énorme provision d'alcool et de cigarettes, à revendre aux voisins et au Cross Keys. Si jamais il y avait du surplus, Wolf pourrait toujours l'écouler « à l'ouest ».

Henry m'avait raconté qu'on lui avait « proposé quelque chose » à la Comédie-Française, mais il avait refusé. Il avait l'air à la fois flatté et tenté. Je me demandais quand il se remettrait au travail et comment Miriam réagirait.

« Tu me demandes pourquoi je ne recommencerais pas à travailler ? Mais de toute manière, qu'est-ce que j'ai produit, moi ? J'ai mis en scène les œuvres des autres, mais ce n'est pas moi le créateur. Qu'est-ce que je vaux ? Les acteurs, je les respecte. Ils se mettent en danger. Mais qu'est-ce que j'ai fait d'original qui vaille la peine ? Une fois, quelqu'un m'a traité de "facilitateur", j'ai failli me suicider.

— Tu ne serais pas en train de te torturer, là ?

— Les personnages de Tchekhov, ils parlent tout le temps travail. Il faut qu'on travaille, ils le disent sans arrêt. Je n'ai jamais compris pourquoi Tchekhov considérait que le travail était une vertu.

— Le travail, c'est le prix de la culpabilité. »
Il me regarda. « Viens, on ferait mieux d'y aller. »
Bushy avait appelé. Miriam et lui venaient d'arriver. Ils
nous attendaient dans la voiture.

Tout en regardant Henry se préparer, j'enviais ses enga-
gements dans les extrêmes (« Si tu veux savoir ce que c'est
que le sexe, m'avait-il dit, il faut que tu prennes le risque
que ça te détruise »). J'avais décidé d'être moins coincé
que d'habitude. En plus du déguisement que la Déesse
m'avait trouvé, j'avais mis du rouge à lèvres, du fond de
teint, une perruque blonde qui appartenait à une amie de
Sam (j'espérais secrètement qu'il s'agissait de la « femme
aux mules »), un chapeau noir et des lunettes de soleil.

« Salut, toubib, si c'est bien toi, dit Bushy en ouvrant la
porte. Superbe, superbe ! Tu as fait le bon choix – très
bonne trouvaille !

— Merci, Bushy, mon ami. Je sais que je peux compter
sur toi pour un verdict objectif. Qu'en dis-tu ? » demandai-je à Miriam.

Elle portait une superposition de toiles d'araignée de
diverses matières – son look habituel, la minijupe mise à
part.

« Ohé, Miriam ?

— Alors là ! je n'en reviens pas !

— Pose cet engin ! dis-je, tout en essayant d'attraper le
téléphone portable qu'elle tenait à bout de bras.

— Dégage ! Juste une, pour mettre sur le mur de la
cuisine !

— Non... Non !

— Les filles, les filles ! hurla Henry, en montant dans
la voiture. Gardez votre enthousiasme pour plus tard. »

36

Non loin de la Tamise, à Vauxhall, nous arrivâmes devant une rangée d'arcades sous la voie ferrée. Elles servaient de garages et d'ateliers. L'une des portes était peinte en noir et quelques personnes patientaient devant. À l'intérieur, après avoir franchi trois épaisses tentures, nous fûmes accueillis par un couple d'une quarantaine d'années qui avait connu Bushy quand il travaillait dans un entrepôt du quartier.

Nous l'avons aidé à déballer ses affaires et à les installer dans le Sootie crépusculaire. Henry trouva un moyen de l'éclairer et lui conseilla de se placer sur une petite scène surélevée au fond de la pièce. Miriam essayait de lui poudrer son visage couvert de sueur. Avec toute cette lumière sur le nez, Bushy se sentait un peu intimidé. Il était nerveux et ne prêtait pas la moindre attention aux accoutrements de ceux qui commençaient à s'embrasser, à se caresser autour de nous.

La salle se remplissait. Bushy se mit en place, accorda sa guitare et démarra avec un blues tranquille. Pour l'encourager, Miriam et Henry applaudissaient, sifflaient autant qu'ils pouvaient, tout en gardant un œil sur une émission de télé-réalité. « Tout ce qu'il me faut, c'est ma guitare, un ampli, un joint et mon docteur », déclara Bushy en me montrant du doigt.

Je mis mon masque et déambulai dans les nombreux tunnels et pièces du Sootie. Je m'interrogeais sur tous ces gens, sur leur vie. À l'angle d'un couloir, elle passa juste devant moi. Mon épouse était impressionnante, perchée sur les talons hauts que je lui avais achetés il y a des années, quand je croyais encore à notre amour. Elle avait de longues jambes et était particulièrement à son avantage dans les vêtements qu'elle portait ce soir-là. J'étais surpris de la voir, mais pas mécontent. Souvent, quand on se croisait à l'extérieur de la maison, nous trouvions que nous nous entendions bien. On n'échangeait pas un mot de la journée, mais le soir, au cours d'une fête, nous ne faisions attention à personne d'autre et nous nous parlions comme des amis qui ne se seraient pas vus depuis un an. Mais, ce soir-là, elle semblait pressée, alors qu'elle avançait ainsi toute seule, à la recherche de quelque chose ou de quelqu'un. Je n'eus pas envie de la suivre.

Bushy était entré dans le vif du sujet et je retournai le voir. Son pied battait la mesure, ses muscles vibraient, sa voix ressemblait à du verre dépoli et à celle de Captain Beefheart.

Il se débrouillait bien dans tous les styles, il avait beaucoup de technique. Mais il ne finissait aucun morceau, comme s'il voulait jouer tout à la fois, à la manière d'un juke-box psychotique. Entre deux accords de jazz, des fragments de blues et des airs populaires, il parlait, digressait. En matière de blues, il connaissait ses classiques : il se souvenait des dates, expliquait que cette chanson avait été écrite en 1932, ou peu importe. Quand il sentait croître l'intérêt des spectateurs, il donnait davantage de détails : « Vous saviez que John Lee Hooker était Témoin de Jého-vah ? » Il se mettait à imiter John Lee Hooker. C'était presque une parodie – la voix, la totale – qui surgissait chez vous avec sa bible, un numéro de *Watchtower* et un air de guitare.

Bushy retenait l'attention, au point que les gens commençaient à délaisser leurs jeux sexuels. Quel plus beau compliment pour un artiste ? Henry se tenait là, tout fier, appuyé contre un pilier. Un homme s'approcha de lui pour lui demander s'il était l'impresario de Bushy, il acquiesça. L'autre lui donna sa carte, prit le numéro de téléphone d'Henry et promit de rappeler. « Bushy aura toujours du travail, maintenant, me dit Henry. Je regrette de ne pas avoir pensé plus tôt que je pourrais gagner ma vie en promouvant le talent des autres. »

Plus tard, en contournant un amas de corps qui ressemblait à un entrelacs de limaces de couleurs vives, je tombai sur un écran troué, lacéré. Une chaise était posée devant. Je regardais à travers les trous de cet écran lorsque deux hommes la firent entrer. Elle paraissait déterminée dans sa quête du Saint-Graal du plaisir, véritable paradigme de l'abandon à la luxure.

Je m'assis pour regarder tandis qu'elle s'allongeait, le visage tourné vers moi. J'étais si surpris, j'avais l'impression qu'elle pouvait me voir. J'ai cru un moment que mes oreilles allaient éclater et j'ai failli partir en courant. J'étais plus que tenté de me retrouver à nouveau dans ses bras. Faire ça sous couvert de l'anonymat aurait été une des expériences les plus étranges de ma vie.

Je m'approchai. Elle était étendue, la gorge offerte à tous. Des silhouettes montaient et descendaient dans le miroir fixé au mur. Je me rappelai qu'elle aimait faire l'amour devant un miroir, une jambe posée une chaise – dans le reflet, elle ne voyait que mes mains sombres qui caressaient sa peau claire.

Je me disais que, dans un opéra, quelqu'un la tuerait à

cet instant précis. Je tremblais, je me demandais si je n'allais pas défaillir.

Elle était excitée : son visage semblait rougeoyer. Elle vivait dans la peur de rougir – « une érection du visage, suscitée par le désir d'être regardé », comme disait l'autre. Cela la rendait encore plus timide. Parfois, elle refusait de sortir à cause de ce qu'elle appelait sa « gêne ». « Honte » aurait été un terme plus adéquat. Quand elle se mettait en colère, son visage donnait l'impression de battre au rythme du sang qui affleurait à la surface de sa peau. Je la traitais de « fraise explosive », ce qui devait beaucoup l'aider...

Maintenant que c'était mon tour, elle murmurait à mon oreille, comme si elle me connaissait – « salut », et puis « s'il te plaît », et « oui, oui ». Je ne dis pas un mot, respirant les odeurs des autres hommes sur elle, me demandant si elle m'avait reconnu à mes battements de cils, qu'elle aimait particulièrement.

Dans la lumière vacillante, je vis, dans ses cheveux, à l'arrière de sa nuque, un grain de beauté que je n'avais jamais remarqué, et je l'embrassai. Non loin de là, Bushy chantait une chanson de Mavis Staples : « *I'll take you there... I'll take you there.* » J'étais à deux doigts de retomber amoureux d'elle et je me disais : « Un homme bien lui dévoilerait son identité, il la relèverait, couvrirait sa nudité et l'emporterait vers des lieux moins malséants. » Je n'étais plus sûr de savoir comment on aime un adulte, mais en voyant son corps blanc, je sus que je la préférais à toute autre.

Je m'aperçus que Bushy avait cessé de jouer. Je me dirigeais vers le bar quand Henry vint à ma rencontre.

« Je t'ai cherché partout, me dit-il en tirant nerveusement sur sa barbe. Voilà, Bushy refuse de sortir. » Il montra du doigt les toilettes pour handicapés. « Les videurs peuvent le forcer, mais ce serait plus facile si tu venais. »

Je frappai à la porte. « Je peux entrer ?

— Fous le camp !

— Est-ce que je peux te parler de ton spectacle ? »

Il y eut un silence. La porte s'ouvrit et j'avançai dans la minuscule pièce éclairée. Bushy ferma le verrou derrière nous. Les robinets étaient ouverts et le néon bourdonnait, le sèche-mains était en panne et ronronnait bizarrement dans cet espace réduit. Il faisait très chaud. Je me demandais si j'étais défoncé : le corps de Bushy me paraissait déformé, presque comme dans une anamorphose. J'avais interrompu cet Orphée cradingue, nu devant le miroir, alors qu'il examinait son pif crevassé, une lame de rasoir à la main. Dans cette lumière étrange, ses yeux grands ouverts, qui ne cillaient pas, donnaient l'impression d'être enfoncés l'un dans un orbite jaune, l'autre dans un orbite bleu pâle.

« Ne va pas t'imaginer quoi que ce soit. » La lame était suspendue au-dessus de son nez, comme s'il cherchait l'endroit idéal. « Je ne vais pas me le couper. Je vais juste faire une entaille. Je vais l'élaguer, comme ça il arrêtera de me faire chier.

— Tu ne peux pas te taillader le pif. Il va y avoir du sang partout.

— À ton avis, pourquoi j'ai enlevé mes habits ? » Il me regarda et se tapota le nez. « Tu crois que c'est le bon endroit pour ça ? me demanda-t-il.

— Ce n'est pas le bon endroit, ce n'est pas le bon moment. Tu vas faire une connerie, dis-je en m'approchant derrière lui, ses habits sous le bras.

— Stop !

— Je ne peux pas, l'ami, on est tous les deux aux toilettes. Il y a des gens qui attendent pour pisser. » Je lui tendis mon autre main. « Ne les lâche pas maintenant que tu les as intrigués. »

Il laissa tomber la lame dans ma main, prit ses vêtements et commença à se rhabiller. « T'as rien dit, pour mon show.

— Ça assure carrément.

— Je vais leur balancer mes airs latinos. » Il se rajusta dans le miroir puis me regarda. « Ta perruque est de travers.

— Tu peux me la remettre ?

— Avec plaisir, homme de loisir. Tu as une sacrée allure, mec. Tu fais vraiment à l'aise. Je t'avais dit que j'avais besoin de toi ce soir. »

Bushy passa devant moi et retourna sur scène. Henry attendait à l'extérieur, il était tellement trempé de sueur que j'ai cru qu'un tuyau lui avait explosé au-dessus de la tête.

Je lui montrai la lame avant de la ranger dans ma poche. « Il s'en est fallu d'un cheveu. » Henry comprit à mon air que quelque chose de terrible venait de se produire. « Il faut que je boive quelque chose. Putain, Henry, il y a des gens qui sont complètement cinglés. »

La deuxième partie du spectacle de Bushy fut effectivement plus calme, avec surtout des airs latins, qu'il chanta d'une voix de crooner bourrue. La musique devint si douce, si profonde que les gens se mirent à faire l'amour tout autour de lui, sur des sofas, sur des coussins. Au fur et à mesure de leurs copulations, Bushy ajustait son rythme et son tempo.

« J'étais l'arrangeur de leur baise, me confia-t-il plus tard. S'ils changeaient de rythme, je changeais le mien. Je me calais sur eux. Puis je me suis aperçu que je pouvais influencer leurs putain de mouvements, que je pouvais leur faire faire des putain de trucs. »

Un couple, allongé sur un sofa, m'invita à me joindre à eux. On ne me faisait pas mystère de la politesse et de la courtoisie qui étaient de mise en ces lieux où toute autre norme du quotidien était suspendue.

« Lui, il aime regarder », murmura-t-elle. C'est tout juste si j'ai réussi à la tringler pendant que son mari regardait, caressant son pénis flasque d'une main distraite. Il me souriait et m'encourageait d'un hochement de tête, comme si je lui faisais une faveur. De temps en temps, elle essayait de le sucer mais lui me laissa faire tout le dur labeur. « Merci », me dit-il, alors que je reposais, hors d'haleine, entre les bras de sa femme. Quand je partis, nous nous serrâmes la main.

Il était tard lorsque Bushy nous raccompagna. Henry et Miriam dormaient à l'arrière de la voiture. J'avais envie d'une douche.

« Merci pour la chanson, Bushy.

— C'était un plaisir. Ça m'a plu, m'sieur. »

En guise de rappel, et pour me remercier, Bushy avait interprété *Crossroads* de Robert Johnson. Une fois, alors qu'il la fredonnait en voiture, je lui avais dit que c'était une de mes chansons préférées. Après tout, c'était à un endroit où trois routes se croisent – une croisée des chemins – qu'Œdipe tue son père, le pédophile Laïos. Après quoi Jocaste, son épouse et mère, lui dit : « N'aie plus peur de coucher avec ta mère. / Combien d'hommes, dans leurs rêves, ont couché avec leur mère ! / Aucun homme raisonnable ne peut être troublé par de tels agissements. » Bushy trouvait ce mythe fondateur un peu trop sirupeux à son goût. Il avait répondu que Robert Johnson, qui n'y voyait pas très bien et dont la rumeur disait qu'il avait vendu son âme au diable en échange de son talent, avait été empoisonné par un mari jaloux dans un bar appelé Les Trois Fourches.

Ce soir-là, Bushy me dit :

« Les gens ne se rendent pas compte que c'est une chanson difficile à jouer correctement si on veut reproduire le doigté de Johnson. Mais je l'ai apprise pour toi, parce que tu m'as aidé.

— Merci encore, Bushy. »

37

Quand, la fois suivante, je me rendis chez Miriam pour regarder le match de foot, elle était en train de faire la vaisselle. Elle ne se retourna pas et me lança par-dessus son épaule :

« Tu m'évites, depuis quelque temps.

— J'ai eu de nouveaux patients. On m'a demandé de faire des conférences. Tu sais à quel point j'aime mon travail.

— Ça change quoi ? Tu n'as pas aimé la soirée au Sootie. Tu en as parlé à tout le monde, mais à moi, pas un mot.

— Je n'étais pas craquant avec ma perruque ? Même toi, tu as reconnu que j'avais fait un effort.

— Tu n'as pas arrêté de te moquer de tout le monde. Tu les as traités de grappes de baiseurs, j'en passe et des meilleures. Tu as fait celui qui était au-dessus de la mêlée et tu le sais très bien.

— Il n'y a pas que moi.

— Qui d'autre ?

— Henry, qui jouait au papa plein de zèle qui oblige ses enfants à s'amuser pendant leurs vacances. "Ça doit vous plaire, sinon gare !" Ça m'a rappelé l'investissement invraisemblable de notre société dans l'optimisme, et à quel point on déteste ceux qui dépriment. »

Elle m'éclaboussa. « Tête de nœud, va ! Qu'est-ce que tu as dit à Henry exactement ?

— Je lui ai dit que ce n'était pas une vraie partouze. La vraie partouze est ailleurs.

— Où ça ?

— À Bagdad. »

J'ai poursuivi sur ma lancée. « Tout à coup, mon job, c'était de calmer Bushy, alors que, toi, tu étais là à discuter animaux, tatouages avec ces dames, exactement comme si tu étais chez toi. Ni les hommes ni les pénis environnants n'ont eu l'air de te mettre beaucoup d'entrain dans l'arrière-train.

— Peut-être qu'effectivement, je me suis tenue tranquille, mais je n'avais pas les yeux dans ma poche. Il y a une femme masquée qui fait toujours craquer Henry.

— Elle vient souvent ? »

Miriam haussa les épaules. « Je ne suis pas certaine de savoir laquelle c'est précisément. Les gens se ressemblent tous quand ils sont nus et je n'y vais jamais avec mes lunettes. »

Je soulevai le chat à bout de bras au-dessus de ma tête. « Ça semble évident. Tu es jalouse ?

— Les autres femmes, il les baise, mais avec moi, il prend son pied. C'est la règle. Il est à moi et il le sait, sinon je lui tatoue mon nom sur le cul moi-même. Jamal, je te préviens, aujourd'hui, je suis d'une humeur massacrante. Si quelqu'un me fait chier, il va en prendre pour son grade, d'accord ? Au fait, tel qu'il est là, le chat va te pisser dessus. »

C'était à mon tour de rire tandis qu'elle secouait la tête. Je savais que Myriam était particulièrement sensible dès qu'on critiquait le Sootie, d'autant que, peu de temps auparavant, elle s'était disputée avec Henry à propos de « la scène ».

Il y a un moment déjà, j'avais parlé du club à Karen et celle-ci était allée y faire son enquête avec Miriam, enveloppée dans des kilomètres et des kilomètres de film alimentaire qui lui donnaient l'air d'une patate sous vide, pour reprendre l'image d'Henry. Elle avait décidé de consacrer trois émissions de télévision à ce qu'elle décrivait, dans son jargon de presse people, comme « le bas-ventre ou, plutôt, la bedaine bedonnante de la sexualité des Britanniques de banlieue » : échangisme, voyeurisme, fétichisme et autres activités de ce genre. Elle avait déjà emmené ma sœur au restaurant pour en parler.

Miriam était tout excitée, non seulement à l'idée de passer à la télévision, mais aussi de travailler comme « consultante ». Karen avait suggéré qu'elle serait la personne idéale pour convaincre les candidats potentiels de participer à l'émission. Miriam voyait cela comme une « opportunité ». Cela ferait d'elle une « professionnelle des médias », au même titre que les amis d'Henry. Elle avait même précisé que Karen voulait me solliciter en tant qu'« expert en psychologie ».

« Elle m'a promis que tu serais payé. Qu'est-ce que t'en dis ?

— Karen était joyeuse quand elle t'a dit ça ?

— Oh que oui. Quand je l'ai vue, elle avait un rendez-vous avec un producteur de télé américain. Je lui ai donné plein de bons conseils pour s'habiller. »

Mais quand Miriam soumit à Henry la « proposition » de Karen en lui disant que c'était un projet qu'ils pourraient réaliser ensemble, il rétorqua par une virulente diatribe à l'encontre de Karen et des « gens de son espèce », puis enchaîna sur un monologue passionné sur la « fin de l'intimité ». Si tout le monde pouvait devenir célèbre, et si aucune célébrité ne pouvait contrôler la manière dont on la regardait, il ne pouvait plus y avoir ni bons ni méchants : nous vivions dans une démocratie de fous, de victimes et d'exhibitionnistes. Les médias s'étaient transformés en un véritable champ de foire aux monstres.

« Et c'est quoi l'alternative ? » avait demandé Miriam, exaspérée.

Henry lui expliqua que cette observation intime de l'individu avait toujours été l'apanage du roman et du théâtre. Jusqu'à il y a peu encore, c'était ainsi que l'on examinait l'Autre, par le prisme de l'imagination et de l'intelligence d'artistes tels qu'Ibsen ou Proust. Aujourd'hui, tout le monde faisait des révélations sur tout mais personne ne comprenait rien à rien. Qu'on le regarde bouche bée à la télévision ne lui procurerait aucun plaisir, pas plus que cela n'éclairerait le public d'un watt de lumière supplémentaire.

Pour l'essentiel, Miriam estima qu'il débitait des « conneries d'intello fumeux », mais elle comprit qu'Henry trouvait son envie de travailler sur ces émissions « vulgaire et débile ». Elle ne voulait pas se lancer seule, il ne pouvait pas y participer.

« Je ne me suis jamais sentie aussi différente de lui. On fait tout ensemble. Jusqu'au jour où il me déclare qu'il est super élitiste, trop sublime pour se trimballer avec un gros tas comme moi. L'autre jour, il me dit : "Miriam, comment se fait-il que tu aies vécu si longtemps en apprenant aussi peu de choses ?"

— Qu'est-ce que tu lui as dit ?

— "Je n'ai jamais eu le temps, putain ! J'ai eu cinq enfants et plus d'avortements que tu n'as connu de partouzes ! Pendant que tu faisais ta chochotte au théâtre, j'étais dans un hôpital psychiatrique !" »

Henry lui avait répondu d'un ton allègre :

« Ce n'est pas une excuse. Sylvia Plath aussi. »

« Henry peut parfois donner l'impression qu'on est

ignares, dis-je. Mais ce n'est pas ce qu'il cherche à faire avec toi. »

Le plus étrange, c'est que, en dépit du mépris affiché d'Henry pour la télévision, il ne s'était pas senti trop sublime quand il avait présenté Bushy comme son « client », ni quand il lui avait cherché un autre contrat.

« J'aurais dû être maquereau, me dit-il. Le boulot idéal pour un artiste. Même William Faulkner le pensait. Faute de quoi, je suis devenu agent.

— Ce n'est pas possible, Henry : à quoi tu joues ? »

Il me raconta qu'après le concert au Sootie, Bushy avait reçu des propositions pour quelques fêtes privées, hétéro et gay, qu'il était en train de « traiter ». Henry disait que le plus surprenant était que la « gestion de talents » n'était pas moins passionnante que tout ce qu'il avait pu entreprendre jusque-là.

Toutefois, il me demanda :

« Tu crois que, du point de vue mental, Bushy va tenir ?

— Tu veux dire, est-ce qu'il pourrait devenir comme Édith Piaf à la fin de sa vie ? Ou est-ce que, toi-même, tu pourrais te retrouver à poil, à hurler dans une cage ?

— C'est ce que je me demande. Mais c'est lui qui m'a suggéré de faire ça. Ce n'est pas moi qui le force. C'est de ta faute. C'est toi qui lui as redonné confiance. »

Mon hypothèse était plutôt qu'Henry commençait à se lasser de sa « retraite ». Cela faisait plus d'un an qu'il était avec Miriam. Il avait passé beaucoup de temps chez elle, assis à ne rien faire, à bavarder, à préparer les repas, à promener les chiens à Syon Park ou le long de la Tamise, se contentant de profiter de son nouvel amour. Un soir, il s'était attelé au chaos du jardin, s'était mis à bêcher, à arracher les mauvaises herbes, à faire des plantations. Et, du fait de sa récente tendance à l'exhibitionnisme, il ne portait que des gants, un caleçon et des bottes en caoutchouc.

Tout ce qu'Henry faisait, bien sûr, il le faisait à fond. Pour lui, tout était travail : bêcher le jardin, diriger *Hamlet* à Prague – si ce n'est qu'on ne se faisait pas insulter dans les journaux lorsqu'on bêchait son jardin.

« Ce n'est pas non plus comme ça qu'on obtient une reconnaissance internationale », lui fis-je remarquer.

Tandis que je regardais le match, Miriam vint me rejoindre sur le canapé et me prit le bras. Je lui expliquai que si Henry était fasciné par la carrière de Bushy, c'était parce qu'il avait toujours été intrigué par la performance sur scène. Une fois qu'il avait eu fait le tour du répertoire sexuel de « la scène » (ce qui, à mes yeux, ne lui avait pas pris très longtemps), il s'était intéressé aux images, aux métaphores et aux idées que le Sootie lui inspirait.

« J'ai vu comment Henry suivait le déroulement des opérations au Sootie : il avait mis son "masque de metteur en scène" – il se fait un cadre avec les mains et il se concentre. » Je lui montrai le geste. « Je parie qu'une bonne partie de ce qu'il a vu va finir par se retrouver dans la mise en scène du *Don Giovanni* qu'il n'est pas censé préparer. Salauds d'artistes, ils font toujours ça. »

Il avait aussi un genre d'accord avec Bushy. En échange de l'aide qu'Henry lui apportait, Bushy remettait en état l'appentis du jardin de Miriam. C'était là qu'Henry avait l'intention de travailler. Il avait décidé de devenir sculpteur et, afin de prouver qu'il en était un, il avait la ferme intention de vendre au moins une de ses œuvres. Il avait eu l'idée de cette nouvelle orientation après un déjeuner avec Billie et maman où je l'avais invité avec Miriam.

Les deux femmes ne voulaient plus aller à la Royal Academy, qui faisait trop « mémé » selon elles. Nous sommes donc allés dans un endroit dont elles avaient entendu parler dans *The Independent*, au bout de Portobello Road, pas très loin de la librairie Travel Bookshop. Billie et maman aimaient bien le marché voisin, où il y avait moins de monde pendant la semaine. Il était peut-être un peu cher, mais elles ne cherchaient pas à faire d'économies. C'était comme si dépenser leur argent faisait la preuve de leur existence. À table, Henry avait émis l'idée qu'il essaierait bien de travailler l'argile. Billie lui donnerait des cours, une fois que leur atelier serait terminé.

Que ce soit pendant le déjeuner ou après (maman, Henry et Billie avaient discuté de leurs sculpteurs préférés, Miriam envoyait des textos), Miriam avait gardé son calme, malgré un revers initial. Dès son arrivée, elle nous avait exhibé son tout dernier tatouage, une petite colombe sur le pied, qui n'avait pas suscité l'intérêt qu'elle escomptait. De fait, Billie fit remarquer :

« Apparemment, Freddie Ljungberg – le dieu du foot de l'équipe d'Arsenal, pour les ignares – s'est empoisonné avec ses tatouages.

— Il n'a pas dû aller chez Mike l'artiste, rétorqua Miriam.

— Il est installé où ? demanda Billie.

— À Hounslow. »

Maman regardait Billie avec un demi-sourire qu'elle arborait souvent maintenant. Billie avait un petit air narquois. Cette nouvelle facette lumineuse de maman – la part sombre avait été progressivement rabotée, ou elle était tombée d'elle-même – révélait une femme indépendante, égoïste, dédaigneuse de tout ce qui ne la concernait pas au premier chef.

Ce n'est donc pas par hasard si, quelques jours plus tard, alors que Bushy commençait à travailler à l'appentis du sculpteur, Miriam décréta qu'Henry devait l'épouser. Elle avait déjà évoqué cette possibilité, mais cette fois, elle insista lourdement, lui expliquant que tant qu'elle ne porterait par un nouveau caillou à l'annulaire, elle ne croirait pas en son amour.

J'avais supporté pendant des années ce côté pleurnichard et sûr de son bon droit de Miriam, et je ne l'appréciais pas plus maintenant, mais Henry prit cela très au sérieux. Il n'avait pas le choix. Ils passaient la nuit ensemble au moins deux fois par semaine, chez elle ou chez lui. Mais elle avait encore des enfants à charge qui occupaient une partie de son temps au moins, ce qui était peu conciliable avec un quelconque projet de vie commune. Au travers de ces demandes inlassables et impossibles à satisfaire, Miriam exigeait qu'Henry lui fournisse une preuve indéniable de son engagement à un moment où il passait des heures au téléphone avec Lisa et Valerie.

Quant à Henry, il ne souhaitait pas se marier, avec qui que ce soit d'ailleurs. « Non, ce n'est pas possible, je ne veux pas retomber *là-dedans*, à moins d'une très bonne raison – déductions fiscales, par exemple. » Mais Miriam prit cela comme un rejet. D'autant que, de son point de vue à elle, il était toujours marié avec Valerie, celle qu'il considérait comme son épouse « principale ».

Au moment de partir après le match, Miriam vint me voir. « Frangin, il faut que tu lui parles. Je sens que je suis en train de devenir dingue. L'autre nuit, j'avais une lame de rasoir, j'étais prête à me taillader. Aide-moi, je t'en prie. »

Le lendemain, je déjeunai avec Henry.

Il était à peine arrivé que je lui lançai :

« Tu es coiffé comme un dessous de bras, tu n'es pas rasé, tu as une trace suspecte sur ton tee-shirt. Tu fais un peu fou, mec, et ma sœur veut t'épouser.

— À ma place, mon pote, tu serais complètement dingue. Je crois que ce qu'il me faut, c'est une douzaine d'huîtres. Tu en prendras ?

— Volontiers. Des nouvelles de la fameuse Main ? »

Il leva les yeux de la carte des vins, rajusta ses lunettes. « Jamal, je sais que Miriam est une pipelette, mais j'insiste pour que tout le monde tienne sa langue. Je ne veux pas que cette histoire fasse le tour de Londres. Ou qu'elle circule dans les rédactions. C'est vrai que c'est drôle. Mais il y a un paquet d'argent en jeu.

— Une Main ? C'est la Main de Dieu ?

— C'est un dessin d'Ingres, putain. Une esquisse. Une sanguine, une femme de profil. La chambre de Valerie est tellement bourrée d'objets d'art. Je détestais y entrer. Son père était collectionneur. Les gens très riches sont peu soucieux de ce genre de chose.

— Je suppose que Lisa peut le garder.

— Et pour quoi faire ? Il n'est pas assuré et elle ne peut pas le vendre. Il n'y a qu'un voyou pour acheter ça, et elle les apprécie encore moins que sa propre famille. Ce qui est drôle, c'est que Valerie vit dans un tel brouillard d'égocentrisme qu'elle ne s'est même pas aperçue qu'il avait disparu. Lisa doit être dans son petit meublé, en train d'attendre que sa mère sorte de ses gonds. Bon, elle était énervée, elle a fouillé à droite à gauche dans la maison et a jeté son dévolu là-dessus. C'est une forme de révolte. Maintenant tout le monde s'intéresse à Lisa, à Valerie aussi, qui m'oblige à déjeuner avec elle. Et là, c'est reparti pour un tour. » Henry adorait imiter son accent britannique un peu cassant, qui rappelait les speakerines de la BBC des années 1960. « "Dieu du ciel, Henry, alors comme ça, il n'y a plus aucun respect pour les chefs-d'œuvre ? Est-ce cela notre relation à la culture ? Je siège au conseil de la Tate Modern ! C'est à moi qu'ils ont demandé de l'aide pour le Hay Festival. Je soutiens toutes les formes d'art les plus débiles pour le bien de la nation, je me bats pour sauver la culture en cette triste époque, et que fait notre fille ? Si les journaux l'apprennent, nous aurons vraiment l'air fin." Et ainsi de suite, ça n'en finit plus. Tu crois que j'ai mon mot à dire ?

— Qu'est-ce qu'elle attend de toi ? »

Il se pencha vers moi. « Valerie a bien une idée. Attends un peu : ça te concerne. »

Je le savais, Henry, avec une certaine raison, aimait confier ses problèmes aux autres, de manière à ne pas avoir à penser à ce qui fâche. Cela faisait une bonne forme de compromis avec Valerie, car il avait souvent besoin d'elle.

« Tu sais qu'elle te respecte, mec, ajouta-t-il.

— Elle pense que je suis un trou du cul et un frimeur. Je n'ai aucune relation. Ça fait trop longtemps que je n'ai pas eu un article favorable, ni même un article qui parle de moi.

— Tu traverses une mauvaise passe. Pourquoi tu ne publies pas quelque chose ?

— Et pourquoi, toi, tu ne le fais pas ?

— Mais, en ce moment, Valerie a beaucoup de respect pour toi, parce que Lisa, elle t'écoute. Ma fille ne jure que par tes bouquins, elle souligne des passages, elle connaît le sens de "abréaction", "cathexis". Je ne te demande pas une faveur, je te dis juste que cette garce a un loft à New York et que tu peux y aller quand tu veux. Pense au West Village avant de dire non. Je sais que tu adores flâner dans les librairies, les cafés.

— J'essaie de m'occuper des problèmes de santé mentale de ta fille et, en échange, je suis logé gratuitement à New York ?

— Comme si j'étais le seul à avoir des problèmes avec les femmes. Tu sais que je t'ai observé au Sootie.

— Tu m'as vu mater mon ex. Tu en as pensé quoi ?

— Je me suis interrogé sur l'impact d'un tel spectacle. J'espère seulement que tu revois Ajita. »

Je racontai à Henry que la dernière fois que j'étais passé à la maison, pour voir Rafi, j'avais caressé les cheveux de Josephine. Pas seulement parce que j'en avais envie ou parce qu'elle avait mal à la tête, mais parce que je cherchais le grain de beauté que j'avais vu au Sootie. Bien sûr, je ne l'ai pas trouvé. Puis je me suis rendu compte que je regardais du mauvais côté. Mais est-ce que c'était vraiment elle là-bas ? Est-ce que c'était vraiment moi ?

Henry posa sa main sur la mienne. « Mon vieux, je sais que c'est une vraie plaie, mais fais ce que tu peux pour ma fille. Si je n'arrive pas à récupérer ce tableau, ou si quelqu'un l'abîme, je vais le sentir passer. »

Je venais de quitter Henry, qui était resté au bar à lire le journal et finir la bouteille, quand Valerie a appelé.

Elle avait très envie de m'inviter à dîner mais, bien sûr, elle voulait parler de Lisa et de la Main. Je pouvais supporter une partie de ses discours, mais je déclinai l'invitation à cette soirée pour laquelle elle avait réuni une pléiade d'agents du cinéma américain, car je soupçonnais qu'elle allait profiter de l'occasion pour m'isoler dans une de ses « petites chambres » où elle m'entreprendrait encore au sujet de Lisa.

Maintenant, voilà qu'elle me disait :

« Évidemment, avec Lisa, il n'y a aucune raison de passer en revue son enfance, son adolescence, etc. comme tu fais d'habitude. On n'a pas le temps pour ces conneries. C'est une situation d'urgence : Lisa nous échappe, elle est en train de sombrer dans la folie. »

Je promis à Valerie que j'allais réfléchir à sa demande –

aider Lisa, certes, mais l'aider à quoi ? J'ajoutai que, personnellement, je ne croyais pas pouvoir faire grand-chose. Je ne croyais pas non plus qu'un refus puisse être réellement compris comme tel dans cette famille.

Quoi qu'il en soit, je ne m'attendais pas à entendre parler d'eux si tôt.

38

Quelqu'un sonna à l'entrée.

Mon dernier patient venait de partir et je me préparais à dîner avec Ajita. Elle avait appelé un peu plus tôt pour me dire qu'elle était libre dans la soirée, est-ce que je l'accompagnerais au Red Fort sur Dean Street ? Quand j'ai consulté ma messagerie, j'ai vu qu'elle m'avait envoyé un texto pour me dire qu'elle était fatiguée et qu'elle préférait se coucher. J'étais déçu : n'avait-elle pas rêvé de moi, ne s'était-elle pas languie de me revoir pendant des années, comme moi je m'étais langui d'elle ? Maintenant, probablement en réponse à ma timidité, la voilà qui avait du mal à sortir de son lit pour me retrouver.

Passablement agité et excité, j'envisageais de rendre visite à la Déesse. Plus tard, peut-être, j'essaierais de retrouver Henry et Bushy. Je voulais au moins savoir si Bushy avait réussi à jouer sans moi.

Aussi je m'imaginai que c'était Wolf qui sonnait. Mais c'était Lisa qui se tenait là, bicyclette à la main, tout sourire, ce qui n'était pas si fréquent.

« Tu es prêt ?

— J'étais censé t'attendre ? »

Elle haussa les épaules et continua de sourire sous son bonnet de laine mouillé. Je n'avais pas envie de grand-chose, si ce n'est d'une balade à pied, malgré la pluie. Je ne voulais pas l'inviter à entrer car, c'est sûr, elle serait restée jusqu'au mardi. J'attrapai mon manteau avant de sortir.

« C'est toi qui montes dessus, dit-elle en poussant la bicyclette devant moi. On part en voyage. »

Je pédalai une partie du chemin. Le vélo était gros et lourd, surtout quand elle s'asseyait sur le porte-bagages. Nous formions un disgracieux fardeau qui remontait péniblement Fulham Palace Road. Le reste du temps, elle trottinait derrière moi.

« On va où ?

— Dans un endroit pour se détendre. Ça va te plaire. »

Au bout de Bishop's Park, nous nous sommes trouvés face à une grille et, en l'ouvrant, nous avons découvert qu'elle donnait sur une sorte de champ. Il y avait de la lumière dans plusieurs cabanes. Autour, il faisait noir comme rarement à Londres.

« Viens », me dit mon guide.

Que pouvais-je faire, sinon la suivre dans cette traversée, en essayant d'éviter toutes les flaques ? Mais c'était sans espoir : mes pieds s'enfonçaient dans la boue et mes mocassins verts (des Paul Smith que j'adorais et que j'avais trouvés en solde) étaient complètement trempés. J'étais furieux, mais à quoi bon s'arrêter ou se plaindre à ce stade ?

Au bout du terrain, tout près de la Tamise, nous sommes arrivés devant une cabane. Elle m'y a fait entrer, éclairant l'intérieur avec sa lampe électrique. Elle alluma des bougies. Nous nous assîmes sur des cageots de bois et elle se roula une cigarette. Je remarquai une vieille photo de son père découpée dans un journal, accrochée au mur. Des gouttes d'eau nous tombaient sur la tête.

« J'adore venir ici. C'est propice à la méditation. Mais c'est plutôt humide. »

Elle se tut un instant.

« Qu'as-tu pensé quand j'ai pris l'esquisse d'Ingres ? me demanda-t-elle ensuite.

— C'est ton héritage. Qu'est-ce que ça change, que tu l'aies maintenant ou plus tard ? » J'attrapai une bougie et inspectai les étagères. « Voilà qui est plus intéressant. Qu'est-ce que c'est que ça ?

— Des objets que j'ai trouvés dans la Tamise et que j'ai lavés. »

Des cannettes de coca à moitié cabossées, des morceaux de vaisselle, des clés rouillées, des bouts de verre, une bouteille en plastique pleine de terre, un pommeau de douche, un bout de tuyau en métal. Certains objets avaient été récurés, d'autres étaient encore enveloppés dans leur linceul de vase grise. Dans ce lieu, ces objets abîmés exerçaient une étrange fascination qui poussait à les regarder plus attentivement, à s'interroger sur leur provenance.

« Je suis impressionné.

— C'est à la portée de tout le monde. Il suffit d'un seau et d'une brosse à dents. Et d'un fleuve aussi. »

Il y avait une pile de livres : Sylvia Plath, Anne Sexton, Sharon Olds, Adrienne Rich.

« Tu es venu ici pour lire. »

Bizarrement, je repensai à la bibliothèque que mon père s'était constituée au Pakistan et je me demandai si quelqu'un s'en servait aujourd'hui.

« Mes parents ne savent pas ce que je fais ici. Ça leur ferait trop plaisir.

— Tu écris, aussi. » Je regardais un bloc-notes couvert d'une écriture penchée.

« Ne leur en parle pas. Tu comprends pourquoi je ne veux pas qu'ils sachent ?

— Ce que tu leur caches, c'est à quel point tu leur ressembles. Mais tu as droit à ton jardin secret. Tout comme ils ont droit au leur. Tu as vu l'article de ton père dans le journal ? »

Elle hocha imperceptiblement la tête.

« Qu'est-ce que tu en as pensé ? »

Le week-end précédent, Henry avait écrit une lettre ouverte à Blair, expliquant qu'il démissionnait d'un parti auquel il avait adhéré au milieu des années 1960. À ses yeux, le parti travailliste était devenu un parti dictatorial, corrompu, qui n'était plus représentatif de ses idéaux. Au-delà du mensonge éhonté sur les armes de destruction, on n'y avait pas assez débattu de la question iraquienne, on n'y encourageait pas les voix dissidentes. Bien plus que la redistribution des richesses et du pouvoir, la seule chose qui préoccupait les dirigeants était de savoir si on avait parlé d'eux à la télévision. Qu'est-ce que Blair avait obtenu pendant son mandat, à part le salaire minimum et l'allongement de l'ouverture des pubs ? Pour Henry, le parti travailliste ainsi que d'autres organisations, dont les syndicats, étaient devenus des lieux de culte. Une telle évolution dévoyait la loyauté, mais aussi la liberté de chaque militant.

Henry m'avait montré son texte afin que nous en discutions. C'était un article polémique, fort, écrit avec colère, qui s'était vu accorder une demi-page dans un journal du dimanche plutôt à gauche, grâce au soutien du rédacteur en chef, un ami de Valerie. Ce qui avait surpris Henry, c'était le nombre d'amis et de collègues qui l'avaient appelé pour lui dire qu'ils étaient admiratifs de sa prise de position.

Après la publication de cette tribune, on l'avait invité au journal télévisé du soir, il était intervenu à la radio et avait écrit un autre texte. Il avait beaucoup à dire et il se rendit compte que les gens le trouvaient intelligent et éloquent. Il avait enseigné, mais il n'avait jamais vraiment parlé en public, ni de politique ni même de théâtre. Il craignait toujours de perdre son calme, de dire quelque chose de blessant ou d'exploser. Je lui dis qu'on le respectait parce qu'il n'était pas un pisse-copie payé à la ligne, ni un homme politique au visage fripé. Je détestais utiliser ce mot-là, tellement discrédité par certaines attitudes pompeuses et méprisantes, mais Henry était bien un « intellectuel », et il faisait ce qu'un intellectuel est censé faire.

Je dis à Lisa :

« Beaucoup de gens admirent ton père. Au moment où nous sommes impliqués dans une guerre, lui s'oppose avec ses mots.

— Génial ! Il raconte à tout le monde qu'il est contre la guerre... C'est super courageux ! Il quitte un parti auquel il n'aurait jamais dû adhérer... » Elle parlait à toute vitesse. « Pourquoi il ne soutient pas les insurgés en Iraq, les poseurs de bombes et les résistants des pays du monde entier ? Pourquoi il n'accepte pas l'idée que le conflit s'étende jusqu'en Grande-Bretagne ? Tout le monde le dit, même le gouvernement, que la réplique arrive. On va y avoir droit, ici même, à Londres. Blair a non seulement attiré les foudres du châtiment sur lui, mais sur nous aussi. Même un de tes hommes politiques, Robin Cook, a déclaré qu'on aurait été mieux inspirés d'amener la paix en Palestine plutôt que la guerre en Iraq. Pourquoi papa ne dit-il pas que notre système corrompu, notre matérialisme constituent le stade avancé d'une décadence telle que nous méritons ce qui nous arrive ? » Elle secouait la tête, comme si elle cherchait à éloigner la colère. « Ça me dégoûte, de devoir rappeler ces évidences. Si tu me racontais plutôt sur quoi tu travailles en ce moment.

— Ça faisait des mois que j'écrivais, sur une fille. Mais ça ne débouchait sur rien, tu vois le genre. » J'eus l'impression qu'elle acquiesçait. « Et puis j'ai trouvé un sujet. Il a émergé progressivement. Ou il était là depuis le début. La culpabilité.

— C'est-à-dire ?

— La notion de culpabilité. Son fonctionnement, ou ses effets. Les Grecs, Dostoïevski, Freud, Nietzsche. "Sans cruauté, pas de fête", écrit-il. La culpabilité et la responsabilité, la conscience – les incontournables.

— Pourquoi un sujet pareil ? Tu as tant de choses à te reprocher ?

— Heu, oui. C'est difficile d'y échapper. Entre autres, je me suis disputé avec mon fils. »

Je lui racontai. Le dimanche précédent, Rafi était venu passer la journée chez moi, à contrecœur. J'étais allongé sur le canapé, je lisais le journal, nous écoutions de la musique. Rafi était assis par terre, à mes pieds. Il était là à bouder, tout en jouant avec l'une de ses consoles. De temps en temps, il me faisait un doigt d'honneur, et si j'avais de la chance, deux doigts d'honneur. Quand il passait à côté de moi, il me bousculait et faisait semblant de n'y être pour rien. Est-ce que j'ai été comme ça ? Probablement, oui. Miriam, c'est sûr. Être un bon parent, cela veut dire accepter ce genre de comportement – enfin, jusqu'à un certain point.

Puis il a commencé à me pincer, fort. Ou bien je n'y prêtais pas attention ou bien je réagissais trop vivement. Je lui ai demandé d'arrêter, plusieurs fois, mais cela l'amusait. Il gloussait, il avait son petit sourire narquois. « Tu ne supportes pas, hein ? m'a-t-il dit. Femmelette. Je ne reviendrai plus jamais ici. T'as même pas le satellite. On est obligés d'aller au pub ou chez ta sœur pour voir le foot. C'est merdique. Tu pourrais pas te trouver une copine ? » Et le voilà qui se remet à me pincer.

J'ai pris mon élan et je lui ai lancé un coup de pied dans

la tête. Il n'a même pas crié. Il a juste basculé en arrière. Il
m'a regardé de ses yeux sombres remplis d'incompréhen-
sion, comme s'il avait été victime de la plus cruelle des trahisons. « Ma tête est tout engourdie.» Il s'est levé et il a
hurlé : « Je ne sens plus ma tête !»
Il a couru s'enfermer dans la salle de bains : il avait eu
mal, mais pas assez pour oublier son portable. Il a appelé
sa mère plusieurs fois. Quand j'ai réussi à le déloger, il a
passé le reste de la journée dans un placard et il a fallu que
je le supplie de sortir, debout derrière la porte. Je me disais
en moi-même : « Des années durant, petit connard, j'ai
sacrifié ma sexualité pour être avec toi. Alors, maintenant,
tu es prié d'être sympa.»
Au bout d'un moment, je l'ai laissé à son placard et je
me suis replongé dans mes journaux. Le soir, quand il est
rentré chez lui, j'ai vu qu'il avait pissé dedans. Il a raconté
à Josephine que je lui avais écrasé la tête, que j'avais essayé
de le tuer.
J'appelai Josephine pour m'excuser et m'expliquer. Je
pensais me faire passer un savon. Je lui dis que le garçon
avait compris ce dont les pères sont capables, quels
monstres ils peuvent devenir si on les pousse à bout. Il
m'avait cherché, il m'avait trouvé. Je lui avouai que j'avais
honte. Pourtant, j'étais sur la défensive. Mais elle se montra pleine de compréhension. À plusieurs reprises depuis
qu'elle avait recommencé à travailler – elle était certaine
que c'était cela l'explication –, il l'avait agressée. Il lui tirait
les cheveux, lui faisait peur. Parfois, il partait pendant une
heure, pour qu'elle s'inquiète. Maintenant qu'il était
devenu un adolescent difficile, il fallait qu'on se serre les
coudes. Si nous devions nous reparler – et nous en avions
envie tous les deux, j'en étais persuadé –, ce serait lui
l'intermédiaire. Nous ne pouvions nous aimer qu'à travers
lui.

Cela m'avait fait du bien, cette solidarité. Ce coup à la tête m'avait fait perdre le sommeil. Mais il avait un solide ego et n'était pas rancunier : le monde l'intéressait trop. Quand nous nous sommes revus la fois suivante, il essayait d'apprendre à jouer de la guitare électrique, et il a fallu que ce soit moi qui accorde sa guitare. Il voulait aussi que j'écoute les nouvelles chansons qu'il aimait. Il les avait enregistrées sur son ordinateur et me jetait des coups d'œil pour voir comment je réagissais.

« C'est moi tout craché, dit Lisa. Toujours à me disputer avec mon père...

— Lisa, pourquoi tu ne me remonterais pas le moral en me faisant la lecture ?

— Tu es sûr ?

— Je veux entendre ce poème que tu as écrit, là. Maintenant que tu m'as traîné jusqu'ici sous cette putain de pluie, autant que tu fasses quelque chose pour moi. »

Elle jeta sa cigarette, l'écrasa sous son talon et commença à lire, sans enthousiasme ni emphase. Son visage s'animait, sa langue claquait. Au bout de dix minutes, elle s'arrêta.

Je la remerciai et lui demandai :

« Tu n'as pas déjà publié quelque chose ? Je crois me souvenir d'une fois où tu en avais parlé. »

Il me semblait qu'à Oxford, elle avait fait des études de lettres et rédigé une thèse sur « folie et poésie féminine ».

« Oui, dans une revue d'étudiants. Ça n'a intéressé personne.

— Tu veux que je les montre à quelqu'un ?

— Imagine qu'ils veuillent les publier ? Non, je ne peux pas être artiste.

— C'est peut-être déjà le cas.

— Mes parents sont snobs. Des soi-disant artistes, il y

en avait tout le temps à la maison. Je refuse de m'attacher l'affection de papa-maman en rampant comme ça.

— Si on veut t'aimer, il faut que ce soit difficile, c'est ça ?

— Et pourquoi pas ? Ils ne voulaient même pas que je devienne assistante sociale. Et quand je me suis lancée dans ce métier, ils n'ont manifesté aucun intérêt. Ils ne m'ont jamais rien demandé sur les gens dont je m'occupe.

— Prends un pseudonyme.

— Pour mes études de cas ?

— Ce n'est pas à ça que je pensais, mais c'est une bonne idée. » Je soupirai et me levai. « J'y vais.

— Je suis désolée. J'ai été trop exigeante. Ce que tu penses compte beaucoup pour moi. Je ne trouve personne à qui parler. Il n'y a personne qui m'écoute vraiment. Je n'arrête pas de rêver de la mer, nuit après nuit.

— Tu as envie d'avoir un enfant ?

— Merde, j'espère bien que non, idiot. Tu as été trop loin, là. »

Je riais : je voyais bien qu'elle voulait m'embrasser et je la laissai faire. Je goûtais cette inconnue qui se tenait devant moi, sa langue à hauteur de ma bouche. Elle se serra contre moi et je tendis la main vers son sein. Je me demandais si j'allais réagir, si quelque chose allait se produire. Elle glissa le long de mon corps. Je la laissai me faire une pipe. C'était une façon honorable de compenser la perte de mes malheureuses chaussures.

« Je me disais que le poème n'était pas suffisant. On est tous les deux tout seuls. Reste dormir ici. On respirera l'odeur de la Tamise. On écoutera la pluie.

— Pas ce soir. »

Elle se leva.

« Je ne suis pas assez jeune, pas assez jolie pour toi ?

— Et réciproquement. »

Elle laissa tomber le bloc-notes dans un grand sac en plastique et me le donna. J'avais ouvert la porte quand elle me dit : « Prends ça aussi. » Je devinai que c'était la Main, enveloppée dans plusieurs couches de papier journal, toujours dans son cadre. Je la fourrai dans le sac.

La pluie tombait à verse. La boue était plus visqueuse encore. La cabane de Lisa était la seule où il y avait encore de la lumière. L'endroit était désert. Je me demandai si le sac était suffisamment étanche, si la Main ne risquait pas de s'abîmer.

La boue me collait aux pieds, mon pantalon était trempé jusqu'aux genoux. Je progressais à grand-peine sur un terrain couvert de flaques, en pleine nuit, transportant subrepticement un chef-d'œuvre et quelques poèmes dans un sac de supermarché. C'était aussi la nuit où Henry accompagnait Bushy à son deuxième concert, à l'occasion d'une fête privée. Un riche homme d'affaires distrayait ses associés avec quelques prostituées. Henry craignait que Bushy ne joue trop de « morceaux délires ». Il s'était efforcé de l'en dissuader.

Bushy voulait faire le concert tout seul, mais il avait suggéré que je les rejoigne. Un peu plus tôt dans la soirée, j'avais pensé monter dans un taxi et passer prendre un verre. Mais, maintenant, je ruisselais et j'aurais eu l'air crétin. Je regagnai la maison à pied. J'étais épuisé en arrivant.

Je me réveillai à deux heures du matin. À trois heures, je déballai la Main, la regardai et essayai de l'accrocher à différents endroits dans la pièce. Le cadre n'était pas très grand, trente-cinq centimètres sur quarante, papier gris. Tableau lumineux d'intelligence, de tendresse et de beauté. Ingres, au moins, n'avait pas perdu son temps. J'installai l'esquisse sur le linteau de la cheminée, à côté de la carte de Noël offerte par Madame Jenny.

Avant d'aller me coucher, je consultai mon téléphone

portable. Il y avait un message bizarre de Bushy, qui devait être très occupé pourtant. « L'info est arrivée », disait-il.

Le matin suivant, Wolf vint chercher son linge, qu'il avait mis à tourner dans ma machine à laver. Il allait et venait chez moi comme si nous étions des amis intimes. J'aurais dû couper court, mais je me disais qu'il ne reviendrait plus. Il m'avait dit qu'il n'aimait pas venir chez moi, car la première chose qu'il voyait en entrant, c'était son reflet, encadré dans le miroir en pied comme dans un cercueil.

Ce n'est qu'à midi ou presque, au beau milieu d'un cas particulièrement difficile – une femme qui s'était mise à se frapper elle-même, comme le boxeur de *Fight Club* –, que je me suis aperçu que la Main avait disparu.

Wolf, bien sûr, avait le nez pour ce genre de chose. Il avait compris que ce n'était pas n'importe quel tableau. Jusqu'à quel point ? Je n'étais pas sûr qu'il s'en soit rendu compte. Je l'appelai pour lui demander si, par hasard, il avait l'intention de me le rendre bientôt.

Je n'avais pas raccroché qu'il devait glousser.

39

J'avais eu l'intention d'appeler Henry pour lui dire que j'avais récupéré la Main. Il serait soulagé, et nous pourrions reprendre le cours de notre amitié comme si de rien n'était. Il était maintenant de mon devoir de lui dire que j'avais effectivement retrouvé le tableau et que j'avais passé du temps à aider sa fille, à la demande de Valerie. Sauf qu'il y avait un hic.

« Un de mes patients psychotiques a pris la Main alors qu'elle se trouvait dans mon appartement.

— Pris ? Tu as dit "pris" ?

— Oui, c'est bien ça. Désolé, vieux.

— Il l'a prise pour de bon ?

— Peut-être. Comment pourrais-je le savoir ? Est-ce que les fous justifient leurs intentions ?

— Mais prise par qui exactement, nom d'un chien ? » Il a commencé à hurler. « C'était qui ?

— Secret professionnel.

— Tu plaisantes. Tu es bien en train de me dire qu'il y a un fou qui se balade dans Londres avec le tableau d'Ingres qu'on a volé à ma femme ?

— Tout à fait.

— Et tu laisses faire ? C'est ça, ta révolte, que dis-je, ta haine vis-à-vis de moi ? Tu as changé de camp, c'est ça ?

— C'est sûr, la Main a coupé le cordon.

— Elle va revenir ?

— Qui sait ? Comme aurait dit Lénine, un pas en avant, deux pas en arrière. »

À l'autre bout de la ligne, j'entendais des bruits incompréhensibles. Je raccrochai.

À la fin de la journée, Henry passa. Nous nous étions souvent disputés, nous avions eu nos périodes de bouderie puis de vives discussions et, dans l'ensemble, ces accrochages nous plaisaient, mais pas toujours. Nous aimions bien nous frotter l'un à l'autre et nous ne nous étions jamais brouillés. Maintenant, je ne voulais plus entendre parler de la Main.

Quand j'ouvris la porte, je devais avoir l'air agressif et méfiant, car il posa aussitôt la main sur mon épaule : « Ne t'inquiète pas. Respire. Je ne vais pas remettre ça. Il y a des choses plus importantes dans l'existence que des traits de crayon sur un bout de papier. »

Nous avons déambulé le long des terrasses des pubs bondées sous le soleil. Nous sommes allés jusqu'au pont de Barnes, puis nous sommes revenus en empruntant le chemin de halage vers le pont d'Hammersmith. Sur l'autre rive, il y avait une réserve ornithologique abandonnée, avec un banc qui surplombait la Tamise. Nous nous y sommes assis un moment.

« Je voulais te voir, dis-je. Je vous aurais volontiers rejoints la nuit dernière, si je ne n'avais pas été occupé avec ta famille.

— Je t'en remercie. C'était drôle hier. Il y a d'abord eu un petit moment de panique, parce que l'organisateur de la soirée a appelé pour annuler. Comme toujours dans la vie, il n'y avait pas assez de filles. Mais comme je suis dans le créneau des agents artistiques, j'ai pu me rendre utile.

— Toi ?

— Bushy a appelé le Cross Keys et il est venu à la soirée avec trois strip-teaseuses d'Europe de l'Est qui avaient
très envie de se faire de l'argent. Mais, tu ne devineras pas,
elles étaient accompagnées de leur manager, un certain
M. Wolf.

— Le grand méchant Wolf ?

— Tu le connais. M. Wolf est resté toute la soirée, esti-
mant que ses protégées avaient besoin qu'on assure leur
sécurité. Il était très content du déroulement des opérations.

— En quel sens ?

— Il avait une valise pleine de poudre et il y avait des
tas d'amateurs. Bientôt, filles et gars étaient noyés dans un
beau brouillard. Si je n'y avais pas mis un terme vers trois
heures du matin, je crois bien qu'on y serait encore.

— Et Bushy, comment était-il ?

— Il n'était pas sûr de pouvoir jouer sans t'avoir à portée de main. J'ai été obligé de lui dire qu'il me rendait service, qu'il était plus un assistant qu'une star. Apparemment, ça a suffi. Mais, pour une raison qu'il n'a pas voulu
m'expliquer, il portait un plâtre sur le nez. Il ressemblait
à Jack Nicholson dans *Chinatown*. À un moment, son
visage est devenu rouge et il a commencé à cligner des
yeux frénétiquement. Je crois que personne ne s'en est
aperçu. Puis il a fermé un œil, écarquillé l'autre. Le
deuxième commençait à enfler. Une des filles s'est mise à
faire de l'hyperventilation. On a dû la sortir pour la calmer, mais ce fut une perte sèche pour le reste de la soirée.
Wolf est l'un de tes plus vieux amis, si ce n'est le plus
vieux, et je ne l'avais jamais rencontré auparavant.

— Qu'est-ce qu'il t'a dit ?

— Au cours de la soirée, il m'a raconté pour Valentin,
Ajita et l'usine de son père. J'avais oublié que tu avais été
mêlé à ça. Je me souviens avoir lu des choses sur le sujet à

l'époque. J'aurais assez envie de dire que Wolf est obsédé par toi, non ? Il veut me revoir pour qu'on parle. Ça te poserait un problème ?

— Oui.

— Bien sûr, j'ai eu droit au meurtre qui n'a pas été élucidé, au récit des trois années entières dans les geôles syriennes. Ne fais pas cette tête ! Personne n'est irréprochable. »

Henry vida son verre. Il allait chez Miriam. L'un des chiens était malade, elle avait besoin de lui. Miriam était plus souvent seule qu'elle ne voulait bien l'admettre. Les enfants, des adolescents maintenant, dormaient où ils pouvaient, souvent chez des amis. L'un de ses garçons les plus adorables avait besoin de changer d'air : il était même parti s'installer en banlieue chez maman et Billie.

Je voyais souvent Miriam, d'autant qu'elle avait le bouquet numérique avec l'option foot que je ne m'étais pas résolu à prendre, mais je refusais de dormir là-bas. Elle était toujours parfaitement capable d'accès « délirants » où elle hurlait, se roulait par terre et tapait contre les murs. Parfois, chez elle, j'avais l'impression qu'on m'avait fait passer de l'autre côté du miroir et qu'un tourbillon m'avait ramené à l'époque de mon enfance.

J'avais bien pensé accompagner Henry, mais Bushy m'avait appelé un peu plus tôt. « J'ai l'info, avait-il répété. Je t'attends. »

Je me demandais si c'était une si bonne idée que cela de se retrouver au Cross Keys pour en parler, car Wolf y serait. Mais Bushy s'en moquait, il avait d'autres affaires à régler à la même heure.

Après avoir quitté Henry, je marchai jusqu'à l'arrêt d'Hammersmith et pris un bus dans le centre commercial. Il n'avançait pas vite, particulièrement le long d'Uxbridge Road. Des gamins nous cassaient les oreilles avec la musique qu'ils écoutaient sur leur portable. Il y avait une sacrée puanteur là-dedans. Toutes les nations étaient représentées apparemment et je me demandai si quelqu'un aurait pu identifier la ville où l'on était rien qu'en observant les passagers de ce bus.

Bushy avait retiré son pansement. Il était assis dans un coin. Wolf, qui travaillait ce soir-là, était à l'autre bout du bar. La Harpie m'apporta une vodka. Elle voulut s'asseoir, mais je lui expliquai que Bushy et moi parlions affaire.

« Wolf et toi, vous avez passé une bonne soirée, à ce que je sais.

— Psy-mon-ami, tu as raison. Cet homme ne tient pas en place. »

Bushy rapprocha sa chaise pour me chuchoter quelque chose à l'oreille. Nous étions comme deux vieux qui bavardent au pub.

« De quelle information tu parles ? »

Il jeta un coup d'œil circulaire puis me regarda. « Tu n'es donc pas au courant ? J'ai fait des recherches pour toi. Écoute un peu. »

Il m'expliqua que l'heure à laquelle on mettait les clients dehors au Cross Keys, c'était toujours 22 h 30. Le pub ouvrait à midi et il était plein toute la journée, particulièrement en début de soirée, mais il fermait parmi les premiers. Comme d'autres business du quartier, mini-compagnies de taxis clandestins, sex-shops, strip-tease, épiceries qui vendaient de l'alcool en dehors des heures légales, la Harpie avait arrosé la police locale mais ne souhaitait pas que certains débordements attirent inutilement l'attention. À l'heure de la fermeture, un des Africains reconduisait Wolf vers les quartiers ouest.

Bushy m'apprit aussi qu'à Soho, Wolf avait commencé à travailler comme portier dans un club à la mode, le Sartori. Arnaqueur-né, il n'avait pas mis dix jours à com-

prendre à quel point ce travail était lucratif, essentiellement grâce aux pourboires que les videurs touchaient pour
laisser entrer les photographes tchatcheurs qui, toute la
nuit, faisaient la tournée des clubs du West End et
gagnaient des fortunes s'ils rapportaient la bonne photo.
Les photographes avaient besoin de savoir qui se trouvait
dans le club (quel footballeur, quelle vedette de feuilleton
télévisé, quel chanteur de rock, ou quel acteur de cinéma
– ils monnayaient leur célébrité contre une vie d'exposition permanente), s'ils étaient défoncés à la coke, soûls, en
train de copuler, ou les trois en même temps.

L'information circulait rapidement dans l'écosystème
d'un club. Elle était d'abord lancée par les assistants sani-
taires – ces Africains dont le travail de nuit consistait à
nettoyer les toilettes, à offrir des serviettes aux célébrités,
à nettoyer leur merde et à ramasser de maigres pourboires. Ils donnaient l'impression d'être invisibles, mais
ils se rendaient bien compte de qui fumait quoi, qui snif-
fait quoi. À l'étage, l'équipe du bar, la sécurité et les
patrons faisaient partie de cette chaîne d'associés : chaque
verre, chaque avance, chaque regard était scruté par des
yeux qui passaient inaperçus. Wolf et sa clique avaient
aussi accès au système de vidéosurveillance du club. Ils
vendaient le bon morceau de bande au bon intermédiaire
sur Internet.

« Ce que je viens d'entendre ne me surprend pas,
Bushy. Je trouve ça bien pour notre ami d'avoir une activité et de gagner sa vie.

— Mais est-ce que tu connais la suite ? Il a l'intention
de se faire entretenir par du plus gros. Il est rusé jusqu'à la
moelle. Il y a une riche poulette indienne qui habite le
West End. Après le travail, il va la voir. Elle a une belle
maison, dans une rue tranquille de Soho. Tu la connais

toi, Jamal ? » Il me donna plusieurs coups de coude insis-
tants. « Oui ou non ?

— Oui, oui, Ajita.

— C'est ce nom-là, je crois. Tu l'as bien dit.

— Tu en es sûr ? »

Bushy se tapota le nez. « Tout passe par le Cross Keys.
Dehors, les chauffeurs parlent, toutes les filles jacassent.
Mais c'est moi qui ai assemblé les pièces du puzzle,
comme tu fais avec les rêves.

— Mais, Bushy, je m'y perds un peu et ça m'énerve. Tu
m'as dit que Wolf avait commencé une relation torride
avec la Harpie.

— Regarde-la ! Ça n'a pas duré. Tu peux imaginer
pourquoi. La Harpie se doute que Wolf a quelqu'un
d'autre. Ça ne lui plaît pas, mais elle ne veut pas le perdre.
Il s'occupe de l'électricité, de la plomberie, des peintures et
de tout un tas de trucs. Tu sais, je travaille pour Miriam,
pas pour la Harpie. On forme une famille. La Harpie n'a
jamais été mon employeur. Je lui ai juste rendu quelques
menus services.

— Elles disent quoi les rumeurs, à propos de Wolf et
de cette fille ?

— Il la met en danger.

— Comment ça ?

— S'il veut avoir son nom dans le contrat pour le pub
et tout le toutim, pour être au même niveau que Jenny la
Harpie, il ferait mieux de ne pas la contrarier en allant
voir d'autres femmes. »

Wolf voulait donc racheter le Cross Keys. C'est sûr, il
avait commencé à travailler dans les chambres à l'étage. La
Harpie voulait les louer pour des usages privés. Mais on
racontait aussi que le Cross Keys serait vendu, transformé
en pub où l'on mangerait du risotto au basilic servi avec
des bières espagnoles et des tranches de citron vert coin-

cées dans le goulot. C'était la fin du pub de quartier, la fin des endroits rustiques et bon marché. Le Cross Keys ne donnait pas le sentiment de pouvoir survivre au changement. On était en train de refaire toute la décoration de Londres. Peut-être un jour la ville serait-elle rebaptisée du nom d'un supermarché comme Tesco's.

« Wolf est plus qu'un peu fou. Si la Harpie refuse de le laisser gérer le pub avec elle, ou même si elle le renvoie, il pourrait exploser. Il est déjà assez limite comme ça, dis-je.

— Toubib, ne le prends pas mal, mais tu as pensé que c'était peut-être toi le dingue ? Parano et compagnie ?

— Je ne sais pas.

— Wolf, au moins, il baise. Je suis désolé de te le dire, mais ils le font souvent, d'après ce qu'il raconte aux filles. Il va finir par se calmer.

— Ah ? Rien de bon ne sort de ce genre d'expérience. Ça peut même être pire. Les dingues sortent toujours des institutions psychiatriques parce qu'ils se sont calmés. La semaine d'après, ils sont attablés devant une assiette de couilles grillées.

— C'est toi le docteur, fit-il avec désinvolture, au point que je me demandai si c'était vraiment le cas.

— Pour Ajita, j'aurais dû deviner. Peut-être que je l'avais deviné, inconsciemment. Maintenant, je ne peux que m'inquiéter de ce qu'il va lui raconter.

— À propos de ton crime crapuleux ?

— De mon crime crapuleux, oui.

— Ça te turlupine ?

— Parfois.

— Hmm, je déteste ça. »

Je m'aperçus que Bushy se regardait le nez dans le miroir et se le caressait. Je le remerciai de m'avoir tenu au courant et passai du côté du bar où les filles travaillaient.

Je commandai à boire à Wolf et lui dit :

« Wolf, s'il te plaît, j'ai besoin que tu me rendes ce dessin. Tu me l'as volé alors que je suis un vieil ami. Comment tu as pu me faire ça ? Quel genre d'homme es-tu ?

— Baisse d'un ton. Je ne suis pas un voleur. » Il se pencha par-dessus le bar. « C'est un emprunt en lieu et place d'autres paiements.

— Les choses ne se passent pas mal pour toi. C'est moi qui ai organisé tout cela. Ce n'est pas une récompense suffisante ?

— Un boulot dans un bar ? » Il me regarda comme s'il allait me cracher dessus. « Tu as grillé ma vie entière comme on grille une cigarette, jusqu'à ce qu'il n'en reste plus que des cendres. »

J'allais sortir du pub quand je me suis ravisé. Je poussai une porte marquée « privé » et montai en courant l'escalier qui menait à la chambre de Wolf. Comme toujours, son coin était impeccable : vestes et pantalons rangés sur des cintres, chemises classées par couleur, matériel de rasage posé sur une étagère au-dessus de l'évier. Le reste de la pièce était un tel chaos de meubles cassés, de rideaux déchirés et de cartons que je n'aurais pas su par où commencer si j'avais essayé d'y chercher la Main.

« Vous pouvoir aider moi ? » Une des filles se tenait dans mon dos, légèrement vêtue d'un négligé vaporeux et d'escarpins à talons aiguilles roses. La lumière l'éclairait par-derrière. Elle ressemblait à un personnage de Fassbinder, un de mes réalisateurs préférés. « Vous être le psychiatre et vous pas reconnaître moi ?

— Bonsoir Lucy, comment vas-tu ? »

Elle haussa les épaules.

Je lui demandai :

« Un petit coup rapide, ce serait possible ?

— Vous croire que "petit coup" genre à moi ? » fit-elle en s'approchant. Elle me décocha un large sourire avant de faire semblant de me donner une gifle. « Vous chercher quoi ici ?

— Je crois que Wolf a peut-être quelque chose qui m'appartient. »

Comme elle ne donnait pas l'air d'avoir saisi un traître mot de ce que j'avais dit, je l'embrassai et lui pris la main. Nous avions une drôle de manière de nous regarder. Wolf fit irruption dans la pièce. Il avait l'air irrité, inquiet, comme s'il savait qu'il m'avait enfin pris sur le fait, s'y était préparé et devait m'affronter maintenant.

« Je cherche juste un string pour remplacer mon fil dentaire, dis-je.

— Salut, Lucy. » Il me fit un clin d'œil et me lança avant de sortir : « Toujours tes plans bizarres ? »

« Lui être mauvaise humeur aujourd'hui », constata Lucy.

Je riais au moment où je lui donnai mon numéro de portable. Je repensai à Valentin, à son charme, à son aisance avec les femmes qu'il ne connaissait pas. C'était un homme rare, qui n'avait pas peur des femmes. Je trouvais étrange de m'identifier encore à cette partie de lui, après tant d'années.

Je la suivis dans l'escalier et la regardai le temps d'une danse. À la fin, j'allai la saluer, l'embrassai et lui dis : « J'ai hâte de te voir toute habillée. »

40

Cette nuit-là, j'appelai Ajita mais je n'obtins aucune réponse. Je décidai de laisser passer quelques jours pour voir si elle me rappellerait. Toujours rien. La semaine suivante, c'est moi qui la rappelai et je lui demandai si elle avait du temps à nous consacrer. Elle avait une voix endormie au bout du fil mais elle me dit malgré tout qu'elle avait « beaucoup » pensé à moi. Nous nous sommes fixé deux rendez-vous pour déjeuner, mais chaque fois, elle a annulé, prétextant un rhume.

J'ai fini par laisser un message où je lui disais que je serais là en fin de semaine. Je pensais l'appeler pour la retrouver en début de soirée, au moment où j'étais sûr que Wolf serait retenu au Cross Keys, quelques heures avant ses excursions nocturnes.

J'avais envie de la voir, j'étais prêt pour nos retrouvailles et, apparemment, elle aussi était prête – enfin. Elle m'avait envoyé un texto m'indiquant qu'il y avait « quelque chose » qu'elle voulait me montrer au plus vite. C'était « urgent ».

Avant que j'aie eu le temps de me demander ce qu'elle voulait dire – allait-elle me parler de Wolf, de quelque chose qu'il lui avait dit ? – je reçus un coup de téléphone paniqué de Miriam. Elle m'annonça qu'Henry avait disparu.

« Il est parti où ? De quoi tu parles ? »

Je parvins à comprendre qu'elle avait fait piquer l'un de ses chiens, à domicile. Au cours de ce qu'elle appelait la « cérémonie », Henry était parti. Il avait dû aller à son appartement, ou ailleurs. Il n'était pas rentré depuis trois jours et n'avait pas donné le moindre signe de vie.

« Est-ce que tu l'as appelé ?

— J'ai peur de le faire. En fait, si : je l'ai appelé plusieurs fois, mais j'ai raccroché dès que j'entendais sa voix sur le répondeur. Je sais qu'il déteste parler au téléphone. Mais qu'est-ce qu'il cache – tu penses que je devrais m'inquiéter ? Et s'il avait sauté sur une bombe ?

— Quoi ? Mais pour quelle raison ?

— S'il prend un train, comme dans les attentats de Madrid. Deux cents personnes tuées. Ça pourrait arriver ici, non ?

— Je pense sincèrement qu'il a plus de chances de décrocher un oscar.

— Et s'il m'avait quittée ? Je serais détruite.

— Il t'a dit qu'il te quittait ?

— Il a juste marmonné qu'il ne voulait pas penser au dalmatien. »

Je soupirai. Elle commença à pleurer.

« C'était déjà assez atroce de devoir le faire piquer. Mais c'est sa peste de fille qui l'a monté contre moi. Tu sais où elle habite ? Je vais trouver son adresse et je vais lui régler son compte – pour de bon, ce coup-ci. »

Plus tard, j'allai chez Ajita et je décidai d'en profiter pour passer chez Henry, n'imaginant pas vraiment que je puisse le trouver là. Il avait peut-être pris un avion, comme il le faisait parfois, pour s'exiler quelques jours dans une ville étrangère, Budapest ou Helsinki, afin de pouvoir dessiner, lire, visiter des musées.

Mais la fenêtre s'ouvrit et je le vis se pencher à l'extérieur. Il descendit aussitôt m'ouvrir, en pantoufles. Il était de bonne humeur, franchement excité, et ne donnait pas l'impression de traverser une crise.

« C'est le chien qui a tout déclenché ? lui demandai-je, tandis que nous marchions en direction de la station de métro et passions sous le pont d'Hammersmith.

— C'était vraiment un bon chien. Je l'ai souvent promené. C'est la "cérémonie" qui était peu ordinaire.

— En quoi ? »

Miriam avait invité quelques voisins, les enfants, d'autres amis et, bien sûr, Henry, pour qu'ils soient là au moment où le vétérinaire injecterait le liquide fatal.

« Je me suis agenouillé, puis je me suis couché, la tête sur le cœur du chien mourant – de ce chien qui ne savait pas qu'il allait mourir. J'ai accompli ce rituel avec amour. Je me suis roulé par terre avec toute l'impudeur dont j'étais capable, poussant même les cris de douleur que l'on peut imaginer dans de telles circonstances. On ne peut pas m'accuser de m'être dérobé à mes devoirs vis-à-vis du chien.

— J'ai hâte de voir la vidéo.

— Mais quand ce fut le tour des autres, j'ai compris que je ne pouvais pas rester avec des gens qui avaient envie d'embrasser un clébard agonisant. Ma phobie, c'est le vertige de l'ennui abyssal. Je suis terrifié à l'idée d'être englouti, absorbé. Je n'ai jamais cessé de le fuir.

— Ou de t'y précipiter. »

Il se tut un instant, puis il poursuivit :

« Miriam et moi, on avait décidé de sortir en boîte plus tard dans la soirée, au Midnight Velvet. Ça vient d'ouvrir. »

J'ai dû faire un genre de grimace.

« Le Sootie, ça ne t'a pas plu ?

— Pas du tout. Je me suis senti malheureux comme

les pierres, déprimé, surtout de voir Josephine. Ça m'a contrarié de me dire que je m'étais laissé convaincre d'y aller.

— Tu m'en veux ?

— Un peu, mais c'est surtout à moi que j'en veux.

— Je suis vraiment désolé, Jamal. Je suis plutôt d'accord avec toi. Pendant des mois, j'ai eu envie d'aller au bout de mes désirs, de marcher sur le fil du rasoir. Mais, moi non plus, je ne me sens plus obsédé ni attiré par ces lieux. N'est-ce pas ma propre fille qui m'avait traité d'enculé défoncé ? Je n'avais pas affronté l'épuisement de ma décadence. Je me suis senti sale, je me dégoûtais. J'étais devenu ce chient mourant. Quelque chose de ma vie d'avant me manquait. Je suis parti de chez Miriam sans la déranger. Elle était avec ceux qu'elle aimait, et je suis rentré chez moi. Le monde selon Bush et Blair, avec ses corps ensanglantés, déchiquetés, me rendait malade. Je me sentais de plus en plus impuissant. Mais cette nuit où le chien est mort, j'ai veillé jusqu'à l'aube. J'ai lu de la poésie, Shakespeare, Dostoïevski, passant d'un livre à l'autre, tout en écoutant Mahler, Bach. L'art n'est-il pas ce point fixe, ce point d'ancrage du sens, dans un monde qui se débat ? J'ai noté des idées, j'ai envoyé des mails aux acteurs que je voulais contacter pour le documentaire. J'ai commencé à préciser mon projet pour *Don Giovanni*.

— Ces derniers temps, j'en étais venu à me demander si tu avais dépassé le stade de la plus utile des vanités masculines, la réputation.

— Non, j'y pense bel et bien. J'espère ne pas avoir fait trop de mal et avoir été un peu utile. Je ne voudrais pas avoir trahi mon intelligence ou mon talent, si minime soit-il. Ça existe, le talent, tu sais, et ça ne s'explique pas. Chaque année, quand je finissais un journal intime, j'y inscrivais les mêmes mots : "Dieu merci, pas de quoi avoir honte." Mais, cette année, je n'ai rien écrit du tout.

— Et pourquoi ce ne serait pas bien de végéter un peu, de te mettre en jachère ?

— Tel un personnage de Tchekhov qui veut travailler mais qui ne sait pas par où commencer, j'étais persuadé que mon ambition artistique s'était tarie. Et, maintenant, je retrouve une forme d'énergie.

— Tu en as de la chance, d'être porté par une nouvelle déferlante. C'est Miriam qui va être contente.

— Je la vois ce soir et je vais essayer de le lui expliquer. Est-ce que tu passeras tout à l'heure ?

— Je vais retrouver Ajita.

— Il y a de l'espoir de ce côté-là ? me demanda-t-il doucement.

— À mon avis, on va se voir quelques instants, et puis ensuite, elle s'en ira.

— Nom de Dieu, Jamal, c'est terrible ce que tu me dis. Je sais maintenant que tu as attendu cette femme pendant longtemps et puis... Et puis quoi ? C'est juste que ça n'a pas marché ?

— Rien ne dit que ça ne marchera pas, au bout du compte.

— Mais il y a quelque chose de triste, là, non ?

— Oui, quelque chose d'impossible. »

Nous nous sommes serrés dans les bras l'un de l'autre, puis Henry est rentré chez lui. J'ai pris le train – là, au moins, j'avais des chances de pouvoir lire. Tout comme Henry, je voulais encore apprendre, comprendre.

Chez Ajita, la gouvernante portait un uniforme blanc impeccable, comme dans les romans victoriens pour enfants que j'avais lus à Rafi. Elle me conduisit à la chambre d'Ajita, au dernier étage, frappa à la porte, et m'annonça :

« Mademoiselle, le monsieur que vous attendiez est là.

— Merci. »

Ajita sortit m'accueillir. Elle m'embrassa. Elle m'avait presque décollé une oreille en brandissant une mince boîte sans inscription.

« C'est juste un DVD, mais je pense que ça va t'intéresser. Je sais à quel point tu es curieux de tout un tas de choses.

— Ah bon ? Je croyais que tu avais des choses à me dire.

— Non : à te montrer. Tu vas être surpris, j'en suis sûre. »

41

La chambre occupait tout l'étage et possédait des fenêtres mansardées que je trouvais très parisiennes. Elle donnait sur un alignement de toits, d'antennes et de cheminées du quartier de Soho. Un peu plus loin, un serveur fumait, penché à la fenêtre.

Au bout du lit d'Ajita, trônaient un large écran plasma et une chaîne hi-fi sur laquelle elle avait branché un iPod. Mon ex-petite amie écoutait une chanteuse de funk léger, Lauryn Hill ou quelqu'un d'approchant, esquissait quelques pas de danse. Pieds nus, en robe de chambre, les cheveux mouillés, elle était de bonne humeur.

« Tu te couches déjà ?

— Je me lève tout juste, tu veux dire. Je mange tard. Tu sais que, Mushy et moi, on fonctionne comme ça.

— Il est là ?

— C'est lui que tu veux voir ? Il est reparti aux États-Unis pour trouver de l'aide pour Alan. Il est très malade. »

J'avais l'impression que je l'agaçais. Peut-être n'avait-elle pas vraiment envie de me voir.

« Jamal, excuse-moi d'avoir tout le temps changé d'avis ces derniers jours. J'étais très occupée avec les avocats.

— Comment se fait-il ? »

Elle marqua un temps d'hésitation. « J'ai parlé aux

enfants tous les jours, à mon mari aussi. Je n'arrêtais pas de dire que j'allais revenir, mais chaque fois que j'achetais le billet, je me disais : "À quoi bon ?" Mark est furieux, il veut me ramener à la maison. Donc, je lui ai dit que j'ai décidé de divorcer. Il est gentil, il ne mérite pas ça. Mais j'ai élevé nos enfants, j'ai fait mon devoir. Maintenant, je dois passer à autre chose.

— Qu'en pense Mustaq ?

— Pourquoi diable te sens-tu obligé de me demander ça ? Bien sûr que ça le perturbe. Il aimait bien ce mariage. Il n'arrête pas de répéter que j'ai besoin de stabilité. Mais il y a des choses que je dois absolument faire ici.

— Ça fait un moment que tu es à Londres.

— Toi aussi, tu vas faire en sorte que je me sente coupable ?

— Ton absence me rappelle l'absence de ta mère quand on a commencé à sortir ensemble. Elle n'était jamais là, et c'est ainsi que ça a commencé avec ton père. » Elle garda le silence, furieuse. Ce qui n'était pas surprenant. « Mais tu as des choses constructives à faire ici, avec ton amant. Tu me l'as dit à Venise.

— Exactement.

— Tu vas l'épouser ? »

Elle étouffa un gloussement. « Ce n'est pas une relation officielle. C'est une rencontre. Il me donne... Je peux bien te le dire ? Pour une raison que je ne comprends pas, je t'ai toujours fait confiance. Comment pourrais-tu être choqué ? Il... Il... » Je regardais ses lèvres, elle faillit prononcer son nom. « Il m'adore, il m'attache, il me vénère, il me frappe, mais très doucement. On parle de tout, de lui, de moi, du passé, du futur, de nos rêves, de nos fantasmes. Il me possède, intuitivement. Jamal, ça se passe à un niveau religieux et spirituel. Je n'ai jamais éprouvé cela auparavant.

— On devrait fêter ça.

— Tu ne dis pas ça pour blaguer ? Oui, pourquoi pas ?
Je n'y avais pas pensé. Sacré fêtard ! »

Elle sonna. Bientôt, la gouvernante apparut avec du
champagne et des flûtes. Puis elle proposa un choix de
vêtements à Ajita. Je l'aidai à s'habiller pour sa soirée et
finis le joint qu'elle avait laissé dans le cendrier à côté du
lit. Elle portait une robe noire courte, des hauts talons, un
ras du cou ; elle se fit un chignon. Elle me serra contre elle
et m'embrassa le visage.

« Tu as laissé passer ta chance, mon chéri, tu le sais. Je
ne me suis pas sentie comme ça depuis que je t'ai rencontré à la fac. Trésor, j'allais oublier. Avant qu'on ne se quitte
ce soir, tu veux bien regarder quelque chose ?

— Qu'est-ce que c'est ? »

Elle s'approcha de la télé, ouvrit le tiroir du lecteur,
posa le DVD sur le chariot. « Voilà. Vas-y, regarde bien
jusqu'au bout.

— Tu ne restes pas avec moi ?

— Je reviens. »

Quand elle quitta la pièce, je songeai un moment à partir mais, finalement, je me calai entre deux coussins. Pourtant, j'étais irrité de constater qu'elle m'avait invité uniquement pour que je la regarde se préparer à sortir avec un
homme qui voulait détruire ma vie et dont elle ne pouvait
se résoudre à me dire le nom.

Si le joint qu'elle m'avait donné était fort, le DVD
l'était plus encore. Elle le savait pertinemment.

J'ai dû regarder une bonne partie du documentaire.
Soudain, le passé resurgissait, tangible, avec ses visages
familiers que je voyais défiler sur l'écran, comme dans un
rêve dont je n'aurais pu m'extirper. J'avais la tête qui tournait. J'étais pris de vertige. Le monde risquait de s'écrouler
si je continuais à regarder.

Je me levai et traversai la pièce. Bientôt je me retrouvai la tête au-dessus de la cuvette des toilettes. J'ouvris les fenêtres et, haletant, j'aspirai une longue goulée d'air de ce tumultueux quartier de Soho. Je pris une douche fraîche. Ajita rentra dans la pièce au moment où je me séchais. Elle ne parut pas surprise de me voir ainsi mais elle alla me chercher un peignoir et de l'aspirine.

« Alors, tu l'as regardé ?

— Plus que je n'en avais besoin.

— C'était dur ?

— Très.

— Une révélation, quasiment ?

— Peut-être, oui. Qui d'autre l'a vu ?

— Mustaq. Il l'a regardé de son côté. Puis il a éteint, et il est sorti faire une de ses longues balades silencieuses et épuisantes, où ses bras s'agitaient autant que ses jambes. Mais qu'est-ce que j'en ai à foutre de ce qu'il pense ?

— Pourquoi tu dis ça ?

— Il me met en rogne, Jamal. Il revient à Londres pour le week-end, me dit de m'asseoir et se plaint de l'existence que je mène, de ce que je fais. Il ne veut pas que je sois indépendante. Je suis comme une ado : c'est à lui que je dois demander si je veux un appartement, si je veux de l'argent pour monter une affaire avec un ami.

— Quel ami ? L'homme de ta vie ?

— C'est ton tour maintenant ! Qu'est-ce que ça change ? Quel ami ? Pendant des années, j'ai aidé Mustaq, je l'ai conseillé et il en est encore à me dire : "Quand est-ce que tu vas faire quelque chose de vraiment sérieux, Ajita ? Tu vas nous faire le coup de la petite fille riche et gâtée qui se fait exploiter par un "ami" ?"

— Tu as répondu quoi ?

— Je lui ai envoyé une de ces gifles ! Ça m'a fait un

bien fou. Et je lui ai dit que j'allais partir. Pendant que je faisais ma valise, il est entré dans ma chambre, il a jeté tous mes habits par terre en me disant qu'il fallait que je reste. Puis il m'a agrippée. Il ne voulait plus me lâcher. Je lui ai écrasé le pied. J'ai hurlé : "Qu'est-ce que tu vas me faire ? Me mettre en prison, comme papa ?" Finalement, il m'a lâchée, mais il était furieux. Il a assez de problèmes comme ça. J'ai accepté de rester, mais au premier mot de travers, je me tire. »

Une fois dehors, Ajita m'accompagna jusqu'à Dean Street où le taxi qu'elle avait commandé viendrait me chercher. Elle me prit le bras.

« Ça ne te manque pas, cette fascination ridicule dans laquelle nous plonge l'amour ? » me demanda-t-elle en se rapprochant. Elle remonta sa robe pour me montrer ses jambes une dernière fois : « Qu'en penses-tu ? »

Elle se moquait de moi, maintenant. Elle savait que je l'enviais. Elle était plus libre que moi. Plus satisfaite aussi.

Nous nous sommes serrés l'un contre l'autre et je l'ai regardée partir, vers Wolf. Je montai dans le taxi et demandai au chauffeur qu'il me ramène chez moi. Au bout de cinq minutes, je décidai d'aller au Cross Keys. Je pourrais y prendre un verre et, dans la soirée, je demanderais à l'un des Éthiopiens de me ramener.

Je poussai cette porte familière et me dirigeai vers le bar. Lucy, ma Slovaque blonde, allait entrer en scène. Elle me fit signe de la main, les hommes tournèrent la tête vers moi. Je la regardai danser, observant les clients qui l'observaient. À la fin, elle vint me rejoindre et mit ses bras autour de mon cou. Wolf était parti depuis un petit moment. Quand elle eut fini son strip-tease, nous montâmes dans sa chambre.

« J'aime voir toi. J'aime quand toi entrer. »

Je m'allongeai sur le matelas et me mis à fumer, lui proposant de m'imiter. Elle se déshabilla, elle ne portait plus qu'une chaîne avec une croix autour du cou. Se glissant sous une couverture, elle m'embrassa sur la bouche.

« Moi, pas prostituée, seulement danseuse. Après, moi travailler avec enfants quand avoir argent pour apprendre la langue. »

Je bandais mollement mais je la pénétrai et bougeai un peu, me heurtant, en mon for intérieur, à ce qui ressemblait à un mur d'indifférence et de mort. Elle m'encourageait activement, me souriait, me montrait sa langue.

Puis je me retirai et restai allongé près d'elle, à l'écouter parler de sa vie à Londres. Je me demandai si ça n'était pas un peu la fin pour moi. Étais-je revenu de tout au point que je manquais de passion, de curiosité, d'intérêt ? Le fait qu'on s'aimait bien, qu'elle était gentille, ne faisait qu'aggraver mon malaise.

« Toi pas aimer moi ?

— Mais si ! Tu es merveilleuse. »

Je lui posai des questions sur le communisme, lui racontant en m'excusant que bien des gens de ma génération et de la génération précédente y avaient plus ou moins cru.

« Moi trop jeune pour me souvenir. Seuls feignants et juifs aimer communisme. Maintenant, économie de marché est là, mais peu Slovaques avoir argent. Nous rester ici cinq années ou dix, pour acheter maison là-bas. »

Nous nous caressâmes. Je commençais à me détendre. Je pouvais enfin repenser à ce que j'avais vu un peu plus tôt, à la manière dont les hommes de Mustaq s'étaient procuré le documentaire tourné au milieu des années 1970, juste avant la grève. Ce documentaire où l'on voyait le père d'Ajita.

Des immeubles délabrés, des voitures démodées, des

rues désertes. Des ouvriers avec des coupes dégradées, longues ou courtes, comme on en faisait dans ces années-là, des vestes à col pelle à tarte, des pantalons pattes d'ef marron. Tout le monde fumait à l'époque, dans les bus, dans les trains, les avions et même à la télévision. Une voix off – le réalisateur communiste – expliquait : « Comme toujours, c'est le travailleur qui porte le fardeau à la place des autres. »

Il était là, le vieux, le père d'Ajita. Il avait la même bouche que son fils, l'air plus jeune que moi aujourd'hui, des cheveux plus foncés, un enthousiasme touchant, une foi inébranlable dans les potentialités et l'égalité offertes par ce pays. Il parlait de sa famille, disait qu'il voulait réussir sa vie en Angleterre.

En arrière-plan de l'une des scènes tournées à l'intérieur de l'usine, j'avais reconnu Ajita et Mustaq (ils n'avaient même pas vingt ans) qui parlaient avec un des ouvriers. À un moment donné, le père se tourne vers la caméra et semble regarder au plus profond de l'objectif, en toute innocence. Il plonge ses yeux droit dans les miens – il me dévisage, moi son meurtrier ; comme s'il savait déjà que je l'attendais avec mon couteau.

La souricière avait fonctionné : le film s'était fondu au noir sous mes yeux, au point que j'avais cru qu'il y avait un problème avec la télé. Mais le problème, c'était moi, qui n'arrivais plus à assumer ce meurtre.

Lucy et moi étions presque endormis quand la Harpie fit irruption dans la chambre. Elle se radoucit quand elle me vit.

« C'est pas un bordel, ici, lança-t-elle tandis que nous redescendions prestement les marches.

— Non, lui dis-je d'une voix ensommeillée. Si c'était le cas, on aurait les tarifs. »

Quatrième partie

42

« Pourquoi ? Qu'est-ce qui s'est passé ? C'est grave ? »

Il y avait eu une coupure de courant, m'informa une patiente qui téléphonait pour m'expliquer qu'elle serait en retard. Le métro ne circulait plus, les bus non plus. La ville était paralysée. Dehors, apparemment, c'était le chaos.

Entre deux patients, je m'assis devant la télévision, guettant les informations. La vérité mit du temps à émerger, mais on finit par en savoir plus dans la journée. Quatre bombes, dissimulées dans des boîtes à repas soigneusement rangées dans des sacs à dos, avaient été activées par un commando-suicide en plein centre de Londres : trois dans le métro et une dans un bus à Tavistock Square. On ne savait pas encore combien il y avait de morts ni de blessés.

Ce magnifique square de Londres, Ajita, Valentin et moi y avions suivi de nombreuses conférences de philosophie. Assis dans l'herbe, on buvait du vin, on mangeait des sandwiches, on discutait des idiosyncrasies des conférenciers. C'était là que Dickens avait écrit *La Maison morne*, Virginia Woolf, *Trois guinées* ; Lénine y avait résidé et Hogarth Press avait publié les traductions de Freud au sous-sol du numéro 52. On y trouve aussi une plaque rendant hommage aux objecteurs de conscience de la Première Guerre mondiale, et une autre pour les victimes d'Hiroshima, qui côtoie une statue de Gandhi.

Mes patients évoquèrent ces événements comme « notre 11 Septembre ». Les hôpitaux commencèrent à accueillir les blessés qui affluaient alors même que des flammes déchaînées embrasaient les souterrains de la ville. Ce jour-là, et la nuit qui suivit, nous fûmes hantés par les images de la télévision qui nous montrait ces blessés aux visages ensanglantés, couverts de suie, violés dans leur innocence, qu'on extirpait des tunnels sombres qui avaient explosé, sous nos trottoirs, sous nos rues. D'autres encore hurlaient. Qui étaient-ils ? En connaissions-nous certains ?

Deux jours plus tard, j'appris que la « femme aux mules » (Sam, le fils d'Henry, la voyait encore de loin en loin) avait été tuée par la bombe déposée à King's Cross.

Henry était pendu au téléphone. Je ne fis aucune allusion à cette attirance que j'avais ressentie pour la « femme aux mules », mais je n'arrêtais pas de repenser à la soirée que nous avions partagée tous les deux. Henry insista pour qu'on aille ensemble à King's Cross déposer des fleurs. « Oh, Angleterre, Angleterre », disait-il en gémissant. Je ne l'avais jamais entendu utiliser ces mots sans ironie. Il était désespéré, très perturbé par tous ces morts, ainsi que par l'attitude de Lisa.

« Je ne supporte pas de l'entendre commenter ce qui se passe.

— Que dit-elle exactement ?

— "Comment un homme jeune, qui s'exprime parfaitement, a reçu une bonne éducation scolaire, est issu d'une famille tout à fait convenable, bref qui a tout pour lui – comment un tel homme peut-il devenir un fanatique susceptible de détruire des milliers de vies ? Demandez à Tony Blair : c'est exactement son parcours." Ça doit être la première blague qu'elle ait jamais faite. Sinon, elle exulte dès qu'on parle des attentats. Non seulement elle affirme qu'elle avait prévu ce qui se passerait, mais elle dit que ces attentats ne sont qu'un juste châtiment. Elle a l'air de penser que le duo Bush-Blair a compris la leçon. Mais si ce n'est pas le cas, dit-elle, il y aura d'autres attentats.

» Je ne pense pas comme ça, moi, Jamal. Pendant des années, quand nous étions jeunes et même après, alors que nous étions moins jeunes, nous avons adoré les révolutionnaires, tous ceux qui avaient le courage d'agir de manière authentique. Nous n'étions pas les seuls. Nietzsche, Sartre et Foucault – qui idéalisait la révolution iranienne –, tous ont été nos modèles. Mais, aujourd'hui, je ne trouve plus rien de glorieux dans toute cette radicalisation. On a toujours eu la chance que les guerres se déroulent loin de chez nous. Tu te souviens des Malouines : combien ce pays puait le chauvinisme, les pubs couverts de drapeaux, les patrons de bar qui criaient victoire ? Mais aujourd'hui, c'est pire. Je suis comme toi, je suis amer, j'ai perdu mes illusions. Je me sens perdu, Jamal. Est-ce que nous ne nous sommes pas nourris des mouvements radicaux du tiers-monde, de l'Afrique à l'Amérique du Sud ? Et, maintenant, les rebelles, les opprimés, ce sont eux qui nous assassinent, et ils viennent de l'extrême droite religieuse ! Tu n'as jamais l'impression que tu ne comprends rien à ce qui se passe dans le monde ? Comment pourrais-je ne pas penser à l'horreur de ces trains qui ont sauté – les corps déchiquetés, les cris, les gémissements, les hurlements ? Comment, insidieusement, ne pas penser aux atroces massacres de civils à Bagdad – les têtes coupées, les pieds ensanglantés, les enfants éviscérés, les membres arrachés suspendus aux branches ? Goya lui-même aurait-il pu saisir toute l'horreur de ces situations ? Pourquoi en est-on arrivé là ? »

Henry voulait agir. Avec Miriam, ils avaient l'intention, si Sam les y autorisait, de rendre visite aux parents de la « femme aux mules ». Ils habitaient la campagne. Miriam m'avait dit :

« On va pleurer avec eux. Tu ne veux pas venir avec nous ?

— Je pleure suffisamment comme ça. »

Au cours de la semaine qui suivit les attentats, Henry insista pour que je l'accompagne dans de longues promenades à travers le chaos d'une capitale au bord de l'apocalypse. Il voulait prendre des photos, observer ces Londoniens qui étaient tout aussi effrayés, consternés, en colère. Les voitures de police et les ambulances sillonnaient les rues en permanence, le bruit des sirènes était épouvantable. Jour et nuit, les hélicoptères tournoyaient au-dessus de la métropole blessée.

Pendant ces journées infernales, j'eus beaucoup de mal à travailler. Les métros étaient fermés, les bus ne circulaient pas. Les patients arrivaient en retard, ou pas du tout. Chaque déplacement était une épreuve. D'immenses policiers en armure – qui ressemblaient aux personnages bodybuildés des jeux vidéos – berçaient dans leurs bras des fusils-mitrailleurs tout en arpentant les stations de métro et leurs alentours.

Je sentais le regard des autres sur moi quand j'entrais dans une rame de métro avec mon sac à dos. Ouvrir ce sac pour en sortir un livre était toujours une expérience amusante. Tous ceux qui avaient la peau un peu mate devaient subir des fouilles totalement arbitraires. Un innocent fut poursuivi et abattu dans le métro d'une balle dans la tête, à bout portant, par nos protecteurs – combien de fois cela s'est-il produit ? Cinq fois ? Six, sept, huit fois ? Tout le monde avait peur. Les patients étaient perturbés. Au moindre bruit d'explosion, ils sursautaient sur le divan.

Ce n'est pas tant que je percevais des signes tangibles de haine, ou même d'antagonisme. On n'incendiait pas les mosquées, même si elles avaient été placées sous protection policière. On n'agressait pas les musulmans. On ne voyait de drapeaux nulle part, contrairement à ce qui se serait passé aux États-Unis. Le fait d'être victime du terrorisme ne stimulait en rien le patriotisme britannique. La capitale n'était ni plus unie ni plus désunie. Les Londoniens étaient intelligents, cyniques, parfaitement conscients – ils l'avaient toujours été – qu'un jour ou l'autre, ils feraient les frais de cette passion mortifère de Blair pour Bush. Ils allaient attendre que Blair s'en aille (après bien d'autres morts) et, à ce moment-là, ils balaieraient devant leur porte.

Henry était entré dans une rage folle quand Blair avait refusé d'admettre que ses propres « actes de violence massive » puissent avoir un quelconque lien avec la réponse meurtrière des terroristes. D'après Henry, c'était encore un exemple du refus de Blair d'assumer la « responsabilité » de ce qu'il avait fait. Henry qualifiait cela d'« enfantillages moraux ».

Les efforts du duo Bush-Blair pour mener une guerre « virtuelle », dans laquelle personne de chez nous ne serait tué, s'étaient révélés vains, au point que la « femme aux mules », et beaucoup d'autres avec elle, en était morte. Henry avait voulu oublier la politique et se remettre au travail, mais pendant cette période, la politique refusait de nous oublier. Tout le monde autour de nous discutait de problèmes abstraits et difficiles, se disputait dès qu'il était question de religion, de liberté publique et d'intégration.

Bizarrement, celle dont le comportement changea de manière spectaculaire fut Ajita.

Mustaq, qui était revenu à Londres, m'avait fait appeler par sa secrétaire, m'expliquant qu'il apprécierait que je passe le voir à Soho. Il envoya une voiture, qui me déposa dans Dean Street où il m'attendait. Je devinai qu'il n'avait pas dit à Ajita que nous nous voyions. Il voulait marcher dans Soho.

Il était affublé d'une casquette de base-ball et de lunettes noires. Lui-même souligna l'ironie de la chose : étant jeune, il voulait être reconnu et adulé comme une star, mais désormais, il avait la nostalgie de ses premières années d'anonymat. Il s'était rendu compte que la gloire – simple poignée de neige au soleil – ne suscitait aucune compréhension de la part du public. Elle vous rendait plus irréel, même à vos propres yeux. Bientôt, disait-il, les journaux publieraient des articles qui titreraient : « Que devient George ? » Même ce genre de journaux finirait par disparaître.

« Pourquoi la presse britannique est-elle aussi vile ? Je déteste cette image qu'ils donnent de moi. Bon, évidemment, je ne suis pas prêt à rendre l'argent non plus. Même si je l'ai gagné sans grande difficulté. Quand il a commencé à arriver sur mon compte en banque, il y en avait tellement, ça rentrait à une telle vitesse que j'avais du mal à y croire. C'est médecin que j'aurais dû être.

— Tu es malade ?

— Moi, non. »

Mustaq m'expliqua, comme il avait dû l'expliquer à beaucoup d'autres, qu'il n'était pas souvent à Londres parce que Alan était malade. Comme un certain nombre d'anciens drogués, Alan avait contracté une hépatite C mais il avait refusé la greffe du foie lorsque son cancer s'était métastasé.

« Alan va mourir dans le courant de l'année prochaine. Je dois l'accompagner pour ce voyage. Voilà mon travail pour les prochains mois. Mais j'envie ce que toi, tu fais comme travail.

— Qu'est-ce qui te fait envie ?

— Son sérieux. On ne peut pas souhaiter que le combat des homosexuels se réduise à ce narcissisme prétentieux et sans limites. N'est-on pas capables de penser à autre chose qu'à la couleur de nos cheveux ?

— Tu parles comme ton père.

— C'était un homme sérieux.

— Toi aussi. Et tu t'es engagé dans une grande histoire d'amour. Nous, les hétéros, nous sommes plus frivoles. Tout ce qu'on veut, c'est du cul. Vous les gays, vous vous mariez pour la vie. Évidemment, la prochaine étape, c'est qu'un homme puisse épouser trois femmes en toute légalité.

— Et une femme, trois hommes ?

— L'égalité, il n'y a que ça de vrai. Qu'as-tu pensé du documentaire sur l'usine ?

— Il m'a manqué, mon père, et il me manque toujours. Celui qui me l'a pris m'a fait un tort considérable. Et je n'arrêtais pas de me dire que je lui ressemblais vraiment beaucoup. Ajita habite ici, comme tu sais. Ça ne me plaît pas particulièrement, cette ville est bien trop dangereuse.

— New York est plus sûre ?

— D'une certaine manière, oui. Depuis quelque temps, un homme lui rend visite. Il vient environ quatre fois par semaine, tard dans la nuit, à cinq heures du matin, parfois. Bien sûr, la maison et la rue sont truffées de caméras. Tu le connais, ce type ?

— Une bonne cinquantaine, costaud, cheveux courts, moustachu, l'air décidé ? »

Il acquiesça.

« C'était un de nos amis, du temps où nous étions à la fac.

— C'est quelqu'un de fiable ?

— Il travaille dans un bar, dans l'ouest de Londres.
C'est un bosseur, il ne boit pas, il ne touche même pas à
la coke. Elle l'aime bien. Je ne le vois pas cherchant à
l'exploiter.

— Tu en es sûr ? Elle me dit qu'elle veut acheter un
petit appartement à Londres. Elle m'a demandé de l'argent,
environ un million. C'est dingue ! Elle veut lancer une
boutique d'antiquités, avec un ami à elle, quelqu'un qui
s'y connaît – c'est ce qu'elle dit. Jamal, elle se met enfin à
vivre. Comment pourrais-je lui refuser ça ? Dieu sait
qu'on est tous bizarres, et ce n'est pas à moi de juger ou de
dire quoi que ce soit sur ses préférences sexuelles. Il n'y a
que la passion qui compte, bien sûr. Pourtant, j'ai bien cru
que, tous les deux, vous pourriez reconstruire quelque
chose.

— Désolé de te décevoir. Je viens de me séparer de
mon épouse. Je ne suis pas encore prêt à sortir avec quelqu'un d'autre. »

Il poursuivit :

« Quand on est revenus d'Inde après la mort de papa,
elle le pleurait encore. Elle n'avait que moi pour s'occuper
d'elle. Notre mère était tellement inconsciente : elle ne
pensait qu'à son petit copain. Ajita faisait le marché, elle
aidait à la cuisine. Elle avait des copines branchées à Bombay, Boomi et Mooni, mais elle passait de longues heures
toute seule. Puis elle a commencé à prendre la voiture et à
s'éclipser régulièrement. On racontait qu'elle voyait des tas
d'hommes. Les tantines voulaient la marier. Elle a rencontré quelques prétendants mais, un jour, elle m'a dit : "Le
seul avec qui j'aie jamais eu envie de me marier, c'était
Jamal." Les tantes lui mettaient la pression. Elle se disait
qu'elle allait épouser un de ces beaux partis un peu
balourds aux cravates épouvantables. Elle ne voulait pas
revenir à Londres, même si elle parlait beaucoup de toi.

— Vraiment ?

— Elle disait : "Je voudrais savoir ce qu'il fait en ce moment précis !" Elle se demandait si tu avais beaucoup de petites copines, ou rien qu'une seule. Mais ça faisait tellement longtemps : elle ne pouvait pas revenir et te récupérer comme ça.

» Je l'ai emmenée en Amérique, je lui ai trouvé un job dans la mode. Elle a rencontré Mark, dont elle dit maintenant qu'elle veut divorcer. Elle lui en a donné, du fil à retordre, mais il ne l'a jamais lâchée et elle devrait lui en être reconnaissante. Il est à ramasser à la petite cuillère. Je l'ai suppliée, mais elle refuse de lui apporter le moindre réconfort. J'ai trouvé... J'ai vu récemment... Car j'ai fouillé dans son sac... Je n'aurais pas dû, je regrette vraiment... Elle lit des livres sur les abus sexuels.

— C'est un genre en plein boom.

— Je me demandais... Tu penses qu'il lui est arrivé quelque chose à elle aussi ?

— Ça n'est pas impossible.

— C'est oui, donc. Jusqu'à quel point tu étais au courant ? Tu savais déjà à l'époque, ou tu l'as appris plus tard ?»

Je ne répondis pas.

« La pauvre... Et je n'ai rien fait. Tous les deux, on est restés là, les bras ballants et on n'a rien fait, c'est bien ça ? Il faut que je relise toute mon histoire familiale à la lumière de cette nouvelle donne. Mais, Jamal, ça a dû être dur pour toi.» Il me scrutait du regard. « Là, je dois aller en Amérique pour organiser une tournée. Je veux refaire de la musique, jouer sur scène. Je monterai une fondation pour soutenir la musique dans le tiers-monde. Ajita peut m'aider. Je ne suis pas tranquille à l'idée de la laisser seule à Londres avec ce mec.

— D'un autre côté, tu n'as pas envie de devenir un père musulman pur et dur.

— Tu crois que c'est ce que je suis ?

— Quand tu m'as dit que tu ressemblais à ton père, j'ai cru que c'était ce que tu sous-entendais – que vous étiez tous les deux des tyrans. »

Il reprit brusquement :

« Toi, tu vois quelqu'un que tu aimes faire une connerie et tu le laisses faire ?

— Qui te dit qu'elle fait une connerie ? »

Il me prit dans ses bras et ajouta :

« Désolé. Tu as raison, j'ai trop l'habitude des gens qui m'obéissent au doigt et à l'œil. »

Comme toujours, nous nous sommes séparés en restant sur une impression mitigée, mélange d'étonnement et d'insatisfaction. Nous ne savions ni l'un ni l'autre si nous étions amis.

43

Une fois Mustaq reparti aux États-Unis, je m'arrangeai pour revoir Ajita.

Un nouveau restaurant indien venait d'ouvrir non loin de chez moi. Un de ces endroits du monde contemporain où les serveuses sont de jeunes Polonaises qui profitent de ce travail de jour pour apprendre l'anglais. Les plats étaient préparés avec des produits frais et ne baignaient pas dans une mare de graisse. Le décor était tristement moderne. Aucune guirlande de fleurs en plastique pleines de poussières ne pendait au plafond.

La seule manière d'échapper à cette atmosphère irréelle de peur, c'était de retrouver les gens que vous aimiez. Le pire s'était déjà produit ; nous étions en convalescence. Cependant, la semaine suivante, il faillit bien y avoir un autre attentat. Il échoua. Tout le monde était tendu, désespéré. Nous nous sentions menacés et furieux – mais pas autant que les Iraquiens, je pense. Je vis un certain nombre de patients, ainsi que Rafi, Miriam et Henry. Je regardais tous les journaux télévisés. Je préférais ne pas rester seul.

J'étais curieux de savoir ce qu'Ajita et Wolf faisaient au même moment, en plein cœur de Londres. Je soupçonnais que, bientôt, Wolf dirait à Ajita la vérité sur la mort de son père. Alors, tout éclaterait au grand jour. J'avais le sentiment de ne pas pouvoir y faire grand-chose.

Ajita était en retard. Cela ne me gêna pas. J'avais pris l'habitude d'écrire dans les cafés, qui se multipliaient dans la capitale – Henry avait rebaptisé Londres la « ville des serveuses ». Ces derniers temps, je lisais tout ce qui se publiait sur l'Islam, je découpais les articles de journaux pour m'en faire un dossier. Je n'étais pas le seul à être obsédé par cette question.

« Tu ne m'as pas reconnue », me dit Ajita quand elle arriva enfin. Elle était habillée comme n'importe quelle autre femme, en robe d'été et claquettes. « Tu vas peut-être trouver ça étrange, mais c'était moi tout à l'heure, là-bas avec la burqa. Je te regardais envoyer tes textos, je t'entendais parler avec passion à Josephine.

— C'était toi ?

— Ça me rappelle un verset du Coran : "Dis à tes épouses, à tes filles, de ramener sur elles leurs robes très amples de dessus."

— C'est tout ?

— Il ne leur en faut pas plus, aux barbus. J'ai déjà déambulé dans la ville avec une burqa. J'ai été dans le West End, l'East End, à Islington. Pour voir les réactions.

— Et alors ?

— J'ai suscité beaucoup de curiosité, beaucoup de regards hostiles, comme si les gens se demandaient si je ne dissimulais pas une bombe. Un homme m'a même dit : "On la voit ta grosse bombe là-dessous."

— Ha ! ha ! la bonne blague...

— J'ai eu le plaisir d'être arrêtée par la police, de me faire fouiller. Tu n'es jamais harcelé, toi ?

— La dernière fois, à Heathrow, le gars au contrôle des passeports m'a dit que sa femme avait adoré mon dernier livre.

— Papa l'avait bien dit. On deviendrait des victimes, du bétail, on serait arrêtés. Maintenant qu'ils ont trouvé une bonne raison de nous détester, de nous persécuter. Je veux savoir exactement ce que mon peuple endure.

— Ton peuple ?

— Oui, toutes ces femmes que tu ne peux pas voir. Les gens vous regardent droit dans les yeux, ils grognent, ils soupirent, les femmes surtout. Les hommes ne remarquent rien.

— Ajita, ce que j'aimais aussi chez toi, c'était la couleur de ta peau, parce que c'était la même que la mienne. Mais je ne t'ai jamais perçue comme une musulmane.

— On en a discuté avec Miriam.

— Ah bon ? »

Henry avait parlé d'Ajita et Miriam avait eu envie de mieux la connaître. C'est avec ma bénédiction que ma sœur avait appelé chez Mustaq et l'avait invitée à prendre le thé. Je n'y étais pas, mais je supposai qu'elles avaient des tonnes de choses à se raconter. Miriam avait mis dehors enfants et voisins. La rencontre s'était prolongée tard dans la soirée.

Elle essaya de lui parler de moi. Elle lui montra des photos de Josephine, raconta notre voyage au Pakistan. Miriam étant Miriam, elle essaya aussi de savoir ce qu'il y avait entre Ajita et moi. Mais celle-ci n'avait rien dit.

Elle exposa sa théorie à Ajita : le quartier où elle vivait était de plus en plus raciste ; cette fois, les victimes étaient les musulmans. « Musulman » – ou « islamique ta mère » – était la nouvelle insulte à la mode, ainsi que « tête de porc » et « Allah-Bombe ». Dans notre jeunesse, c'était « Paki », « négro », « tête de curry », mais ce n'était jamais lié à la religion.

« J'aime bien la maison de Miriam. Le bruit, les animaux, l'ambiance familiale. Pourquoi n'ai-je jamais été capable de créer quelque chose d'aussi vivant ? Quand on était ensemble, tu ne m'as jamais parlé d'elle. C'est à peine si tu prononçais son nom. »

Après la discussion, Bushy avait ramené Ajita chez elle. Apparemment, en chemin, celle-ci avait eu envie de voir le Cross Keys. Bushy, toujours très protecteur, refusa de l'y emmener. Elle se mit à hurler. Elle en avait assez que les gens veuillent la protéger de tout ; elle n'était pas une petite chose fragile, bon sang de bonsoir : elle avait déjà vu « les pires trucs ». « Je ne veux plus qu'on me tienne à l'écart. Tout le monde m'a toujours protégée. Papa a essayé de me cantonner à la maison et regarde ce qui m'est arrivé. »

Bushy accepta de se garer devant le pub pour aller chercher Wolf. Quand il est sorti, la Harpie est sortie aussi, s'essuyant les mains à son tablier. Apparemment, elle aurait dit : « Celle-là, je l'aurais jamais embauchée. » Elle était trop loin pour que Wolf puisse l'entendre, évidemment.

« Tu sais ce que j'ai fait avec Miriam ? Je l'ai mise à l'épreuve. Un après-midi, j'ai traversé Londres. J'ai pris toutes sortes de transports en commun. C'est fou, dit-elle, incrédule, tu peux aller très loin comme ça. »

J'imaginais ce petit bout de femme, couverte des pieds à la tête, dérivant à travers la ville dangereuse, observatrice invisible.

« Je suis allée chez elle incognito. C'est horrible d'être habillée avec cette sorte de sac dans le métro. Il fait chaud là-dessous, c'est difficile de bien voir. Mais quand Miriam a ouvert la porte, elle m'a tout de suite invitée à entrer, avant même que je lui dise qui j'étais. Il n'y a qu'à elle que je peux parler maintenant. »

Puis elle me dit tout à trac :

« Je sais pourquoi tu n'as pas voulu de moi.

— Ah oui ? »

Elle se tapota le bout du nez avec l'index. « Je sais pour qui bat ton cœur. » Puis elle mit son doigt sur ses lèvres. « Miriam sait.

— Miriam ne sait rien du tout. Ajita, tu traverses Londres vêtue d'un immense sac noir : qu'est-ce que ça prouve ?

— On était une famille laïque, Jamal. Mon père n'a jamais mis les pieds à la mosquée, il n'a jamais porté ni barbe ni moustache. À quoi lui aurait servi la religion ? Mais, moi, je me sens ignorante. Mes parents m'ont privé de notre passé familial. On ne sait rien de la culture musulmane, de la culture occidentale – que mon père ignorait royalement – ou même de la culture africaine. On n'était que des gosses de riches. On l'est sans doute toujours. Toi, tu t'es construit ta propre culture, Jamal, grâce à tes lectures, tes études. Au moins, tu es relié à l'histoire de la psychologie, à tout ce qui va avec. Et donc, en ce moment, j'étudie. Il y a une femme algérienne qui vient à la maison. Azma parle bien anglais, elle m'enseigne le Coran. Elle me parle de sa vie, de politique, de la condition de notre peuple, de mes frères et sœurs, de ceux qui sont opprimés en Afghanistan, en Iraq, en Tchétchénie. Je n'ai aucune envie de faire sauter qui que ce soit, mais nous sommes en guerre. »

Puis elle ajouta :

« Tu as pensé quoi du DVD que je t'ai montré ?

— Ça m'a ému, ça m'a bouleversé.

— Et donc ?

— Qu'est-ce qu'il en pense, Wolf ?

— Wolf ? D'accord, je vois. Il t'en a parlé ?

— Non.

— C'est Mustaq, alors. Il n'avait pas le droit. Enfin, bon, il fallait bien que ça sorte. » Elle se mordillait les ongles. « Tu as toujours su ?

— Pourquoi, ça devait rester secret ?

— Je me disais que tu te sentirais exclu. »

Elle me regardait, l'air embêté. « Mais tu n'y penses plus, c'est ça ?

— Non, j'ai mes propres soucis.

— Avec ta femme ?

— Je ne suis pas certain qu'elle utiliserait ce mot-là aujourd'hui.

— Comment ça se fait ? »

Nous avons fait quelques pas ensemble après le déjeuner. Je lui racontai que Josephine travaillait comme secrétaire au département de psychologie à la fac. J'aurais dû me dire qu'elle rencontrerait quelqu'un là-bas, d'autant que j'avais peu de temps à consacrer aux psychologues. Je m'étais demandé si cette nouvelle relation avait pu déstabiliser Rafi ; moi, elle me déstabilisait. J'avais deviné qu'il y avait anguille sous roche quand j'avais voulu emmener Rafi au cinéma et que j'avais découvert qu'il avait déjà vu le film.

« Tu l'as déjà vu ? Mais c'est typiquement ton genre à toi – un film sur les gangs, avec des renois à la gâchette facile et des tepus. Jamais ta mère n'irait voir un truc pareil.

— Je l'ai vu avec Eliot.

— Qui ça ?

— Le copain de maman. » Il avait plissé les yeux. « Maman dit que ça ne la gênait pas que tu te couches tout habillé. Comme ça, tu pouvais te lever et partir tout de suite le matin. Mais elle n'aimait pas quand tu gardais tes tennis au lit. Elle disait que tu sentais toujours une odeur de renfermé.

— C'est une femme qui ne vous passe rien. »

Un peu plus tard, je compris encore mieux : je dus le rencontrer.

Habituellement, Rafi venait chez moi sur son scooter, mais comme son sac pour le week-end était trop lourd, il fallait que j'aille le chercher. Ce n'est pas tant qu'il considérait ses parents comme ses serviteurs, mais parfois il avait envie de faire le bébé, ce qu'il était, avec une pincée de graine de gangster. Un jour, il était en larmes et, l'instant d'après, il me défiait physiquement, voulait m'« éclater la tête » parce que j'étais « un enculé ».

À sa décharge, Josephine m'avait prévenu que son « nouveau compagnon » serait là. Rafi ouvre la porte, ne dit rien pour une fois, mais jette des coups d'œil furtifs à droite et à gauche. Sa mère avait dû lui demander de bien se tenir. Ce n'était pas une rencontre qui me réjouissait particulièrement, mais je me disais que de voir cet homme, quel qu'il soit, m'aiderait à juguler ma paranoïa.

Je suivis Rafi dans l'escalier et lui murmurai :

« L'âge adulte est pavé d'épreuves, mon fils.

— Tout est de ta faute, papa. »

Eliot était assis à la table que Josephine et moi avions achetée sur Shepherd's Bush Road, avant que toutes les boutiques ne soient transformées en agences immobilières ou en magasins de téléphones portables. Il avait ma tasse Ryan Giggs à la main et relisait les devoirs de mon fils.

Forcément, j'avais imaginé un dieu charismatique mais Eliot avait des cheveux grisonnants un peu longs, il portait une chemise ouverte, une vieille veste usée, la tenue de l'universitaire moyen. Il avait un strabisme, si bien qu'il regardait au moins dans deux directions à la fois. Cela avait dû amuser Rafi et s'était sans doute révélé très utile pendant les soirées.

C'était mon portrait mal photocopié : un peu flou, plus ou moins du même âge, de la même taille et de la même corpulence, si ce n'est peut-être qu'il avait l'air plus préoccupé que ceux que l'on croise dans les hôpitaux (encore que, moi aussi, parfois, j'avais cet air préoccupé). Une expression me revint en mémoire : « charme maussade ». Je mis un certain temps à en identifier l'origine. Il y a des années, c'est en ces termes qu'un journaliste avait parlé de moi. Il aurait très bien pu ajouter boudeur, tranché dans ses opinions, égocentrique.

Je me suis dit : « La place des morts est très vite occupée par des remplaçants en tous points identiques.» Ce que j'avais déjà pu constater lors d'une cérémonie d'oscars où j'avais eu le malheur d'accompagner Henry et où, dès que vous quittiez votre siège, un étudiant en tenue de soirée venait se glisser à votre place afin qu'on ne remarque pas les absences à la télévision. Eliot m'avait volé tout ce dont je ne voulais pas et j'avais l'impression d'avoir été cambriolé.

Je le regardais, je la regardais : je me demandais ce qui pouvait bien les réunir. Peut-être avait-elle trouvé ce qu'elle cherchait – un psychologue et une attention vingt-quatre heures sur vingt-quatre, comme quand on épouse un médecin.

Je ne voulais pas m'attarder. Je dis que je n'avais pas envie de thé, puis je sortis du frigo un fond de vodka que j'avais laissé quelques jours auparavant, posai quelques questions sur le département de la fac où il travaillait et lui serrai la main.

En partant, je tournai la tête et je le vis essuyer la transpiration qui perlait sur sa lèvre supérieure. Mon ombre serait là en permanence, qui lui gâcherait l'existence. Son spectre à lui, ce serait moi. Cesserait-elle de m'aimer un jour ? Le visage de mon fils lui rappellerait sans cesse le mien. Il devait forcément se demander dans quoi il était en train de s'engager.

« Qu'est-ce que tu en penses ? me demanda Rafi au moment où il me raccompagnait à la barrière.

— Il a du courage, mais je ne l'envie pas. C'est déjà

difficile de vivre avec sa propre famille, alors rejoindre celle d'un autre, c'est un boulot épouvantable.

— C'est un genre de psycho-machin, mais pas comme toi ?

— Lui, il n'est que psychologue. Un de ceux qui pensent qu'il n'y a que la biologie qui compte, ou que tout vient du cerveau. Je te parie qu'il parle des animaux sans se rendre compte qu'on trouvera toujours un animal susceptible de justifier n'importe quelle position intellectuelle. Tu as le choix : serpents, ânes, insectes... Sauf que, contrairement aux hommes, il n'existe aucun animal qui puisse resté accablé par le chagrin pendant des années.

— Ils sont nuls », dit Rafi pour me soutenir. Il ajouta même, pour faire bonne mesure : « Connards. T'inquiète pas, papa. Tu devrais entendre ce qu'il raconte. C'est carrément somnifère. Il dit que ton truc, c'est que des spécu... spécu...

— Des spéculations ?

— Oui, c'est ça. Des spéculations, répéta-t-il avec un accent jamaïcain. Et que tout a été discr...

— Oui ?

— Discrédité. Depuis des années.

— Probablement que, de nos jours, les seuls vrais psychologues sont les publicitaires.

— 'pa, il faut que je te dise, on part en vacances tous ensemble, on va en Malaisie.

— Tous ensemble ?

— Lui, moi, maman, et ses deux filles. J'ai deux nouvelles grandes sœurs, même s'il n'y pas de liens de sang, et c'est des ados.

— Il a de l'argent, non ?

— Maman dit qu'il faudra quand même que tu mettes la main à la poche. Ça t'ennuie ?

— Ça commence, oui.

— Je vais lui dire que je ne veux pas y aller.

— Je serai là quand tu reviendras, comme d'habitude. J'ai Miriam, Henry, d'autres amis.

— Maman se demande si tu pourrais t'occuper des chats quand on sera partis. Je déteste quand tu es triste, dit-il en posant la tête sur mon épaule et en se blottissant contre moi, comme il le faisait étant enfant. Mais Eliot a un abonnement pour aller voir Arsenal.

— Cet enfoiré-là aussi ? C'est un de ses critères quand elle met une petite annonce ?

— C'est pas de bol, papa. Les canonniers d'Arsenal sont partout. »

Quand je racontai ça à Ajita, elle me dit :

« Je suis contente que tu m'en aies parlé. On pensait qu'on s'aimait bien, mais, en fait, on s'intéressait surtout aux autres. Tu as envie de continuer à me voir ? »

J'ai dit oui, mais tout comme elle, je n'en étais pas certain.

Je ne me doutais pas que nous allions très vite nous revoir.

44

Alors que Rafi, Josephine et Eliot étaient en vacances, j'appelai Karen. De temps en temps, je lui envoyais un mail, mais cela faisait un moment que je n'avais pas eu de ses nouvelles. Il se trouvait qu'elle était seule, elle aussi. Ses filles étaient chez leur père et Ruby, avec les deux jumeaux auxquels la jeune femme venait de donner naissance.

Nous étions au Sheeky's. Elle avait l'air fatigué et portait un turban sur la tête.

« Tu ne bois rien ? lui demandai-je.

— Commande ce que tu veux. C'est moi qui paie et je m'en fous.

— Tu prends des antibiotiques ?

— Tu sais, j'ai eu un rendez-vous galant. C'était à peu près la dernière fois que je t'ai vu.

— Oui, tu avais rendez-vous avec un type...

— C'est ça. J'allais faire sa connaissance. Juste avant, alors que je me préparais, j'étais sous la douche, je m'abandonnais aux délices de mon savon français préféré – il s'appelle Stendhal. Au moment où je me passe la main sur les seins, je sens quelque chose qui ne bouge pas avec le reste. J'essaie de le retrouver, je n'y arrive pas. On dînait au Wolsey. Il parlait, je parlais. Mais pendant ce temps-là, il y avait un autre texte qui défilait dans ma tête. *Les seins changent tout le temps, ils sont plus fluctuants que ce que les gens croient, ils grossissent, rapetissent, s'arrondissent dans l'heure en fonction des caresses des hommes, des bébés, des règles. Mais personne ne me touchera jamais plus.* Je fais mes bilans une fois par an, je vénère littéralement mon toubib. Il est sud-africain. Il aime les femmes, nos corps, nos seins. À la fin du dîner, le galant et moi empruntons chacun un taxi. Il veut aller prendre un verre ailleurs. Il m'invite mais je suis trop à côté de mes pompes pour y aller. S'il y a bien une chose dont il n'a pas envie d'entendre parler, c'est de ma tumeur. C'est sûr, ce n'est pas ce qui va le faire bander et avoir envie de moi. Le jour suivant, j'ai l'impression que ma main heurte à nouveau une grosseur. C'est comme une gifle. Je suis restée pétrifiée. C'était pour moi la fin de ce que je n'étais pas encore devenue – un être désirable. Comme Hepburn ou Binoche. Je me disais : "Donnez-moi juste une chance, un instant, une semaine, un an et j'y arriverai." De fait, je suis plus mûre, plus maligne. J'ai moins peur de tout.

— Pourquoi ce ne serait pas un kyste ?

— Tu as raison : pourquoi pas ? Les mammographies en sont remplies et ça ne signifie rien de spécial. On vous envoie faire d'autres tests, des sonographies, des nonogrammes. D'autres spécialistes encore viennent vous écrabouiller les seins avec des assiettes froides ou tièdes, des sondes qui bourdonnent, ils regardent à l'intérieur de leurs microscopes, scrutent leurs écrans – et il n'y a rien. Je suis peut-être idiote, mais j'ai fait la seule chose que je devais faire : j'ai pris rendez-vous avec mon docteur Héros. Quand il m'a demandé si je venais pour une raison particulière, j'ai dit non, juste le bilan habituel. Notre homme aime bien voir "ses femmes" tous les six mois mais j'ai réussi à faire en sorte que ce ne soit qu'une fois par an. Je ne voulais pas l'influencer, lui fixer un programme de recherche. S'il trouvait quelque chose pendant le dépistage de routine, bon, d'accord. Sinon, pourquoi en parler ? Il vérifie le sein doit, puis le gauche. Des doigts minces, froids. Son toucher est élégant mais pas excitant. On a l'impression d'être un piano sous les mains d'un virtuose. Est-ce que ça s'apprend ? Il met ses deux mains sur mon sein gauche. Soudain, je n'entends plus rien, je ne respire plus. Mais il fallait que j'aie l'air naturel. S'il voulait me faire entrer dans la zone du cancer, c'était à lui de faire le sale boulot. Il retire sa blouse de papier en disant : "Tout va bien en haut et en bas. Vous avez un des plus beaux utérus que j'aie jamais vu. Rendez-vous la prochaine fois." J'étais libre, je m'en étais tirée. "Vous voulez dire que vous n'avez rien trouvé ?" lui demandai-je. Je n'aurais pas dû dire ça. Il a arrêté de se laver les mains, s'est tourné vers moi et a dit : "Pourquoi ne vérifierait-on pas encore une fois, juste pour être sûrs ? Vous pensez que vous avez senti quelque chose, c'est ça ? Sur lequel, le droit, le gauche ?" Au moment où il a dit "gauche", j'ai rougi et j'ai eu l'impression que j'écarquillais les yeux comme des soucoupes. Ses mains sont immédiatement sur mon sein gauche. Il me regarde, dans les yeux. "Je me rapproche ? Vous me dites ?" Je n'ai rien dit. Tu as fait ton internat, tu te débrouilles tout seul, mon gars. Il le trouve. "Ah-ah." Ses doigts, les deux mains, qui passent et qui repassent sur la chose, qui la font bouger, qui l'isolent, qui l'orientent. Il ne me regarde plus. Il n'est plus mon docteur-flirt, décontracté, aguerri, pétulant, désirable. Il est la vigie de l'équipe de cancérologie. Et il va me faire entrer dans ce système qui broie les femmes. Une fois dedans, vous êtes *out*. Vous n'êtes plus une femme qui compte. Comment je vais pouvoir supporter ça – l'ablation, la laideur, le ravage, de n'avoir ni seins ni cheveux ? J'ai vu plusieurs médecins et ils avaient chacun leur version rassurante. Cela pourrait être un kyste, un canal bouché, une tumeur bénigne. Je les croyais tous. Je n'arrive même pas à garder un mari. Qui est-ce qui s'occuperait de moi ? Je ne serais pas en état de travailler. Qui s'occuperait des enfants ? J'ai discuté avec les médecins. J'ai essayé de dissuader le chirurgien de faire la biopsie. Elle me faisait une faveur en la programmant si vite. Mais j'avais l'impression d'être attirée dans le piège mortel de l'hôpital. J'ai rencontré une femme qui allait avoir une biopsie, elle aussi. Elle était ravie. Elle n'aurait pas à vivre dans l'angoisse de l'incertitude. J'étais plus malhonnête. Je ne comprenais rien à ce qui se passait jusqu'à ce qu'ils m'annoncent que j'avais une tumeur d'une taille impressionnante. »

C'était parti. Ma génération avait commencé à mourir. Un par un, on serait cueillis : la maladie, puis la mort. Plus d'enterrements que de mariages. « Qui sera le prochain ? » me suis-je demandé.

La mort suivante est arrivée plus vite et plus brutalement que je n'aurais pu l'imaginer.

Après le dîner, j'accompagnai Karen jusqu'à un taxi. Je marchai un moment à travers la ville, attentif à tous ceux qui portaient un sac. Chaque voyage en métro était un arrêt de mort potentiel. Est-ce que c'est pour maintenant ? Serait-ce un terroriste ? Serais-je tué ? Est-ce que ça me dérangerait ? Ou est-ce que ce serait un bon moyen de partir, d'être soudain arraché au monde ? Je pensais aux parents de la « femme aux mules ». Et si c'était arrivé à Rafi ?

Karen m'ayant finalement raconté ce par quoi elle passait, je l'appelai presque tous les jours. Même Henry se sentait concerné, à sa manière. Il a commencé à tourner davantage pour son documentaire. Il s'était décidé à le finir quand je lui avais appris pour Karen.

Il travaillait avec Miriam sur les scènes du Tchekhov aux studios Riverside, à deux pas de chez lui. Malgré son angoisse, qui la poussait à m'appeler constamment, Miriam était aux anges. Quand elle répétait, il la prenait autant au sérieux que n'importe quel autre acteur. Il l'écoutait, il la regardait, mettant à profit tout ce qui pouvait l'être. « Intuitivement, au fond de moi, j'ai toujours senti que j'étais une actrice, me dit-elle. Méconnue, bien sûr, jusque récemment. »

Henry faisait jouer une même scène dans des styles différents, avec des acteurs différents, puis il montait ce qu'il avait tourné. Il vint me voir avec son ordinateur pour me montrer. Il avait cru un moment qu'il était « fini », mais il avait une énergie extraordinaire et le travail avançait bien. Nous étions aussi en de meilleurs termes en ce qui concernait Lisa.

J'avais donné ses poèmes à un jeune Libyen que je voyais de temps en temps dans un pub des environs. Il avait le sens de l'initiative, dirigeait un magazine assez confidentiel ainsi qu'une petite maison d'édition. Il était son propre diffuseur et il apportait les livres aux libraires dans une valise. Il accepta de publier trois de ses poèmes dans son magazine. Il lui demanda aussi un essai sur la poésie contemporaine.

Elle eut l'air un peu contrariée que ses poèmes ne soient pas publiés dans le *Times Literary Supplement*, mais je me disais qu'elle saurait apprécier ce jeune homme et ses efforts. Elle accepta de le rencontrer et de l'aider à approvisionner les libraires.

J'en voulais à Lisa, même pour le peu de temps qu'elle exigeait de moi. De fait, je travaillais beaucoup. Le cabinet marchait de mieux en mieux. J'étais sollicité par plus de patients que je ne pouvais raisonnablement en suivre. Dieu sait que j'avais besoin de leur argent. Aussi inscrivais-je les nouveaux venus tôt le matin.

Ce fut un matin justement, pendant les dix minutes parfois frénétiques entre deux séances, que Maria vint me trouver. Elle avait l'air plus inquiet que d'habitude et elle avait oublié ma tasse de café.

Ajita avait appelé pour dire que Wolf était mort pendant la nuit, dans sa maison de Soho.

Ma première pensée fut : « Cela sonne-t-il ma libération ou ma condamnation ? »

45

Le bureau de Mustaq avait localisé la sœur de Wolf en Allemagne et avait organisé le rapatriement du corps. Ajita avait informé son frère que Wolf n'avait pas de famille en Grande-Bretagne et qu'elle-même ne souhaitait pas assister à son enterrement. Aucun de nous ne s'y est rendu, chacun pour des raisons différentes.

« Mon Dieu ! Tu as l'air plus bouleversé que moi, mon chéri », me dit-elle quand j'arrivai ce soir-là. Elle était installée dans un sofa, dans le calme d'un petit club privé situé derrière St Martin Lane. « Prends donc un verre, ça va te détendre. C'est une sacrée drôle d'histoire, ce qui nous arrive.

— Ajita, dis-moi ce qui s'est passé.

— On venait de faire l'amour. Wolf s'est levé. Il avait passé la robe de chambre de Mustaq et il se tenait debout devant le lit. Tout à coup, j'ai été frappée de sa ressemblance avec mon père. C'était un mélange de Mustaq et de papa. Avec Wolf, je n'arrêtais pas de parler de moi. Mais, lui, je n'ai jamais vraiment cherché à le connaître. C'est juste que c'était si fort entre nous. Parfois, j'avais l'impression de me servir de lui. Même si ce n'est pas comme ça qu'il aurait vu les choses. Il y a quelque temps, à l'extérieur du club où il travaillait, un homme armé d'un couteau a menacé de le défigurer. Wolf a pu s'échapper mais quand il m'en a parlé, il pleurait. Je ne voulais pas le voir comme ça, comme un bébé. Et toi ? Est-ce qu'il va te manquer ?

— Je l'ai trouvé très agressif, très dépendant, les dernières fois qu'on s'est vus.

— Ça ne lui plaisait pas beaucoup que je te voie. Il était furieux que tu n'aies pas été très accueillant avec lui, que tu aies refusé de reconnaître cette amitié qui avait été la vôtre.

— J'avais trop de choses à gérer.

— Tu ne devrais pas faire ça aux gens, Jamal. Mais qui suis-je pour te dire ça ? Moi, j'étais pire. Il n'y en avait que pour moi. Après son agression, il se plaignait d'être essoufflé, de ressentir des douleurs dans la poitrine, mais je me disais que ça allait passer. Pourquoi n'ai-je pas eu l'idée de l'emmener chez le médecin ? Pendant qu'il attendait l'ambulance, il m'a demandé de lui pardonner. J'ai répondu que seul Dieu ou un prêtre pouvait faire ça.

— Lui pardonner quoi ? »

Elle a haussé les épaules. J'ai pensé qu'elle allait me dire quelque chose, mais elle a détourné le regard.

« On dîne ici ? lui ai-je proposé. Ils ont des salons privés, me semble-til ? »

Sa réponse me surprit beaucoup. « Désolée, Jamal, je ne m'en sens pas la force. J'ai besoin de rentrer chez moi. Je déteste l'idée que tu me voies dans cet état. »

Telle fut son explication. Elle paya et me laissa là.

Ensuite, je n'ai plus eu aucune nouvelle. Elle ne me rappelait pas. Quand j'allais frapper chez elle, soit il n'y avait personne, soit on me répondait, derrière la porte entrouverte, qu'il n'y avait personne.

J'étais inquiet pour elle et, ne sachant pas quoi faire, j'appelai Mustaq en Amérique. Ajita lui avait dit qu'il n'était pas nécessaire qu'il rentre à Londres, qu'elle était

« OK ». Elle savait qu'il était très occupé avec Alan. Il n'avait pas besoin d'autres morts sur les bras.

J'ai demandé à Mustaq si elle tenait le choc et il m'a dit : « Elle est à la maison, mais elle reste au fond du lit la plupart du temps. Elle ne voit personne, mis à part mes domestiques, et elle ne leur parle pas. Tout ce qu'ils font, c'est lui apporter à manger. J'apprécierais vraiment si tu pouvais passer, Jamal. »

Mustaq informa son personnel que j'allais venir la distraire. Quand j'arrivai, elle était couchée mais pas mécontente de me voir. Elle me demanda de me glisser dans le lit à côté d'elle, de la prendre dans mes bras, de la câliner. Elle n'avait pas envie que je la caresse, mais seulement de rester là, blottie de tout son corps contre le mien.

Je réussis à lui faire prendre une douche, puis elle s'habilla, fit quelques pas jusqu'au bout de la rue et insista pour rentrer.

Le jour suivant, nous avons marché un peu plus loin, disons une rue en plus. Elle s'appuyait sur un parapluie. Elle portait des lunettes noires et avait toutes les apparences d'une veuve vêtue de noir. Je me fis la réflexion que quelqu'un devait lui prescrire des tranquillisants : les médecins adoraient ça et les patients étaient déçus s'ils quittaient un cabinet de consultation sans ordonnance. J'aimais marcher avec Ajita sans me presser, à regarder les restaurants et les passants. Nous nous arrêtâmes pour boire un café et prendre un gâteau mais elle refusa de manger quoi que ce soit.

Ce n'est pas exceptionnel que quelqu'un soit déprimé pendant un deuil. Je me suis aussi demandé si la mort de Wolf ne lui avait pas rappelé la mort de son père, et le lien qui existait entre ces deux décès. Cependant, nous ne parlions guère au cours de ces promenades dans Soho.

Nous approchions de la maison et nous sommes passés devant un restaurant indien.

« Est-ce que tu as participé au meurtre de mon père ? » demanda-t-elle.

Je gardai le silence, mais elle attendait que je lui réponde.

« Quand est-ce que tu as su ?

— Après le documentaire. Tu étais bouleversé. Mais comment pouvais-je être sûre ? J'y pensais sans arrêt et je me posais des questions. Et puis Wolf m'a raconté, après la crise cardiaque. Je suppose qu'il était en train de mourir. L'ambulance a mis des heures avant d'arriver. Ils ne trouvaient pas la rue. Il voulait "se confesser".

— Qu'a-t-il dit exactement ?

— Il m'a raconté que c'était son idée : que toi, lui et Valentin, vous avez essayé de faire peur à papa pour qu'il me laisse tranquille. Mais, au lieu de ça, mon père est mort.

— Mustaq est au courant ?

— J'ai décidé de ne pas le lui dire. Il s'énerve si facilement.

— Est-ce qu'il saura un jour ?

— En quoi est-ce que ça l'aiderait de savoir combien j'ai souffert à ce moment-là et ce que tu as dû endurer ? Il se sentirait juste coupable. Il t'aime tellement, Jamal. Tu l'as aidé quand il était plus jeune.

— Tu vas lui dire, pour ton père et le viol ?

— J'ai l'impression qu'il a deviné. Mais je ne suis pas prête à en parler. Je ne suis pas en très bons termes avec mon frère en ce moment.

— J'ai été un imbécile de ne pas t'écouter à l'époque. Je voulais agir, être un dur parmi les durs.

— J'aurais dû parler à Mustaq.

— Ajita, je doute qu'il ait pu affronter ton père à son âge, le petit frère.

— J'aurais dû t'en parler quand il a commencé à me violer. Jamal, c'était si horrible, je voulais le tuer de mes mains. J'y pensais tout le temps. *Où acheter du poison ? Combien faut-il en prendre ? Est-ce que c'est facile à détecter ?* Ne te fais pas de reproches, c'était ma faute. Je l'ai tué, mon propre père, en t'encourageant à m'en débarrasser. Quand il me violait, j'ai souhaité sa mort des millions de fois. À l'époque, je me suis souvent demandé si tu lui avais fait du mal cette nuit-là. Mais comment est-ce que j'aurais pu te poser la question ? Cela ne me venait même pas à l'esprit. Tu étais jeune et tu as risqué ta vie pour moi. Tu étais – comment dit-on ça ? – chevaleresque. Je t'ai demandé une fois si tu pouvais faire quelque chose, si tu acceptais de lui parler. Mais je t'avais mis en garde : papa était dangereux. Malgré ça, tu y es allé et tu l'as fait. Tu as été courageux, téméraire, tu étais jeune. Tu regrettes ?

— Je ne sais pas.

— Moi, oui ! J'aurais dû mettre un terme à ce qu'il me faisait subir en le menaçant d'aller voir la police. Ou le frapper avec quelque chose. Je n'aurais pas dû t'entraîner dans cette histoire. Tu as fait ce que je n'arrivais pas à faire. Je ne peux pas accepter que tu sois puni parce que tu as risqué ta vie pour me sauver. Papa avait pratiqué la lutte dans sa jeunesse et des gens avaient été tabassés à cause de lui. Quand je vois des photos de Saddam Hussein en prison, je pense à papa. Aujourd'hui, il lui ressemblerait.

— Si j'avais su à l'époque, j'aurais fait plus attention.

— Jamal, est-ce que je pourrai jamais m'excuser ou te remercier ? Peut-on être amis ? Tu ne me détestes pas, j'espère ? Tu étais si froid quand on s'est revus chez mon frère, après toutes ces années. J'étais survoltée à l'idée de te retrouver alors que, toi, tu étais extrêmement réservé.

— J'étais nerveux. Je ne savais pas ce que tu allais faire resurgir.

— Ça t'a soulagé de voir que je te faisais si peu d'effet. Je m'en suis rendu compte. Il y a peu de choses qui m'ont autant blessée, Jamal. Je n'arrêtais pas de demander à Wolf : "Pourquoi est-il si froid ?"

— Mustaq n'est-il pas tenu trop à l'écart de cette histoire ? C'est le seul qui ne sache pas. Il ne saura jamais ?

— Je n'ai pas dit qu'il ne saurait jamais. On verra, si tu veux bien. Tu sais ce que je voulais, à l'époque où papa me violait ? J'imaginais que l'on s'enfuirait ensemble. On aurait pris un train, on aurait trouvé à se loger quelque part, on aurait travaillé dans des bars, dans des librairies ou je ne sais quoi. On ne serait jamais revenus, on se serait mariés et on aurait eu des enfants. Tu l'aurais fait ?

— Oui.»

Mais je me disais : «On ne se remet pas d'un meurtre. On ne s'en sort pas comme ça, on n'arrive pas à l'oublier.» Cette affaire ne serait jamais totalement résolue.

Nous étions revenus à la maison. Les employés étaient en train de faire le ménage. Nous sommes allés nous installer dans un petit salon au rez-de-chaussée où je remarquai quelque chose de familier, mais de tellement troublant que je n'arrivai pas à me souvenir où je l'avais déjà vu.

«Que se passe-t-il ? me dit-elle en me regardant.

— C'est donc là qu'elle est.» C'était la Main, posée sur une table, adossée contre le mur. «Ouf ! Comment est-elle arrivée là ?

— Pourquoi tu demandes ça ?

— Ce tableau magnifique appartient à Valerie, la femme d'Henry.

— On me l'a donné. C'est un cadeau.

— De Wolf ?

— Oui. Je l'adore. Je veux l'avoir sous les yeux en permanence. Je le déplace en fonction de l'endroit où je suis dans la maison.

— Ça n'était pas à lui. Il n'avait pas le droit te le donner, je le crains. »

Je le pris, le glissai dans mon sac à dos. Il dépassait. Il me faudrait l'envelopper dans un sac plastique.

« Ce qu'il m'a offert de mieux, il l'avait volé ? » Elle s'approcha et sortit le tableau du sac. Je me disais qu'elle pouvait être tentée de le détruire.

« Ce n'est pas une bonne idée », dis-je en saisissant le tableau. Je le remis dans mon sac. J'imaginais que nous aurions pu nous battre et déchirer le chef-d'œuvre pendant cette bagarre.

« Comment tu peux faire ça ? cria-t-elle depuis la porte d'entrée. Tu me prends toujours tout ! »

Une fois dans Dean Street, je hélai un taxi pour me rendre chez Valerie où une bonne en uniforme m'ouvrit la porte. L'entrée était pleine d'invités bien habillés.

Je posai mon sac, pris une flûte de champagne sur un plateau et, la Main sous le bras, je montai rejoindre les autres invités. Il y avait là des gens de lettres, du cinéma et du monde politique, tous accompagnés. Valerie n'eut pas l'air surprise de me voir, ni de voir le tableau. Elle m'en débarrassa, le posa sous une table basse et me proposa de me joindre à eux pour le dîner.

Avant que j'aie eu le temps de m'asseoir, elle me dit qu'elle voulait me demander quelque chose. Je pestai intérieurement mais je voyais bien qu'elle était occupée et que ça ne prendrait pas longtemps.

Nous étions debout dans un coin de la cuisine. Elle me demanda :

« Tu as vu Lisa. A-t-elle besoin d'un traitement ?

— Pour quoi faire ? »

Comme toujours, Valerie donnait l'impression d'être sur le point d'exploser. « Pour avoir volé mon satané tableau. Je ne sais pas. C'est toi, le médecin. Mais ne t'en fais pas pour cela. J'ai un autre petit souci. » Elle hésita. J'avais les yeux rivés sur elle mais elle refusait de me regarder. « Il y a des années de cela, alors qu'Henry et moi traversions une période difficile, mais nous étions toujours ensemble, d'une manière ou d'une autre, il m'avait dit : "Nous vieillirons ensemble. On achètera une maison au bord de la mer, on discutera, on mangera, on lira et on peindra." C'est ce que j'attends avec impatience. C'était la seule chose que j'avais en tête lorsque je songeais à l'avenir, à notre avenir commun.

— Bien.

— Nous ne sommes plus tout jeunes aujourd'hui. Et il s'est entiché de cette femme.

— Ma sœur, Miriam.

— Certes, certes. Bien qu'elle soit charmante, à n'en point douter, crois-tu vraiment que cette histoire soit sérieuse ? Crois-tu qu'elle va durer ? Tu le connais, c'est ton meilleur ami. Il n'y a personne d'autre à qui je puisse poser la question.

— Tu es en train de me demander si Henry va revenir vers toi ? »

Elle eut un infime hochement de tête, comme si l'idée de révéler cet espoir lui était pénible.

« Mais il est avec Miriam, maintenant. Ils sont ensemble depuis plus d'un an. Je crois qu'ils s'aiment. »

Elle me regardait fixement.

« Ce serait peut-être mieux de trouver quelqu'un d'autre. »

J'avais failli dire : « On ne peut jamais faire machine arrière », mais je m'abstins. Après tout, c'était complètement faux.

« Je savais que je n'aurais pas dû t'en parler. À propos, si

Henry n'était pas ton ami, tu ne serais rien à Londres. Tu pourrais être un peu plus reconnaissant. »

Elle baissa les yeux et tourna les talons.

Il y avait du monde à table. C'est à peine s'il y avait de la place pour toutes les chaises. J'étais content de voir Sam, le fils d'Henry, qui sortait maintenant avec la fille, très dévêtue, d'une star du rock que j'avais adulée au cours des années 1970. Sam prit le numéro de portable de Rafi. Lui et sa copine, qui chantait comme Nico apparemment, voulaient répéter des chansons qu'ils avaient écrites et ils cherchaient un batteur. Sam avait déjà fait un bœuf avec Rafi et il connaissait son niveau. Rafi se glisserait sans problème dans cet univers.

Je me retrouvai assis à côté de femmes qui, lorsque je leur expliquai ce que je faisais, se mirent toutes à me raconter leurs rêves. Dans ce genre de circonstances, j'ai souvent l'impression d'être un médecin en vacances à qui les gens s'obstinent à raconter leurs bobos.

Bientôt, je perdis le fil. Je me rendais compte à quel point je m'ennuyais, je me sentais insatisfait. Je ne voulais pas rentrer pour me retrouver seul et je n'avais pas l'énergie d'affronter le chaos que je trouverais chez Miriam.

J'ai bien pensé aller voir la Déesse mais je n'étais pas d'humeur. Je compris combien j'étais seul, loin des autres. Et je me dis que j'avais envie de tomber amoureux, de nouveau, peut-être pour la dernière fois. Faire l'expérience de l'amour, à mon âge, et comparer avec l'amour aux autres âges. Je n'étais pas encore prêt mais ça ne tarderait pas.

46

Pour aider Rafi à s'habituer à ce nouveau collège chaudement recommandé par Mick Jagger, Josephine avait décidé de l'accompagner les trois premiers jours ; le quatrième, ce fut moi. Après quoi, désormais âgé de douze ans et prenant résolument ses distances par rapport à nous, notre fils s'assumerait.

Nous avons pris le bus au bout de ma rue. Il était 7 h 30 et cela faisait longtemps que je n'étais pas sorti de si bonne heure. Il était inquiet. « Papa, papa, enlève ta capuche et tes lunettes de soleil. Surtout, ne dis rien ! » siffla-t-il entre ses dents.

Brutalement, il me parut plus grand : il m'arrivait au menton maintenant. Il avait une cravate bien serrée autour du cou (je lui avais appris à faire un nœud Windsor, tout comme mon père me l'avait appris), des chaussures noires un peu grandes, ses clés, son téléphone en sautoir, comme tout le monde maintenant.

Des garçons plus âgés, déjà lassés, blasés, la chemise froissée sortie du pantalon, l'air avachi, occupaient l'arrêt de bus où ils fumaient et écoutaient de la musique au casque. Bientôt, ce serait son tour, mais pour l'instant, il avait peur. Dans le bus, il me montra ses projets pour l'été, me demandant ce que j'en pensais – photos de feuilles, de rochers, dessins de troncs d'arbre, mots mal orthographiés éparpillés un peu partout. Nous avons traversé le pont d'Hammersmith. La Tamise était en crue. Élégante, scintillante dans la lumière du matin. Nous avons pris le bus qui allait jusque Barnes : il longeait les terrains de sport, des maisons cossues et le parc zoologique. Londres était splendide en cet été tardif. Les grands terrains et la proximité de Richmond Park faisaient de la nouvelle école de Rafi un ghetto idyllique. Nous nous sommes arrêtés devant les grilles d'entrée. Je lui dis que j'aurais aimé aller dans une telle école. La mienne était plutôt rude, l'ambiance souvent violente et il n'y avait rien à attendre des enseignants. Mais je n'étais pas sûr que j'aurais aimé être tenu à distance du monde réel comme ici.

Rafi partit en courant. Il craignait que j'essaie de lui dire quelque chose d'important, ou pire encore, que je cherche à le serrer dans mes bras ou à l'embrasser. « Merci, 'pa, à plus. »

Je recevais de nouveaux patients pour pouvoir financer sa scolarité, et je commençais aussi à prendre des notes pour mon livre sur la « culpabilité ». J'avais hâte de me plonger dans mes recherches. Pas dans la salle de lecture du British Museum dont je gardais des souvenirs ambivalents, mais dans la nouvelle British Library, à King's Cross.

Je n'écrivais plus sur Ajita. La réalité m'avait guéri de mes fantasmes. Mais, un dimanche matin, je lui rendis visite. Elle était toujours couchée, dans une chambre aux rideaux tirés, buvant du champagne qu'elle mélangeait à tout ce qui lui passait à portée de main. Elle prétendait que ce breuvage lui adoucissait la gorge. C'est tout juste si elle put dire quelques phrases tant elle avait mal.

« Tu veux parler à quelqu'un ? Il y a des choses dont tu as besoin de discuter ?

— Oui, bien sûr. Pourquoi ne me l'as-tu pas proposé plus tôt ? Qu'est-ce que j'ai à perdre ? Il m'est quasiment impossible de sortir. Cette maison est devenue un bunker. En plus de ça, j'ai trois hommes, toi, mon frère et mon mari, qui essaient de me contrôler. Je veux inviter les enfants ici pendant quelques semaines. Je veux voir mon mari aussi, lui donner des explications. Mais je ne peux pas m'en occuper correctement : je me sens si faible, si fatiguée.

— Je connais une très bonne analyste.

— Ce n'est pas d'un homme dont j'ai besoin ?

— Pas tout de suite.

— Ah, c'est sûr, je ne voudrais pas d'un autre spécimen de paon pompeux dans ton genre, qui calcule ses silences pour te dire : "Ah, c'était donc ça." »

J'ai appelé l'amie en question et le chauffeur de Mustaq a conduit Ajita à sa première séance. Ma collègue espagnole avait une bonne soixantaine d'années : fine, élégante, elle changeait régulièrement la couleur de ses cheveux. Elle avait publié des livres intéressants, était intelligente et cultivée. C'était une femme qui savait écouter.

Après sa séance, Ajita m'a téléphoné depuis le taxi :
« Tu n'as pas vu le cabinet d'Ana ? Il est merveilleux. Il y a des livres, des tableaux, un canapé avec une couverture. Je me suis assise sur le canapé, mais pendant quelques secondes, j'y ai étendu les pieds et j'ai posé la tête sur l'oreiller. Immédiatement, je me suis redressée, pensant que si elle ne pouvait pas me voir, si j'étais allongée là, passive et impuissante, elle ne m'aimerait pas. N'est-ce pas pitoyable, ce genre d'amour artificiel ? Après tout, je sais très bien qu'elle ne m'aime pas comme je l'aime.

— Curieusement, on dit que plus l'analyste est compétent, plus il est capable de tomber amoureux de son patient.

— Tomber amoureux pour gagner sa vie : y a-t-il une expérience plus étrange ? C'est une forme de prostitution de l'âme. J'ai eu l'impression de me faire remuer comme avec une grande cuillère. J'en suis sortie complètement ravagée, avec le sentiment d'avoir appris les choses les plus évidentes et les plus intéressantes qui soient. »

Quelques séances plus tard, Ajita me confia qu'elle avait adopté un rythme de cinq séances par semaine, ce qui est peu courant de nos jours. À l'époque de Freud, une analyse tous les jours, on appelait ça une « cure classique », mais Vienne était une petite ville : se rendre au 19 de la rue Berggasse n'était pas un problème pour les Viennois fortunés.

« Ana portait une petite veste rouge à poil ras que j'ai touchée en lui disant au revoir et en la remerciant. Jamal, c'était du vison.

— Oui, Ana est une femme un peu différente.

— C'est la femme que j'ai envie d'être, c'est évident. Avisée, cultivée, patiente, instruite par l'expérience. Elle peut parler avec tout le monde. Mais je ne pense pas qu'elle ait une vie sexuelle. Enfin, moi-même, je ne peux pas vraiment dire que j'en ai une.

— Maintenant, tu as au moins une routine.

— Oui. Je me lève tôt pour aller la voir, puis je note tout dans mon journal intime. L'après-midi, je vais dans les musées, les galeries, ou je lis. Je suis une idiote ignorante. Je n'ai jamais pensé que quelqu'un pourrait accepter de m'écouter.

— Wolf t'écoutait.

— Oui, il était dingue de moi, complètement fasciné. Il écoutait tout, il n'y avait rien d'ennuyeux pour lui. C'est ça l'amour, non ? Mais le voilà qui m'échappe encore. »

Je venais souvent la voir. Je m'asseyais sur le lit avec elle. En pyjama de soie noire, elle mettait de la musique et buvait, pendant que je somnolais. Elle était avide de connaître l'histoire de la psychanalyse. Elle posait beaucoup de questions. Elle aimait que je sois assis près d'elle, même quand elle lisait.

« Je ne suis pas quelqu'un d'instruit. Tu te souviens ? Maintenant, dis-moi, c'est quoi exactement le "mauvais sein" ? »

Ces séances me rappelaient les moments passés chez elle quand nous étions étudiants. Je les appréciais tout autant. Nous aurions pu recommencer à faire l'amour. J'avais l'impression que cela pourrait lui plaire. Je n'étais qu'une pâle copie de Wolf. Elle m'avait dit à quel point elle aimait sa force physique. Mais peut-être étais-je mieux que rien ?

J'étais toutefois trop inhibé pour m'engager sur cette voie et, comme toujours, j'avais quelqu'un d'autre en tête, quelqu'un qui ne voulait pas lâcher prise.

47

« Tu as dit, une fois, que la vie est une série de pertes, me fit remarquer Karen. Il faut le dire et le redire. Il y a la vitesse de la mort, qui t'arrive dessus comme un missile, et avant que tu aies eu le temps de dire ouf – boum, tu es mort. »

Cette fois-ci, c'était moi qui conduisais – « retour à Bromley ». J'avais transmis les coordonnées de l'architecte de Mustaq à maman et Billie. L'atelier du jardin était terminé et, ce jour-là, c'était l'« ouverture officielle », comme disait Billie, avec Mustaq dans le rôle de l'invité d'honneur.

Rafi était assis à l'arrière. La tête penchée sur sa console PSP, il écoutait son iPod. La seule manière d'attirer son attention, c'était de le toucher du bout du doigt. Malgré tout, on prenait des risques.

Karen était toujours en chimiothérapie, ses filles avec Ruby et les jumeaux. Elle voulait discuter, sa voix était un murmure, comme si elle parlait à travers une cloison. Elle avait froid et portait un gros manteau de chez Nicole Farhi avec un col en fourrure. Sa perruque était longue et brillante, pleine d'électricité statique. Elle avait l'air de quelqu'un d'excentrique, qui saborde ses efforts pour ressembler aux stars de cinéma des années 1940, ou qui se moque de la féminité.

« Je n'avais jamais compris l'intérêt de la marche auparavant, mais maintenant, ça me plaît de me fondre dans le courant des autres déambulateurs. Eux aussi sont en chimio, épuisés par leurs radiations ou déglingués par la vicodine. Je bois du café, je m'empiffre de croissants et de tartes à la crème anglaise jusqu'à ce que je ne puisse plus rien avaler. Tu avais raison, je me fuyais. Ce n'était pas du déni mais de l'autodestruction. Tu m'as dit de parler avec l'oncologue mais je détestais l'idée de me retrouver prise dans la machine, dans le système. Tu as insisté pour me convaincre que ça marchait, que c'était la seule solution. Maintenant, lui et moi, on s'assied à la cafétéria de l'hôpital comme deux adultes qui se respectent et je l'adore quand il me montre les photos de sa femme et de ses enfants. Tu m'as dit que je devrais parler à ces toubibs d'égal à égal. Qu'ils n'auraient pas peur de mon désarroi si je leur parlais de ma mort. Mais affronter la réalité, ça c'est une forme d'art. Quand je croyais que j'allais mourir, je voulais appeler tout le monde pour leur dire à tous : "Eh, vous ne le saviez pas mais vous ne faites que jouer à être vivants !" »

Quand nous sommes arrivés à la maison, maman a ouvert la porte, nous a accueillis avec un grand sourire et nous a tendu la joue pour une bise. J'étais content de la voir même si je savais que Rafi la rendait nerveuse (à cause de son « odiosité », comme elle disait mais, bizarrement, avec elle, il était toujours poli). Ces derniers temps pourtant, quand nous nous voyions, c'était comme si je retrouvais par hasard quelqu'un que j'avais bien connu mais avec qui je n'avais plus grand-chose en commun, si ce n'est un certain malaise, en fait. J'avais également eu cette impression avec Josephine.

« Maman, tu n'as jamais beaucoup aimé les enfants, n'est-ce pas ?

— Les enfants, tu leur donnes tout. Et une fois qu'ils sont adultes, ils n'ont qu'une hâte, c'est de dire à leur psy à quel point ils te détestent. Quoi que tu fasses, ils ne veulent pas de toi.

— C'est vrai.

— Je me disais que tu aurais pu amener Josephine pour qu'on discute.

— Quoi ? J'étais justement en train de penser à elle. Pourquoi tu te dis ça ?

— Je l'aime bien.

— Ah bon ?

— C'était la meilleure du lot. J'aimerais bien qu'elle voie l'atelier. Tu l'amèneras ?

— Elle est avec quelqu'un d'autre.

— Ne t'en fais pas pour ça. Tu n'as qu'à dire à cet homme d'aller faire un tour. »

Miriam était déjà là. J'étais content de la voir, et réciproquement. Elle promenait sur la maison un regard halluciné et ne semblait pas comprendre ce qu'il était advenu de son enfance. Elle était toujours perturbée et dérangée par maman, comme si celle-ci allait l'agresser pour ses crimes et erreurs passés. Mais maman était gentiment ivre et se contentait de sourire à tout le monde avec une sorte de clairvoyance et de bienveillance zen, tandis que Miriam s'accrochait au bras d'Henry.

Ces derniers temps, elle était plus souvent chez lui. Ils parlaient aussi de louer un cottage à la campagne. Henry était de nouveau en plein travail et il s'y était lancé avec une persévérance et une concentration accrues. Il essayait de faire le lien entre *Don Giovanni* et cette nouvelle culture de la consommation et de la célébrité à outrance qui, à ses yeux, reflétait la nocivité cynique et vicieuse de l'époque. Il s'était dit que la seule issue était de refaire le monde, quand bien même les hommes politiques qu'il avait soutenus étaient en train de le défaire.

Comme nous passions au jardin avec nos flûtes, je vis le nouveau petit atelier, en bois de pin et verre, au milieu des arbres et des buissons. Alan était déjà là et Karen s'agenouilla pour le prendre dans ses bras. Pour pleurer aussi. Dans son fauteuil roulant, emmitouflé dans plusieurs couvertures, Alan avait l'air encore plus fragile qu'elle. Il était épuisé, incapable de dormir pendant plusieurs jours d'affilée. En tant qu'ancien junkie, il était persuadé que les pilules qu'on lui prescrivait ne pouvaient avoir d'effet sur son corps corrompu. Son regard se perdait dans un univers de brouillard. « À Londres, on entend partout le tic-tac des bombes, murmura-t-il en me prenant la main. Je suis l'une de ces bombes. Mais moi, c'est une mort gay qui m'attend. »

Je ne fus pas surpris de voir à quel point Alan avait maigri, mais Mustaq, toujours impeccable et parfaitement manucuré, donnait l'impression d'avoir beaucoup grossi. Il était agité, débraillé, comme s'il avait la ferme intention d'accompagner son amant jusqu'aux portes de la mort. Si Alan ne mourait pas d'ici là, ils se marieraient dans l'année, dès que le pacte civil de solidarité serait légalisé.

Mustaq n'arrêtait pas de toucher Alan, il le caressait, l'embrassait. À d'autres moments, il semblait me fixer longuement, comme s'il parvenait à localiser ma paranoïa. Il avait l'air de quelqu'un tout droit sorti d'un rêve. Il retrouva un peu d'énergie en voyant arriver Rafi. Il lui demanda ce qu'il écoutait sur son iPod.

D'autres amis de maman et de Billie étaient attendus. J'embrassai Ajita et la pris par le bras. « Sortons un peu. J'ai besoin de discuter avec toi. »

Ce n'était pas loin, en voiture. Nous étions devant la maison où Miriam et moi avions grandi. Autant que je me souvienne, Ajita n'y était venue que deux fois, apportant à maman le meilleur curry de sa tante dans des boîtes en plastique. Désormais, c'est tout juste si on reconnaissait la maison, avec toutes ses extensions. Sous le porche, il y avait des vélos et des jouets d'enfants. Puis nous avons repris la voiture pour passer devant la maison où elle avait vécu. Elle ne l'avait pas revue depuis son départ en Inde. Nous sommes arrivés en même temps que le propriétaire. Il nous jeta un coup d'œil sans rien dire. L'endroit n'avait pas changé. Nous sommes remontés en voiture au moment où la porte du garage s'ouvrait. À l'intérieur, tout était bien rangé. C'est à peine si l'on voyait quelques cartons dépasser. Nous avons regardé la voiture entrer dans le garage. Puis le propriétaire est sorti, nous a jeté un autre coup d'œil avant de rentrer chez lui.

« Était-ce bien réel ? me demanda Ajita sur le chemin du retour. Est-ce que tout cela a vraiment eu lieu ?

— Qui sait ? »

Je racontai à Mustaq que nous étions allés chez eux et lui proposai d'y passer. Il me dit d'un ton irrité : « Pourquoi tu me demandes ça ? Plus ça va, plus je déteste mon père. C'était un homme qui ne pouvait comprendre les homosexuels. Il n'aurait jamais saisi la portée de cet amour passionné : il était incapable de tels sentiments. »

Le jour de l'inauguration chez maman et Billie, Mustaq avait décidé d'imiter la voix de notre reine pour ouvrir officiellement l'atelier. Il se livra à un vibrant éloge du charme des lieux et des deux vieilles demoiselles. Puis il baptisa l'atelier au champagne et entonna, avec nous tous, *Vincent.*

Nous avons repris du champagne et avons commencé à nous servir sur les tables couvertes de bonnes choses à manger. Un chanteur d'opéra très éméché, accompagné par un joueur d'accordéon, nous chanta des airs de

Puccini et de Verdi. Certains dansaient. Alan se laissa convaincre de quitter son fauteuil roulant et chancela pendant quelques mesures entre les bras de Mustaq – le temps d'une interprétation du *I Love That Man* de *Porgy and Bess*.

Tandis que les deux hommes échangeaient un baiser, maman déclara : « Nous allons tous vers la sortie, en traînant les pieds, et en file indienne, s'il vous plaît.

— Oui, dit Billie, et certains d'entre nous, en chantant. »

Ce n'est que plus tard, alors que nous mangions gâteaux et sandwiches, que je revis le couteau. Je fus surpris de constater qu'il avait traversé toutes ces années sans qu'on le remarque, sans que quiconque connaisse son histoire. Mustaq me dévisageait. « Que se passe-t-il, Jamal ? On dirait que tu as vu un fantôme. »

Je m'éloignai un instant. Je trouvai Henry dans l'atelier, qui observait le travail des deux femmes et utilisait le téléphone portable de Miriam pour photographier leur matériel. De la fenêtre, nous apercevions Miriam qui discutait avec Rafi.

« Elle n'est pas jolie ? me demanda Henry.

— Elle est un peu fluette pour moi.

— Je l'aime bien comme ça. Elle a l'air plus sérieuse. On ne va pas remonter sur "la scène" pendant quelque temps. Mais cela ne veut pas dire que nous arrêtons tout. Je ne veux pas être Don Giovanni. De même que je ne suis pas de ceux qui pensent qu'avec le temps, le désir s'émousse ou que l'intimité tue l'érotisme. En fait, dans un couple, les relations sexuelles deviennent dangereusement cochonnes. Et très satisfaisantes. Je crois que ça peut parfois prendre un goût un peu incestueux et c'est pour ça que les gens préfèrent les inconnus. Qu'en penses-tu ?

— Quand Josephine et moi faisions l'amour, c'était mieux que tout.

— Tu veux retourner vers elle ? » Il me regardait d'un air inquiet. Puis il se mit à rire. « Tu plaisantes. Tu es dingue. »

Karen dormit dans la voiture sur le chemin du retour. Elle gardait ses forces pour plus tard, pour Karim dans *Je suis une célébrité...*

Rafi cherchait ses écouteurs dans ses poches. Je profitai de cette étroite fenêtre de tir pour discuter un peu avec lui.

« Eliot est toujours dans les parages ?

— C'est évident.

— Il fait quoi ?

— Quand ça ?

— Quand il est à la maison.

— Il traîne avec maman. Tu es jaloux ?

— Oui, et laisse-moi te dire que les tourments de la jalousie ne t'aident guère à te passer de l'autre. On ne voit pas pourquoi, d'ailleurs. Et à part ça ?

— Il regarde la télé, mange des boîtes de nouilles, lit le journal, s'installe dans le jardin pour fumer.

— Bref, comme tout le monde.

— Quoi ? fit-il au moment où la musique jaillissait dans ses oreilles. Qu'est-ce que tu dis ? »

Un moment, il retira ses écouteurs et me dit :

« Mustaq, le chanteur. Il m'a montré des accords sympas. Il m'a expliqué ce qu'il veut faire. Des trucs sur les Pakis, les suicidaires, la paranoïa – comme Springsteen fait aux States. Il veut m'inviter dans son studio quand il enregistrera, pour me montrer comment ça marche. Tu m'emmèneras, hein ? »

La journée m'avait épuisé. Je déposai Karen, puis Rafi.

Quand Joséphine ouvrit la porte au gamin, elle me sourit et me salua de la main. Je démarrai.

Au lieu de rentrer, je me garai à quelques mètres de là et appelai Ajita pour lui demander ce qu'elle avait pensé de la journée.

Elle gloussait. « C'est drôle, j'ai fait quelques pas dans le jardin avec Rafi. Il faut que te raconte ça. Il n'arrêtait pas de me regarder et il m'a dit : "Vous avez des yeux magnifiques. Vous êtes vraiment très belle." Il a cette petite étincelle dans les yeux, tu sais. Il va toutes les faire craquer. »

J'étais amusé et fier. Agacé aussi. Envieux même. Je sortis de la voiture pour aller frapper chez Josephine. Rafi me fit entrer puis il retourna devant la télé.

Josephine sortait de la salle de bains et se nouait une serviette autour des hanches. Elle me laissa la regarder avant de se couvrir. Elle avait encore une ligne impeccable.

« Tu es revenu », me dit-elle.

Je la suivis dans l'escalier. Elle m'offrit une bière et me coupa une part de son gâteau au chocolat. Rafi nous observa un moment puis il se dirigea vers sa chambre pour y faire une partie de jeu vidéo.

Nous parlions de ses insomnies, de ses douleurs dans la nuque, du mauvais état de ses genoux, de ses problèmes de peau, entre autres choses passionnantes, quand la sonnette retentit.

« Il n'a pas de clé ? demandai-je.

— Pas encore. »

Je l'attirai sur mes genoux.

« Je ne vais jamais te laisser partir, fis-je en glissant ma main entre ses cuisses.

— Mais c'est ce que tu as fait.

— J'ai été très con. » Je l'embrassai sur la bouche et sentis qu'elle n'était pas insensible. Ses doigts se mirent à parcourir mon dos. Une fois que Josephine vous avait touché, vous en gardiez le souvenir toute votre vie. « On peut déjeuner ensemble demain ? »

Eliot sonna encore. Rafi, bien sûr, n'aurait pas bougé d'un centimètre, sauf si son intérêt immédiat en avait dépendu. Josephine commençait à paniquer.

« Mais ce sera un peu précipité, me souffla-t-elle.

— Qu'est-ce que nous pourrions faire alors ?

— Tu m'emmènerais dîner quelque part ?

— Volontiers. Je voulais justement te demander si tu aurais envie de m'accompagner voir Hussein Nassar. »

Dans le restaurant indien de mon quartier, tandis que chacun dégustait riz et *dhal*, un imitateur indien d'Elvis, Hussein Nassar, surnommé « le juke-box du King », refaisait l'intégralité du *come back* d'Elvis en 1968.

« C'est une occasion à ne pas rater, ajoutai-je. Il ne faudrait pas que tu oublies le rôle crucial des musulmans dans la vie culturelle de ce pays. Et puis, j'ai beaucoup de choses à te dire.

— Sinon, tu t'en sors ?

— Je commence tout juste.

— Merci de m'avoir envoyé tes textes par mail.

— Je suis en train de réfléchir à la manière d'en faire un livre.

— Il serait temps que tu en sortes un nouveau.

— On pourrait discuter de ce que tu en as pensé.

— Ça me plairait beaucoup. Je vais essayer de me faire belle pour toi.

— À demain alors. »

Nous nous sommes mis d'accord pour que je passe la prendre à 19 h 30. Je l'embrassai encore, je ne pouvais pas m'en empêcher, et lui murmurai alors que la sonnette retentissait une nouvelle fois et qu'elle me repoussait : « Il faut être trois pour danser le tango ! »

À l'étage, la porte de Rafi était ouverte : il nous épiait.

Il était abasourdi de constater que non seulement ses parents se parlaient mais qu'en plus, ils projetaient de se voir en cachette. Quand je passai devant sa porte, il leva timidement les pouces en signe d'approbation.

Eliot attendait à la porte. Il regardait ailleurs.

« Salut, dit-il.

— Bonjour, Eliot. Comment ça va ?

— Bien, très bien.

— Les vacances étaient bien ?

— Superbes.

— Il a fait beau ?

— Beau mais pas trop chaud. »

Quand il est passé devant moi et que je me suis retourné, j'ai vu Rafi qui nous regardait à la fenêtre. Nous nous sommes fait un clin d'œil et nous avons levé les yeux au ciel.

Avant de rentrer à pied chez Miriam, je passai au Cross Keys pour la dernière fois.

Dans quelques semaines, la Harpie serait partie – direction la mer, sans aucun doute. Même si la boîte de strip-tease lucifuge était toujours pleine à craquer, on allait bientôt la fermer pour en faire un pub gastronomique. Les filles étaient paniquées, elles ne savaient pas si elles allaient retrouver du travail. Elles considéraient qu'elles étaient « danseuses », « performeuses » même, certainement pas prostituées. Mais elles étaient trop rustiques pour les nouvelles boîtes de strip, qui employaient essentiellement de jeunes femmes tchèques, polonaises ou russes.

Je m'installai au bar avec un journal et j'observai le délire intense de ces hommes qui n'avaient d'yeux que pour Lucy. Pendant sa pause, nous montâmes dans l'ancienne chambre de Wolf. Bushy était venu chercher toutes ses affaires. J'avais envie d'aider Lucy à améliorer son anglais.

Et comme je le faisais régulièrement depuis quelque temps, je lui fis la lecture de mes textes préférés : poèmes élisabéthains, extraits de *Malaise dans la civilisation,* histoires pour enfants du Dr Seuss.

Elle ne devait pas tout saisir. Mais cela nous faisait rire d'être allongés là, tout à la joie de ne pas nous comprendre.

48

Je ne suis plus si jeune et je ne suis pas si vieux. J'ai atteint l'âge où je me demande comment je vais poursuivre ma vie, ce que je vais faire du temps et du désir qu'il me reste. Je sais au moins que j'ai besoin de travailler, que je veux lire, penser et écrire, manger et discuter avec des amis, avec des collègues. Rafi sera bientôt adulte. Je voudrais voyager avec lui, avec sa mère (si je parviens à les rallier à mes envies). Je pourrais les emmener visiter les endroits que j'aime. Je leur montrerais les églises italiennes. Nous irions dîner à Rome. Nous pourrions aussi aller voir les villes indiennes, les librairies parisiennes, les canaux du Hertfordshire, les chutes d'eau du Brésil, les musées de Barcelone.

Je n'en ai pas fini avec l'amour, j'en suis certain – qu'il se manifeste sous une forme bienveillante ou chaotique. Et il n'en a pas fini avec moi non plus.

Je m'ébroue, je me lève. Cela faisait un moment que j'étais assis dans mon fauteuil. Je rêvais tout éveillé. La sonnerie retentit pour la deuxième fois. Maria doit être partie au marché.

Je me dirige vers la porte et fais entrer mon patient. Il enlève son manteau, ses chaussures et s'allonge sur le divan. Je m'assieds juste derrière sa tête, là où je peux l'entendre sans qu'il me voie. Pendant un moment, il ne dit rien.

Je fais le vide dans mon esprit. Je me concentre sur ma respiration, sur la sienne, tandis que, l'un comme l'autre, nous attendons que l'étranger tapi en lui prenne la parole.

La photocomposition de cet ouvrage
a été réalisée par
GRAPHIC HAINAUT
59163 Condé-sur-l'Escaut

Impression : Normandie Roto Impression s.a.s.
Dépôt légal : août 2008
N° d'édition : 1951-8 N° d'impression : 090032
Imprimé en France